CONCISE ATLAS
of the
WORLD

Contents

**1st edition May 2008 for
the Automobile Association**

Published by Automobile Association Developments Limited whose registered office is Fanum House, Basing View, Basingstoke RG21 4EA, UK. Registered number 1878835.

Hema Maps Pty Ltd.
PO Box 4365 Eight Mile Plains, Brisbane
QLD 4113 Australia
Ph: +61 7 3340 0000 Fax: +61 7 3340 0099
Web: www.hemamaps.com
E-mail: manager@hemamaps.com.au

ISBN: 978 0 7495 5811 6 (black cover)
ISBN: 978 0 7495 5815 4 (blue cover)

Printed in U.A.E. by Oriental Press, Dubai.

Wherever possible the latest comparable data has been used in the compilation of the 'World flags and statistics' section.

The Map section uses local spellings. The 'World flags and statistics' section uses the conventional English translation where it is different from the local form of the name.

Legend and key map	4
World flags and statistics	6
World: Political	30

EUROPE

Europe: Political	32
Scandinavia	34
Central Europe	36
Germany	38
Benelux	40
British Isles	42
France	44
Spain and Portugal	46
The Alpine States	48
Italy	50
The Balkans	52
Greece and Western Turkey	54
European Russia	56

ASIA

Asia: Political	58
Northwest Asia	60
Northeast Asia	62
Eastern China	64
Japan and Korea	66
Southeast Asia	68
Malaysia and Indonesia	70
Southern Asia	72
The Middle East	74
Turkey	76
Israel and the Gulf States	78

AFRICA

Africa: Political	80
Northeast Africa	82
Northwest Africa	84
West Africa	86
Central Africa	88
Southern Africa	90

OCEANIA

Oceania: Political	92
Australia	94
New Zealand	96

NORTH AMERICA

North America: Political	98
Canada	100
United States	102
Northwest United States	104
Northeast United States	106
Southeast United States	108
Southwest United States	110
Central America & the Caribbean	112

SOUTH AMERICA

South America: Political	114
Northern South America	116
Southern South America	118
Arctic Ocean and Antarctica	120
Index to country maps	121
Index	122

Legend and key map

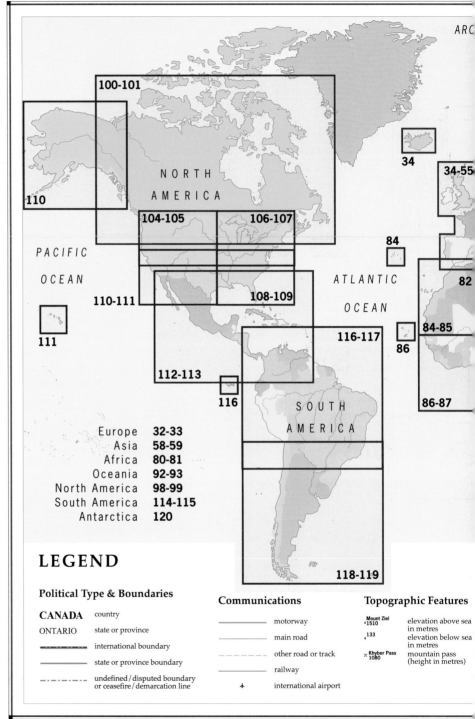

ARC

100-101

34

34-55

110

NORTH
AMERICA

104-105

106-107

84

PACIFIC

OCEAN

110-111

108-109

ATLANTIC

OCEAN

82

111

116-117

84-85

86

112-113

116

SOUTH
AMERICA

86-87

Europe	**32-33**
Asia	**58-59**
Africa	**80-81**
Oceania	**92-93**
North America	**98-99**
South America	**114-115**
Antarctica	**120**

118-119

LEGEND

Political Type & Boundaries

CANADA	country
ONTARIO	state or province
▬▬▬▬	international boundary
———	state or province boundary
—·—·—·	undefined / disputed boundary or ceasefire / demarcation line

Communications

———	motorway
———	main road
– – – –	other road or track
———	railway
✈	international airport

Topographic Features

Mount Ziel ▴1510	elevation above sea in metres
▾133	elevation below sea in metres
⤫ Khyber Pass 1080	mountain pass (height in metres)

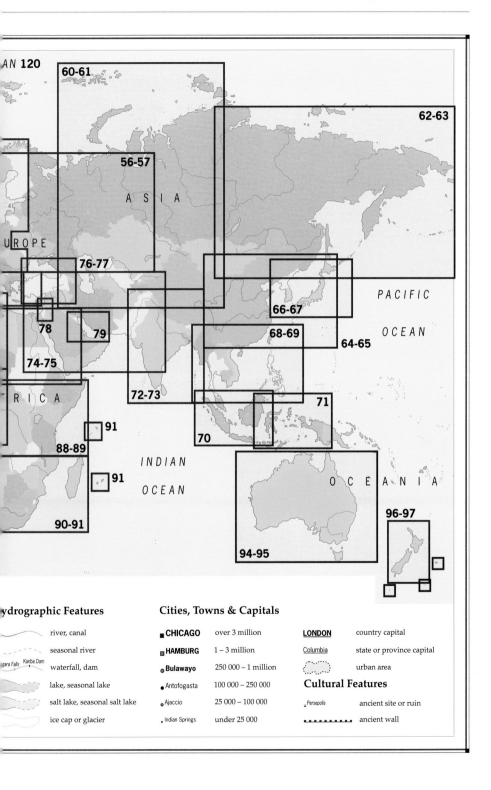

AN **120**

60-61

62-63

56-57

A S I A

U ROPE

76-77

P A C I F I C

66-67

O C E A N

78

79

68-69

64-65

74-75

72-73

71

RICA

70

91

88-89

INDIAN

91

OCEAN

O C E A N I A

90-91

96-97

94-95

ydrographic Features

~~~~~ river, canal

- - - - - seasonal river

gara Falls *Kariba Dam* waterfall, dam

lake, seasonal lake

salt lake, seasonal salt lake

ice cap or glacier

Cities, Towns & Capitals

■ **CHICAGO** over 3 million

▫ **HAMBURG** 1 – 3 million

◉ **Bulawayo** 250 000 – 1 million

● Antofogasta 100 000 – 250 000

◦ Ajaccio 25 000 – 100 000

· Indian Springs under 25 000

LONDON country capital

Columbia state or province capital

⬭ urban area

Cultural Features

ᐱ *Persepolis* ancient site or ruin

·········· ancient wall

World flags and statistics

AFGHANISTAN

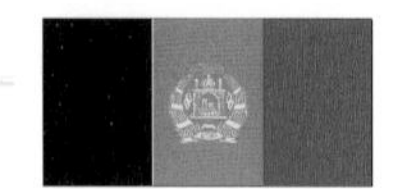

Capital:	Kabul
Area:	647,500 km²
Population:	31,056,997
Currency:	Afghani (AFA)
Main Religions:	Sunni Muslim 80%, Shi'a Muslim 19%, other 1%
Main Languages:	Pashtu 35%, Afghan Persian (Dari) 50%, Turkic languages 11%, 30 minor languages 4%
Int Dial Code:	93
Map Page:	75

ANGOLA

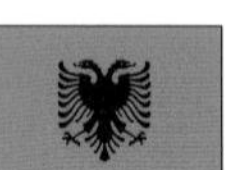

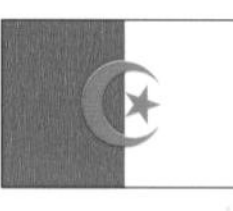

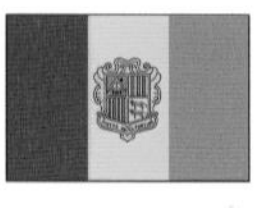

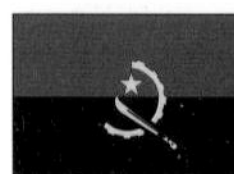

Capital:	Luanda
Area:	1,246,700 km²
Population:	12,127,071
Currency:	Kwanza (AOA)
Main Religions:	Indigenous beliefs 47%, Roman Catholic 38%, Protestant 15%
Main Languages:	Portuguese (official), Bantu and other African languages
Int Dial Code:	244
Map Page:	80

ALBANIA

Capital:	Tirana
Area:	28,748 km²
Population:	3,581,655
Currency:	Lek (ALL)
Main Religions:	Muslim 70%, Albanian Orthodox 20%, Roman Catholic 10%
Main Languages:	Albanian (Tosk is the official dialect), Greek
Int Dial Code:	355
Map Page:	54

ANTIGUA AND BARBUDA

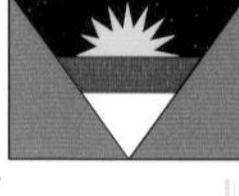

Capital:	Saint John's
Area:	442.6 km² (Antigua 281 km²; Barbuda 161 km²)
Population:	67,000
Currency:	East Caribbean dollar (XCD)
Main Religions:	Anglican (predominant), Protestant, Roman Catholic
Main Languages:	English (official), local dialects
Int Dial Code:	1 + 268
Map Page:	113

ALGERIA

Capital:	Algiers
Area:	2,381,740 km²
Population:	32,930,091
Currency:	Algerian dinar (DZD)
Main Religions:	Sunni Muslim 99%, Christian and Jewish 1%
Languages:	Arabic (official), French, Berber dialects
Int Dial Code:	213
Map Page:	85

ARGENTINA

Capital:	Buenos Aires
Area:	2,766,890 km²
Population:	39,921,833
Currency:	Argentine Peso (ARS)
Main Religions:	Roman Catholic 92%, Protestant 2%, Jewish 2%, other 4%
Main Languages:	Spanish (official), English, Italian, German, French
Int Dial Code:	54
Map Page:	118

ANDORRA

Capital:	Andorra la Vella
Area:	468 km²
Population:	71,201
Currency:	Euro (EUR)
Main Religions:	Roman Catholic
Main Languages:	Catalan (official), French, Castilian
Int Dial Code:	376
Map Page:	47

ARMENIA

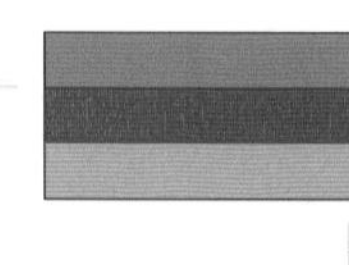

Capital:	Yerevan
Area:	29,800 km²
Population:	2,976,372
Currency:	Dram (AMD)
Main Religions:	Armenian Orthodox 94%
Main Languages:	Armenian 96%, Russian 2%, other 2%
Int Dial Code:	374
Map Page:	77

AUSTRALIA

Capital:	Canberra
Area:	7,686,850 km²
Population:	20,264,082
Currency:	Australian dollar (AUD)
Main Religions:	Anglican 26.1%, Roman Catholic 26%, other Christian 24.3%, non-Christian 11%
Main Languages:	English, native languages
Int Dial Code:	61
Map Page:	94

BAHRAIN

Capital:	Manama
Area:	665 km²
Population:	698,595
Currency:	Bahraini dinar (BHD)
Main Religions:	Muslim 81% (Shi'a & Sunni), Christian 9%
Main Languages:	Arabic, English, Farsi, Urdu
Int Dial Code:	973
Map Page:	79

AUSTRIA

Capital:	Vienna
Area:	83,870 km²
Population:	8,192,800
Currency:	Euro (EUR)
Main Religions:	Roman Catholic 74%, Protestant 5%, Muslim and other 21%
Main Languages:	German
Int Dial Code:	43
Map Page:	49

BANGLADESH

Capital:	Dhaka
Area:	144,000 km²
Population:	147,365,352
Currency:	Taka (BDT)
Main Religions:	Muslim 83%, Hindu 16%, other 1%
Main Languages:	Bangla (official, also known as Bengali), English
Int Dial Code:	880
Map Page:	72

AZERBAIJAN

Capital:	Baku
Area:	86,600 km²
Population:	7,961,619
Currency:	Azerbaijani manat (AZM)
Main Religions:	Muslim 93.4%, Russian Orthodox 2.5%, Armenian Orthodox 2.3%, other 1.8%
Main Languages:	Azerbaijani (Azeri) 89%, Russian 3%, Armenian 2%
Int Dial Code:	994
Map Page:	77

BARBADOS

Capital:	Bridgetown
Area:	431 km²
Population:	279,912
Currency:	Barbadian dollar (BBD)
Main Religions:	Protestant 67% (Anglican 40%, Pentecostal 8%, Methodist 7%, other 12%), Roman Catholic 4%
Main Languages:	English
Int Dial Code:	1 + 246
Map Page:	113

BAHAMAS, THE

Capital:	Nassau
Area:	13,940 km²
Population:	303,770
Currency:	Bahamian dollar (BSD)
Main Religions:	Baptist 35%, Anglican 15%, Roman Catholic 13%, Pentecostal 8%, Methodist 4%, Church of God 5%
Main Languages:	English, Creole
Int Dial Code:	1 + 242
Map Page:	109

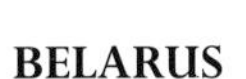

BELARUS

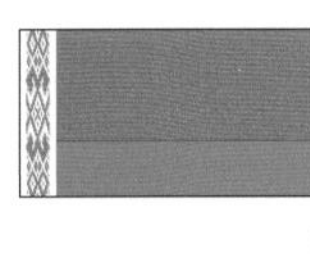

Capital:	Minsk
Area:	207,600 km²
Population:	10,293,011
Currency:	Belarusian ruble (BYB/BYR)
Main Religions:	Eastern Orthodox 80%, other (including Roman Catholic, Protestant, Jewish, and Muslim) 20%
Main Languages:	Byelorussian, Russian
Int Dial Code:	375
Map Page:	56

BELGIUM

Capital:	Brussels
Area:	30,528 km²
Population:	10,379,067
Currency:	Euro (EUR)
Main Religions:	Roman Catholic 75%, Protestant or other 25%
Main Languages:	Dutch 60%, French 40%, legally bilingual (Dutch and French)
Int Dial Code:	32
Map Page:	41

BOLIVIA

Capital:	La Paz (seat of government); Sucre (legal capital and seat of judiciary)
Area:	1,098,580 km²
Population:	8,989,046
Currency:	Boliviano (BOB)
Main Religions:	Roman Catholic 95%, Protestant
Main Languages:	Spanish (official), Quechua (official), Aymara
Int Dial Code:	591
Map Page:	116

BELIZE

Capital:	Belmopan
Area:	22,966 km²
Population:	287,730
Currency:	Belizean dollar (BZD)
Main Religions:	Roman Catholic 50%, Protestant 27%
Main Languages:	English (official), Spanish, Mayan, Garifuna , Creole
Int Dial Code:	501
Map Page:	112

BOSNIA-HERZEGOVINA

Capital:	Sarajevo
Area:	51,129 km²
Population:	4,498,976
Currency:	Marka (BAM)
Main Religions:	Muslim 40%, Orthodox 31%, Roman Catholic 15%, Protestant 4%, other 10%
Main Languages:	Croatian, Serbian, Bosnian
Int Dial Code:	387
Map Page:	52

BENIN

Capital:	Porto-Novo
Area:	112,620 km²
Population:	7,862,944
Currency:	Communaute Financiere Africaine franc (XOF)
Main Religions:	Indigenous beliefs 50%, Christian 30%, Muslim 20%
Main Languages:	French (official), Fon and Yoruba, tribal languages
Int Dial Code:	229
Map Page:	87

BOTSWANA

Capital:	Gaborone
Area:	600,370 km²
Population:	1,639,833
Currency:	Pula (BWP)
Main Religions:	Christian 72%, Badimo 6%
Main Languages:	Setswana, Kalanga, Sekgalagadi, English
Int Dial Code:	267
Map Page:	90

BHUTAN

Capital:	Thimphu
Area:	47,000 km²
Population:	2,279,723
Currency:	Ngultrum (BTN); Indian rupee (INR)
Main Religions:	Lamaistic Buddhist 75%, Hinduism 25%
Main Languages:	Dzongkha (official), Bhotes speak various Tibetan dialects, Nepalese dialects
Int Dial Code:	975
Map Page:	72

BRAZIL

Capital:	Brasilia
Area:	8,511,965 km²
Population:	188,078,227
Currency:	Real (BRL)
Main Religions:	Roman Catholic (nominal) 74%, Protestant 15%
Main Languages:	Portuguese (official), Spanish, English, French
Int Dial Code:	55
Map Page:	117

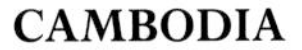

BRUNEI

Capital:	Bandar Seri Begawan
Area:	5,770 km²
Population:	379,444
Currency:	Bruneian dollar (BND)
Main Religions:	Muslim (official) 67%, Buddhist 13%, Christian 10%, indigenous beliefs and other 10%
Main Languages:	Malay (official), English, Chinese
Int Dial Code:	673
Map Page:	70

BULGARIA

Capital:	Sofia
Area:	110,910 km²
Population:	7,385,367
Currency:	Lev (BGL)
Main Religions:	Bulgarian Orthodox 82.6%, Muslim 13%, Roman Catholic 1.5%, Uniate Catholic 0.2%, Jewish 0.8%
Main Languages:	Bulgarian, Turkish
Int Dial Code:	359
Map Page:	53

BURKINA

Capital:	Ouagadougou
Area:	274,200 km²
Population:	13,902,972
Currency:	Communaute Financiere Africaine franc (XOF)
Main Religions:	Indigenous beliefs 40%, Muslim 50%, Christian 10%
Main Languages:	French (official), native African languages belonging to Sudanic family spoken by 90% of the population
Int Dial Code:	226
Map Page:	86

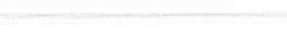

BURUNDI

Capital:	Bujumbura
Area:	27,830 km²
Population:	8,090,068
Currency:	Burundi franc (BIF)
Main Religions:	Christian 67% (Roman Catholic 62%, Protestant 5%), indigenous beliefs 23%, Muslim 10%
Main Languages:	Kirundi (official), French (official), Swahili
Int Dial Code:	257
Map Page:	88

CAMBODIA

Capital:	Phnom Penh
Area:	181,040 km²
Population:	13,881,427
Currency:	Riel (KHR)
Main Religions:	Theravada Buddhist 95%, other 5%
Main Languages:	Khmer (official) 95%, French, English
Int Dial Code:	855
Map Page:	68

CAMEROON

Capital:	Yaoundé
Area:	475,440 km²
Population:	17,340,702
Currency:	Communaute Financiere Africaine franc (XAF)
Main Religions:	Indigenous beliefs 40%, Christian 40%, Muslim 20%
Main Languages:	24 major African language groups, English (official), French (official)
Int Dial Code:	237
Map Page:	87

CANADA

Capital:	Ottawa
Area:	9,984,670 km²
Population:	33,098,932
Currency:	Canadian dollar (CAD)
Main Religions:	Roman Catholic 42%, Protestant 23%, other 18%
Main Languages:	English 59.3% (official), French 23.2% (official), other 17.5%
Int Dial Code:	1
Map Page:	100

CAPE VERDE

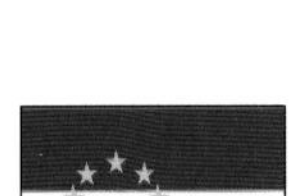

Capital:	Praia
Area:	4,033 km²
Population:	420,979
Currency:	Cape Verdean escudo (CVE)
Main Religions:	Roman Catholic, Protestant
Main Languages:	Portuguese, Crioulo
Int Dial Code:	238
Map Page:	86

CENTRAL AFRICAN REPUBLIC

Capital:	Bangui
Area:	622,984 km²
Population:	4,303,356
Currency:	Communaute Financiere Africaine franc (XAF)
Main Religions:	Indigenous beliefs 35%, Protestant 25%, Roman Catholic 25%, Muslim 15%
Main Languages:	French (official), Sangho , Arabic, Hunsa, Swahili
Int Dial Code:	236
Map Page:	88

CHAD

Capital:	N'Djamena
Area:	1.284 million km²
Population:	9,944,201
Currency:	Communaute Financiere Africaine franc (XAF)
Main Religions:	Muslim 50%, Christian 35%, indigenous beliefs 25%
Main Languages:	French (official), Arabic (official), Sara and Sango, over 100 different languages and dialects
Int Dial Code:	235
Map Page:	82

CHILE

Capital:	Santiago
Area:	756,950 km²
Population:	16,134,219
Currency:	Chilean peso (CLP)
Main Religions:	Roman Catholic 89%, Protestant 11%
Main Languages:	Spanish
Int Dial Code:	56
Map Page:	118

CHINA

Capital:	Beijing
Area:	9,596,960 km²
Population:	1,313,973,713
Currency:	Yuan (CNY)
Main Religions:	Daoist (Taoist), Buddhist, Christian 3-4%, Muslim 1-2%
Main Languages:	Standard Chinese or Mandarin (Putonghua), Yue (Cantonese), Wu (Shanghaiese), Minbei (Fuzhou), Minnan (Hokkien-Taiwanese), Xiang, Gan, Hakka
Int Dial Code:	86
Map Page:	64

COLOMBIA

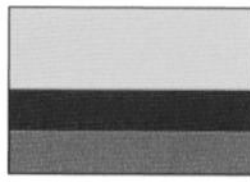

Capital:	Bogota
Area:	1,138,910 km²
Population:	43,593,035
Currency:	Colombian peso (COP)
Main Religions:	Roman Catholic 90%
Main Languages:	Spanish
Int Dial Code:	57
Map Page:	116

COMOROS

Capital:	Moroni
Area:	2,170 km²
Population:	690,948
Currency:	Comoran franc (KMF)
Main Religions:	Sunni Muslim 98%, Roman Catholic 2%
Main Languages:	Arabic (official), French (official), Comoran
Int Dial Code:	269
Map Page:	91

CONGO

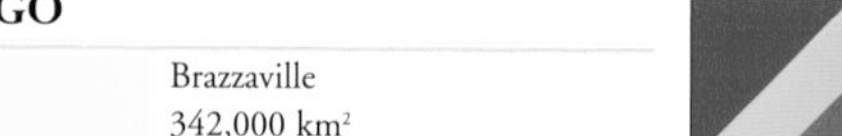

Capital:	Brazzaville
Area:	342,000 km²
Population:	3,702,314
Currency:	Communaute Financiere Africaine franc (XAF)
Main Religions:	Christian 50%, Animist 48%, Muslim 2%
Main Languages:	French (official), Lingala and Monokutuba
Int Dial Code:	242
Map Page:	87

CONGO, DEMOCRATIC REP. OF THE

Capital:	Kinshasa
Area:	2,345,410 km²
Population:	62,660,551
Currency:	Congolese franc (CDF)
Main Religions:	Roman Catholic 50%, Protestant 20%, Kimbanguist 10%, Muslim 10%, other 10%
Main Languages:	French (official), Lingala, Kingwana, Kikongo, Tshiluba
Int Dial Code:	243
Map Page:	88

COSTA RICA

Capital:	San José
Area:	51,100 km²
Population:	4,075,261
Currency:	Costa Rican colon (CRC)
Main Religions:	Roman Catholic 76.3%, Evangelical 13.7%,other Protestant 0.7%, Jehovah's Witnesses 1.3%,
Main Languages:	Spanish (official), English spoken around Puerto Limon
Int Dial Code:	506
Map Page:	113

CYPRUS

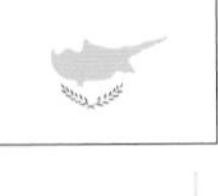

Capital:	Nicosia
Area:	9,250 km² (3,355 km² in the Turkish Cypriot area)
Population:	784,301
Currency:	Cypriot pound (CYP); Turkish new lira (YTL)
Main Religions:	Greek Orthodox 78%, Muslim 18%
Main Languages:	Greek, Turkish, English
Int Dial Code:	357
Map Page:	76

COTE D'IVOIRE

Capital:	Yamoussoukro - capital since 1983, Abidjan is the administrative center
Area:	322,460 km²
Population:	17,654,843
Currency:	Communaute Financiere Africaine franc (XOF)
Main Religions:	Muslim 35%, Indigenous 25%, Christian 20%
Main Languages:	French (official), 60 native dialects
Int Dial Code:	225
Map Page:	86

CZECH REPUBLIC

Capital:	Prague
Area:	78,866 km²
Population:	10,235,455
Currency:	Czech koruna (CZK)
Main Religions:	Roman Catholic 26.8%, Protestant 2.1%, Orthodox 3%
Main Languages:	Czech
Int Dial Code:	420
Map Page:	37

CROATIA

Capital:	Zagreb
Area:	56,542 km²
Population:	4,494,749
Currency:	Kuna (HRK)
Main Religions:	Roman Catholic 87.8%, Orthodox 4.4%
Main Languages:	Croatian 96%, other 4% (Italian, Hungarian, Czech)
Int Dial Code:	385
Map Page:	52

DENMARK

Capital:	Copenhagen
Area:	43,094 km²
Population:	5,450,661
Currency:	Danish krone (DKK)
Main Religions:	Evangelical Lutheran 95%, other Protestant and Roman Catholic 3%, Muslims 2%
Main Languages:	Danish, Faroese, Greenlandic, German, English
Int Dial Code:	45
Map Page:	35

CUBA

Capital:	Havana
Area:	110,860 km²
Population:	11,382,820
Currency:	Cuban peso (CUP) and convertible Peso (CUC)
Main Religions:	Roman Catholic 85%, Protestants, Jehovah's Witnesses, Jews
Main Languages:	Spanish
Int Dial Code:	53
Map Page:	113

DJIBOUTI

Capital:	Djibouti
Area:	23,000 km²
Population:	486,530
Currency:	Djiboutian franc (DJF)
Main Religions:	Muslim 94%, Christian 6%
Main Languages:	French (official), Arabic (official), Somali, Afar
Int Dial Code:	253
Map Page:	83

DOMINICA

Capital:	Roseau
Area:	754 km²
Population:	68,910
Currency:	East Caribbean dollar (XCD)
Main Religions:	Roman Catholic 77%, Protestant 15% (Methodist 5%, Pentecostal 3%, Seventh-Day Adventist 3%, Baptist 2%, other 2%), none 2%, other 6%
Main Languages:	English (official), French patois
Int Dial Code:	1 + 767
Map Page:	113

EGYPT

Capital:	Cairo
Area:	1,001,450 km²
Population:	78,887,007
Currency:	Egyptian pound (EGP)
Main Religions:	Muslim (mostly Sunni) 90%, Coptic Christian and other 6%
Main Languages:	Arabic (official), English and French
Int Dial Code:	20
Map Page:	82

DOMINICAN REPUBLIC

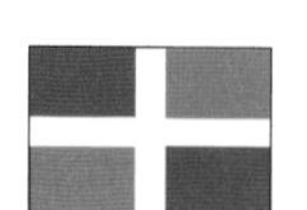

Capital:	Santo Domingo
Area:	48,730 km²
Population:	9,183,984
Currency:	Dominican peso (DOP)
Main Religions:	Roman Catholic 95%
Main Languages:	Spanish
Int Dial Code:	1 + 809
Map Page:	113

EL SALVADOR

Capital:	San Salvador
Area:	21,040 km²
Population:	6,822,378
Currency:	Salvadoran colon (SVC); US dollar (USD)
Main Religions:	Roman Catholic 83%
Main Languages:	Spanish, Nahua
Int Dial Code:	503
Map Page:	112

EAST TIMOR

Capital:	Dili
Area:	15,007 km²
Population:	1,062,777
Currency:	US dollar
Main Religions:	Roman Catholic, Muslim
Main Languages:	Tetum, Portugese, Indonesian, English
Int Dial Code:	670
Map Page:	71

EQUATORIAL GUINEA

Capital:	Malabo
Area:	28,051 km²
Population:	540,109
Currency:	Communaute Financiere Africaine franc (XAF)
Main Religions:	Christian (predominantly Roman Catholic)
Main Languages:	Spanish (official), French (official), Pidgin English, Fang, Bubi, Ibo
Int Dial Code:	240
Map Page:	87

ECUADOR

Capital:	Quito
Area:	283,560 km²
Population:	13,547,510
Currency:	US dollar (USD)
Main Religions:	Roman Catholic 95%
Main Languages:	Spanish (official), Amerindian languages (especially Quechua)
Int Dial Code:	593
Map Page:	116

ERITREA

Capital:	Asmara
Area:	121,320 km²
Population:	4,786,994
Currency:	Nakfa (ERN)
Main Religions:	Muslim, Coptic Christian, Roman Catholic, Protestant
Main Languages:	Afar, Amharic, Arabic, Tigre and Kunama, Tigrinya, other Cushitic languages
Int Dial Code:	291
Map Page:	83

ESTONIA

Capital:	Tallinn
Area:	45,226 km²
Population:	1,324,333
Currency:	Estonian kroon (EEK)
Main Religions:	Evangelical Lutheran, Russian Orthodox, Estonian Orthodox, Baptist, Methodist, Seventh-Day Adventist
Main Languages:	Estonian (official), Russian, Ukrainian, English, Finnish
Int Dial Code:	372
Map Page:	35

FRANCE

Capital:	Paris
Area:	547,030 km²
Population:	60,876,136
Currency:	Euro (EUR)
Main Religions:	Roman Catholic 90%, Protestant 2%, Jewish 1%, Muslim 3%, unaffiliated 4%
Main Languages:	French 100%, Provencal, Breton, Alsatian, Corsican, Catalan, Basque, Flemish
Int Dial Code:	33
Map Page:	44

ETHIOPIA

Capital:	Addis Ababa
Area:	1,127,127 km²
Population:	74,777,981
Currency:	Birr (ETB)
Main Religions:	Muslim 45%-50%, Ethiopian Orthodox 35%-40%, animist 12%, other 3%-8%
Main Languages:	Amharic, Tigrinya, Oromigna, Guaragigna, Somali, Arabic , English
Int Dial Code:	251
Map Page:	89

GABON

Capital:	Libreville
Area:	267,667 km²
Population:	1,424,906
Currency:	Communaute Financiere Africaine franc (XAF)
Main Religions:	Christian 55%-75%, Animist, Muslim less than 1%
Main Languages:	French (official), Fang, Myene, Bapounou/Eschira, Bandjabi
Int Dial Code:	241
Map Page:	87

FIJI

Capital:	Suva
Area:	18,270 km²
Population:	905,949
Currency:	Fijian dollar (FJD)
Main Religions:	Christian 52% (Methodist 37%, Roman Catholic 9%), Hindu 38%, Muslim 8%, other 2%
Main Languages:	English (official), Fijian, Hindustani
Int Dial Code:	679
Map Page:	92

GAMBIA, THE

Capital:	Banjul
Area:	11,300 km²
Population:	1,641,564
Currency:	Dalasi (GMD)
Main Religions:	Muslim 90%, Christian 9%, Indigenous beliefs 1%
Main Languages:	English (official), Mandinka, Wolof, Fula
Int Dial Code:	220
Map Page:	86

FINLAND

Capital:	Helsinki
Area:	338,145 km²
Population:	5,231,372
Currency:	Euro (EUR)
Main Religions:	Evangelical Lutheran 89%, Greek Orthodox 1%, none 9%, other 1%
Main Languages:	Finnish 93.4% (official), Swedish 5.9% (official), small Lapp- and Russian-speaking minorities
Int Dial Code:	358
Map Page:	34

GEORGIA

Capital:	T'bilisi
Area:	69,700 km²
Population:	4,661,473
Currency:	Lari (GEL)
Main Religions:	Georgian Orthodox 65%, Muslim 11%, Russian Orthodox 10%, Armenian Apostolic 8%
Main Languages:	Georgian 71% (official), Russian 9%, Armenian 7%
Int Dial Code:	995
Map Page:	77

GERMANY

Capital:	Berlin
Area:	357,021 km²
Population:	82,422,299
Currency:	Euro (EUR)
Main Religions:	Protestant 34%, Roman Catholic 34%, Muslim 3.7%, unaffiliated or other 28.3%
Main Languages:	German
Int Dial Code:	49
Map Page:	38

GUATEMALA

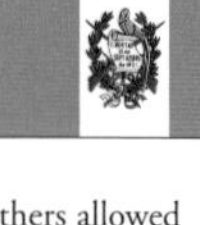

Capital:	Guatemala
Area:	108,890 km²
Population:	12,293,545
Currency:	Quetzal (GTQ), US dollar (USD), others allowed
Main Religions:	Roman Catholic, Protestant, Indigenous Mayan beliefs
Main Languages:	Spanish 60%, Amerindian languages 40%
Int Dial Code:	502
Map Page:	112

GHANA

Capital:	Accra
Area:	239,460 km²
Population:	22,409,572
Currency:	Cedi (GHC)
Main Religions:	Indigenous beliefs 38%, Muslim 30%, Christian 24%, other 8%
Main Languages:	English (official), African languages (Akan, Moshi-Dagomba, Ewe, and Ga)
Int Dial Code:	233
Map Page:	86

GUINEA

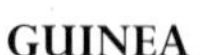

Capital:	Conakry
Area:	245,857 km²
Population:	9,690,222
Currency:	Guinean franc (GNF)
Main Religions:	Muslim 85%, Christian 8%, Indigenous beliefs 7%
Main Languages:	French (official), each ethnic group has its own language
Int Dial Code:	224
Map Page:	86

GREECE

Capital:	Athens
Area:	131,940 km²
Population:	10,688,058
Currency:	Euro (EUR)
Main Religions:	Greek Orthodox 98%, Muslim 1.3%, other 0.7%
Main Languages:	Greek 99% (official), English, French
Int Dial Code:	30
Map Page:	54

GUINEA-BISSAU

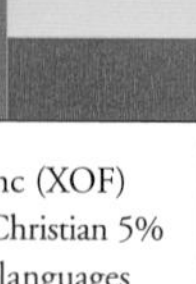

Capital:	Bissau
Area:	36,120 km²
Population:	1,442,029
Currency:	Communaute Financiere Africaine franc (XOF)
Main Religions:	Indigenous beliefs 50%, Muslim 45%, Christian 5%
Main Languages:	Portuguese (official), Crioulo, African languages
Int Dial Code:	245
Map Page:	86

GRENADA

Capital:	Saint George's
Area:	344 km²
Population:	89,703
Currency:	East Caribbean dollar (XCD)
Main Religions:	Roman Catholic 53%, Anglican 13.8%, other Protestant 33.2%
Main Languages:	English (official), French patois
Int Dial Code:	1 + 473
Map Page:	113

GUYANA

Capital:	Georgetown
Area:	214,970 km²
Population:	767,245
Currency:	Guyanese dollar (GYD)
Main Religions:	Christian 50%, Hindu 35%, Muslim 10%, other 5%
Main Languages:	English, Amerindian dialects, Creole, Hindi, Urdu
Int Dial Code:	592
Map Page:	117

HAITI

Capital:	Port-au-Prince
Area:	27,750 km²
Population:	8,308,504
Currency:	Gourde (HTG)
Main Religions:	Roman Catholic 80%, Protestant 16% (Baptist 10%, Pentecostal 4%, Adventist 1%, other 1%)
Main Languages:	French (official), Creole (official)
Int Dial Code:	509
Map Page:	113

INDIA

Capital:	New Delhi
Area:	3,287,590 km²
Population:	1,029,351,995
Currency:	Indian rupee (INR)
Main Religions:	Hindu 80.5%, Muslim 13.4%, Christian 2.3%, Sikh 1.9%, Buddhist, Jain, Parsi 2.5%
Main Languages:	English, Hindi 30%, Bengali, Telugu, Marathi, Tamil, Urdu, Gujarati, Malayalam, Kannada, Oriya, Punjabi
Int Dial Code:	91
Map Page:	72

HONDURAS

Capital:	Tegucigalpa
Area:	112,090 km²
Population:	7,326,496
Currency:	Lempira (HNL)
Main Religions:	Roman Catholic 97%, Protestant
Main Languages:	Spanish, Amerindian dialects
Int Dial Code:	504
Map Page:	112

INDONESIA

Capital:	Jakarta
Area:	1,919,440 km²
Population:	245,452,739
Currency:	Indonesian rupiah (IDR)
Main Religions:	Muslim 88%, Protestant 5%, Roman Catholic 3%, Hindu 2%, Buddhist 1%, other 1%
Main Languages:	Bahasa Indonesia (official), English, Dutch, local dialects
Int Dial Code:	62
Map Page:	70

HUNGARY

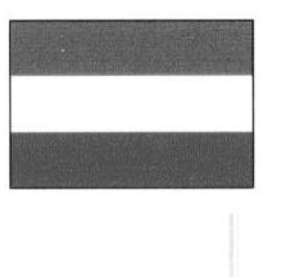

Capital:	Budapest
Area:	93,030 km²
Population:	9,981,334
Currency:	Forint (HUF)
Main Religions:	Roman Catholic 52%, Calvinist 16%
Main Languages:	Hungarian 98.2%, other 1.8%
Int Dial Code:	36
Map Page:	52

IRAN

Capital:	Tehran
Area:	1.648 million km²
Population:	68,688,433
Currency:	Iranian rial (IRR)
Main Religions:	Shi'a Muslim 89%, Sunni Muslim 10%, Zoroastrian, Jewish, Christian, Baha'i 1%
Main Languages:	Persian and Persian dialects 58%, Turkic and Turkic dialects 26%, Kurdish 9%, Luri 2%, Balochi 1%
Int Dial Code:	98
Map Page:	74

ICELAND

Capital:	Reykjavik
Area:	103,000 km²
Population:	299,388
Currency:	Icelandic krona (ISK)
Main Religions:	National Church of Iceland 82%, Free Lutheran 5%
Main Languages:	Icelandic
Int Dial Code:	354
Map Page:	34

IRAQ

Capital:	Baghdad
Area:	437,072 km²
Population:	26,783,383
Currency:	New Iraqi dinar (NID)
Main Religions:	Muslim 97% (Shi'a 60%-65%, Sunni 32%-37%), Christian or other 3%
Main Languages:	Arabic, Kurdish, Assyrian, Armenian
Int Dial Code:	964
Map Page:	74

IRELAND

Capital:	Dublin
Area:	70,280 km²
Population:	4,062,235
Currency:	Euro (EUR)
Main Religions:	Roman Catholic 88.4%, Church of Ireland 3%
Main Languages:	English, Irish (Gaelic)
Int Dial Code:	353
Map Page:	43

JAPAN

Capital:	Tokyo
Area:	377,835 km²
Population:	127,463,611
Currency:	Yen (JPY)
Main Religions:	Shinto and Buddhist 84%, other 16% (including Christian 0.7%)
Main Languages:	Japanese
Int Dial Code:	81
Map Page:	67

ISRAEL

Capital:	Jerusalem
Area:	20,770 km²
Population:	6,352,117
Currency:	New Israeli shekel (ILS or NIS)
Main Religions:	Jewish 76.5%, Muslim 15.9%, Arab Christian 1.7%
Main Languages:	Hebrew (official), Arabic, English
Int Dial Code:	972
Map Page:	78

JORDAN

Capital:	Amman
Area:	92,300 km²
Population:	5,906,760
Currency:	Jordanian dinar (JOD)
Main Religions:	Sunni Muslim 92%, Christian 6% (majority Greek Orthodox), other 2%
Main Languages:	Arabic (official), English
Int Dial Code:	962
Map Page:	78

ITALY

Capital:	Rome
Area:	301,230 km²
Population:	58,133,509
Currency:	Euro (EUR)
Main Religions:	predominately Roman Catholic, Protestant, Jewish and Muslim
Main Languages:	Italian (official), German, French, Slovene
Int Dial Code:	39
Map Page:	50

KAZAKHSTAN

Capital:	Astana
Area:	2,717,300 km²
Population:	15,233,244
Currency:	Tenge (KZT)
Main Religions:	Muslim 47%, Russian Orthodox 44%, Protestant 2%, other 7%
Main Languages:	Kazakh (Qazaq, state language), Russian (official)
Int Dial Code:	7
Map Page:	61

JAMAICA

Capital:	Kingston
Area:	10,990 km²
Population:	2,758,124
Currency:	Jamaican dollar (JMD)
Main Religions:	Protestant 61.3%, Roman Catholic 4%, other 34.7%
Main Languages:	English, Creole
Int Dial Code:	1 + 876
Map Page:	113

KENYA

Capital:	Nairobi
Area:	582,650 km²
Population:	34,707,817
Currency:	Kenyan shilling (KES)
Main Religions:	Protestant 45%, Roman Catholic 33%, indigenous beliefs 10%, Muslim 10%
Main Languages:	English (official), Kiswahili (official)
Int Dial Code:	254
Map Page:	89

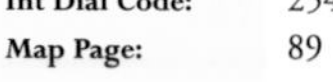

KIRIBATI

Capital:	Tarawa
Area:	811 km²
Population:	105,432
Currency:	Australian dollar (AUD)
Main Religions:	Roman Catholic 54%, Protestant (Congregational) 30%, Seventh-Day Adventist, Baha'i, Latter-day Saints and Church of God
Main Languages:	English (official), I-Kiribati
Int Dial Code:	686
Map Page:	93

KOSOVO

Capital:	Pristina
Area:	10,887 km²
Population:	1,900,000
Currency:	Euro (EUR)
Main Religions:	Muslim, Serbian Orthodox
Main Languages:	Albanian, Serbian
Int Dial Code:	381
Map Page:	52

KUWAIT

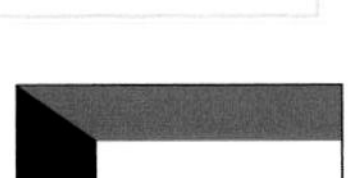

Capital:	Kuwait
Area:	17,820 km²
Population:	2,418,393
Currency:	Kuwaiti dinar (KWD)
Main Religions:	Muslim 85% (Sunni 70%, Shi'a 30%), Christian, Hindu, Parsi, and other 15%
Main Languages:	Arabic (official), English
Int Dial Code:	965
Map Page:	79

KYRGYZSTAN

Capital:	Bishkek
Area:	198,500 km²
Population:	5,213,898
Currency:	Kyrgyzstani som (KGS)
Main Religions:	Muslim 75%, Russian Orthodox 20%, other 5%
Main Languages:	Kirghiz (Kyrgyz) - official, Russian (official)
Int Dial Code:	996
Map Page:	61

LAOS

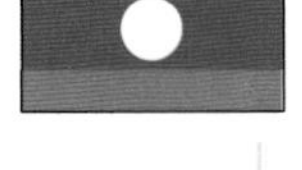

Capital:	Vientiane
Area:	236,800 km²
Population:	6,368,481
Currency:	Kip (LAK)
Main Religions:	Buddhist 60%, Animist and other 40%
Main Languages:	Lao (official), French, English
Int Dial Code:	856
Map Page:	68

LATVIA

Capital:	Riga
Area:	64,589 km²
Population:	2,274,735
Currency:	Latvian lat (LVL)
Main Religions:	Lutheran, Roman Catholic, Russian Orthodox
Main Languages:	Latvian or Lettish (official), Lithuanian, Russian
Int Dial Code:	371
Map Page:	35

LEBANON

Capital:	Beirut
Area:	10,400 km²
Population:	3,874,050
Currency:	Lebanese pound (LBP)
Main Religions:	Muslim 59.7% (including Shi'a, Sunni, Druze, Isma'ilite, Alawite or Nusayri), Christian 39% (including Orthodox Christian, Catholic, Protestant)
Main Languages:	Arabic (official), French, English, Armenian
Int Dial Code:	961
Map Page:	78

LESOTHO

Capital:	Maseru
Area:	30,355 km²
Population:	2,022,331
Currency:	Loti (LSL); South African Rand (ZAR)
Main Religions:	Christian 80%, Indigenous beliefs 20%
Main Languages:	Sesotho (southern Sotho), English (official), Zulu, Xhosa
Int Dial Code:	266
Map Page:	90

LIBERIA

Capital:	Monrovia
Area:	111,370 km²
Population:	3,042,004
Currency:	Liberian dollar (LRD)
Main Religions:	Indigenous beliefs 40%, Christian 40%, Muslim 20%
Main Languages:	English 20% (official), ethnic group languages
Int Dial Code:	231
Map Page:	86

LIBYA

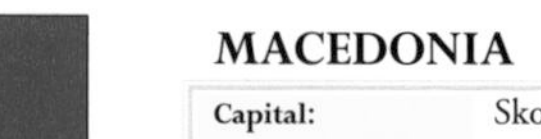

Capital:	Tripoli
Area:	1,759,540 km²
Population:	5,900,754
Currency:	Libyan dinar (LYD)
Main Religions:	Sunni Muslim 97%
Main Languages:	Arabic, Italian, English
Int Dial Code:	218
Map Page:	82

LIECHTENSTEIN

Capital:	Vaduz
Area:	160 km²
Population:	33,987
Currency:	Swiss franc (CHF)
Main Religions:	Roman Catholic 80%, Protestant 7.4%, unknown 7.7%, other 4.9%
Main Languages:	German (official), Alemannic dialect
Int Dial Code:	423
Map Page:	48

LITHUANIA

Capital:	Vilnius
Area:	65,200 km²
Population:	3,585,500
Currency:	Litas (LTL)
Main Religions:	Roman Catholic (primarily), Lutheran, Russian Orthodox, Protestant, Evangelical Christian Baptist, Muslim, Jewish
Main Languages:	Lithuanian (official), Polish, Russian
Int Dial Code:	370
Map Page:	35

LUXEMBOURG

Capital:	Luxembourg
Area:	2,586 km²
Population:	474,413
Currency:	Euro (EUR)
Main Religions:	Roman Catholic with Protestants, Jews, and Muslims
Main Languages:	Luxembourgish (national language), German (administrative language), French
Int Dial Code:	352
Map Page:	41

MACEDONIA

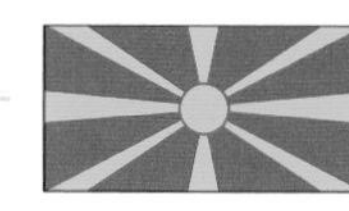

Capital:	Skopje
Area:	25,333 km²
Population:	2,050,554
Currency:	Macedonian denar (MKD)
Main Religions:	Macedonian Orthodox 67%, Muslim 30%, other 3%
Main Languages:	Macedonian 70%, Albanian 21%, Turkish 3%, Serbo-Croatian 3%, other 3%
Int Dial Code:	389
Map Page:	54

MADAGASCAR

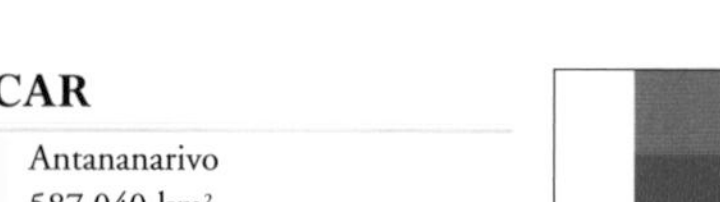

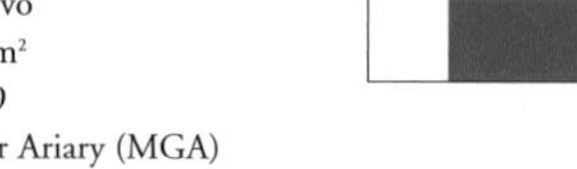

Capital:	Antananarivo
Area:	587,040 km²
Population:	18,595,469
Currency:	Madagascar Ariary (MGA)
Main Religions:	Indigenous beliefs 52%, Christian 41%, Muslim 7%
Main Languages:	French (official), Malagasy (official)
Int Dial Code:	261
Map Page:	91

MALAWI

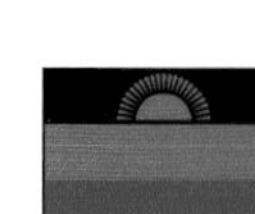

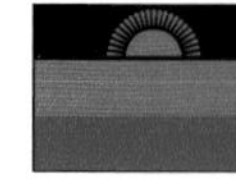

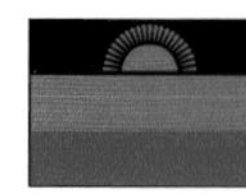

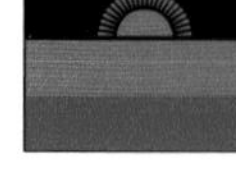

Capital:	Lilongwe
Area:	118,480 km²
Population:	13,013,926
Currency:	Malawian kwacha (MWK)
Main Religions:	Christian 79.9%, Muslim 12.8%
Main Languages:	English (official), Chichewa (official)
Int Dial Code:	265
Map Page:	91

MALAYSIA

Capital:	Kuala Lumpur; Putrajaya is the federal government administration centre
Area:	329,750 km²
Population:	24,385,858
Currency:	Ringgit (MYR)
Main Religions:	Muslim, Budhist, Duoist, Hindu, Christian, Sikh, Shamanism
Main Languages:	Bahasa Melayu (official), English, Chinese dialects (Cantonese, Mandarin, Hokkien, Hakka, Hainan, Foochow), Tamil, Telugu, Malayalam, Panjabi, Thai
Int Dial Code:	60
Map Page:	70

MALDIVES

Capital:	Male
Area:	300 km²
Population:	359,008
Currency:	Rufiyaa (MVR)
Main Religions:	Sunni Muslim
Main Languages:	Maldivian Dhivehi (dialect of Sinhala, script derived from Arabic), English
Int Dial Code:	960
Map Page:	73

MAURITANIA

Capital:	Nouakchott
Area:	1,030,700 km²
Population:	3,177,388
Currency:	Ouguiya (MRO)
Main Religions:	Muslim 100%
Main Languages:	Hasaniya Arabic (official), Pular, Soninke, Wolof, French
Int Dial Code:	222
Map Page:	84

MALI

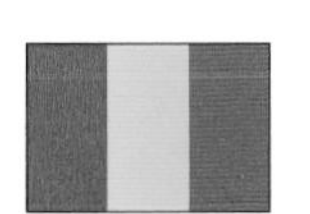

Capital:	Bamako
Area:	1.24 million km²
Population:	11,716,829
Currency:	Communaute Financiere Africaine franc (XOF)
Main Religions:	Muslim 90%, Indigenous beliefs 9%, Christian 1%
Main Languages:	French (official), Bambara 80%, numerous African languages
Int Dial Code:	223
Map Page:	84

MAURITIUS

Capital:	Port Louis
Area:	2,040 km²
Population:	1240,827
Currency:	Mauritian rupee (MUR)
Main Religions:	Hindu 48%, Roman Catholic 23.6%, Muslim 16.6%, other christian 8.6%
Main Languages:	English (official), Creole, French, Hindi, Urdu, Hakka, Bojpoori
Int Dial Code:	230
Map Page:	91

MALTA

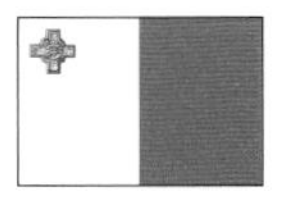

Capital:	Valletta
Area:	316 km²
Population:	400,214
Currency:	Maltese lira (MTL)
Main Religions:	Roman Catholic 98%
Main Languages:	Maltese (official), English (official)
Int Dial Code:	356
Map Page:	51

MEXICO

Capital:	Mexico
Area:	1,972,550 km²
Population:	107,449,525
Currency:	Mexican peso (MXN):
Main Religions:	Nominally Roman Catholic 89%, Protestant 6%, other 5%
Main Languages:	Spanish, Mayan, Nahuatl
Int Dial Code:	52
Map Page:	112

MARSHALL ISLANDS

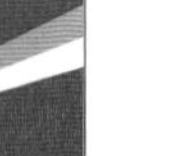

Capital:	Majuro
Area:	181 km²
Population:	60,422
Currency:	US dollar (USD)
Main Religions:	Christian (mostly Protestant)
Main Languages:	English (official), two major Marshallese dialects from the Malayo-Polynesian family, Japanese
Int Dial Code:	692
Map Page:	92

MICRONESIA, FED. STATES OF

Capital:	Palikir
Area:	702 km²
Population:	108,004
Currency:	US dollar (USD)
Main Religions:	Roman Catholic 50%, Protestant 47%, other 3%
Main Languages:	English (official), Trukese, Pohnpeian, Yapese, Kosrean
Int Dial Code:	691
Map Page:	92

MOLDOVA

Capital:	Chisinau
Area:	33,843 km²
Population:	4,466,706
Currency:	Moldovan leu (MDL)
Main Religions:	Eastern Orthodox 98.5%, Jewish 1.5%, Baptist
Main Languages:	Moldovan (official), Russian, Gagauz (a Turkish dialect)
Int Dial Code:	373
Map Page:	53

MONACO

Capital:	Monaco
Area:	1.95 km²
Population:	32,543
Currency:	Euro (EUR)
Main Religions:	Roman Catholic 90%
Main Languages:	French (official), English, Italian, Monegasque
Int Dial Code:	377
Map Page:	48

MONGOLIA

Capital:	Ulaanbaatar
Area:	1.565 million km²
Population:	2,832,224
Currency:	Togrog/tugrik (MNT)
Main Religions:	Buddhist Lamaism 50%, Muslim, Shamanism, and Christian
Main Languages:	Khalkha Mongol 90%, Turkic, Russian
Int Dial Code:	976
Map Page:	59

MONTENEGRO

Capital:	Podgorica
Area:	14,026 km²
Population:	630,548
Currency:	Euro (EUR)
Main Religions:	Orthodox, Muslim, Roman Catholic
Main Languages:	Serbian, Montenegrin
Int Dial Code:	381 (shared with Serbia - new code expected)
Map Page:	52

MOROCCO

Capital:	Rabat
Area:	446,550 km²
Population:	30,645,300
Currency:	Moroccan dirham (MAD)
Main Religions:	Muslim 98.7%, Christian 1.1%, Jewish 0.2%
Main Languages:	Arabic (official), Berber dialects, French
Int Dial Code:	212
Map Page:	80

MOZAMBIQUE

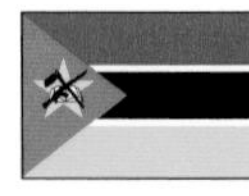

Capital:	Maputo
Area:	801,590 km²
Population:	19,686,505
Currency:	Metical (MZM)
Main Religions:	Catholic 23.8%, Muslim 17.8%, Zionist Christian 17.5%
Main Languages:	Portuguese (official), indigenous dialects
Int Dial Code:	258
Map Page:	91

MYANMAR (BURMA)

Capital:	Naypyidaw
Area:	678,500 km²
Population:	47,382,633
Currency:	Kyat (MMK)
Main Religions:	Buddhist 89%, Christian 4% (Baptist 3%, Roman Catholic 1%), Muslim 4%, Animist 1%, other 2%
Main Languages:	Burmese
Int Dial Code:	95
Map Page:	68

NAMIBIA

Capital:	Windhoek
Area:	825,418 km²
Population:	2,044,147
Currency:	Namibian dollar (NAD); South African rand (ZAR)
Main Religions:	Christian 80% - 90% (Lutheran 50%), Indigenous beliefs 10%-20%
Main Languages:	English 7% (official), Afrikaans, German 32%, indigenous languages: Oshivambo, Herero, Nama
Int Dial Code:	264
Map Page:	90

NAURU

Capital:	no official capital; government offices in Yaren District
Area:	21 km²
Population:	13,287
Currency:	Australian dollar (AUD)
Main Religions:	Christian (66% Protestant, 33% Roman Catholic)
Main Languages:	Nauruan (official), English
Int Dial Code:	674
Map Page:	92

NEPAL

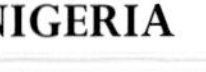

Capital:	Kathmandu
Area:	147,181 km²
Population:	28,287,147
Currency:	Nepalese rupee (NPR)
Main Religions:	Hinduism 80.6%, Buddhism 10.7%, Islam 4.2%,
Main Languages:	Nepali (official; spoken by 90% of the population), 30 major dialects, English
Int Dial Code:	977
Map Page:	72

NETHERLANDS

Capital:	Amsterdam; The Hague is the seat of government
Area:	41,526 km²
Population:	16,491,461
Currency:	Euro (EUR)
Main Religions:	Roman Catholic 31%, Protestant 21%, Muslim 4.4%, other 3.6%, unaffiliated 40%
Main Languages:	Dutch
Int Dial Code:	31
Map Page:	40

NEW ZEALAND

Capital:	Wellington
Area:	268,680 km²
Population:	4,076,140
Currency:	New Zealand dollar (NZD)
Main Religions:	Anglican 14.9%, Roman Catholic 12.4%, Presbyterian 10.9%, , Methodist 2.9%,
Main Languages:	English (official), Maori (official)
Int Dial Code:	64
Map Page:	96

NICARAGUA

Capital:	Managua
Area:	129,494 km²
Population:	5,570,129
Currency:	Gold cordoba (NIO)
Main Religions:	Roman Catholic 72.9%, Evangelical 15.1%
Main Languages:	Spanish (official)
Int Dial Code:	505
Map Page:	113

NIGER

Capital:	Niamey
Area:	1.267 million km²
Population:	12,525,094
Currency:	Communaute Financiere Africaine franc (XOF)
Main Religions:	Muslim 80%, Indigenous beliefs and Christians
Main Languages:	French (official), Hausa, Djerma
Int Dial Code:	227
Map Page:	85

NIGERIA

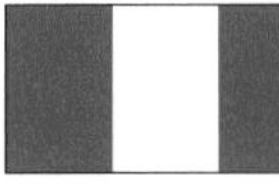

Capital:	Abuja
Area:	923,768 km²
Population:	131,859,731
Currency:	Naira (NGN)
Main Religions:	Muslim 50%, Christian 40%, Indigenous beliefs 10%
Main Languages:	English (official), Hausa, Yoruba, Igbo (Ibo), Fulani
Int Dial Code:	234
Map Page:	87

NORTH KOREA

Capital:	P'yongyang
Area:	120,540 km²
Population:	23,113,019
Currency:	North Korean won (KPW)
Main Religions:	Buddhist and Confucianist, some Christian and syncretic Chondogyo (Religion of the Heavenly Way)
Main Languages:	Korean
Int Dial Code:	850
Map Page:	66

NORWAY

Capital:	Oslo
Area:	324,220 km²
Population:	4,610,820
Currency:	Norwegian krone (NOK)
Main Religions:	Church of Norway 85.7%, Roman Catholic 2.4%, Muslim 1.8%, Pentecostal 1%, other christian 2.4%
Main Languages:	Norwegian (official)
Int Dial Code:	47
Map Page:	34

OMAN

Capital:	Muscat
Area:	212,460 km²
Population:	3,102,229
Currency:	Omani rial (OMR)
Main Religions:	Ibadhi Muslim 75%, Sunni Muslim, Shi'a Muslim, Hindu
Main Languages:	Arabic (official), English, Baluchi, Urdu, Indian dialects
Int Dial Code:	968
Map Page:	75

PAKISTAN

Capital:	Islamabad
Area:	803,940 km²
Population:	165,803,560
Currency:	Pakistani rupee (PKR)
Main Religions:	Muslim 97% (Sunni 77%, Shi'a 20%)
Main Languages:	Punjabi 48%, Sindhi 12%, Siraiki 10%, Pashtu 8%, Urdu 8%, Balochi 3%, Hindko 2%, Brahui 1%
Int Dial Code:	92
Map Page:	75

PARAGUAY

Capital:	Asuncion
Area:	406,750 km²
Population:	6,506,464
Currency:	Guarani (PYG)
Main Religions:	Roman Catholic 90%, Mennonite, and other Protestant
Main Languages:	Spanish (official), Guarani (official)
Int Dial Code:	595
Map Page:	118

PALAU

Capital:	Koror
Area:	458 km²
Population:	20,579
Currency:	US dollar (USD)
Main Religions:	Christian (Catholics, Seventh-Day Adventists, Jehovah's Witnesses, Assembly of God, the Liebenzell Mission, and Latter-Day Saints), Modekngei 33%
Main Languages:	English and Palauan, Tobi and Angaur
Int Dial Code:	680
Map Page:	92

PERU

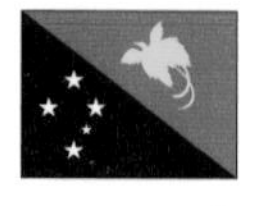

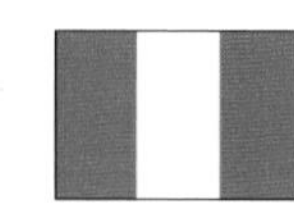

Capital:	Lima
Area:	1,285,220 km²
Population:	28,302,603
Currency:	Nuevo sol (PEN)
Main Religions:	Roman Catholic 90%
Main Languages:	Spanish (official), Quechua (official), Aymara
Int Dial Code:	51
Map Page:	116

PANAMA

Capital:	Panama
Area:	78,200 km²
Population:	3,191,319
Currency:	Balboa (PAB); US dollar (USD)
Main Religions:	Roman Catholic 85%, Protestant 15%
Main Languages:	Spanish (official), English 14%
Int Dial Code:	507
Map Page:	113

PHILIPPINES

Capital:	Manila
Area:	300,000 km²
Population:	89,468,677
Currency:	Philippine peso (PHP)
Main Religions:	Roman Catholic 83%, Protestant 9%, Muslim 5%
Main Languages:	Filipino, English, eight major dialects including Tagalog, Cebuano, Ilocan, Hiligaynon or Ilonggo and Bicol
Int Dial Code:	63
Map Page:	69

PAPUA NEW GUINEA

Capital:	Port Moresby
Area:	462,840 km²
Population:	5,670,544
Currency:	Kina (PGK)
Main Religions:	Roman Catholic 22%, Lutheran 16%, Presbyterian/Methodist/London Missionary Society 8%, Anglican 5%, Protestant 10%, Indigenous beliefs 34%
Main Languages:	English, Pidgin English, Motu
Int Dial Code:	675
Map Page:	92

POLAND

Capital:	Warsaw
Area:	312,685 km²
Population:	38,536,869
Currency:	Zloty (PLN)
Main Religions:	Roman Catholic 95%, Eastern Orthodox, Protestant, and other 5%
Main Languages:	Polish
Int Dial Code:	48
Map Page:	36

PORTUGAL

Capital:	Lisbon
Area:	92,391 km²
Population:	10,605,870
Currency:	Euro (EUR)
Main Religions:	Roman Catholic 94%, Protestant
Main Languages:	Portuguese, Mirandese
Int Dial Code:	351
Map Page:	46

RWANDA

Capital:	Kigali
Area:	26,338 km²
Population:	8,648,248
Currency:	Rwandan franc (RWF):
Main Religions:	Roman Catholic 52.7%, Protestant 24%, Adventist 10.4%, Muslim 1.9%, Indigenous beliefs 6.5%
Main Languages:	Kinyarwanda, Bantu vernacular, French, English
Int Dial Code:	250
Map Page:	88

QATAR

Capital:	Doha
Area:	11,437 km²
Population:	885,359
Currency:	Qatari rial (QAR)
Main Religions:	Muslim 95%
Main Languages:	Arabic (official), English
Int Dial Code:	974
Map Page:	79

SAINT KITTS AND NEVIS

Capital:	Basseterre
Area:	261 km²
	(Saint Kitts 168 km²; Nevis 93 km²)
Population:	39,129
Currency:	East Caribbean dollar (XCD)
Main Religions:	Anglican, other Protestant, Roman Catholic
Main Languages:	English
Int Dial Code:	1 + 869
Map Page:	113

ROMANIA

Capital:	Bucharest
Area:	237,500 km²
Population:	22,303,552
Currency:	Leu (ROL)
Main Religions:	Eastern Orthodox 86.8%, Protestant 7.5%, Roman Catholic 4.7%
Main Languages:	Romanian, Hungarian, German
Int Dial Code:	40
Map Page:	53

SAINT LUCIA

Capital:	Castries
Area:	616 km²
Population:	168,458
Currency:	East Caribbean dollar (XCD)
Main Religions:	Roman Catholic 67.5%, Seventh Day Adventist 8%, Pentecostal 5.7%, Anglican 2%, Evangelical 2%
Main Languages:	English (official), French patois
Int Dial Code:	1 + 758
Map Page:	113

RUSSIAN FEDERATION

Capital:	Moscow
Area:	17,075,200 km²
Population:	142,893,540
Currency:	Russian ruble (RUR)
Main Religions:	Russian Orthodox, Muslim
Main Languages:	Russian
Int Dial Code:	7
Map Page:	58

SAINT VINCENT & THE GRENADINES

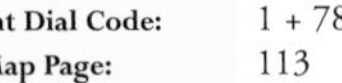

Capital:	Kingstown
Area:	389 km² (Saint Vincent 344 km²)
Population:	117,848
Currency:	East Caribbean dollar (XCD)
Main Religions:	Anglican 47%, Methodist 28%, Roman Catholic 13%, Seventh-Day Adventist, Hindu, other Protestant
Main Languages:	English, French patois
Int Dial Code:	1 + 784
Map Page:	113

SAMOA

Capital:	Apia
Area:	2,944 km²
Population:	176,908
Currency:	Tala (WST)
Main Religions:	Christian 99.7% (London Missionary Society; includes Congregational, Roman Catholic, Methodist, Latter-Day Saints, Seventh-Day Adventist)
Main Languages:	Samoan (Polynesian), English
Int Dial Code:	685
Map Page:	93

SAN MARINO

Capital:	San Marino
Area:	61.2 km²
Population:	29,251
Currency:	Euro (EUR)
Main Religions:	Roman Catholic
Main Languages:	Italian
Int Dial Code:	378
Map Page:	49

SÃO TOMÉ AND PRÍNCIPE

Capital:	Sao Tome
Area:	1,001 km²
Population:	193,413
Currency:	Dobra (STD)
Main Religions:	Christian 80% (Roman Catholic, Evangelical Protestant, Seventh-Day Adventist)
Main Languages:	Portuguese (official)
Int Dial Code:	239
Map Page:	87

SAUDI ARABIA

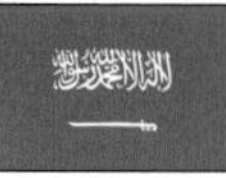

Capital:	Riyadh
Area:	1,960,582 km²
Population:	27,019,731
Currency:	Saudi riyal (SAR)
Main Religions:	Muslim 100%
Main Languages:	Arabic
Int Dial Code:	966
Map Page:	74

SENEGAL

Capital:	Dakar
Area:	196,190 km²
Population:	11,987,121
Currency:	Communaute Financiere Africaine franc (XOF)
Main Religions:	Muslim 92%, Indigenous beliefs 6%, Christian 2% (mostly Roman Catholic)
Main Languages:	French (official), Wolof, Pulaar, Jola, Mandinka
Int Dial Code:	221
Map Page:	86

SERBIA

Capital:	Belgrade
Area:	88,361 km²
Population:	9,396,411
Currency:	New Yugoslav dinar (YUM)
Main Religions:	Serbian Orthodox, Muslim, Roman Catholic, Protestant
Main Languages:	Serbian (official), Romanian, Hungarian, Slovak, Croatian, Albania
Int Dial Code:	381
Map Page:	52

SEYCHELLES

Capital	Victoria
Area:	455 km²
Population:	81,541
Currency:	Seychelles rupee (SCR)
Main Religions:	Roman Catholic 90%, Anglican 8%, other 2%
Main Languages:	English (official), French (official), Creole
Int Dial Code:	248
Map Page:	91

SIERRA LEONE

Capital:	Freetown
Area:	71,740 km²
Population:	6,005,250
Currency:	Leone (SLL)
Main Religions:	Muslim 60%, indigenous beliefs 30%, Christian 10%
Main Languages:	English (official), Mende, Temne, Krio (English-based Creole)
Int Dial Code:	232
Map Page:	86

SINGAPORE

Capital:	Singapore
Area:	692.7 km²
Population:	4,492,150
Currency:	Singapore dollar (SGD)
Main Religions:	Buddhist (Chinese), Muslim (Malays), Christian, Hindu, Sikh, Taoist, Confucianist
Main Languages:	Chinese (official), Malay (official and national), Tamil (official), English (official)
Int Dial Code:	65
Map Page:	70

SOMALIA

Capital:	Mogadishu
Area:	637,657 km²
Population:	8,863,338
Currency:	Somali shilling (SOS)
Main Religions:	Sunni Muslim
Main Languages:	Somali (official), Arabic, Italian, English
Int Dial Code:	252
Map Page:	89

SLOVAKIA

Capital:	Bratislava
Area:	48,845 km²
Population:	5,439,448
Currency:	Slovak koruna (SKK)
Main Religions:	Roman Catholic 60.3%, Atheist 9.7%, Protestant 8.4%, Orthodox 4.1%, other 17.5%
Main Languages:	Slovak (official), Hungarian
Int Dial Code:	421
Map Page:	37

SOUTH AFRICA, REPUBLIC OF

Capital:	Pretoria (executive); Bloemfontein (judicial); Cape Town (legislative)
Area:	1,219,912 km²
Population:	44,187,637
Currency:	Rand (ZAR)
Main Religions:	Christian 68%, Muslim 2%, Hindu 1.5%, Indigenous beliefs and Animist 28.5%
Main Languages:	IsiZulu, IsXhosa, Afrikaans, Sepedi, English, Setswana, Sesotho, Xitsonga
Int Dial Code:	27
Map Page:	90

SLOVENIA

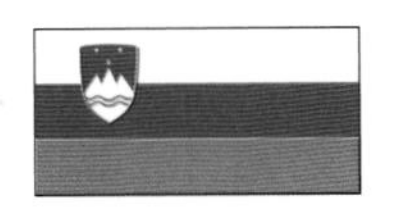

Capital:	Ljubljana
Area:	20,273 km²
Population:	2,010,347
Currency:	Tolar (SIT)
Main Religions:	Catholic 57.8%, Muslim 2.4%, Orthodox 2.3% other christian 0.9%
Main Languages:	Slovenian 91%, Serbo-Croatian 6%, other 3%
Int Dial Code:	386
Map Page:	49

SOUTH KOREA

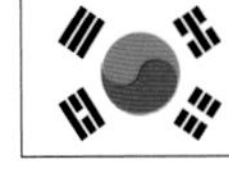

Capital:	Seoul
Area:	98,480 km²
Population:	48,846,823
Currency:	South Korean Won (KRW)
Main Religions:	Christian 26%, Buddhist 26%, Confucianist 1%,
Main Languages:	Korean, English
Int Dial Code:	82
Map Page:	66

SOLOMON ISLANDS

Capital:	Honiara
Area:	28,450 km²
Population:	552,438
Currency:	Solomon Islands dollar (SBD)
Main Religions:	Church of Melanesia 32.8%, Roman Catholic 19%, South Sea Evangelical 17%, Seventh-Day Adventist 11.2%, United Church 10.3%, Christian Fellowship Church 2.4%, other christian 4.4%
Int Dial Code:	677
Map Page:	92

SPAIN

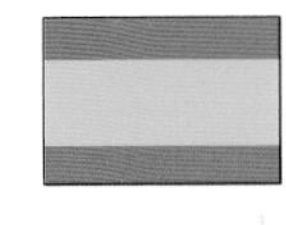

Capital:	Madrid
Area:	504,782 km²
Population:	40,397,842
Currency:	Euro (EUR)
Main Religions:	Roman Catholic 94%, other 6%
Main Languages:	Castilian Spanish (official) 74%, Catalan 17%, Galician 7%, Basque 2%
Int Dial Code:	34
Map Page:	46

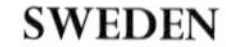

SRI LANKA

Capital:	Sri Jayewardenepura Kotte
Area:	65,610 km²
Population:	20,222,240
Currency:	Sri Lankan rupee (LKR)
Main Religions:	Buddhist 70%, Hindu 15%, Christian 8%, Muslim 7%
Main Languages:	Sinhala 74%, Tamil 18%, other 8%
Int Dial Code:	94
Map Page:	73

SWEDEN

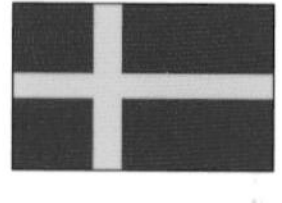

Capital:	Stockholm
Area:	449,964 km²
Population:	9,016,596
Currency:	Swedish krona (SEK)
Main Religions:	Lutheran 87%, Roman Catholic, Orthodox, Baptist, Muslim, Jewish, Buddhist
Main Languages:	Swedish
Int Dial Code:	46
Map Page:	34

SUDAN

Capital:	Khartoum
Area:	2,505,810 km²
Population:	41,236,378
Currency:	Sudanese dinar (SDD)
Main Religions:	Sunni Muslim 70%, indigenous beliefs 25%, Christian 5%
Main Languages:	Arabic, Nubian, Ta Bedawie, diverse dialects of Nilotic, Nilo-Hamitic, Sudanic languages, English
Int Dial Code:	249
Map Page:	82

SWITZERLAND

Capital:	Bern
Area:	41,290 km²
Population:	7,523,934
Currency:	Swiss franc (CHF)
Main Religions:	Roman Catholic 41.8%, Protestant 35.3%
Main Languages:	German (official) 63.7%, French (official) 19.2%, Italian (official) 7.6%, Romansch (official) 0.6%, other 8.9%
Int Dial Code:	41
Map Page:	48

SURINAME

Capital:	Paramaribo
Area:	163,270 km²
Population:	439,117
Currency:	Surinamese guilder (SRG)
Main Religions:	Hindu 27.4%, Muslim 19.6%, Roman Catholic 22.8%, Protestant 25.2%, Indigenous beliefs 5%
Main Languages:	Dutch (official), English, Sranang Tongo, Hindustani, Javanese
Int Dial Code:	597
Map Page:	117

SYRIA

Capital:	Damascus
Area:	185,180 km²
Population:	18,881,361
Currency:	Syrian pound (SYP)
Main Religions:	Sunni Muslim 74%, Alawite, Druze, and other Muslim sects 16%, Christian 10%, Jewish
Main Languages:	Arabic (official); Kurdish, Armenian, Aramaic, Circassian, French, English
Int Dial Code:	963
Map Page:	74

SWAZILAND

Capital:	Mbabane; Lobamba is the royal and legislative capital
Area:	17,363 km²
Population:	1,136,334
Currency:	Lilangeni (SZL)
Main Religions:	Zionist 40%, Roman Catholic 20%, Muslim 10%, Anglican, Bahai, Methodist, Morman, Jewish
Main Languages:	English (official), Swati (official)
Int Dial Code:	268
Map Page:	91

TAIWAN

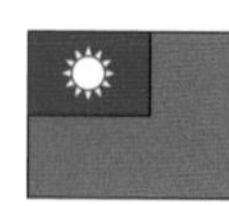

Capital:	Taipei
Area:	35,980 km²
Population:	23,036,087
Currency:	Taiwan dollar (TWD)
Main Religions:	Buddhist, Confucian, and Taoist 93%, Christian 4.5%, other 2.5%
Main Languages:	Mandarin Chinese (official), Taiwanese (Min), Hakka dialects
Int Dial Code:	886
Map Page:	69

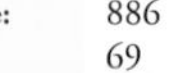

TAJIKISTAN

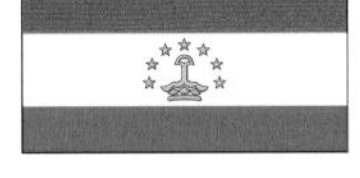

Capital:	Dushanbe
Area:	143,100 km²
Population:	7,320,815
Currency:	Somoni (SM)
Main Religions:	Sunni Muslim 85%, Shi'a Muslim 5%
Main Languages:	Tajik (official), Russian
Int Dial Code:	992
Map Page:	75

TANZANIA

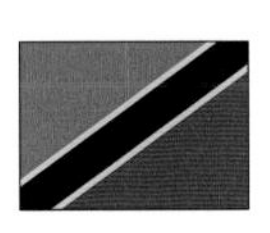

Capital:	Dodoma
Area:	945,087 km²
Population:	37,445,392
Currency:	Tanzanian shilling (TZS)
Main Religions:	Christian 45%, Muslim 35%, indigenous beliefs 20%; Zanzibar - more than 99% Muslim
Main Languages:	Kiswahili or Swahili, Kiunguju, English, Arabic
Int Dial Code:	255
Map Page:	89

THAILAND

Capital:	Bangkok
Area:	514,000 km²
Population:	64,631,595
Currency:	Baht (THB)
Main Religions:	Buddhism 95%, Muslim 3.8%, Christianity 0.5%, Hinduism 0.1%, other 0.6%
Main Languages:	Thai, English, ethnic and regional dialects
Int Dial Code:	66
Map Page:	68

TOGO

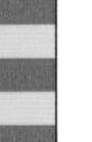

Capital:	Lome
Area:	56,785 km²
Population:	5,548,702
Currency:	Communaute Financiere Africaine franc (XOF)
Main Religions:	Indigenous beliefs 59%, Christian 29%, Muslim 12%
Main Languages:	French (official), Ewe and Mina, Kabye and Dagomba
Int Dial Code:	228
Map Page:	86

TONGA

Capital:	Nuku'alofa
Area:	748 km²
Population:	114,689
Currency:	Pa'anga (TOP)
Main Religions:	Christian (Free Wesleyan Church claims over 30,000 adherents)
Main Languages:	Tongan, English
Int Dial Code:	676
Map Page:	93

TRINIDAD AND TOBAGO

Capital:	Port-of-Spain
Area:	5,128 km²
Population:	1,065,842
Currency:	Trinidad and Tobago dollar (TTD)
Main Religions:	Roman Catholic 29.4%, Hindu 23.8%, Anglican 10.9%, Muslim 5.8%, Presbyterian 3.4%, other 26.7%
Main Languages:	English (official), Hindi, French, Spanish, Chinese
Int Dial Code:	1 + 868
Map Page:	113

TUNISIA

Capital:	Tunis
Area:	163,610 km²
Population:	10,175,014
Currency:	Tunisian dinar (TND)
Main Religions:	Muslim 98%, Christian 1%, Jewish and other 1%
Main Languages:	Arabic (official), French (commerce)
Int Dial Code:	216
Map Page:	85

TURKEY

Capital:	Ankara
Area:	780,580 km²
Population:	70,413,958
Currency:	Turkish lira (TRL)
Main Religions:	Muslim 99.8% (mostly Sunni), other 0.2% (Christian and Jews)
Main Languages:	Turkish (official), Kurdish, Arabic, Armenian, Greek
Int Dial Code:	90
Map Page:	76

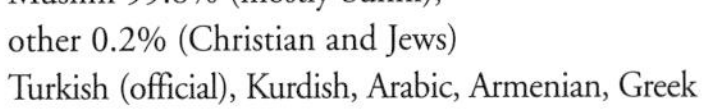

TURKMENISTAN

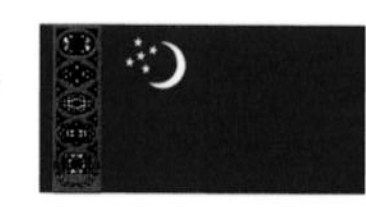

Capital:	Ashgabat
Area:	488,100 km²
Population:	5,042,920
Currency:	Turkmen manat (TMM)
Main Religions:	Muslim 89%, Eastern Orthodox 9%, unknown 2%
Main Languages:	Turkmen 72%, Russian 12%, Uzbek 9%, other 7%
Int Dial Code:	993
Map Page:	75

UNITED ARAB EMIRATES

Capital:	Abu Dhabi
Area:	82,880 km²
Population:	2,602,713
Currency:	Emirati dirham (AED)
Main Religions:	Muslim 96% (Shi'a 16%), Christian, Hindu, and other 4%
Main Languages:	Arabic (official), Persian, English, Hindi, Urdu
Int Dial Code:	971
Map Page:	74

TUVALU

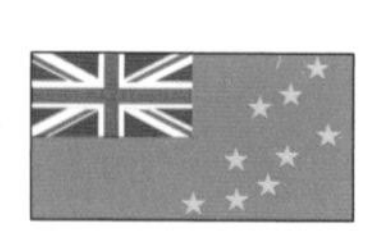

Capital:	Funafuti
Area:	26 km²
Population:	11,810
Currency:	Australian dollar (AUD); also a Tuvaluan dollar
Main Religions:	Church of Tuvalu (Congregationalist) 97%, Seventh-Day Adventist 1.4%, Baha'i 1%, other 0.6%
Main Languages:	Tuvaluan, English
Int Dial Code:	688
Map Page:	92

UNITED KINGDOM

Capital:	London
Area:	244,820 km²
Population:	60,609,153
Currency:	British pound (GBP)
Main Religions:	Christian 71.6%, Muslim 2.7%, Hindu 1%
Main Languages:	English, Welsh, Scottish form of Gaelic
Int Dial Code:	44
Map Page:	42

UGANDA

Capital:	Kampala
Area:	236,040 km²
Population:	28,195,754
Currency:	Ugandan shilling (UGX)
Main Religions:	Roman Catholic 33%, Protestant 33%, Muslim 16%, Indigenous beliefs 18%
Main Languages:	English, Ganda or Luganda, other Niger-Congo languages, Nilo-Saharan languages, Swahili, Arabic
Int Dial Code:	256
Map Page:	88

UNITED STATES

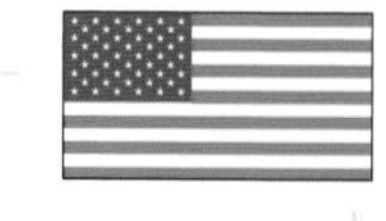

Capital:	Washington, D.C.
Area:	9,631,420 km²
Population:	298,444,215
Currency:	US dollar (USD)
Main Religions:	Protestant 52%, Roman Catholic 24%, Jewish 1%, Muslim 1%
Main Languages:	English, Spanish
Int Dial Code:	1
Map Page:	102

UKRAINE

Capital:	Kiev (Kyiv)
Area:	603,700 km²
Population:	46,710,816
Currency:	Hryvnia (UAH)
Main Religions:	Ukrainian Orthodox - Moscow Patriarchate, Ukrainian Orthodox - Kiev Patriarchate
Main Languages:	Ukrainian, Russian, Romanian, Polish, Hungarian
Int Dial Code:	380
Map Page:	56

URUGUAY

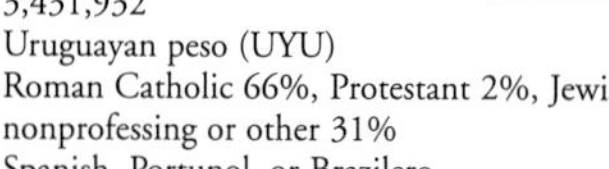

Capital:	Montevideo
Area:	176,220 km²
Population:	3,431,932
Currency:	Uruguayan peso (UYU)
Main Religions:	Roman Catholic 66%, Protestant 2%, Jewish 1%, nonprofessing or other 31%
Main Languages:	Spanish, Portunol, or Brazilero
Int Dial Code:	598
Map Page:	119

UZBEKISTAN

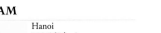

Capital:	Tashkent (Toshkent)
Area:	447,400 km²
Population:	27,307,134
Currency:	Uzbekistani sum (UZS)
Main Religions:	Muslim 88% (mostly Sunnis), Eastern Orthodox 9%, other 3%
Main Languages:	Uzbek 74.3%, Russian 14.2%, Tajik 4.4%, other 7.1%
Int Dial Code:	998
Map Page:	61

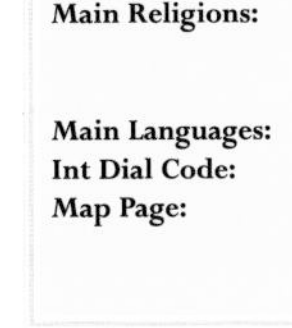

VIETNAM

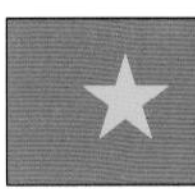

Capital:	Hanoi
Area:	329,560 km²
Population:	84,402,966
Currency:	Dong (VND)
Main Religions:	Buddhist, Hoa Hao, Cao Dai, Christian (Roman Catholic, some Protestant), Indigenous beliefs, Muslim
Main Languages:	Vietnamese, English, French, Chinese, and Khmer
Int Dial Code:	84
Map Page:	68

VANUATU

Capital:	Port-Vila
Area:	12,200 km²
Population:	208,869
Currency:	Vatu (VUV)
Main Religions:	Presbyterian 31.4%, Anglican 13.4%, Roman Catholic 13.1%, indigenous beliefs 5.6%
Main Languages:	English, French, Pidgin
Int Dial Code:	678
Map Page:	92

YEMEN

Capital:	Sanaa
Area:	527,970 km²
Population:	21,456,188
Currency:	Yemeni rial (YER)
Main Religions:	Muslim including Shaf'i (Sunni) and Zaydi (Shi'a), Jewish, Christian, and Hindu
Main Languages:	Arabic
Int Dial Code:	967
Map Page:	74

VATICAN CITY

Capital:	Vatican City
Area:	0.44 km²
Population:	932
Currency:	Euro (EUR)
Main Religions:	Roman Catholic
Main Languages:	Italian, Latin, French
Int Dial Code:	39
Map Page:	50

ZAMBIA

Capital:	Lusaka
Area:	752,614 km²
Population:	11,502,010
Currency:	Zambian kwacha (ZMK)
Main Religions:	Christian 50%-75%, Muslim and Hindu 24%-49%, Indigenous beliefs 1%
Main Languages:	English (official), Bemba, Kaonda, Lozi, Lunda, Luvale, Nyanja, Tonga, 70 other indigenous languages
Int Dial Code:	260
Map Page:	90

VENEZUELA

Capital:	Caracas
Area:	912,050 km²
Population:	25,730,435
Currency:	Bolivar (VEB)
Main Religions:	Roman Catholic 96%, Protestant 2%, other 2%
Main Languages:	Spanish (official), numerous indigenous dialects
Int Dial Code:	58
Map Page:	116

ZIMBABWE

Capital:	Harare
Area:	390,580 km²
Population:	12,236,805
Currency:	Zimbabwean dollar (ZWD)
Main Religions:	Syncretic (part Christian, part indigenous beliefs) 50%, Christian 25%, indigenous beliefs 24%, Muslim and other 1%
Main Languages:	English (official), Shona, Sindebele, tribal dialects
Int Dial Code:	263
Map Page:	90

Equatorial Scale 1 : 154 000 000

0   1000   2000   3000   4000 km
0   1000   2000 miles

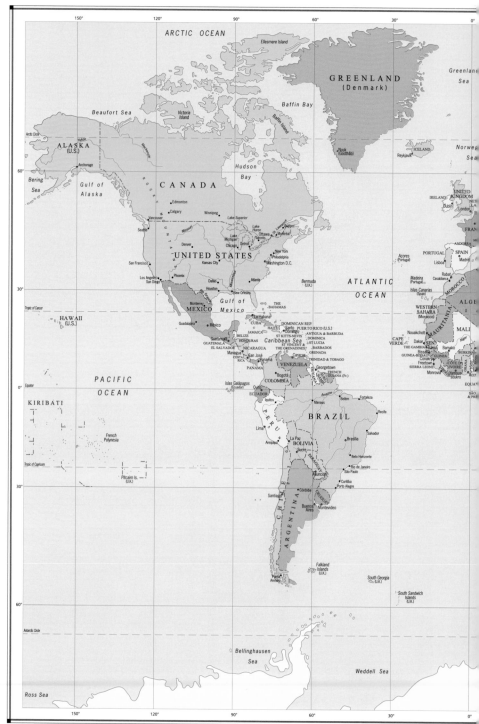

© Hema Maps Pty Ltd. Based on original data © Research Machines plc

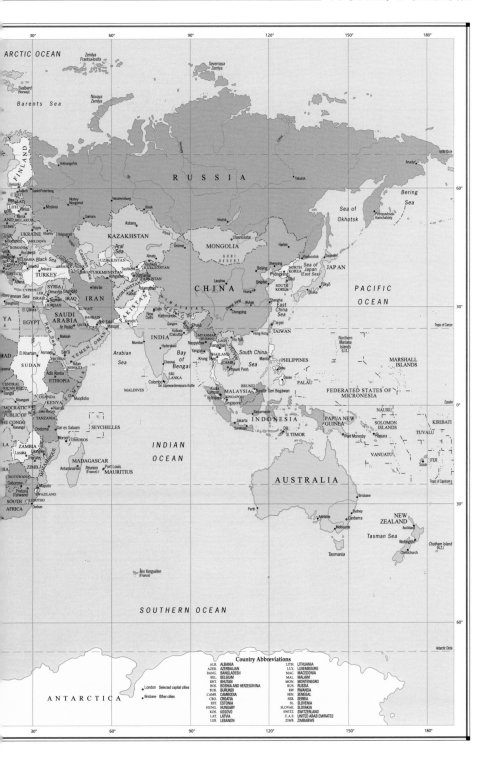

Country Abbreviations

ALB.	ALBANIA	LITH.	LITHUANIA
AZER.	AZERBAIJAN	LUX.	LUXEMBOURG
BANG.	BANGLADESH	MAC.	MACEDONIA
BEL.	BELGIUM	MAL.	MALAWI
BHT.	BHUTAN	MON.	MONTENEGRO
BOS.	BOSNIA AND HERZEGOVINA	RUS.	RUSSIA
BUR.	BURUNDI	RW.	RWANDA
CAMB.	CAMBODIA	SEN.	SENEGAL
CRO.	CROATIA	SER.	SERBIA
EST.	ESTONIA	SL.	SLOVENIA
HUNG.	HUNGARY	SLOVAK.	SLOVAKIA
KOS.	KOSOVO	SWITZ.	SWITZERLAND
LAT.	LATVIA	U.A.E.	UNITED ARAB EMIRATES
LEB.	LEBANON	ZIMB.	ZIMBABWE

● London Selected capital cities
● Brisbane Other cities

Scale 1 : 27 700 000

0	250	500	750	1000 km
0	100 200 300 400	500 miles		

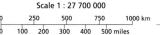

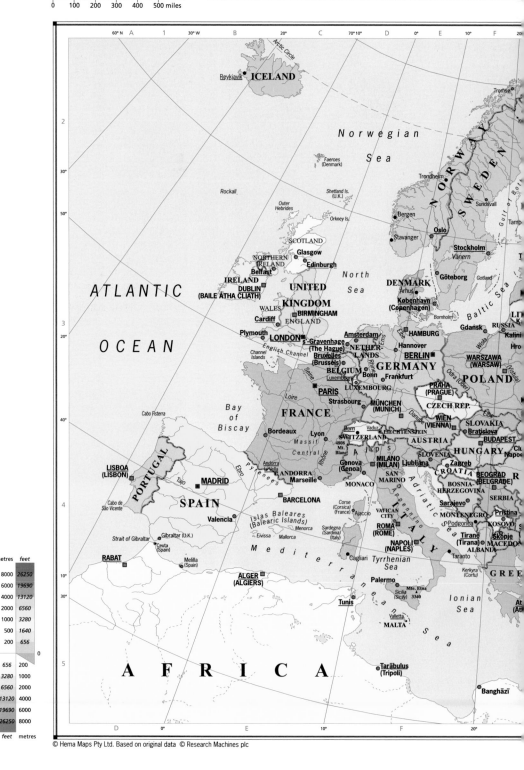

metres	feet
8000	26250
6000	19690
4000	13120
2000	6560
1000	3280
500	1640
200	656
0	0
656	200
3280	1000
6560	2000
13120	4000
19690	6000
26250	8000
feet	metres

© Hema Maps Pty Ltd. Based on original data © Research Machines plc

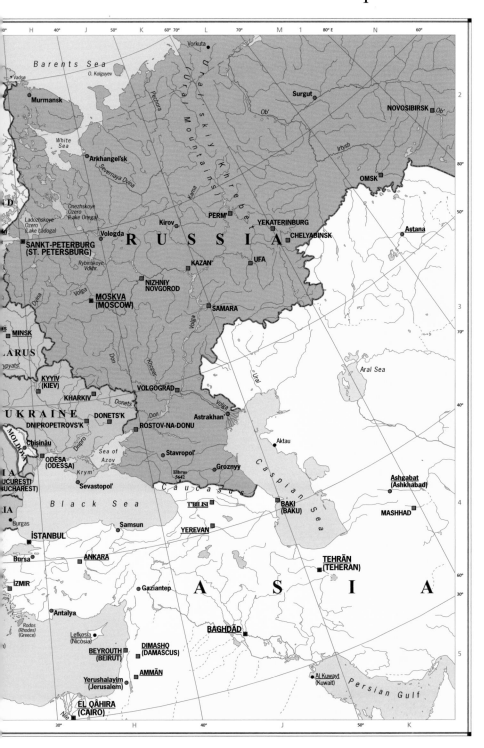

Barents Sea

Vadsø

O. Kolguyev

Vorkuta

Surgut

NOVOSIBIRSK

Murmansk

White
Sea

Arkhangel'sk

Severnaya Dvina

OMSK

Pechora

Ural'skiy Khrebet (Ural Mountains)

Ob'

Ob'

Irtysh

Onezhskoye
Ozero
(Lake Onega)

Ladozhskoye
Ozero
(Lake Ladoga)

Kirov

PERM'

YEKATERINBURG

Astana

SANKT-PETERBURG
(ST. PETERSBURG)

Vologda

R U S S I A

CHELYABINSK

MINSK

Rybinskoye
Vdkhr.

KAZAN'

UFA

Kama

NIZHNIY
NOVGOROD

BARUS

MOSKVA
(MOSCOW)

Volga

SAMARA

ypyats'

Dvina

Don

Aral Sea

KYYIV
(KIEV)

Knoper

VOLGOGRAD

Ural

UKRAINE

KHARKIV

Donets

Volga

DNIPROPETROVS'K

DONETS'K

Don

ROSTOV-NA-DONU

Astrakhan'

MOLDOVA

Chişinău

Dnipro

Aktau

ODESA
(ODESSA)

Sea of
Azov

Stavropol'

Ashgabat
(Ashkhabad)

Sevastopol'

Krym'

Elbrus
5642

Groznyy

Caspian Sea

UCUREŞTI
(BUCHAREST)

Black Sea

Caucasus

T'BILISI

BAKI
(BAKU)

MASHHAD

IA

Burgas

Samsun

YEREVAN

İSTANBUL

Bursa

ANKARA

TEHRĀN
(TEHERAN)

İZMIR

Gaziantep

A   S   I   A

Antalya

Rodos
(Rhodes)
(Greece)

Lefkosia
(Nicosia)

BAGHDĀD

BEYROUTH
(BEIRUT)

DIMASHQ
(DAMASCUS)

Yerushalayim
(Jerusalem)

AMMĀN

Al Kuwayt
(Kuwait)

Persian Gulf

EL QÂHIRA
(CAIRO)

Nile

Scale 1 : 7 900 000

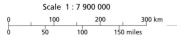

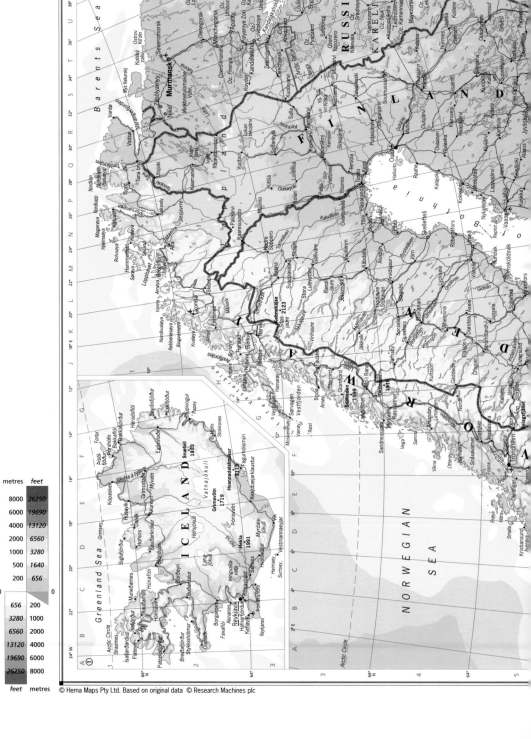

metres	feet
8000	26250
6000	19690
4000	13120
2000	6560
1000	3280
500	1640
200	656
0	0
656	200
3280	1000
6560	2000
13120	4000
19690	6000
26250	8000
feet	metres

NORTH SEA
BALTIC SEA
Skagerrak
Kattegat
Gulf of Finland
Gulf of Riga
DENMARK
ESTONIA
LATVIA
LITHUANIA
RUSSIA
BELARUS
POLAND
GERMANY
NETHERLANDS
Oslo
Stockholm
Helsinki
Tallinn
Riga
Vilnius
København (Copenhagen)
SANKT-PETERBURG
Göteborg
Kaliningrad
Gdańsk
HAMBURG
Bergen
Saaremaa
Gotland
Öland
Bornholm
Galdhøpiggen 2470

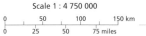

Europe

Scale 1 : 4 750 000

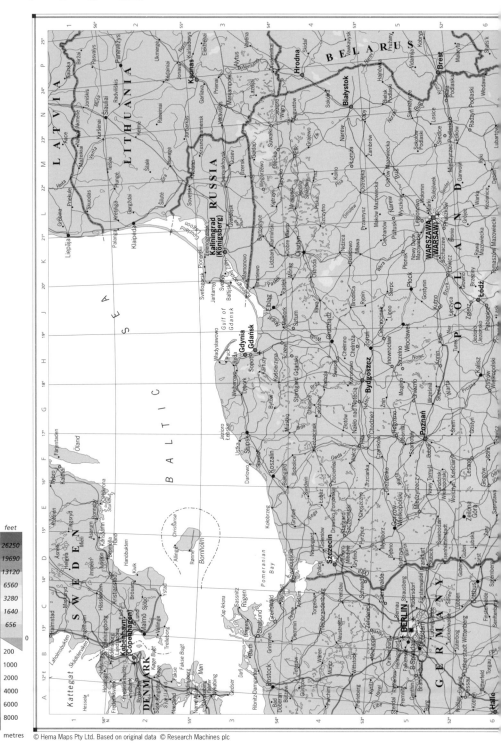

CZECH REPUBLIC
SLOVAKIA
HUNGARY
AUSTRIA
ROMANIA
UKRAINE
SERBIA
CROATIA
SLOVENIA
ITALY
Carpathian Mountains
PRAHA (PRAGUE)
WIEN (VIENNA)
BUDAPEST
Bratislava
Ljubljana
Zagreb
Brno
Ostrava
Kraków
Katowice
Częstochowa
Sosnowiec
Kielce
Rzeszów
Tarnów
L'viv
Košice
Uzhhorod
Miskolc
Debrecen
Nyíregyháza
Szeged
Kecskemét
Pécs
Győr
Székesfehérvár
Graz
Linz
Salzburg
Cluj-Napoca
Oradea
Timişoara
Arad
Subotica
Maribor
Chemnitz
Plzeň
Olomouc
2043 Ďumbier
1014 Kékes
Danube

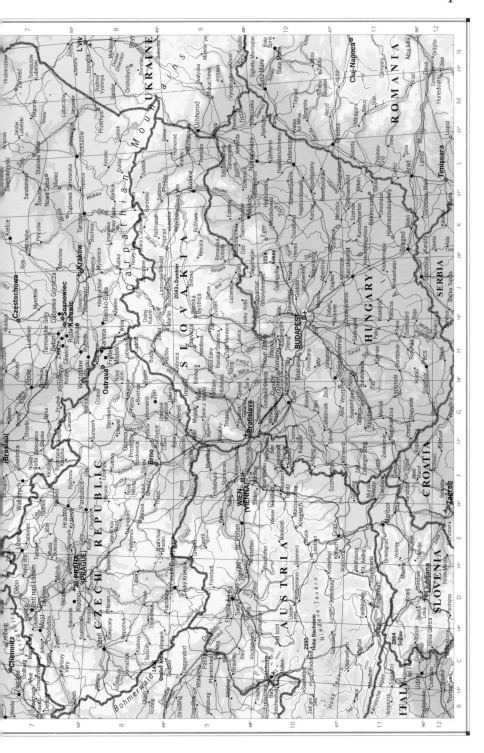

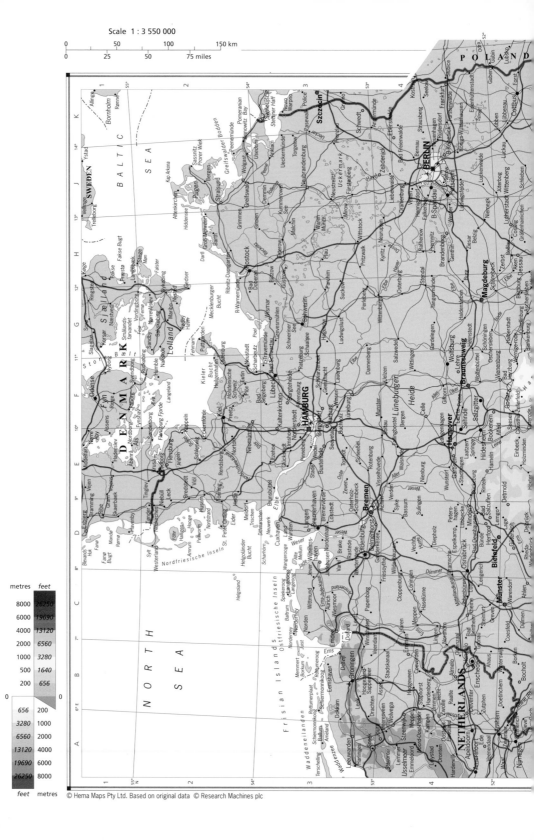

Europe

Scale 1 : 3 550 000

0   50   100   150 km

0   25   50   75 miles

metres	feet
8000	26250
6000	19690
4000	13120
2000	6560
1000	3280
500	1640
200	656
0	0
656	200
3280	1000
6560	2000
13120	4000
19690	6000
26250	8000
feet	metres

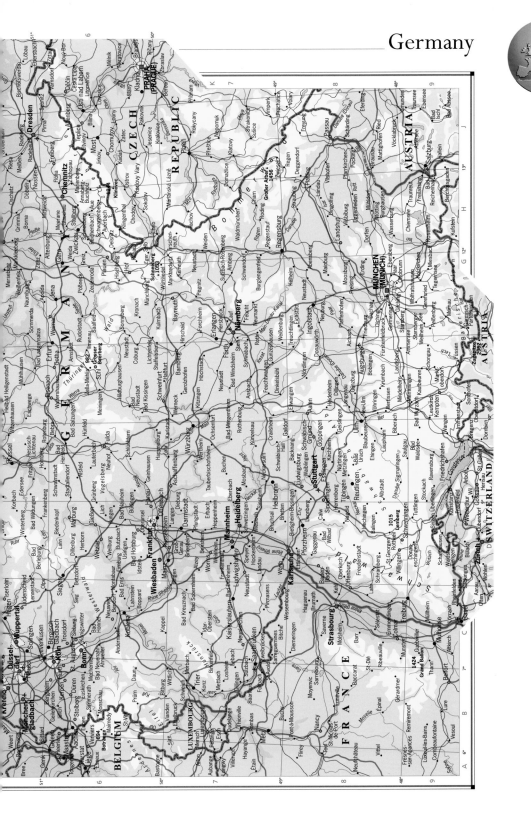
GERMANY
CZECH REPUBLIC
AUSTRIA
SWITZERLAND
FRANCE
BELGIUM
LUXEMBOURG
Dresden
Chemnitz
Leipzig
Erfurt
Jena
Nürnberg
Regensburg
München (Munich)
Augsburg
Ulm
Stuttgart
Karlsruhe
Mannheim
Heidelberg
Frankfurt
Wiesbaden
Mainz
Koblenz
Bonn
Köln
Düsseldorf
Wuppertal
Saarbrücken
Kaiserslautern
Würzburg
Bamberg
Bayreuth
Ingolstadt
Freiburg
Strasbourg
Mulhouse
Basel
Zürich
Salzburg
Praha (Prague)
Plzeň
Metz
Nancy
Luxembourg
Liège
Aachen
Kassel
Fulda
Passau
Bodensee
Böhmerwald
Schwäbische Alb
Schwarzwald
Großer Arber 1456
Zugspitze 2962
Feldberg
Rhine (Rhein)
Danube (Donau)
Main
Mosel

Europe

Scale 1 : 3 150 000

100
150 km
25
75 miles
2° W
B
D
2°
2
53° N
52°
51°
UNITED KINGDOM
NORTH SEA
ENGLAND
Buxton
Worksop
East Retford
Louth
Mablethorpe
Chesterfield
Bolsover
Mansfield
Matlock
Leek
Alfreton
Newark-on-Trent
Lincoln
Horncastle
Skegness
Trent
Sleaford
Derby
Nottingham
Grantham
Boston
The Wash
Hunstanton
Cromer
Long Eaton
Burton-upon-Trent
Cannock
Loughborough
Melton Mowbray
Oakham
Spalding
King's Lynn
The Broads
Leicester
East Dereham
Walsall
Tamworth
Nuneaton
Stamford
Welland
Wisbech
Norwich
BIRMINGHAM
Bedworth
Peterborough
Yare
Great Yarmouth
Coventry
Market Harborough
Corby
March
Rugby
Nene
The Fens
Lowestoft
Kettering
Ely
Great Ouse
Thetford
Little Ouse
Redditch
Warwick
Royal Leamington Spa
Huntingdon
Diss
Wellingborough
Southwold
Avon
Daventry
Northampton
Stratford-upon-Avon
Newmarket
Bury St. Edmunds
Stowmarket
Evesham
Towcester
Cambridge
Aldeburgh
Banbury
Bedford
Woodbridge
Orford Ness
Milton Keynes
Stour
Sudbury
Chipping Norton
Letchworth
Royston
Ipswich
Bicester
Stevenage
Bishop's Stortford
Felixstowe
Harwich
Leighton Buzzard
Woodstock
Aylesbury
Luton
Braintree
Colchester
The Naze
Witney
Oxford
Hemel Hempstead
Welwyn Garden City
Harlow
Thames
St. Albans
Clacton-on-Sea
Abingdon
Didcot
High Wycombe
Cheshunt
Chelmsford
Watford
Enfield
Swindon
Maidenhead
Slough
Brentwood
Foulness
LONDON
Reading
Basildon
Southend-on-Sea
Hungerford
Newbury
Windsor
Grays
Thames
Bracknell
Kingston upon Thames
Gravesend
Rochester
Herne Bay
Margate
Camberley
Staines
Whitstable
North Foreland
Basingstoke
Woking
Epsom
Gillingham
Faversham
Ramsgate
Farnborough
Avon
Guildford
Canterbury
Andover
Aldershot
Sevenoaks
Maidstone
Deal
Reigate
Salisbury
Alton
Crawley
Ashford
Winchester
Haslemere
East Grinstead
Royal Tunbridge Wells
Dover
Romsey
Petersfield
Horsham
Folkestone
Southampton
Eastleigh
The Weald
Uckfield
Strait of Dover
Fareham
Havant
South Downs
Rye
Portsmouth
Chichester
Worthing
Brighton
Lewes
Dungeness
Calais
Gosport
Bexhill
Hastings
Lymington
Cowes
The Solent
Bognor Regis
Shoreham-by-Sea
Newhaven
Eastbourne
Cap Gris-Nez
Newport
Ryde
Beachy Head
Isle of Wight
Boulogne-sur-Mer
4
6
49°
English Channel
Zeebrugge
Blankenberge
Oostende
Middelkerke
Nieuwpoort
De Panne
Veurne
Dunkerque
Gravelines
Diksmuide
Roeselare
Poperinge
Ieper
St-Omer
Hazebrouck
Armentières
Desvres
Lys
Lille
Béthune
Étaples
Fruges
Montreuil
Lens
Hesdin
Berck
Hénin-Beaumont
Rue
St-Pol-sur-Ternoise
Douai
Arras
Baie de la Somme
Le Crotoy
St-Valéry-sur-Somme
Doullens
Abbeville
Bapaume
Le Tréport
Somme
Albert
Blangy-sur-Bresle
Fauville-en-Caux
Dieppe
Amiens
Péronne
Fécamp
Cap d'Antifer
Étretat
Roye
Cherbourg
Tôtes
Neufchâtel-en-Bray
Montdidier
Forges-les-Eaux
Breteuil
Valognes
Bolbec
Yvetot
Baie de la Seine
Gonfreville-Orcher
Lillebonne
Barentin
Marseille-en-Beauvaisis
Noyon
Le Havre
Seine
Gournay-en-Bray
Honfleur
Rouen
Beauvais
Oise
Carentan
Aisne
La Haye-du-Puits
Isigny-sur-Mer
Bayeux
Ouistreham
St-Étienne-du-Rouvray
Clermont
Compiègne
Hérouville-St-Clair
Elbeuf
Périers
Caen
Creil
St-Lô
Lisieux
Louviers
Les Andelys
Méru
Senlis
Crépy-en-Valois
Coutances
Villers-Bocage
Chambly
Chantilly
Vernon
Bernay
Pontoise
Orbec
Évreux
Granville
Vimoutiers
Falaise
Conches-en-Ouche
Mantes-la-Jolie
Herblay
St-Denis
Jullouville
Villedieu-les-Poêles
Vire
Condé-sur-Noireau
Bobigny
Meaux
PARIS
Tinchebray
Flers
Eure
St-Germain-en-Laye
Marne-la-Vallée
Gacé
Houdan
Versailles
Avranches
Argentan
Créteil
L'Aigle
Trappes
Verneuil
Pontorson
Mortain
Rânes
Dreux
Orsay
Orly
Courtacon
metres
feet
8000
26250
6000
19690
4000
13120
2000
6560
1000
3280
1640
200
656
656
200
3280
1000
6560
2000
13120
4000
19690
6000
26250
8000
feet
metres

Benelux

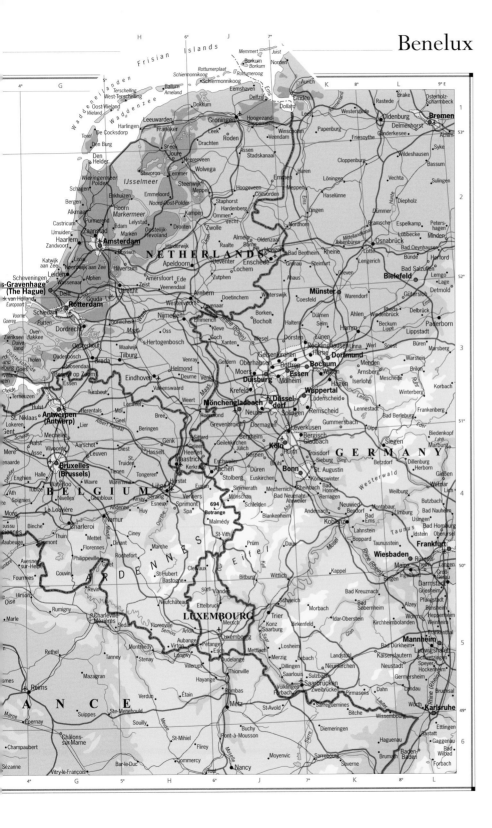

NETHERLANDS
BELGIUM
LUXEMBOURG
GERMANY
FRANCE
ARDENNES
Eifel
Westerwald
Taunus
Frisian Islands
Waddeneilanden
Waddenzee
IJsselmeer
Markermeer
Amsterdam
Rotterdam
's-Gravenhage (The Hague)
Utrecht
Haarlem
Leiden
Groningen
Leeuwarden
Zwolle
Apeldoorn
Arnhem
Nijmegen
Eindhoven
Tilburg
Breda
Enschede
Maastricht
Antwerpen (Antwerp)
Bruxelles (Brussels)
Gent
Mechelen
Leuven
Liège
Namur
Charleroi
Mons
Hasselt
Genk
Luxembourg
Trier
Saarbrücken
Metz
Nancy
Reims
Köln
Bonn
Düsseldorf
Duisburg
Essen
Bochum
Dortmund
Wuppertal
Mönchengladbach
Aachen
Koblenz
Mainz
Wiesbaden
Frankfurt
Mannheim
Karlsruhe
Münster
Osnabrück
Bielefeld
Oldenburg
Bremen
Emden
Rhine (Rhein)
Maas
Moselle
Mosel
Meuse
Ems
Botrange
694

Europe

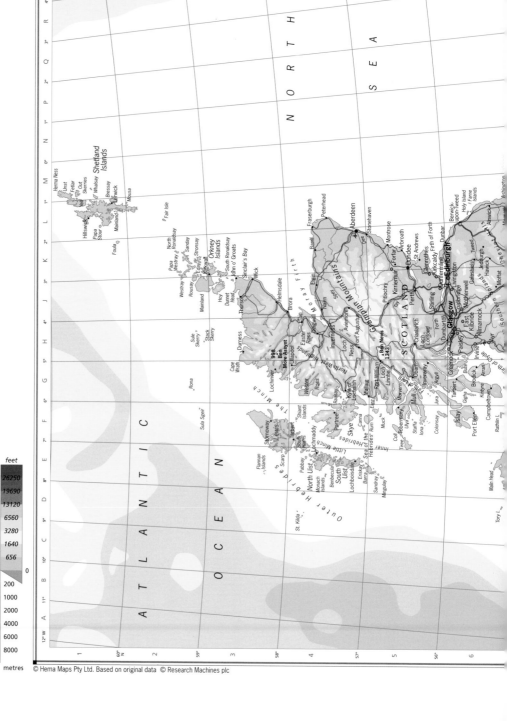

© Hema Maps Pty Ltd. Based on original data © Research Machines plc

NORTHERN IRELAND
IRELAND
DUBLIN (BAILE ÁTHA CLIATH)
ENGLAND
WALES
FRANCE
ISLE OF MAN (U.K.)
IRISH SEA
ATLANTIC OCEAN
Celtic Sea
English Channel
St. George's Channel
Bristol Channel
Strait of Dover
Cambrian Mountains
Channel Islands (U.K.)
LONDON
BIRMINGHAM
MANCHESTER
Liverpool
Leeds
Sheffield
Bradford
Kingston upon Hull
Nottingham
Leicester
Coventry
Wolverhampton
Stoke-on-Trent
Bristol
Cardiff
Swansea
Plymouth
Southampton
Portsmouth
Bournemouth
Brighton
Belfast
Cork
Limerick
Galway
Waterford
Scarborough
Middlesbrough
Norwich
Ipswich
Cambridge
Oxford
Reading
Exeter
Le Havre
Caen
Rouen
Cherbourg
Amiens
Dunkerque
Isles of Scilly
Land's End
Lizard Point
Snowdon 1085
Scafell Pike 978

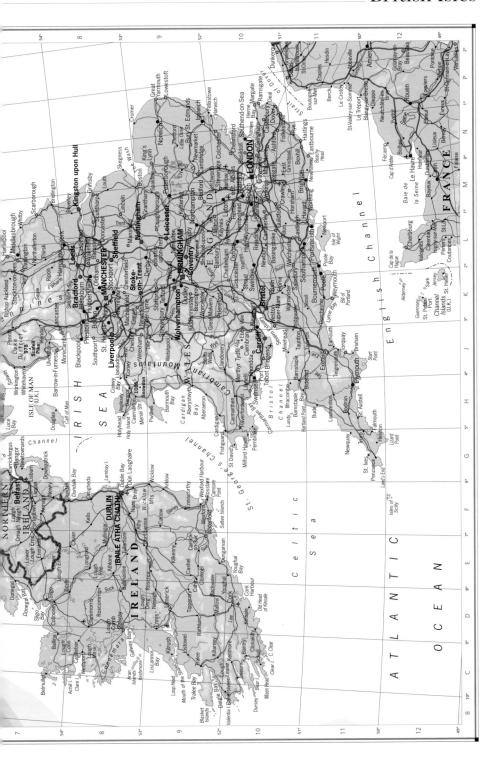

Scale 1 : 4 750 000

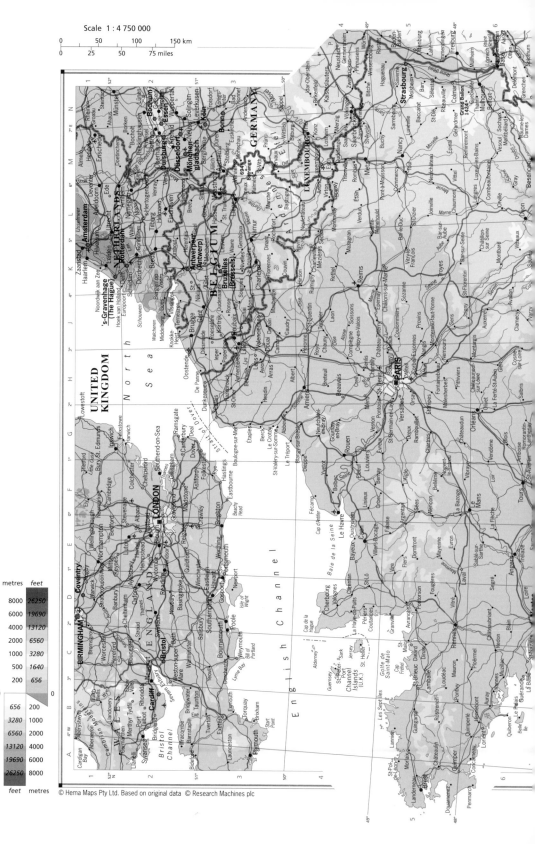

© Hema Maps Pty Ltd. Based on original data © Research Machines plc

44

France

FRANCE
SPAIN
ITALY
SWITZERLAND
MONACO
ANDORRA
ATLANTIC OCEAN
Bay of Biscay
MEDITERRANEAN SEA
Golfe du Lion
Massif Central
PYRENEES
Paris
Lyon
Marseille
Toulouse
Bordeaux
Nice
Montpellier
Clermont-Ferrand
Limoges
Grenoble
Perpignan
Zaragoza
Bilbao
Pamplona
Torino
Lake Geneva
Mont Blanc
Monte Rosa
Gironde
Garonne
Rhône
Loire
Dordogne

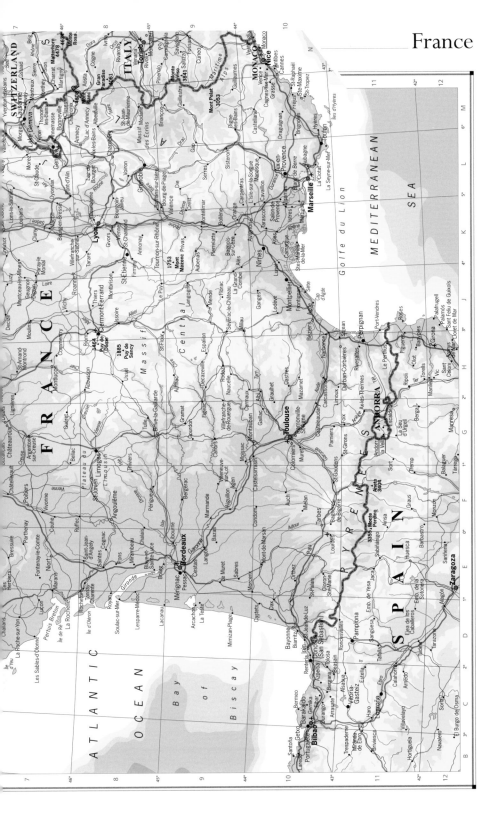

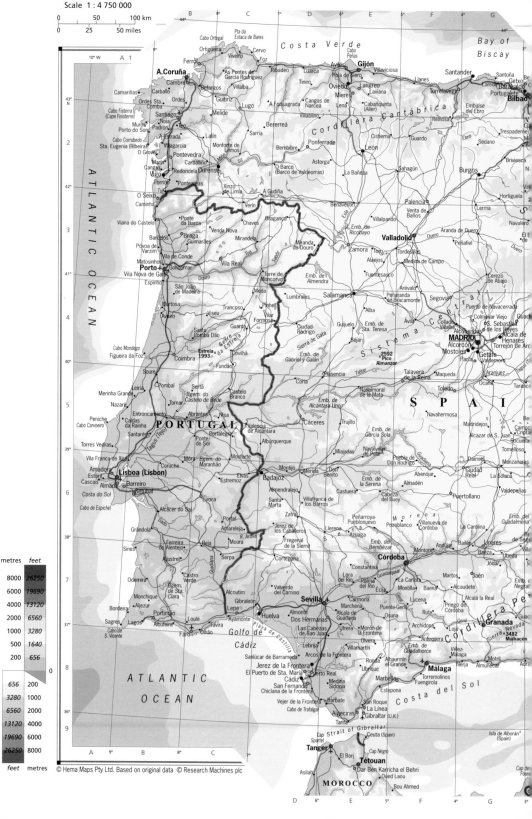

Scale 1 : 4 750 000

0   50   100 km
0   25   50 miles

Costa Verde

Bay of Biscay

Pta da Estaca de Bares
Cabo Ortegal
Cabo Peñas
Ortigueira
Cervo
Gijón
Vivero
Foz
Villaviciosa
Cabo Ortegal
Avilés
Santoña
Ferrol
Ribadeo
Luarca
Llanes
Santander
Caredo
A.Coruña
As Pontes de
Oviedo
Torrelavega
Portugalete
Bilbao
Cambre
García Rodríguez
Tineo
Mieres
Reinosa
Getxo
Camariñas
Betanzos
Villalba
Cangas de
Laviana
Cabañaquinta
Trespaderne
Ordes Sta.
Guitiriz
Narcea
Lena
(Aller)
Embalse
Sedano
Cabo Fisterra
Comba
Lugo
A Fonsagrada
del Ebro
(Cape Finisterre)
Ordes
Villablino
Cordillera Cantábrica
Santiago
Melide
Cisterna
Guardo
Ebro
Muros
Noia
Bererreá
Ponferrada
León
Sahagún
Burgos
Briviesca
Porto do Son
Padrón
Lalín
Sarria
Cabo Corrubedo
A Estrada
Monforte de
O Barco
Astorga
Hortiguela
Sta. Eugenia (Ribeira)
Pontevedra
Lemos
(Barco de Valdeorras)
La Bañeza
Navalero
O Grove
Carballino
Sul
Marín
Vigo
Redondela
Ourense
Palencia
Lerma
Cangas
Porriño
Ponteareas
Xinzo
A Gudiña
Benavente
Venta de
Aranda de Duero
Tui
de Limia
Villalpando
Baños
Viana do Castelo
Verín
Valladolid
Duero
Peñafiel
Ponte
Bragança
Cerezo
da Barca
Venda Nova
Chaves
Zamora
Toro
Medina de Campo
de Abajo
Barcelos
Braga
Mirandela
Miranda
Tordesillas
Duero
Póvoa de
Guimarães
do Douro
Alaejos
Varzim
Vila Real
Tua
Emb. de
Fuentesauco
Arévalo
Matosinhos
Gondomar
Ricobayo
Sistema
Puerto de Navacerrada
Porto
Douro
Torre de
Peñaranda
Segovia
Colmenar Viejo
Vila Nova de Gaia
Moncorvo
Salamanca
de Bracamonte
S. Sebastián
Espinho
Emb. de
Ávila
Collado
Villalba
Alcalá de
São João
Meda
Almendra
Alba
Henares
de Madeira
Lumbrales
MADRID
Torrejón de Arc
Martosa
Trancoso
Pinhel
Ciudad-
Emb. de
Gujuelo
Alcorcón
Aveiro
Viseu
Guarda
Rodrigo
Sta. Teresa
Béjar
Mostoles
Getafe
Valdemoro
Santa
Vilar
Sierra de Gata
Emb. de
2592
Parla
Comba Dão
Formosos
Gabriel y Galán
Pico Almanzor
Cabo Mondego
Covilhã
Coria
Aranjuez
Figueira da Foz
Estrela
Plasencia
Navalmoral
Ocaña
Tarance
1993
Fundão
de la Mata
Toledo
Coimbra
Talavera
Maqueda
Soure
Sertã
Castelo
de la Reina
SPAI
Merinha Grande
Branco
Navahermosa
Leiria
Bgem. do
Cáceres
Madridejos
Nazare
Pombal
Castelo de Bode
Emb. de
Trujillo
Alcázar de S. Juan
Peniche
Tomar
Alcántara Uno
Emb. de
Socuella
Cabo Carvoeiro
Abrantes
Nisa
García Sola
Daimiel
PORTUGAL
Valencia
Navalvilla
Ciudad
Torres Vedras
Caldas
de Alcántara
de Pela
Puebla de
Abenójar
Real
da Rainha
Santarém
Portalegre
Don Rodrigo
Almadén
La Solana
Vila Franca de Xira
Ponte
Alburquerque
Puertollano
Valdepeñas
Amadora
de Sor
Majadas
Lisboa (Lisbon)
Móra
Bgem. do
Montijo
Mérida
Don
Emb. de
Estoril
Maranhão
Elvas
Badajoz
Benito
la Serena
Cascais
Barreiro
Estremoz
Castuera
Cabeza
Almadén
Almada
Setúbal
Évora
Almendralejo
del Buey
Costa do Sol
Villafranca de
Cabo de Espichel
Alcácer do Sal
Portel
Santa
los Barros
Morena
Grândola
Sado
Amareleja
Marta
Peñarroya-
Villanueva de Cordoba
Emb. del
Ferreira
Beja
Zafra
Pueblonuevo
Pozoblanco
Andújar
Guadalmena
do Alentejo
Moura
Jerez de
Pedroches
Bailén
Montoro
Sines
Alustrel
Serpa
los Caballeros
Llerena
Córdoba
Úbeda
Fregenal de
Emb. del
Odemira
Castro
Cortegana
la Sierra
Bembézar
Martos
Jaén
Emb. de
Verde
Azuaga
Negrat
Monchique
Bgem. de
Lora
La Carlota
Sta. Clara
Alcoutim
Constantina
del Río
Guadalquivir
La Caroli
Bordeira
Aljezur
Gibraleón
Palma
Montilla
Baena
Alcaudete
Alcalá la Real
Priego de
Sagres
Portimão
Valverde
del Río
Lucena
Córdoba
Cabo de
Lagos
del Camino
Écija
Rute
Granada
S. Vicente
Albufeira
Sevilla
Carmona
Osuna
Archidona
Sierra Nevada
Faro
Ayamonte
Huelva
Marchena
Puente-Genil
Antequera
3482
Olhão
Almonte
Alcalá de
Morón de
Mulhacén
Golfo de
Playa de castilla
Dos Hermanas
Guadaira
la Frontera
Utrera
Genil
Cádiz
Las Cabezas
Olvera
Vélez-
Cordillera Pe
de San Juan
Lebrija
Villamartín
Málaga
Motril
Sanlúcar de Barrameda
Arcos de la Frontera
Ronda
Alhaurín
Emb. de
Almuñécar
Nerja
Jerez de la Frontera
Emb. de
el Grande
Guadalhorce
El Puerto de Sta. María
Puerto Real
Ubrique
Marbella
Costa del Sol
Cádiz
San Fernando
Medina
Estepona
Fuengirola
Chiclana de la Frontera
Sidonia
Torremolinos
Vejer de la Frontera
Barbate
ATLANTIC
Cabo de Trafalgar
San Roque
Algeciras
OCEAN
La Línea
Gibraltar (U.K.)
Cap Spartel
Strait of Gibraltar
Ceuta (Spain)
Isla de Alborán
Cap
(Spain)
Cap Negro
Tanger
El Borj
Tétouan
Asilah
Dar Ben Karricha el Behri
MOROCCO
Oued Laou
Bou Ahmed

metres   feet

metres	feet
8000	26250
6000	19690
4000	13120
2000	6560
1000	3280
500	1640
200	656
0	0

feet	metres
656	200
3280	1000
6560	2000
13120	4000
19690	6000
26250	8000

feet   metres

Spain and Portugal

FRANCE
PYRENEES
ANDORRA
Andorra la Vella
Bayonne
Biarritz
Orthez
Irún
St-Jean-de-Luz
St-Palais
Donostia (San Sebastián)
Tolosa
Beasain
Oloron-Ste-Marie
Pau
Tarbes
Lourdes
Bagnères-de-Bigorre
St-Gaudens
St-Girons
Muret
Castelnaudary
Carcassonne
Pamiers
Foix
Limoux
Ax-les-Thermes
Béziers
Agde
Sète
Cap d'Agde
Narbonne
Golfe du Lion
Sigean
Rivesaltes
Perpignan
Port-Vendres
Le Perthus
Roncesvalles
Alsasua
Pamplona
Estella
Emb. de Yesa
Jaca
Sabiñánigo
Sangüesa
3355 Monte Perdido
Aneto 3404
Ainsa
Sort
Les Escaldes
La Seu d'Urgell
Tafalla
Ebro
Ejea de los Caballeros
Tudela
Emb. de la Sotonera
Huesca
Graus
Barbastro
Tremp
Berga
Ripoll
Olot
Figueres
Roses
Banyoles
Torelló
Manlleu
Vic
Girona
Palafrugell
Palamós
Sant Feliu de Guíxols
Lloret de Mar
Costa Brava
Arnedo
Tarazona
Monzón
Balaguer
Manresa
Granollers
Sant Celoni
Arenys de Mar
Mataró
Alagón
Sariñena
Zaragoza
Lleida
Cinca
Tàrrega
Igualada
Terrassa
Sabadell
Badalona
BARCELONA
El Prat de Llobregat
Torrelapaja
El Burgo de Ebro
Fraga
Montblanc
Vilafranca del Penedès
Sant Boi
Gava
Valls
Vilanova y la Geltru
Sitges
Reus
Tarragona
Cambrils
Costa Dorada
Aziza
Calatayud
Azaila
Caspe
Jalón
Daroca
Alcañiz
Gandesa
Calamocha
Molina de Aragón
Montalbán
Guadalope
Tortosa
Cabo Tortosa
Monreal del Campo
Amposta
Morella
Sant Carlos de la Ràpita
Vinaròs
Benicarló
Sierra de Gúdar
Teruel
Torreblanca
Islas Baleares (Balearic Islands)
Menorca
Ciutadella
Mahón
Cuenca
Barracas
Onda
Vila-real
Castelló de la Plana
Borriana
La Vall d'Uixo
Islas Columbretes
Pollença
Cap de Formentor
Sa Pobla
Sóller
Inca
Artà
Palma
Manacor
Sa Dragonera
Llucmajor
Santanyí
Mallorca
Cap de ses Salines
Cabrera
Emb. de Contreras
Utiel
Motilla del Palancar
Requena
Burjassot
Paterna
Torrent
Sagunt
Valencia
Golfo de Valencia
Cofrents
Júcar
Carlet
Algemes
Alzira
Cullera
Xàtiva
Gandia
Eivissa (Ibiza)
San Juan Bautista
San Antonio Abad
Formentera
Albacete
Chincilla de Monte-Aragón
Almansa
Ontinyent
Oliva
Dénia
Xàbia
Cabo de la Nao
Alcoi
Yecla
Villena
Hellín
Jumilla
Elda
Benidorm
La Vila Joiosa
Novelda
Aspe
Alicante
Cieza
Crevillent
Elch
Santa Pola
Costa Blanca
Caravaca de la Cruz
Molina de Segura
Orihuela
Alcantarilla
Murcia
Torrevieja
Zarzadilla de Totana
Alhama de Murcia
Torre-Pacheco
La Union
Cabo de Palos
Lorca
Cartagena
Golfo de Mazarrón
Huercal Overa
Aguilas
Albox
Vera
Carboneras
Níjar
Cabo de Gata
Mediterranean Sea
ALGER (ALGIERS)
Dellys
Tizi Ouzou
Aïn Taya
Rouiba
Thenia
Bou Ismail
Larba
Lakhdaria
Boghni
Cherchell
Gouraya
Hadjout
Boufarik
Blida
Bouira
Ténès
Médéa
Aïn Bessem
Sour el Ghozlane
Beni Slimane
Miliana
Khemis Miliana
Berrouaghia
Bouzghaïa
Ech Chélif
Chélif
ALGERIA
Atlas Mountains
Aïn Tédélès
Bou Kadir
Theniet el Had
Ksar el Boukhari
Mostaganem
Arzew
Bordj Bounaam
Aïn el Hadjel
Bougzoul
Mers el Kébir
Gdyel
Relizane
Oran
Oued Tlélat
Mohammadia
Sig
Cap Figalo
El Amria
Hammam Bou Hadjar
Mascara
Beni Saf
Aïn Témouchent

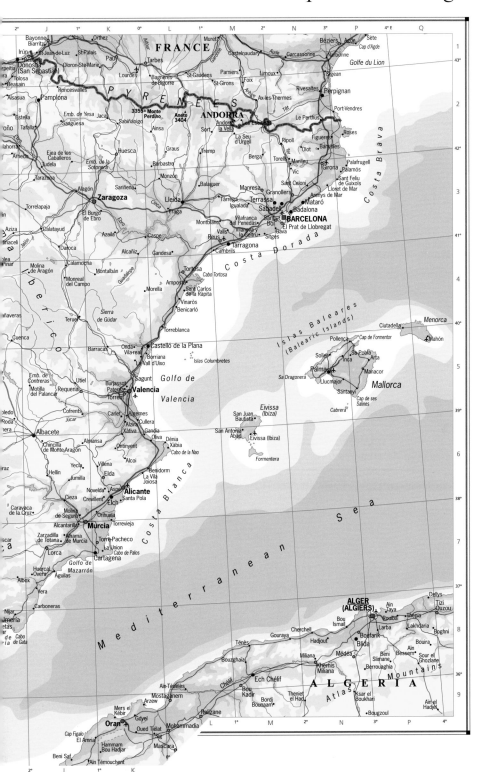

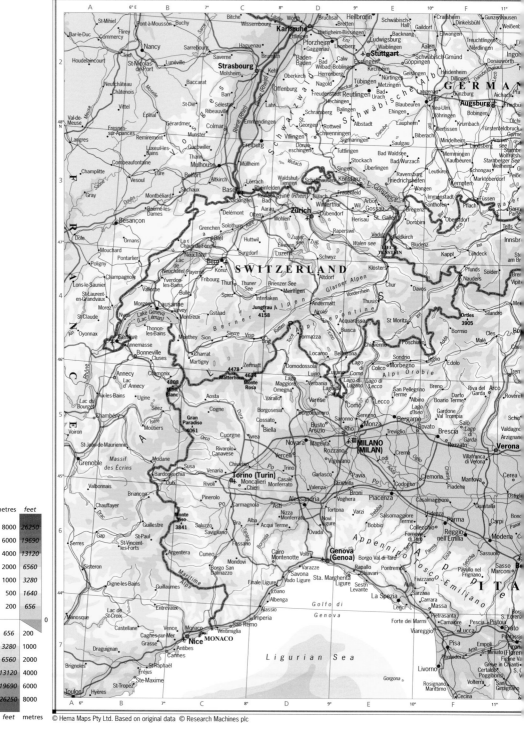

Scale 1 : 3 550 000

0	50	100	150 km	
0	25	50	75 miles	

metres	feet
8000	26250
6000	19690
4000	13120
2000	6560
1000	3280
500	1640
200	656
0	0
656	200
3280	1000
6560	2000
13120	4000
19690	6000
26250	8000

feet metres

© Hema Maps Pty Ltd. Based on original data © Research Machines plc

The Alpine States

CZECH REPUBLIC
SLOVAKIA
AUSTRIA
SLOVENIA
HUNGARY
CROATIA
BOSNIA-HERZEGOVINA
SAN MARINO
Regensburg
Passau
Linz
České Budějovice
Český Krumlov
Freistadt
Krems
St. Pölten
WIEN (VIENNA)
Bratislava
Salzburg
Bad Ischl
Hallein
Kufstein
Wörgl
Bischofshofen
Zell am See
Badgastein
Großglockner 3798
Hohe Tauern
Niedere Tauern
Leoben
Bruck
Graz
Judenburg
Köflach
Voitsberg
Wolfsberg
St. Andrä
Villach
Klagenfurt
Spittal
Lienz
Feldkirchen
St. Veit
Hermagor
Mauthen
Karnische Alpen
Tarvisio
Triglav 2864
Jesenice
Bled
Kranj
Ljubljana
Maribor
Ptuj
Celje
Velenje
Škofja Loka
Domžale
Trbovlje
Krško
Novo Mesto
Kočevje
Ribnica
Postojna
Pivka
Snežnik 1796
Cerknica
Logatec
Nova Gorica
Gorizia
Udine
Trieste
Koper
Izola
Golfo di Trieste
Golfo di Venezia
Venezia (Venice)
Mestre
Treviso
Chioggia
Pordenone
Belluno
Cortina d'Ampezzo
Rijeka
Krk
Cres
Lošinj
Pag
Rab
Senj
Pula
Rovinj
Poreč
Umag
Zagreb
Samobor
Velika Gorica
Karlovac
Sisak
Varaždin
Čakovec
Koprivnica
Bjelovar
Zadar
Šibenik
Split
Trogir
Knin
Gospić
Vaganski Vrh 1758
Dinaric Alps
Adriatic Sea
Dugi Otok
Brač
Hvar
Banja Luka
Bihać
Sopron
Szombathely
Győr
Zalaegerszeg
Nagykanizsa
Keszthely
Balaton
Danube
Drava
Sava
Mur
Ravenna
Rimini
Cesena
Forlì
Ancona
Arezzo
Pesaro
Urbino

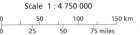

Scale 1 : 4 750 000

0	50	100	150 km
0	25	50	75 miles

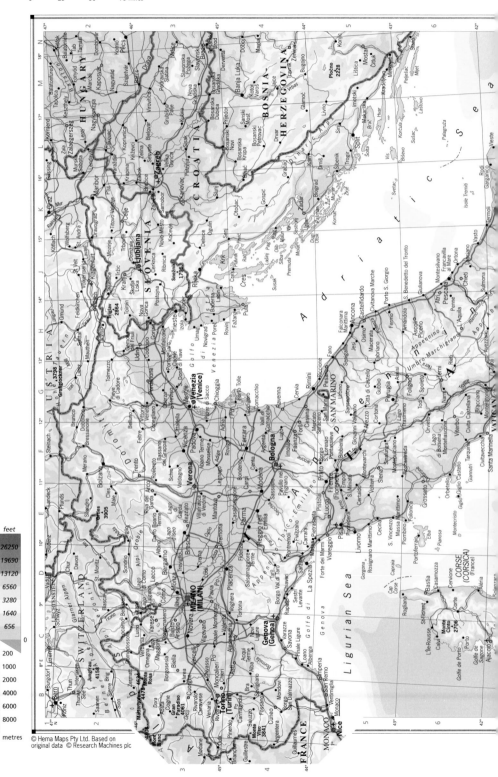

metres	feet
8000	26250
6000	19690
4000	13120
2000	6560
1000	3280
500	1640
200	656
0	0
656	200
3280	1000
6560	2000
13120	4000
19690	6000
26250	8000
feet	metres

Tyrrhenian Sea
Ionian Sea
MEDITERRANEAN SEA
Golfo di Taranto
SARDEGNA (SARDINIA) (Italy)
SICILIA (SICILY)
Sicilian Channel
Malta Channel
MALTA
TUNISIA
ALGERIA
NAPOLI (NAPLES)
Palermo
Messina
Catania
Cagliari
Bari
Tunis
Valletta

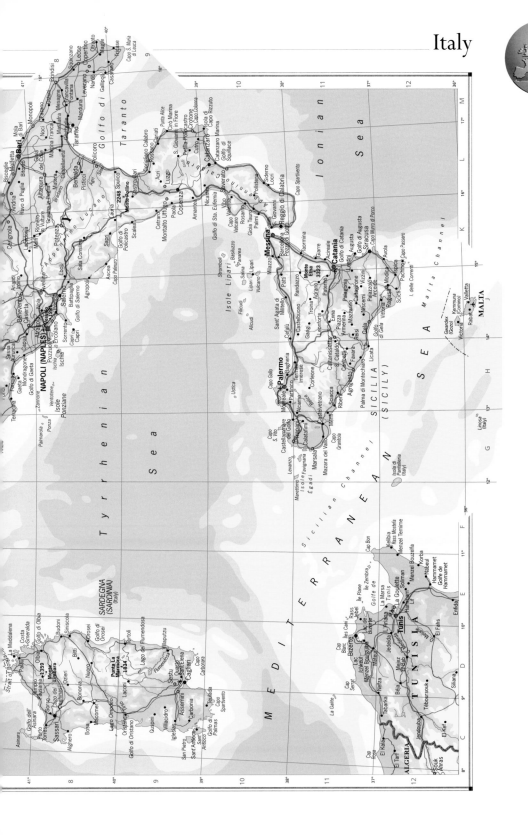

Europe

Scale 1 : 4 750 000

metres	feet
8000	26250
6000	19690
4000	13120
2000	6560
1000	3280
500	1640
200	656
0	0
656	200
3280	1000
6560	2000
13120	4000
19690	6000
26250	8000

feet   metres

© Hema Maps Pty Ltd. Based on original data © Research Machines plc

The Balkans

UKRAINE
MOLDOVA
ROMANIA
BULGARIA
TURKEY
GREECE
BLACK SEA
Carpathian Mountains
Stara Planina
Transylvanian Alps
Rhodope Mountains
Mouths of the Danube
Marmara Denizi (Sea of Marmara)
Thrakiko Pelagos
BUCUREŞTI (BUCHAREST)
Chişinău
ODESA (ODESSA)
SOFIYA (SOFIA)
İSTANBUL
Chernivtsi
Kam"yanets'-Podil's'kyy
Mohyliv-Podil's'kyy
Suceava
Botoşani
Iaşi
Bălţi
Tiraspol
Tighina
Satu Mare
Baia Mare
Cluj-Napoca
Târgu Mureş
Bistriţa
Piatra-Neamţ
Bacău
Vaslui
Bârlad
Brăila
Galaţi
Tulcea
Sulina
Focşani
Buzău
Ploieşti
Braşov
Sibiu
Deva
Hunedoara
Alba Iulia
Mediaş
Sighişoara
Râmnicu Vâlcea
Piteşti
Târgovişte
Craiova
Drobeta-Turnu Severin
Slatina
Alexandria
Giurgiu
Călăraşi
Slobozia
Constanţa
Mangalia
Vidin
Calafat
Lom
Ruse
Silistra
Dobrich
Varna
Burgas
Shumen
Razgrad
Pleven
Lovech
Veliko Tŭrnovo
Gabrovo
Sliven
Yambol
Stara Zagora
Kazanlŭk
Plovdiv
Pazardzhik
Pernik
Montana
Vratsa
Blagoevgrad
Khaskovo
Kŭrdzhali
Edirne
Kırklareli
Tekirdağ
Çorlu
Musala 2925
Midzor 2169
Vârful Moldoveanu 2544
Danube (Dunărea)
Prut
Siret
Olt
Mureş
Iskăr
Dniester
Lacul Razim
Lacul Sinoie
Nos Emine
Nos Kaliakra
Nos Shabla
Burgaski Zaliv
İstanbul Boğazı (Bosporus)
23°
24°
25°
26°
27°
28°
29°
30°
42°
43°
44°
45°
46°
47°
48°

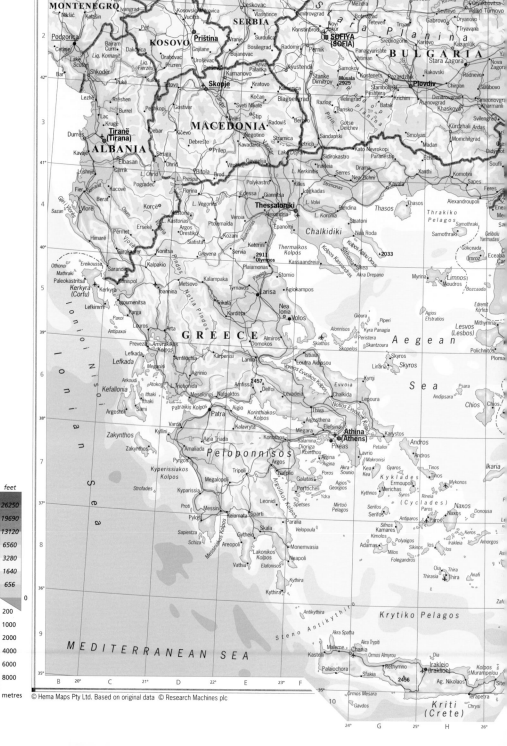

Scale 1 : 4 750 000

| 0 | 50 | 100 | 150 km |

| 0 | 25 | 50 | 75 miles |

© Hema Maps Pty Ltd. Based on original data © Research Machines plc

metres	feet
8000	26250
6000	19690
4000	13120
2000	6560
1000	3280
500	1640
200	656
0	0
656	200
3280	1000
6560	2000
13120	4000
19690	6000
26250	8000
feet	metres

K 28° 29° M 30° N 31° P 32° Q 33° R 34° S

BLACK SEA

Provadiya
Devniya **Varna**
Staro Byala
Oryakhovo
Aytos
Nos Emine
Nesebŭr
Karnobat
Pomorie
Burgas Burgaski Zaliv
Sozopol
Grudovo
Michurin
Kerempe Burnu
İnebolu
Cide
Milko
Tŭrnovo Resovo
İğneada
Azdavay
Taşköprü
Yıldız Dağları
Bartın
Kastamonu
Kırklareli Kıyıköy
Pınarhisar Vize
Karacaköy
Zonguldak
Kozlu
Safranbolu
Tosya
Babaeski Lüleburgaz
Çerkezköy
İstanbul Boğazı
(Bosporus) Sile
Ereğli
Karabük
Kurşunlu
Hayrabolu Çorlu
Sarıyer Beykoz
Ağva
Akçakoca
Muratlı Silivri **İSTANBUL**
Yeşilköy
Kandıra Karasu
Köroğlu Dağları
İnecik Tekirdağ
Büyükçekmece Kartal
Pendik Gebze **İzmit**
Hendek Düzce
Bolu
Gerede
Çerkeş
Çankırı
Kumbağ
Marmara
Adası Büyükada Sapanca
Sakarya Mudurnu
Köroğlu
Tepesi 2400
Kızılcahamam
Çubuk
Çerikli
Türkeli Adası
Kapıdağı Yalova Karamürsel
Geyve
Beypazarı
ANKARA
Elmadağ
Kırıkkale
Pasalimanı
Adası Erdek
Bandırma Mudanya
İznik Gölü
İznik
Sakarya
Kırşehir
Biga
Karacabey
Bursa İnegöl Bilecik
Bozüyük
Sakarya
Balâ
Can Gönen
Susurluk
Mustafakemalpaşa
Eskişehir
Polatlı
Kaman
Yerkov
İç
Balıkesir
Tavşanlı
Kaymaz
Sivrihisar
Kırşehir
Burhaniye
Dursunbey
Kütahya
Sakarya
Kulu
Mucur
Bergama Savaştepe
Bigadiç
Gölcük
Simav
T U R K E Y
Şereflikoçhisar
Gülşehir
Dikili Soma
Kınık Kırkağaç
Demirci
A N A T O L I A
Emirdağ
Tuz Gölü
Nevşehir
Aliağa Akhisar
Gediz
Yunak
Cihanbeyli
Manisa Saruhanlı
Gölmarmara
Afyon
yaka Menemen
İZMİR
Salihli
Kula
Banaz
Bolvadin
Çay
Aksaray
Turgutlu Alaşehir
Uşak
Sandıklı
Akşehir
Ilgın
Sarayönü
Sultanhanı
Seferihisar Torbalı
Tire
Ödemiş
Eğirdir Gölü
Kadınhanı
Niğde
Kuşadası
Germencik Aydın
Nazilli
Dinar
Sarıkaraağaç
Bor
Samos
Ortaklar İncirliova
Kocarlı
Keçiborlu
Isparta
Eğirdir
Konya
Karapınar
Ereğli
Söke
Çamiçigölü
Cine
Saraköy
2528
Esler Dağ
Burdur
Beyşehir Gölü
Beyşehir
Çumra
Yenipazar
Kale
Denizli
Burdur Gölü
Bucak
Seydişehir
Karaman
Milas
Yatağan
Muğla
Boz Dağ
2419
Kızılkaya
Cevizli
Bozkır
Bodrum Ören
Köyceğiz
Korkuteli
Akseki
Kara Ada
Gökova Körfezi
Gölhisar
Serik
Geyik Dağ
2877
Kızılalan
**İçel
(Mersin)**
Datça
Marmaris
Dalaman
Antalya
Manavgat
Toros Dağları
Mut
Erdemli
Nisyros
Symi
Fethiye
3073
Elmalı
Kemer
Alanya
Ermenek
Silifke
Tilos
Kemer
Finike
Kumluca
Karacal T.
2339
Gazipaşa
Ovacık
Chalki
Rodos
(Rhodes)
Kalkan
Yardımcı
Burnu
Antalya Körfezi
Anamur
Aydıncık
Saria
Lindos
Megisti
(Greece)
Karpathos
Kattavia
Keryneia
Aigialousa
MEDITERRANEAN SEA
Morfou
Lefkosia
(Nicosia)
Ammochostos
(Famagusta)
C. Arnaoutis
Polis
CYPRUS
Cape
Gkeko
Troodos
Olympus
1952
Larnaka
Pafos
Episkopi
Lemesos
(Limassol)

2
3
41°
40°
5
39°
6
38°
37°
8
36°
9
35°
34°
10

Europe

Scale 1 : 14 300 000

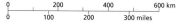

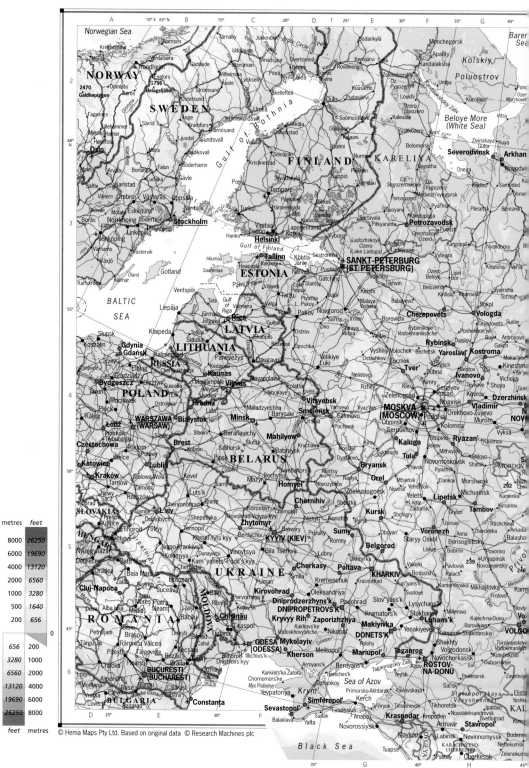

200
400
600 km
100
200
300 miles
Norwegian Sea
Barents Sea
NORWAY
SWEDEN
FINLAND
KARELIYA
Kol'skiy Poluostrov
Beloye More (White Sea)
Gulf of Bothnia
Gulf of Finland
ESTONIA
LATVIA
LITHUANIA
RUSSIA
POLAND
BELARUS
UKRAINE
MOLDOVA
ROMANIA
BULGARIA
HUNGARY
SLOVAKIA
BALTIC SEA
Gulf of Riga
Gotland
Sea of Azov
Black Sea
Krym'
Oslo
Stockholm
Helsinki
Tallinn
SANKT-PETERBURG (ST PETERSBURG)
Riga
Vilnius
Minsk
WARSZAWA (WARSAW)
MOSKVA (MOSCOW)
KYYIV (KIEV)
Chişinău
BUCUREŞTI (BUCHAREST)
ODESA (ODESSA)
KHARKIV
DNIPROPETROVS'K
DONETS'K
ROSTOV-NA-DONU
Sevastopol'
Simferopol'
Krasnodar
Stavropol'
VOLGOGRAD
Petrozavodsk
Vologda
Yaroslavl'
Kostroma
Tver'
Ryazan'
Tula
Kaluga
Bryansk
Orel
Kursk
Lipetsk
Voronezh
Tambov
Belgorod
Poltava
Cherkasy
Chernihiv
Zhytomyr
L'viv
Kraków
Gdańsk
Gdynia
Kaunas
Daugavpils
Pskov
Novgorod
Arkhangel'sk
Severodvinsk
Cherepovets
Rybinsk
Ivanovo
Vladimir
Dzerzhinsk
Cluj-Napoca
Constanța
2470 Galdhøpiggen
1796 Helagsfjället
metres
feet
8000 26250
6000 19690
4000 13120
2000 6560
1000 3280
500 1640
200 656
656 200
3280 1000
6560 2000
13120 4000
19690 6000
26250 8000
feet metres

Arctic Circle
Obskaya Guba
Bugrino
Tobseda
Nosevaya
Indiga
Oksino
Nar'yan Mar
Pechora
Khoreyver
Khoseda-Khard
Volonga
Sula
Yermitsa
Krestovka
Adz'vavom
Vorkuta
Severnyy
Abez'
Petrun
Chum
1499
Aksarka
Salekhard
Yar Sale
Novyy Urengoy
Urengoy
Nyda
Nadym
Tanlovo
Tarko Sale
Tol'ka
Kharampur
Pitlyar
Shuryshkary
Khashgort
Gorki
Inta
Ust' Usa
Mutnyy Materik
Kos'yu
Synya
Pechora
Trusovo
Ust'-Tsil'ma
Izhma
1883
Noyabr'sk
Ustrem
Vanzevat
Numto
Raduzhnyy
Kadzherom
KOMI
Kartayel'
Koynas
Vozhgora
Bol. Pyssa
Vazhgort
Saranpul
Berezovo
Beloyarskiy
Sos'vinskaya
Sartyn'ya
Igrim
Peregrebnoye
Sherkaly
Bol. Atlym
Nyagan'
Nov. Karymkary
Kyrta
Vuktyl'
Ukhta
1185
Koslan
Loptyuga
Troitsko-Pechorsk
Ust' Tapsuy
Surgut
Nizhnevartovsk
Lokosovo
Strezhevoy
Aleksandrovskoye
Lar'yak
Sytomino
Nefteyugansk
Zapadno-Sibirskaya Ravnina
Khanty-Mansiysk
(West Siberian Plain)
Charymovo
Mikun'
Yarensk
Irta
Aykino
Storozhevsk
Yaksha
Ust' Nem
Ust' Kulom
Ust' Un'ya
Syktyvkar
Kotlas
Pionerskiy
Uray
Dem'yanskoye
Kondinskoye
Yagodnyy
Nefedovo
Karepino
Ivdel'
Krasnovishersk
Severoural'sk
Krasnotur'insk
Serov
Vizinga
Koygorodok
Ob'yachevo
Luza
Ust'-Alekseyevo
Cherdyn'
Gayny
Kerchevskiy
Kosa
Solikamsk
1562
Uvat
Loyno
Oparino
RUSSIA
Berezniki
Sos'va
Nov. Lyalya
Tobol'sk
Irtysh
Sumkino
Ust'-Ishim
Tevriz
Znamenskoye
Tara
Nagorsk
Murashi
Kirs
Yurla
Kudymkar
Kizel
Gubakha
Chusovoy
Verh. Tura
Tavda
Turinsk
Yarkovo
Kolosovka
Bol'sherech'ye
Ust'-Tarka
Kirov
Kiroyo-Chepetsk
Chernoz
Dobryanka
Lys'va
Nizhniy Tagil
Irbit
Tyumen'
Ozero Saltaim
Kotel'nich
Kumeny
Glazov
PERM'
Kungur
Okhansk
Chastyye
Asbest
Talitsa
Vinzili
Golyshmanovo
Ishim
Kalachinsk
Nolinsk
Sovetsk
Urzhum
UDMURTIYA
Votkinsk
Pervoural'sk
Revda
YEKATERINBURG
Yalutorovsk
Isetskoye
Nazyvayevsk
OMSK
Yoshkar Ola
MARIY EL
Izhevsk
Krasnoufimsk
Kamensk-Ural'skiy
Belozerskoye
Ozero Chernoye
Petukhovo
Petropavlovsk
Sarapul
Kambarka
Neftekamsk
Chernushka
Kasli
Kurgan
Novocheboksarsk
KAZAN'
Mamadysh
Nizhnekamsk
Naberezhnyye Chelny
CHELYABINSK
Zlatoust
Kopeysk
Shumikha
Presnogorkovka
Kzyltu
Sergeyevka
Krasnoarmeysk
Oz. Seletyteniz
Miass
Korkino
Birsk
Asha
Min'yar
TATARIYA
Al'met'yevsk
Bugul'ma
UFA
Tuymazy
Oktyabr'skiy
Yuzhnoural'sk
Troitsk
Plast
Kokshetau
Aksu
Borovskoy
Uritskiy
Fedorovka
Volodarskoye
Makinsk
Alekseyevka
Ul'yanovsk
Dimitrovgrad
Beloretsk
1638
Verkhneural'sk
Kustanay
Lomonosovka
BASHKIRIYA
Magnitogorsk
Rudnyy
Zholymbet
Tol'yatti
Sterlitamak
Kartaly
Tobol
Ozero Kushmurun
Kushmurun
Zhaksy
Koluton
Zhaltyr
Astana
SAMARA
Syzran'
Novokuybyshevsk
Buzuluk
Bugurusian
Meleuz
Kumertau
Sibay
Kizil'skoye
Semiozernoye
Yesil'
Atbasar
Vishnevka
Kuznetsk
Bredy
Dzhetygara
Ladyzhenka
Ozero Tengiz
Kurgal'dzhinskiy
Sorochinsk
Novo-sergiyevka
Saraktash
Zhailma
Balakovo
Orenburg
Mednogorsk
Orsk
Energetik
Svetlyy
Arkalyk
Sol'-Iletsk
Novotroitsk
Yasnyy
Turgayskaya
Stolovaya
Strana
Amengel'dy
Yershov
Ozinki
Uralsk
Buriin
Ilek
Ural
Krasnyy Kut
Aktobe
Karabutak
Turgay
Kzyl-Dzhar
Karazhal
Novouzensk
Chapayev
Dzhambeyty
Novoalekseyevka
Ulytau
Mergenevo
Karatobe
Oktyabr'sk
Mugodzhary
Ozero Zhamanakkol'
Dzhezkazgan
Zhezkazgan
Furmanovo
264
Irgiz
Shubarkuduk
Emba
Karsakpay
Baykonur
Nov. Kasanka
Masteksay
Ozero Aralsor
Kalmykovo
KAZAKHSTAN
Chelkar
Peski Priaral'skiye
Karakumy
Ryn-Peski
Kulagino
Sagiz
Zharkamys
408
249
Aral'sk
Betpak-Dala
Prikaspiyskaya Nizmennost'
Kharabali
-24
Makat
Atyrau
Ozero Zhaltyr
-13
Balykshi
Kul'sary
Zal. Paskevicha
Novokazalinsk
Dzhusaly
Krasnyy Yar
Kamyzyak
Caspian Sea
Karaton
Opornyy
Aral Sea
Kzyl-Orda
Tasbuget
Chiili
Suzak
Lagan'

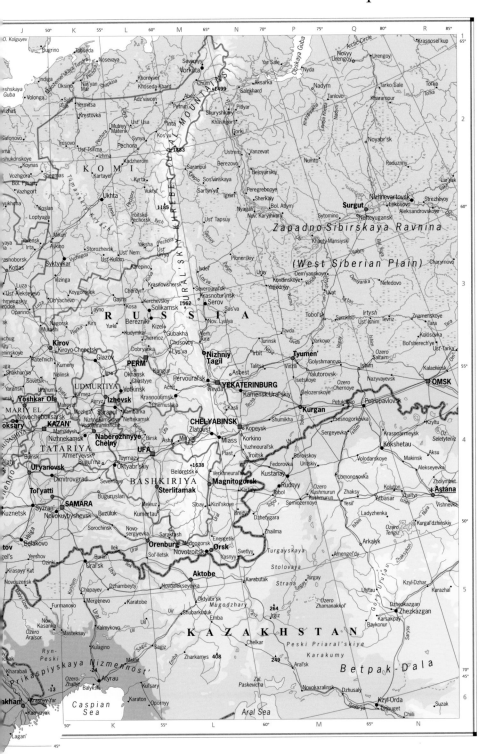

Scale   1 : 45 100 000

0   500   1000   1500   2000 km

0   500   1000 miles

80°E 20°F 30°G 40°H J 60°K L 80°M N

ATLANTIC
OCEAN

Norwegian
Sea

Spitsbergen

Svalbard
(Norway)

ARCTIC O

ARCTIC

Zemlya Frantsa-Iosifa
(Franz Josef Land)

Nordkapp

Barents Sea

Novaya
Zemlya

Severn
Zemlya

LISBOA
(LISBON)

■ LONDON

North
Sea

Oslo

Karskoye More
(Kara Sea)

Sr

■ MADRID

Amsterdam

Stockholm

■ PARIS

København
(Copenhagen)

Helsinki

Ladozhskoye
Ozero

Arkhangel'sk

White Sea

Zapadno-
Sibirskaya
Ravnina
(West Siberian
Plain)

R U S

EUROPE

■ BERLIN

SANKT-PETERBURG
(ST. PETERSBURG)

Yenisey

ALGER
(ALGIERS)

WARSZAWA
(WARSAW)

MOSKVA
(MOSCOW)

NIZHNIY
NOVGOROD

YEKATERINBURG

■ ROMA
(ROME)

KYYIV
(KIEV)

SAMARA

OMSK

■ TUNIS

ODESA
(ODESSA)

Tarābulus
(Tripoli)

Athina
(Athens)

Black Sea

Volga

Ural

Astana

İSTANBUL

ANKARA

KAZAKHSTAN

Ozero Balkhash
(Lake Balkhash)

TURKEY

GEORGIA
T'BILISI

CYPRUS

ARMENIA
YEREVAN

AZER-
BAIJAN

Aral
Sea

BEYROUTH (BEIRUT)

SYRIA
DIMASHQ
(DAMASCUS)

BAKİ (BAKU)

UZBEKISTAN

ÜRÜMQI

EL QÂHIRA
(CAIRO)

Lebanon
ISRAEL

TURKMENISTAN

TOSHKENT
(TASHKENT)

ALMATY

Yerushalayim

AMMAN

IRAQ

Ashgabat
(Ashkhabad)

Bishkek

AFRICA

JORDAN

BAGHDÂD

KYRGYZSTAN

Lake Nasser

TEHRÂN
(TEHERAN)

TAJIKISTAN
Dushanbe

Kunlun Shan

Nile

KUWAIT

Al Kuwayt
(Kuwait)

IRAN

KÂBUL

Hindu Kush

K2
8611

JIDDAH
(JEDDA)

AR RIYÂD
(RIYADH)

AFGHANISTAN

Islamabad

C

BAHRAIN

El Khartum
(Khartoum)

SAUDI
ARABIA

QATAR

Abū Zabī
(Abu Dhabi)

U.A.E.

PAKISTAN

Indus

DELHI

New Delhi

NEPAL

Mt.
Everest
8848

Thim

Asmara

Rub' al Khālī
(Empty Quarter)

Gulf of Oman

Masqat
(Muscat)

KARACHI

Kathmandu

Ganges

Brahm

S

BHU

DH

ÂDĪS ÂBEBA
(ADDIS ABABA)

Şan'ā

YEMEN

OMAN

KOLKATA
(CALCUTTA)

BANGLA-
DESH

Djibouti

'Adan
(Aden)

Gulf of Aden

Arabian

MUMBAI
(BOMBAY)

INDIA

Sea

Bay of

Suqutrā
(Socotra)
(Yemen)

HYDERABAD

Bengal

MUQDISHO
(MOGADISHU)

Laccadive Is.
(India)

CHENNAI
(MADRAS)

Andam
Is.
(Indi

INDIAN

SRI
LANKA

Colombo

Sri Jayawardenepura Kotte

Nic
Is

OCEAN

MALDIVES

Male

Mahé
Island   Victoria

COMOROS   SEYCHELLES

MADAGASCAR

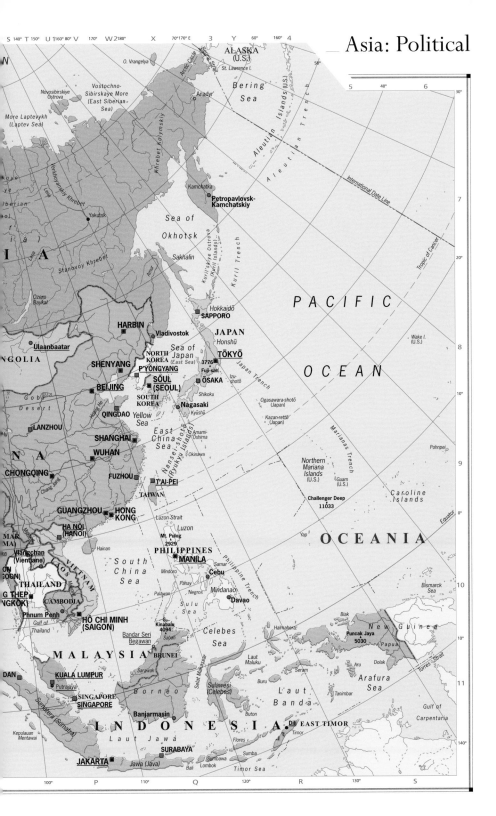

S 140° T 150° U 160° 80° V 170° W 180° X 70° 170° E 3 Y 60° 160° 4

ALASKA
(U.S.)

O. Vrangelya

Novosibirskiye
Ostrova

Vostochno-
Sibirskaye More
(East Siberian
Sea)

*More Laptevykh
(Laptev Sea)*

Arctic Circle

St. Lawrence I.

Bering Strait

Anadyr'

Bering
Sea

Verkhoyanskiy Khrebet

Khrebet Kolymskiy

Aleutian Islands (U.S.)

Aleutian Trench

International Date Line

Lena

Kamchatka

Petropavlovsk-
Kamchatskiy

Yakutsk

Sea of
Okhotsk

Tropic of Cancer

Stanovoy Khrebet

Amur

Sakhalin

Kuril'skiye Ostrova
(Kuril Islands)

Kuril Trench

Wake I.
(U.S.)

PACIFIC

Ozero
Baykal

Hokkaidō
SAPPORO

HARBIN

Vladivostok

JAPAN
Honshū

Sea of
Japan
(East Sea)

3776
Fuji-san

TŌKYŌ

Japan Trench

OCEAN

Ulaanbaatar

NGOLIA

SHENYANG

NORTH
KOREA
P'YŎNGYANG

SŎUL
(SEOUL)

ŌSAKA

Izu-
shotō

Gob
Desert

BEIJING

SOUTH
KOREA

Shikoku

Ogasawara-shotō
(Japan)

LANZHOU

QINGDAO

Yellow
Sea

Nagasaki

Kyūshū

Kazan-rettō
(Japan)

NA

SHANGHAI

WUHAN

East
China
Sea

Amami-
Ōshima

Nanse-shotō
(Ryukyu Islands)

Okinawa

Marianas Trench

Pohnpei

CHONGQING

FUZHOU

T'AI-PEI

Northern
Mariana
Islands
(U.S.)

Guam
(U.S.)

Chang Jiang

TAIWAN

Challenger Deep
11033

Caroline
Islands

GUANGZHOU

HONG
KONG

Lūzon Strait

Equator 0°

HA NỘI
(HANOI)

Hainan

Luzon

Yap

OCEANIA

MAR
MA)

Mt. Pulog
2929

w
V<i>ngchan</i>
(Vientiane)

PHILIPPINES
MANILA

Samar

Philippine Trench

ON
GON)

LAOS

VIETNAM

South
China
Sea

Mindoro

Cebu

Bismarck
Sea

THAILAND

Palawan

Pánay

Negros

Mindanao

G THEP
NGKŌK)

CAMBODIA

Davao

Phnum Penh

HỒ CHÍ MINH
(SAIGON)

Sulu
Sea

Biak

New Guinea

Gulf of
Thailand

Bandar Seri
Begawan

G.
Kinabalu
4094

Sabah

Celebes
Sea

Halmahera

Puncak Jaya
5030

Papua

Torres Strait

DAN

MALAYSIA

BRUNEI

Sarawak

Laut
Maluku

Aru

Dolak

Arafura
Sea

KUALA LUMPUR

Putrajaya

Borneo

Selat Makassar

Sulawesi
(Celebes)

Buru

Seram

Laut
Banda

Tanimbar

Gulf of
Carpentaria

SINGAPORE
SINGAPORE

Banjarmasin

Buton

Sumatera (Sumatra)

INDONESIA

Dili
Timor

EAST TIMOR

Kepulauan
Mentawai

Laut Jawa

Flores

JAKARTA

SURABAYA

Jawa (Java)

Bali

Sumbawa

Lombok

Sumba

Timor Sea

100° P 110° Q 120° R 130° S

5 40° 6
30°

7

20°

8

10°

9

0°

10

10°

11

140°

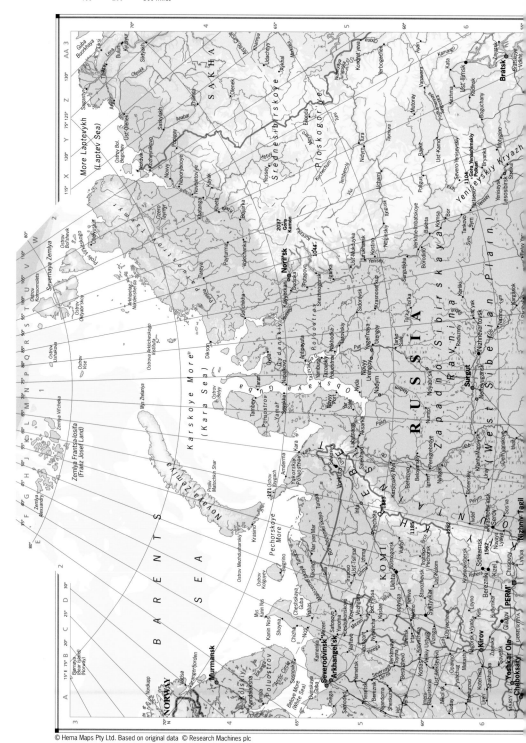

Scale 1 : 18 900 000

0   200   400   600 km
0   100   200   300 miles

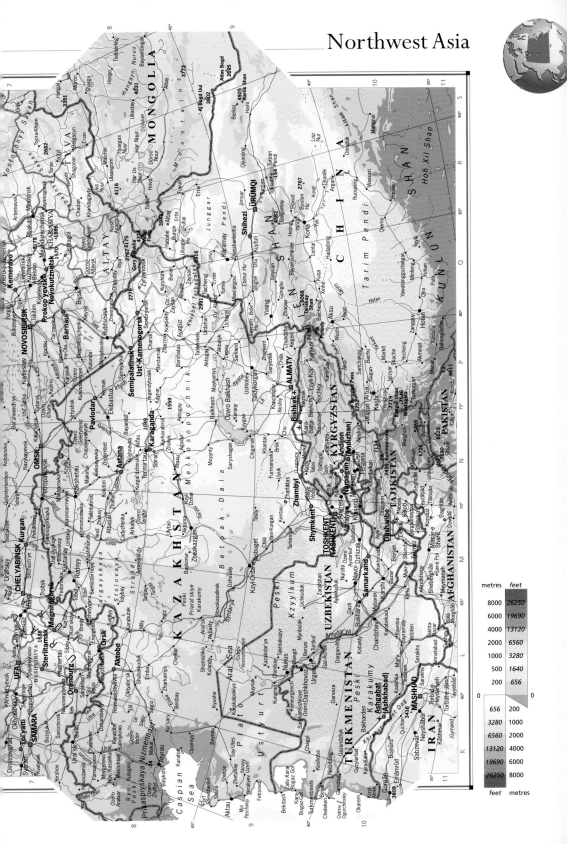

metres	feet
8000	26250
6000	19690
4000	13120
2000	6560
1000	3280
500	1640
200	656
0	0

feet	metres
656	200
3280	1000
6560	2000
13120	4000
19690	6000
26250	8000

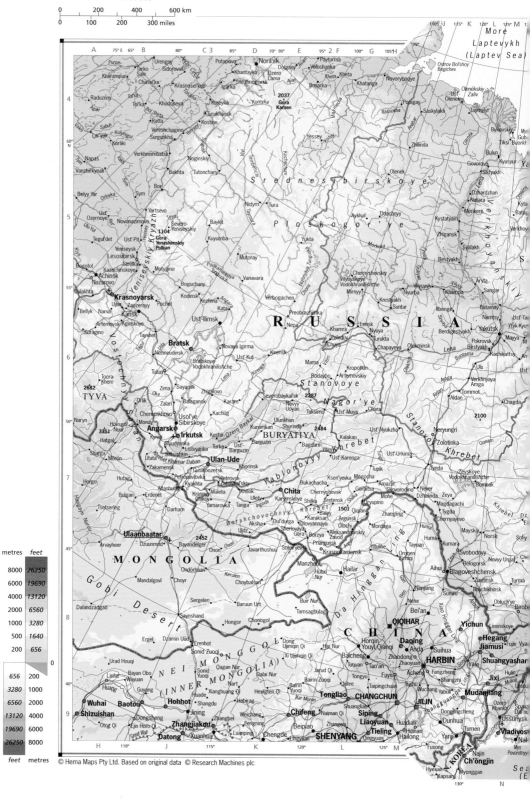

Scale 1 : 18 900 000

metres	feet
8000	26250
6000	19690
4000	13120
2000	6560
1000	3280
500	1640
200	656
0	0
656	200
3280	1000
6560	2000
13120	4000
19690	6000
26250	8000

feet   metres

© Hema Maps Pty Ltd. Based on original data © Research Machines plc

Northeast Asia

Vostochno-Sibirskoye More
(East Siberian Sea)
Ostrov Vrangelya
Proliv Longa
Chukchi Sea
Bering Strait
Arctic Circle
Mys Dezhneva
Diomede Islands
King Island
ALASKA (U.S.)
Enurmino
Uelen
Lavrentiya
Vankarem
Val'karay
Uvargin
Polyarnyy
Chukotskiy Poluostrov
Provideniya
Gambell
St. Lawrence Island
Nunligram
Mys Shelagskiy
Ostrov Ayon
Pevek
Chaunskaya Guba
Chukotskiy Khrebet
Egvekinot
Zaliv Kresta
Ostrova Medvezh'i
Mal. Baranikha
Ust'-Chaun
Uel'kal
Anadyrskiy Zaliv
Mys Lopatka
Russoye Ust'ye
Tabor
Stanovaya
Ambarchik
1775
1810
Chokurdakh
Vstrechnyy
Bilibino
1504
Anadyrskaya Nizmennost'
Ugol'nyye Kopi
Anadyr'
St. Matthew Island
Cherskiy
Kolymskaye
Anyuysk
Chimchememel'
Otrozhnyy
Beringovskiy
Kolymskaya Nizmennost'
Ozero Ozhogino
Ozhogino
1651
Mys Navarin
Markovo
Meynypil'gyno
Druzhina
Belaya Gora
Srednekolymsk
Bur-Khaybyt
Koryakskiy Khrebet
Khatyrka
1465
Yukagirskoye Ploskogor'ye
Suordakh
Ayanka
Penzhina
Khonuu
Yugo-Tala
Shcherbakove
2562
Gora Ledyanaya
Bering Sea
Ugol'naya Zyryanka
Zyryanka
Dzhigudzhak
Ust'-Penzhino
Achayvayam
Gora Pobeda 3147
Khrebet Cherskogo
Mikino
Tylkhoy
Penzhinskiy Khrebet
Olyutorskiy
Adycha
Pakhachi
Mys Olyutorskiy
Ust'-Nera
Olyutorskiy Zaliv
El'ginskiy
Artyk
1374
Dukat
Gizhiga
Tilichiki
Khudzhakh
Seymchan
Omsukchan
Nayakhan
Korf
Tomtor
Susuman
Debin
Orotukan
Il'pyrskiy
Mys Govena
Karaginskiy
Pik Aborigen
2586
Strelka
Gizhiginskaya Guba
Penzhinskaya Guba
Khrebet Suntar Khayata
2959
Talaya
Ossora
Ostrov Karaginskiy
Zaliv
Ust'-omchug
Ugulan
Zaliv Shelikhova
Palana
Atka
1385
Palatka
Yamsk
Magadan
Mys Tolstoy
Talon
Okurchan
Mys Alevina
Arka
Mys Yuzhnyy
Mys Sivuchiy
Komandorskiye Ostrova
Nikol'skoye
Aleutian Islands (U.S.)
Attu Island
Buldir Island
Okhotsk
Klyuchi
Ust'-Kamchatsk
Ust'-Khayryuzovo
4750
Kamchatskiy Zaliv
Ostrov Beringa
Ostrov Mednyy
Cape Wrangell
Agattu Island
Ulya
Klyuchevskaya Sopka
Atlasovo
KAMCHATKA
Dzhugdzhur
Ust'-Sopochnoye
Mys Enkan
Sredinnyy Khrebet
Mil'kovo
Kronotskiy Zaliv
Ayan
3456
Yelizovo
Petropavlovsk-Kamchatskiy
Shantarskiye Ostrova
Ostrov Bol. Shantar
Mys Elizavety
Poluostrov Shmidta
Sea of Okhotsk
Sakhalinskiy Zaliv
Okha
Oktyabr'skiy
Litke
Mago
Bol. Vlas'evo
Ozernovskiy
Takht
Nikolayevsk-na-Amure
Mys Lopatka
Ostrov Shumshu
Amgun'
Bogorodskoye
Ostrov Atlasova
Severo-Kuril'sk
Ostrov Paramushir
Polinyosipenko
Lazarev
Nogliki
Sofiysk
De-Kastri
Ostrov Onekotan
1609
Komsomol'sk-na-Amure
Aleksandrov-Sakhalinskiy
Sakhalin
Proliv Tatarskiy
Ostrov Shiashkotan
Gurskoye
Smirnykh
Poronaysk
PACIFIC OCEAN
Shakhtërsk
Uglegorsk
Zaliv Terpeniya
Mys Terpeniya
Ostrov Rasshua
2078
Vanino
Makarov
Ostrov Simushir
Kuril'skiye Ostrova (Kuril Islands)
Tomari
Nel'ma
Chekhov
Dolinsk
Yuzhno-Sakhalinsk
Kholmsk
Korsakov
Ostrov Urup
Svetlaya
Zaliv Aniva
Mys Aniva
Mys Kril'on
Kuril'sk
La Pérouse Strait
Rebun-tō
Wakkanai
Ostrov Iturup
Rishiri-tō
Shiretoko-misaki
Monbetsu
Ostrov Kunashir
Shikotan-tō
Habomai-shoto
Asahikawa
Kitami
2290
Asahi-dake
Takikawa
Nemuro
Otaru
Obihiro
Kushiro
SAPPORO
Tomakomai
Hokkaidō
Oshamambe
Muroran
Hiroo
Okushiri-tō
Erimo-misaki
Hakodate
Esan-misaki
Mutsu
Tsugaru-kaikyō
JAPAN

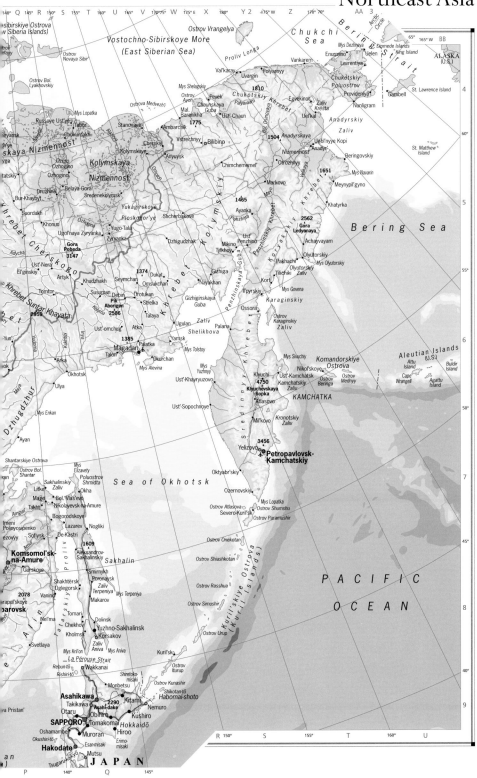

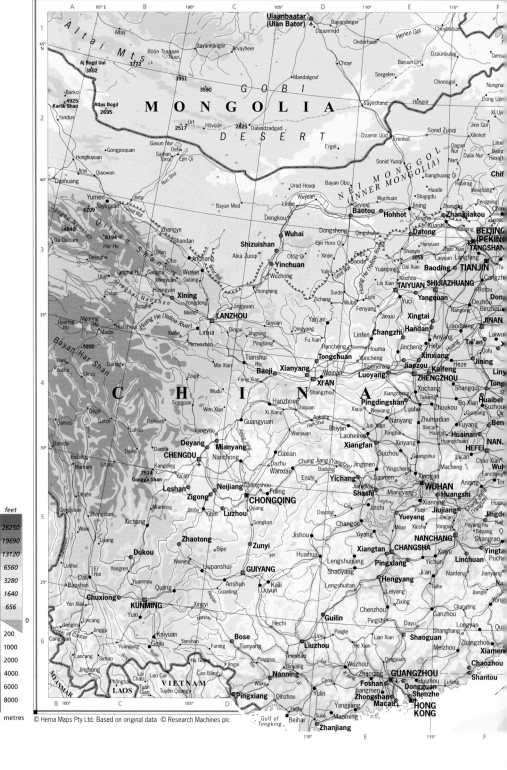

Asia

© Hema Maps Pty Ltd. Based on original data © Research Machines plc

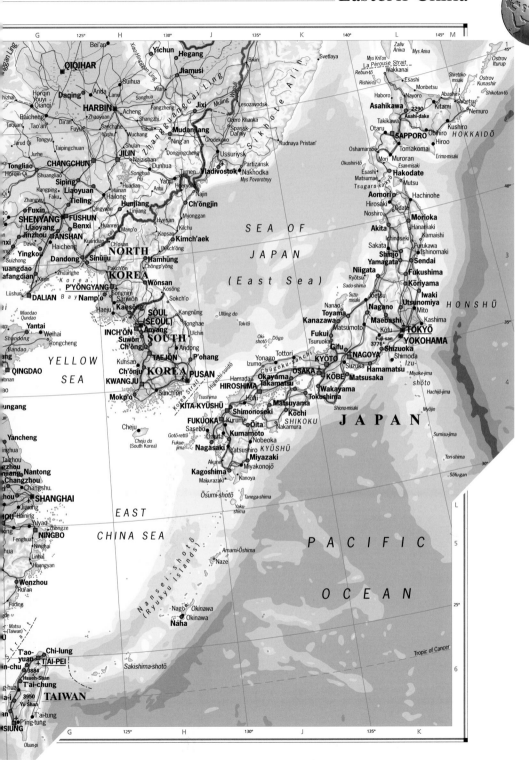

SEA OF JAPAN
(East Sea)
YELLOW SEA
EAST CHINA SEA
PACIFIC OCEAN
JAPAN
NORTH KOREA
SOUTH KOREA
TAIWAN
HONSHŪ
HOKKAIDŌ
SHIKOKU
KYŪSHŪ
Korea Bay
Korea Strait
Tropic of Cancer
La Pérouse Strait
Tsugaru-kaikyō
Nansei-shotō (Ryukyu Islands)
Sakishima-shotō
Ōsumi-shotō
Izu-shotō
Sikhote Alin
Zhangguangcai Ling
Xiao Hinggan Ling
QIQIHAR
HARBIN
CHANGCHUN
JILIN
SHENYANG
FUSHUN
ANSHAN
DALIAN
QINGDAO
SHANGHAI
NINGBO
Wenzhou
T'AI-PEI
T'ai-chung
P'YŎNGYANG
SŎUL (SEOUL)
INCH'ŎN
TAEJŎN
KWANGJU
PUSAN
Vladivostok
Nakhodka
Ussuriysk
TŌKYŌ
YOKOHAMA
NAGOYA
KYŌTO
ŌSAKA
KŌBE
HIROSHIMA
FUKUOKA
KITA-KYŪSHŪ
SAPPORO
Sendai
Niigata
Kagoshima
Naha
Okinawa
Cheju
Chiju do (South Korea)
Hakodate
Aomori
Asahikawa
Kanazawa
Shizuoka
Hamamatsu
Okayama
Takamatsu
Matsuyama
Kōchi
Nagasaki
Kumamoto
Miyazaki
Ōita
Shimonoseki
Wakayama
Fuji-san 3776
Asahi-dake 2290
Yu Shan 3950
Hsueh-Shan 3884

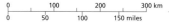

Scale 1 : 7 900 000

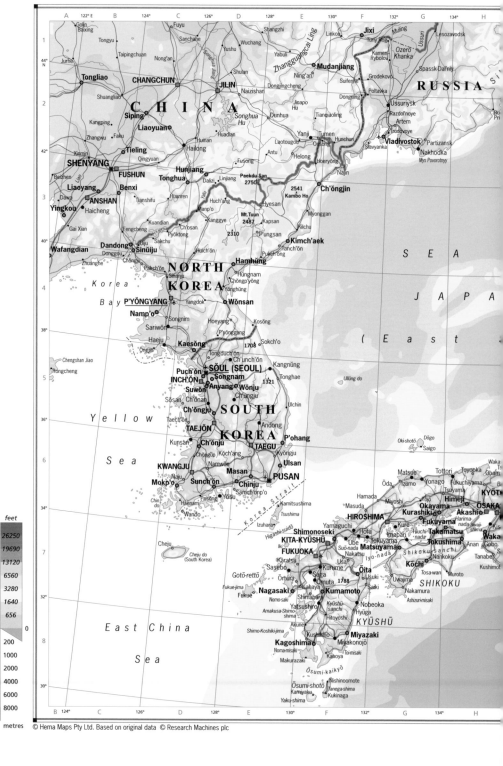

Sea of Okhotsk
PACIFIC OCEAN
JAPAN
HOKKAIDŌ
HONSHŪ
Wakkanai
Sōya-misaki
Rebun-tō
Rishiri-tō
Teshio
Hamatonbetsu
Esashi
Ōmu
Okoppe
Monbetsu
Haboro
Tomamae
Nayoro
Shibetsu
Rumoi
Asahikawa
Asahi-dake
2290
Takikawa
Furano
Kitami
Abashiri
Bihoro
Rubeshibe
Shiretoko-misaki
Rausu
Shibetsu
Teshikaga
Kussharo-ko
Bekkai
Nemuro
Shakotan-misaki
Ishikari-wan
Otaru
Iwamizawa
Ashoro
Ikeda
Kushiro
Akkeshi
Kamoenai
SAPPORO
Obihiro
Kutchan
Tomakomai
Hidaka-sammyaku
Oshamambe
Shikotsu-ko
Date
Monbetsu
Setana
Uchiura-wan
Noboribetsu
Muroran
Urakawa
Hiroo
Okushiri-tō
Yakumo
Mori
Erimo
Erimo-misaki
Esashi
Kamiiso
Esan-misaki
Kikonai
Hakodate
Ō-shima
Matsumae
Tsugaru-kaikyō
Ōma
Shiriya-zaki
Mutsu
Kodomari-misaki
Mutsu-wan
Yokohama
Noheji
Aomori
Ajigasawa
Hirosaki
Hachinohe
Henashi-zaki
Ōdate
Ninohoe
Kuji
Noshiro
Kazuno
Fudai
Morioka
Akita
Kawabe
Miyako
Honjō
Hanamaki
Yokote
Kamaishi
Kitakami
2230
Yuzawa
Ichinoseki
Kesennuma
Sakata
Shinjō
Furukawa
Tsuruoka
Tendo
Ishinomaki
Kinka-san
Yamagata
Sendai
Natori
Ryōtsu
Sadoga-shima
Shibata
Niigata
2105
Yonezawa
Sōma
Sanjō
Fukushima
Haramachi
Suzu-misaki
Nagaoka
Aizu-wakamatsu
Kōriyama
Kashiwazaki
Jōetsu
Ojiya
Tajima
Shirakawa
Nanao
Himi
Mikuni-sammyaku
Kuroiso
Iwaki
Nagano
Numata
Utsunomiya
Hitachi
Toyama
Maebashi
Kiryū
Katsuta
Kanazawa
3180
Ueda
Oyama
Mito
Takasaki
Tsuchiura
Matsumoto
Okaya
Takayama
Chino
Kawagoe
TŌKYŌ
Chōshi
Ina
Hachiōji
Funabashi
Chiba
Inubō-zaki
Kōfu
3192
YOKOHAMA
KAWASAKI
Iida
3776
Fuji-san
Yokosuka
NAGOYA
3120
Toyota
Numazu
Sagami-nada
Katsuura
Toyohashi
Shizuoka
Tateyama
Fujieda
Nojima-zaki
Hamamatsu
Shimoda
Omae-saki
Nii-jima
Izu-shotō
Kōzu-shima
Miyake-jima
Mikura-jima
Hachijō-jima
Aoga-shima
Sumisu-jima
Tori-shima
1819
Ostrov Kunashir
Yuzhno Kuril'sk
Ostrov Iturup
Shikotan-tō
Shibotsu-jima
138°
140°
142°
144°
146°
148°
150°
44°
42°
40°
38°
36°
34°
32°
30°

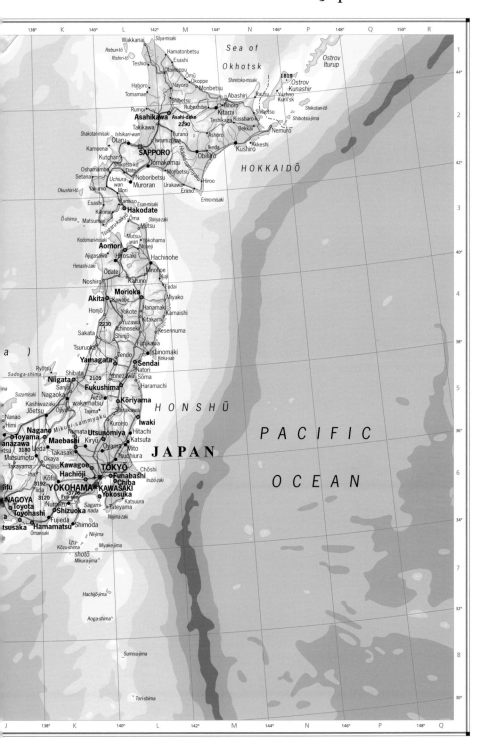

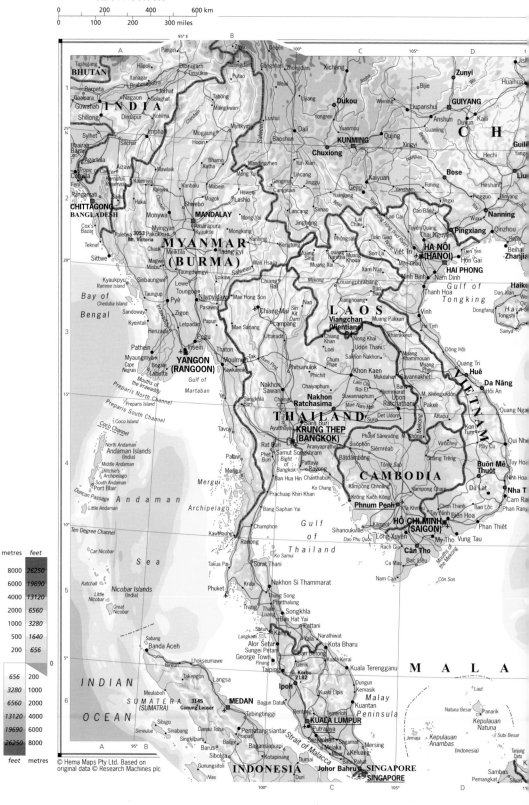

Scale 1 : 15 900 000

0   200   400   600 km
0   100   200   300 miles

metres	feet
8000	26250
6000	19690
4000	13120
2000	6560
1000	3280
500	1640
200	656
0	0
656	200
3280	1000
6560	2000
13120	4000
19690	6000
26250	8000
feet	metres

© Hema Maps Pty Ltd. Based on
original data © Research Machines plc

EAST CHINA SEA
PACIFIC OCEAN
SOUTH CHINA SEA
Sulu Sea
Celebes Sea
Laut Maluku
Luzon Strait
Balintang Channel
Taiwan Strait
Mindoro Strait
Moro Gulf
Balabac Strait
Sulu Archipelago
Nansei-shotō (Ryukyu Islands)
Sakishima-shotō
Tropic of Cancer
JAPAN
TAIWAN
PHILIPPINES
INDONESIA
BRUNEI
SABAH
SARAWAK
KALIMANTAN
T'AI-PEI
MANILA
QUEZON CITY
HONG KONG
GUANGZHOU
FUZHOU
CHANGSHA
KAO-HSIUNG
Bandar Seri Begawan
Luzon
Mindoro
Panay
Negros
Cebu
Bohol
Leyte
Samar
Masbate
Palawan
Mindanao
Paracel Islands
Spratly Islands
Calamian Group
Dongsha Qundao (Pratas) (China)
Batan Islands
Babuyan Islands
Polillo Is.
Okinawa
Naha
Chi-lung
Hsin-chu
T'ai-chung
Chia-i
T'ai-nan
Xiamen
Shantou
Shenzhen
Macau
Zamboanga
Davao
Cagayan de Oro
General Santos
Iloilo
Bacolod
Cebu
Tacloban
Legaspi
Puerto Princesa
Kota Kinabalu
Sandakan
Tawau
Celebes
E
F
G
H
J
115°
120°
125°
130°
25°
20°
15°
10°
5°
1
2
3
4
5
6

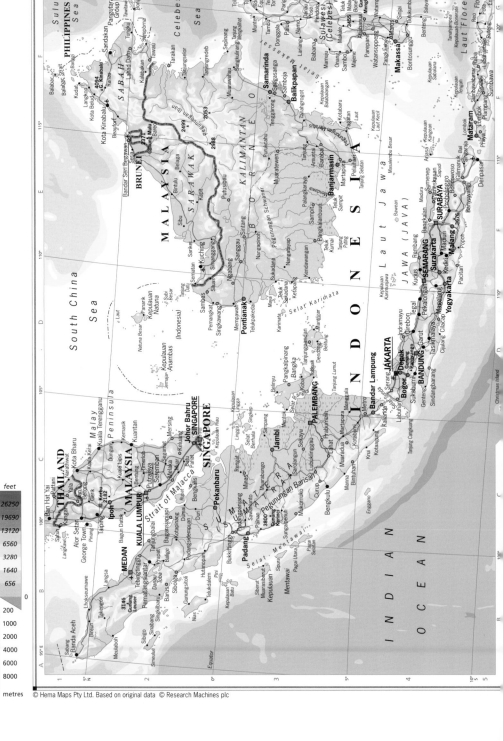

Scale 1 : 15 900 000

metres	feet
8000	26250
6000	19690
4000	13120
2000	6560
1000	3280
500	1640
200	656
0	0
656	200
3280	1000
6560	2000
13120	4000
19690	6000
26250	8000

feet metres

PACIFIC OCEAN
INDIAN OCEAN
INDONESIA
AUSTRALIA
PHILIPPINES
MALAYSIA
BRUNEI
PALAU
EAST TIMOR
PAPUA NEW GUINEA
Celebes Sea
Sulu Sea
Laut Banda
Laut Seram
Laut Flores
Laut Sawu
Laut Maluku
Timor Sea
Arafura Sea
Torres Strait
Selat Makassar
Teluk Tomini
Teluk Cenderawasih
BORNEO
KALIMANTAN
SABAH
Sulawesi (Celebes)
Halmahera
Seram
Buru
Timor
Sumba
Sumbawa
Flores
Lombok
Bali
Pegunungan Maoke
Puncak Jaya 5030
Puncak Mandala 4700
G. Kinabalu 4094
G. Mekongga 2799
Equator
Kota Kinabalu
Sandakan
Tawau
Tarakan
Samarinda
Balikpapan
Banjarmasin
Makassar
Manado
Gorontalo
Kendari
Ternate
Ambon
Sorong
Manokwari
Jayapura
Merauke
Kupang
Dili
Mataram
Denpasar
Davao
Zamboanga
General Santos
Cape York Peninsula
Melville Island
Bathurst Island
Van Diemen Gulf

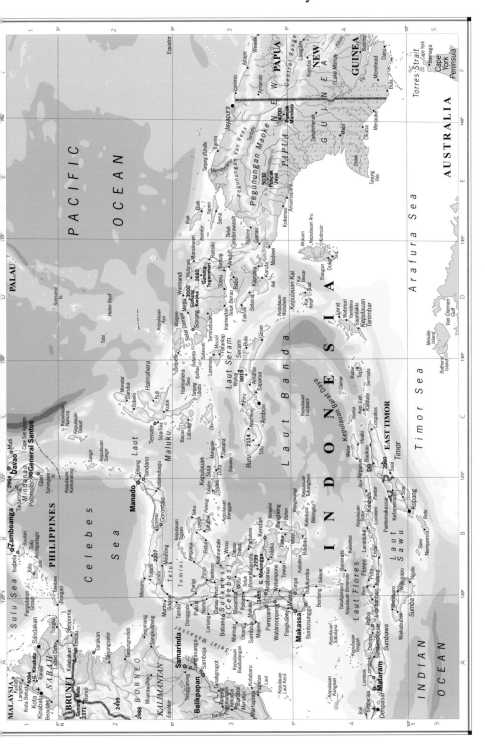

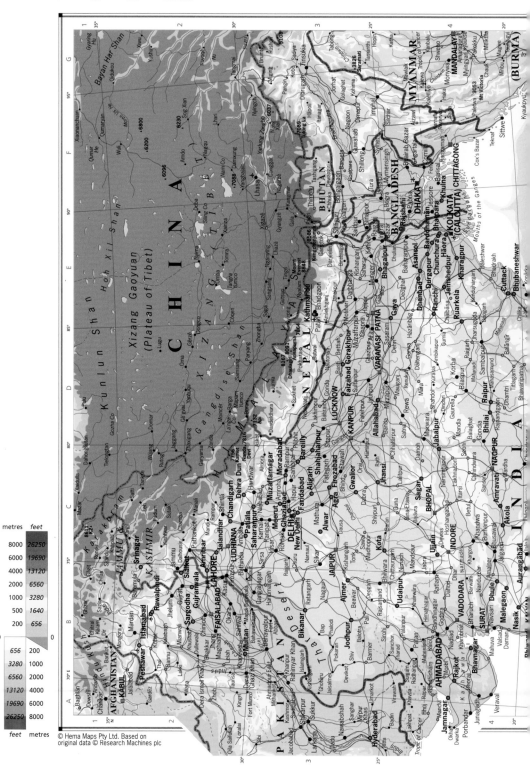

Asia

Scale 1 : 15 900 000

metres	feet
8000	26250
6000	19690
4000	13120
2000	6560
1000	3280
500	1640
200	656
0	0
656	200
3280	1000
6560	2000
13120	4000
19690	6000
26250	8000
feet	metres

BAY OF BENGAL
ARABIAN SEA
INDIAN OCEAN
SRI LANKA
MALDIVES
Andaman Islands (India)
Nicobar Islands (India)
Laccadive Islands
Coromandel Coast
Malabar Coast
Western Ghats
Ten Degree Channel
Nine Degree Channel
Eight Degree Channel
One and Half Degree Channel
Gulf of Mannar
Palk Strait
Equator
HYDERABAD
BANGALORE
CHENNAI (MADRAS)
VISHAKHAPATNAM
COIMBATORE
MADURAI
Colombo
Sri Jayewardenepura Kotte
Male
Port Blair
Pondicherry
Mangalore
Kochi (Cochin)
Thiruvananthapuram (Trivandrum)
Kozhikode (Calicut)
Mysore
Salem
Vellore
Nellore
Guntur
Vijayawada
Rajahmundry
Kākināda
Warangal
Solapur
Gulbarga
Sangli
Kolhapur
Hubli
Davangere
Bellary
Kurnool
Tiruchchirappalli
Tirunelveli
Tuticorin
Jaffna
Kandy
Trincomalee
Batticaloa
Galle
Matara
Cape Comorin
Andrott
Minicoy

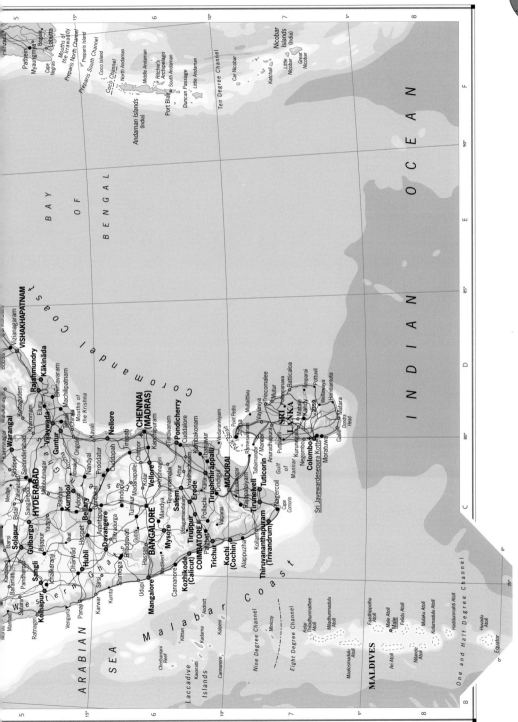

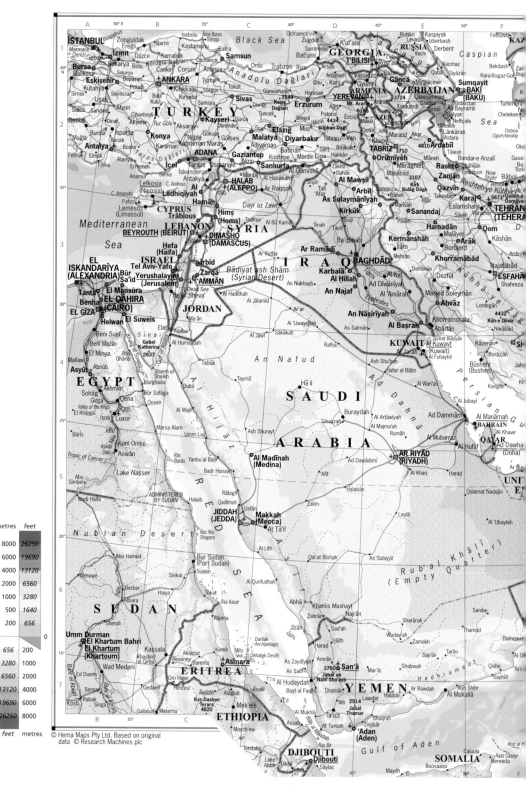

Asia

Scale 1 : 17 400 000

© Hema Maps Pty Ltd. Based on original
data © Research Machines plc

UZBEKISTAN
TURKMENISTAN
TAJIKISTAN
KYRGYZSTAN
AFGHANISTAN
PAKISTAN
INDIA
CHINA
OMAN
ARABIAN SEA
Gulf of Oman
Strait of Hormuz
Ashgabat (Ashkhabad)
Dushanbe
TOSHKENT
KABUL
Islamabad
New Delhi
Masqat (Muscat)
Abu Zabi (Abu Dhabi)
MASHHAD
LAHORE
FAISALABAD
KARACHI
AHMADABAD
MUMBAI (BOMBAY)
Samarkand
Herat
Kandahar
Quetta
Multan
Hyderabad
Peshawar
Rawalpindi
Srinagar
JAMMU & KASHMIR
Hindu Kush
Karakoram
Thar Desert
Dasht-e Lut
Karakumy
Western Ghats
Tien Shan
Tarim Pendi
K2 8611
Khyber Pass
Mouths of the Indus
Tropic of Cancer

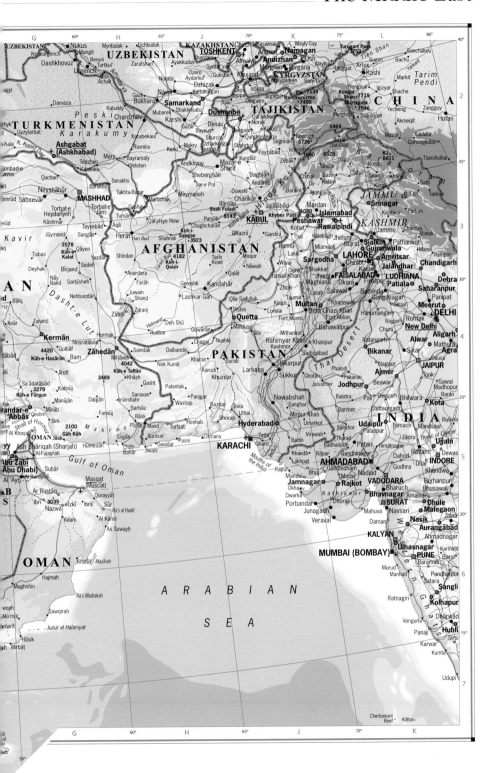

Scale 1 : 7 900 000

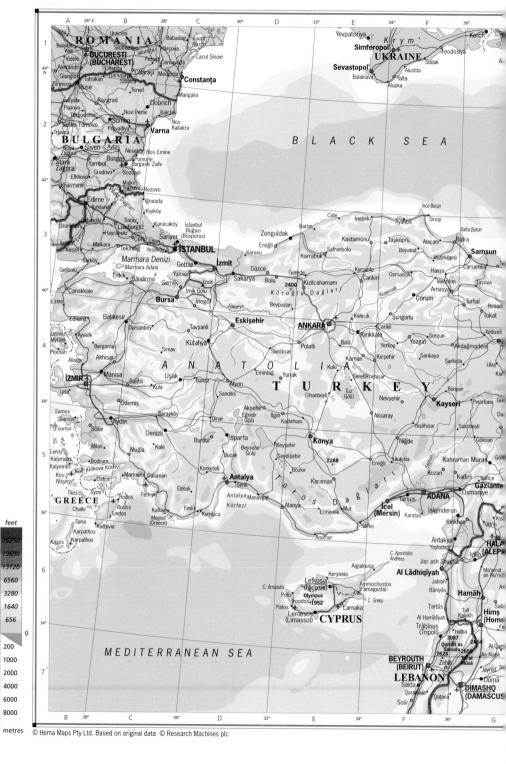

© Hema Maps Pty Ltd. Based on original data © Research Machines plc

H 40° J 42° K 44° L 46° M 48° N

Slavyansk-na-Kubani 1

Ust'-Labinsk Armavir

Goryachiy Svetlograd' **Stavropol'** Blagodarnyy Neftekumsk Kutan **KALMYKIYA**

ymsk Nevinnomyssk Budennovsk Yuzhno-Sukhokumsk Kizlyarskiy Zaliv

rossiysk Belorechensk Khadyzhensk Maykop Zelenokumsk Kochubey Kraynovka Os. Chechen'

khaylovskiy Tuapse Psebay Cherkessk Pyatigorsk Mineral'nyye Vody Mozdok Terek Kizlyar Agrakhanskiy Poluostrov P

Sochi **KARACHAYEVO-CHERKESIYA** Kislovodsk Prokhladnyy Nazran' Gudermes Khasavyurt **Makhachkala**

Adler Teberda **Nal'chik** **Vladikavkaz** **Groznyy** **DAGESTAN** Kaspiysk **CASPIAN**

Gagra **KABARDINO-BALKARIYA** Sadon **SEVERNAYA OSETIYA** Urus Martan Buynaksk **SEA**

Gudaut'a 5642 Elbrus 5203 **CHECHNYA** Gunib Levashi Uzberbash 2

Sokhumi Tqvarch'eli Oni 5047 Kazbek 4494 1276 Kumukh Derbent

Och'amch'ire Lajanurpekhi Ts'khinvali Diklosmta Kasumkent Akhty 4131

Zugdidi K'ut'aisi Gori T'elavi Ovareli Qusar Xaçmaz 3

GEORGIA **T'BILISI** Zaqatala Qax Akhty 4466 Qora Bazardyuzu Quba Siyäzän

Bat'umi Khashuri Kaspi Rust'avi Dedoplis Şäki Davaçi Gilazi

AZERBAIJAN

77

Scale 1 : 3 900 000

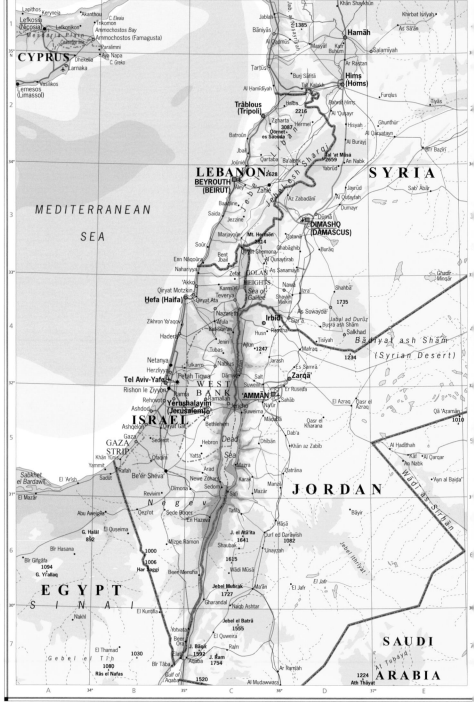

© Hema Maps Pty Ltd. Based on original data © Research Machines plc

Israel and the Gulf States

Scale 1 : 7 900 000
100
200
300 km
50
100
150 km

IRAQ
KUWAIT
SAUDI ARABIA
IRAN
QATAR
BAHRAIN
UNITED ARAB EMIRATES
OMAN
PERSIAN GULF
GULF OF OMAN
Strait of Hormuz
Kūhhā-ye Zāgros
Ad Dahnā'
Ad Dafrah
Dasht-e Lut
AR RIYĀD (RIYADH)
Al Kuwayt (Kuwait)
Ad Dawḩah (Doha)
Al Manāmah
Abū Ẓabī (Abu Dhabi)
Dubayy (Dubai)
Masqaṭ (Muscat)
SHĪRĀZ
Kermān
Bandar-e 'Abbās
Al Başrah
Ahvāz
An Nāşirīyah
Būshehr (Bushire)
Ad Dammām
Tropic of Cancer

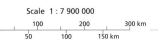

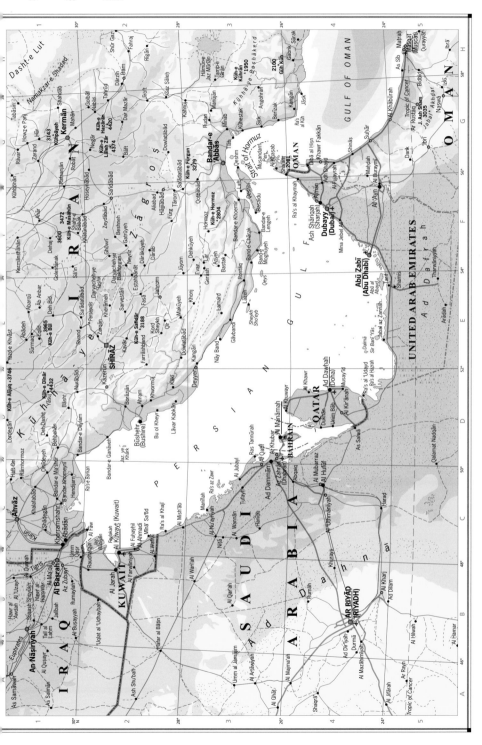

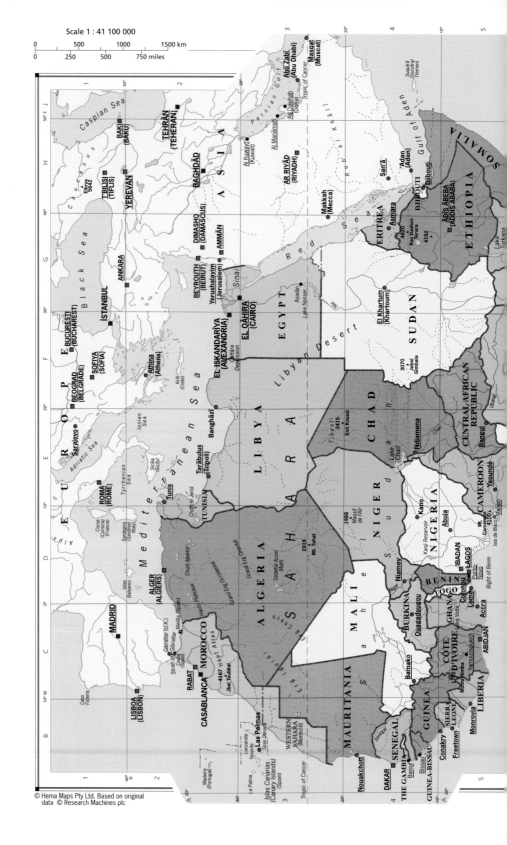

Africa

Scale 1 : 41 100 000

0   500   1000   1500 km
0   250   500   750 miles

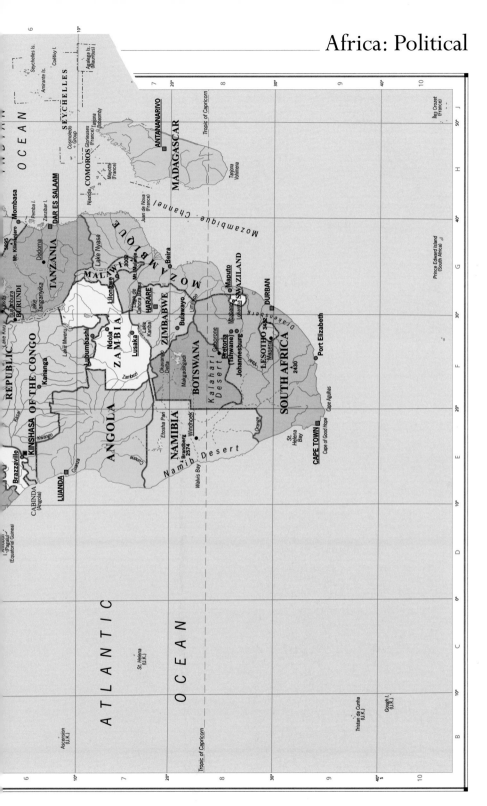
ATLANTIC
OCEAN
OCEAN
SEYCHELLES
Seychelles Is.
Amirante Is.
Coëtivy I.
Agalega Is. (Mauritius)
Cosmoledo Group
Glorieuses (France)
Tanjona Bobaomby
Njazidja
COMOROS
Mayotte (France)
Juan de Nova (France)
MADAGASCAR
ANTANANARIVO
Tanjona Vohimena
Mozambique Channel
Tropic of Capricorn
Tropic of Capricorn
Mombasa
Pemba I.
Zanzibar I.
DAR ES SALAAM
5895
Mt. Kilimanjaro
Dodoma
TANZANIA
Lake Nyasa
Lake Tanganyika
Lake Kivu
Bujumbura
BURUNDI
MALAWI
Lilongwe
3002
Mt. Mulanje
Beira
MOZAMBIQUE
Lago de Cahora Bassa
HARARE
ZIMBABWE
Bulawayo
Limpopo
Maputo
SWAZILAND
Mbabane
Lobamba
DURBAN
Drakensberg
3482
LESOTHO
Maseru
SOUTH AFRICA
2430
Port Elizabeth
Cape Agulhas
CAPE TOWN
Cape of Good Hope
St. Helena Bay
Orange
Vaal
Johannesburg
Pretoria (Tshwane)
Gaborone
Kalahari Desert
BOTSWANA
Makgadikgadi
Okavango Delta
Lake Kariba
Lusaka
ZAMBIA
Ndola
Zambezi
Lubumbashi
Lake Mweru
REPUBLIC OF THE CONGO
Kananga
Kasai
KINSHASA
Kwango
Brazzaville
CABINDA (Angola)
LUANDA
Cuanza
ANGOLA
Cunene
Etosha Pan
NAMIBIA
Windhoek
Brandberg 2574
Namib Desert
Walvis Bay
(Equatorial Guinea)
St. Helena (U.K.)
Ascension (U.K.)
Tristan da Cunha (U.K.)
Gough I. (U.K.)
Prince Edward Island (South Africa)
Îles Crozet (France)

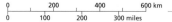

Africa

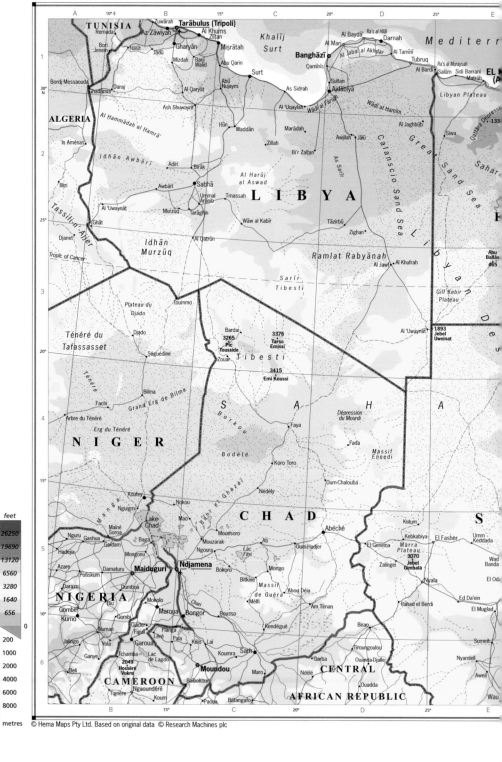

82

© Hema Maps Pty Ltd. Based on original data © Research Machines plc

LEBANON
SYRIA
ISRAEL
JORDAN
IRAQ
IRAN
KUWAIT
SAUDI ARABIA
ERITREA
YEMEN
DJIBOUTI
SOMALIA
ETHIOPIA
Persian Gulf
Red Sea
Gulf of Aden
Nubian Desert
An Nafud
Jabal Shammar
Al Hijaz
Ad Dahna
Asir
Lake Nasser
Tropic of Cancer
Bab al Mandab
Dahlak Archipelago
Hefa (Haifa)
Tel Aviv-Yafo
Yerushalayim (Jerusalem)
AMMAN
Irbid
Zarqa'
Dead Sea
Bûr Sa'îd (Port Said)
EL QAHIRA (CAIRO)
El Suweis (Suez)
EL GIZA
Helwan
Asyût
Qena
Luxor
Aswân
Abu Simbel
Wadi Halfa
Bur Sudan (Port Sudan)
Umm Durman (Omdurman)
El Khartum Bahri
El Khartum (Khartoum)
Kassala
Wad Medani
El Obeid
Kosti
Asmara
Mek'ele
Gonder
Bahir Dar
Dese
ADIS ABEBA (ADDIS ABABA)
Nazret
Dire Dawa
Harer
Djibouti
Hargeysa
Berbera
Karbala'
Al Hillah
An Najaf
An Nasiriyah
Al Basrah
Abadan
Ahvaz
Al Kuwayt (Kuwait)
Ha'il
Buraydah
AR RIYAD (RIYADH)
Al Madinah (Medina)
Makkah (Mecca)
JIDDAH (JEDDA)
At Ta'if
Abha
Khamis Mushayt
Najran
Jizan
San'a
Al Hudaydah
Ta'izz
'Adan (Aden)
ADMINISTERED BY SUDAN
Halaib
Tabuk
Aqaba
2637 Gebel Katherina
2780
3760 Jabal an Nabi Shu'ayb
2514 Jabal Thamar
4620 Ras Dashen Terara
4193 Abune Yosef
4231 Guna Terara
4152 Birhan
4000 Abuye Meda
3357 Dehdi
3359 Mai Gudo
4193
3302 Tulu Weiel
Subcule 1280
F G H J
1 2 3 4 5 6
30° 35° 40° 45° 50°
30° 25° 20° 15° 10°

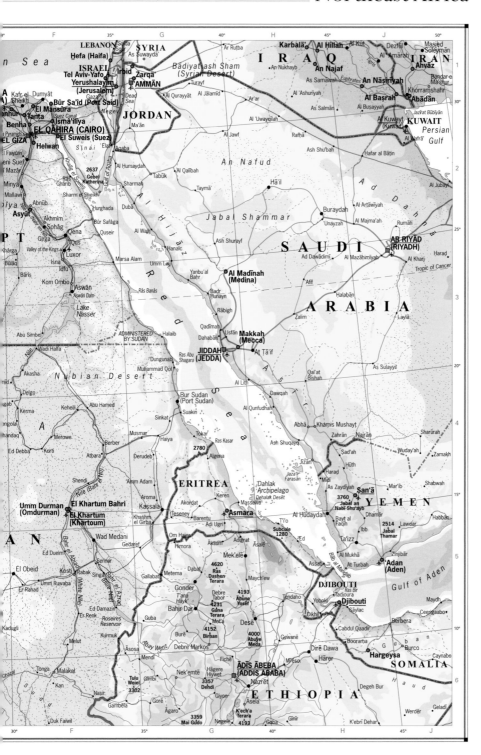

Scale 1 : 15 900 000

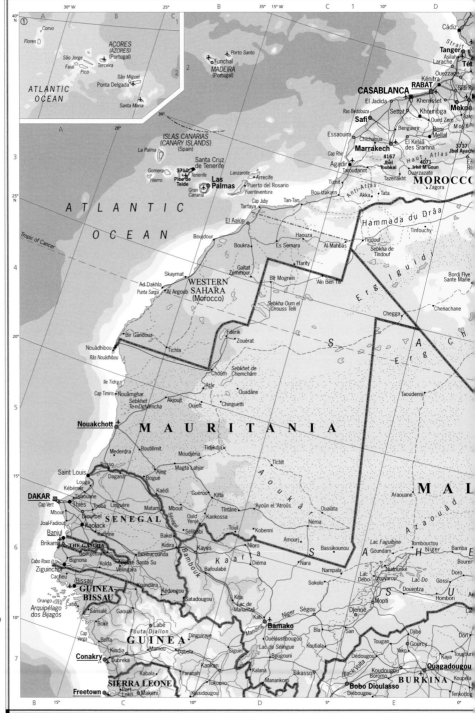

© Hema Maps Pty Ltd. Based on original data © Research Machines plc

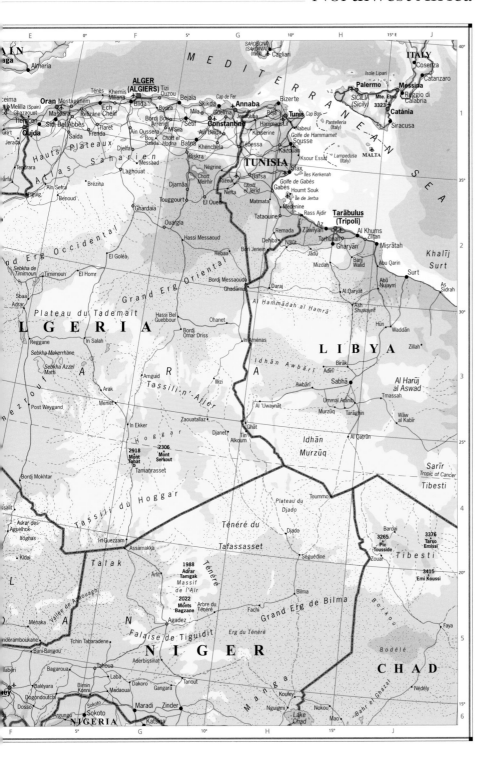

MEDITERRANEAN SEA

ITALY Cosenza
Catanzaro

Isole Lipari

Palermo **Messina** Reggio di Calabria
SICILIA (Sicily) Mte. Etna 3323
Catánia
Siracusa

Pantelleria (Italy)

Lampedusa (Italy)

MALTA

ALMERÍA Almería

Melilla (Spain) Ghazaouet Oran Mostaganem
Tlemcen Khemis Miliana
Sidi Bel Abbès Relizane Chelif Blida Tizi Ouzou
Ech Chelif Bejaïa Skikda Bizerte
Tiaret Saïda Bordj Bou Mila Béja **Tunis** Cap Bon
Frenda Arreridj Setif Jendouba **TUNISIA**
Ech Chelif Constantine Hammamet
Ain Oussera Kasserine Nabeul Golfe de Hammamet
M'Sila Bou Saâda Hodna Khenchela Tébessa Sousse
Djelfa Chott el Hodna Batna Kairouan
Laghouat Biskra Sfax Îles Kerkenah
Messaad Négrine
Chott Melrhir Gafsa
Djamâa Tozeur Chott el Jerid Gabès Golfe de Gabès
Touggourt Nefta Matmata Houmt Souk Île de Jerba
El Oued Medenine
Ouargla Tataouine Rass Ajdir **Tarābulus (Tripoli)**
Hassi Messaoud Remada Az Zāwiyah Al Khums Zlītan
Béni Jenien Nālūt Tarhūnah Gharyān Mişrātah
Bordj Messaouda Dehiba Jādū Bani Walid Khalīj Surt
El Goléa Rebaa Mizdah
Ghadāmis Al Ḩammādah al Ḩamrā Surt As Sidrah
Daraj Al Qaryāt Abū Nujaym
Bordj Omar Driss Ghadāmis Ash Shuwayrif
Hassi Bel Guebbour Ohanet Hūn Waddān
In Salah In Amenas
LIBYA Zillah

Idhān Awbārī Adirī Birāk
Reggane Amguid Illizi Awbārī Sabhā Al Harūj al Aswad
Sebkha Mekerrhane Tassili-n'-Ajjer Ummal Aranib Tmassah
Sebkha Azzel Matti Arak Murzuq Tarāghin
Meniet In Amguid Al 'Uwaynāt Wāw al Kabīr
Post Weygand Zaouatallaz Idhān
In Ekker Djanet Murzūq Al Qatrūn
2918 Mont 2306 Ghāt
Tahat Mont Tīn Alkoum
Serkout
Tamanrasset Sarīr Tibesti

Bordj Mokhtar Tropic of Cancer

Toummo
Adrar des Aguelhok In-Guezzam Plateau du Djado Bardaï 3265 3376 Tarso Emissi
Iföghas Ténéré du Pic Toussìde
Kidal Assamakka Tafassasset Djado Zouar Tibesti
Talak Séguédine 3415 Emi Koussi
Arlit Ténéré
1988 Adrar Tamgak
Ménaka Massif de l'Aïr Bilma
2022 Mont Bagzane Arbre du Ténéré
Agadez Fachi Grand Erg de Bilma Faya
Falaise de Tiguidit Erg du Ténéré Bodélé
NIGER Mangara
Tchin Tabaradene Aderbissinat **CHAD**
Tahoua Nédély
Bani-Bangou Birnin Konni Madaoua Tanout
Baléyara Laba Dakoro Gangara Koufey
Dogondoutchi Sokoto Madaoua Zinder Nguigmi Nokou Mao
Dosso Argungu **NIGERIA** Maradi Zinder Koufey Lake Chad
Katsina Bahr al Ghazal

Africa

© Hema Maps Pty Ltd. Based on original data © Research Machines plc

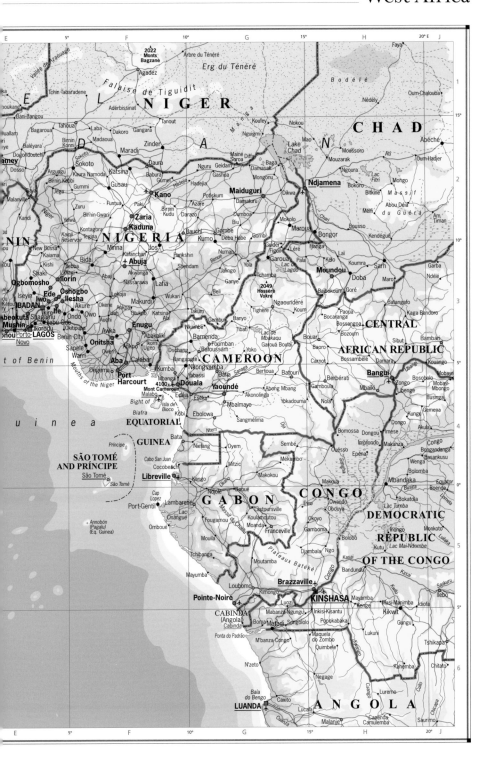
NIGER
CHAD
NIGERIA
CAMEROON
CENTRAL
AFRICAN REPUBLIC
EQUATORIAL
GUINEA
SÃO TOMÉ
AND PRÍNCIPE
GABON
CONGO
DEMOCRATIC
REPUBLIC
OF THE CONGO
ANGOLA
CABINDA
(Angola)
2022
Monts
Bagzane
Arbre du Ténéré
Erg du Ténéré
Agadez
Falaise de Tiguidit
Bodélé
Faya
Oum-Chalouba
Nédély
Tchin-Tabaradene
Adérbissinat
Bani-Bangou
Tahoua
Tanout
Koufey
Nokou
Nguigmi
Lake
Chad
Mao
Abéché
Moussoro
Mouzarak
Ati
Oum-Hadjer
Ngoura
Lac
Fitri
Mongo
Bokoro
Bitkine
Massif
du Guéra
Abou Déïa
Mélfi
Am
Timan
Bagaroua
Laba
Dakoro
Gangara
Madaoua
Birnin
Konni
Baléyara
Dogondoutchi
Maradi
Zinder
Mainé
Soroa
Diffa
Baga
Damasak
Sokoto
Dosso
Argungu
Kaura Namoda
Katsina
Daura
Babura
Gumel
Nguru
Geidam
Gashua
Hadejia
Mongonu
Ndjamena
Dikwa
Birnin Kebbi
Gummi
Gusau
Kano
Potiskum
Maiduguri
Damaturu
Jega
Malanville
Zuru
Funtua
Paki
Birnin
Kudu
Azare
Darazo
Dumboa
Kandi
Yelwa
Birnin-Gwari
Zaria
Kaduna
Biu
Mokolo
Maroua
Bongor
Bousso
Kendégué
Chari
Kainji
Reservoir
Kontagora
Tegina
Bauchi
Gombe
Kumo
Deba Habe
Gombi
New Bussa
Kaiama
Minna
Jos
Kafanchan
Abuja
Pankshin
Shendam
Numan
Yola
Guider
Figuil
Léré
Fianga
Garoua
Lac de
Lagdo
Pala
Kélo
Laï
Moundou
Koumra
Sarh
Doba
Maro
Garba
Ndélé
Kishi
Bida
Jebba
Shaki
Lafiagi
Ilorin
Ogbomosho
Abaji
Akwanga
Nassarawa
Lafia
Jalingo
Ganye
Tchamba
2049
Hosséré
Vokre
Baïbokoum
Goré
Iseyin
Ede
Oshogbo
Ilesha
Iwo
IBADAN
Ife
Lokoja
Wukari
Makurdi
Beli
Ngaoundéré
Koum
Tignère
Batangafo
Kaga Bandoro
Paoua
Bocaranga
Akure
Okene
Ondo
Owo
Abeokuta
Shagamu
Ijebu Ode
Mushin
Ikorodu
Okitipupa
LAGOS
Porto-
Novo
Benin City
Auchi
Idah
Ankpa
Otukpo
Katsina
Ala
Takum
Enugu
Awka
Onitsha
Abakaliki
Ikom
Ugep
Afikpo
Owerri
Aba
Calabar
Sapele
Warri
Degema
Port
Harcourt
Mouths of the Niger
Gembu
Banyo
Nkambe
Tibati
Bamenda
Lac de
Mbakaou
Foumban
Bafoussam
Dschang
Bangangté
Yoko
Garoua Boulaï
Bossangoa
Bozoum
Bouar
Baoro
Carnot
Bossambélé
Damara
Sibut
Bambari
Kouango
Bangui
Mobaye
Ubangi
Zongo
Libenge
Bosobolo
Mobayi-
Mbongo
Businga
Gemena
Kungu
Dongo
Akula
Imese
Dongou
Bomassa
Impfondo
Makanza
Epéna
Ouésso
Congo
Bongandanga
Basankusu
Wenga
Bolomba
Mbandaka
Equator
Busira
Boende
Bokatola
Lac Tumba
Lomela
Monkoto
Inongo
Lac Mai-Ndombe
Kutu
Lukenie
Kasai
Bandundu
Kwilu
Sankuru
Ilebo
Idiofa
Masi-Manimba
Kikwit
Gungu
Lukuni
Tshikapa
Kahemba
Chitato
Kwango
Cuango
Cuilo
Luremo
Chicapa
Capenda-
Camulemba
Saurimo
Malanje
Lucala
Cuanza
Kumba
Nkongsamba
Yabassi
Bafia
Sanaga
Bertoua
Batouri
Berbérati
Gamboula
Mbaïki
Nola
Yokadouma
Mbanga
4100
Mont Cameroun
Douala
Yaoundé
Abong Mbang
Akonolinga
Edéa
Eséka
Mbalmayo
Malabo
Bight of
Biafra
Isla de
Bioko
Kribi
Ebolowa
Sangmélima
Dja
Ntem
Bata
Niefang
Oyem
Sembé
Mitzic
Mékambo
Makokou
Príncipe
Cabo San Juan
Cocobeach
Libreville
Kango
São Tomé
Okano
Ndjolé
Booué
Makoua
Ewo
Owando
Oboya
Cap
Lopez
Port-Gentil
Lambaréné
Lac
Onangué
Lastoursville
Koulamoutou
Fougamou
Massif du Chaillu
Moanda
Franceville
Okoyo
Gamboma
Bolobo
Omboué
Annobón
(Pagalu)
(Eq. Guinea)
Mouila
Tchibanga
Plateaux Batéké
Djambala
Ngo
Moutamba
Mayumba
Brazzaville
Loubomo
Kimongo
KINSHASA
Mayamba
Kenge
Pointe-Noire
Luozi
Mabanza-Ngungu
Inkisi-Kisantu
Popokabaka
Boma
Matadi
Songololo
Cabinda
Ponta do Padrão
M'banza Congo
Maquela
do Zombo
Quimbele
N'zeto
Negage
Baía
do Bengo
Caxito
LUANDA
Gulf of Benin
Guinea
Niger
Benue
Sangha
E
F
G
H
J
5°
10°
15°
20° E
20°
1
2
3
4
5
6
15°
10°
5°
0°
5°

Scale 1 : 15 900 000

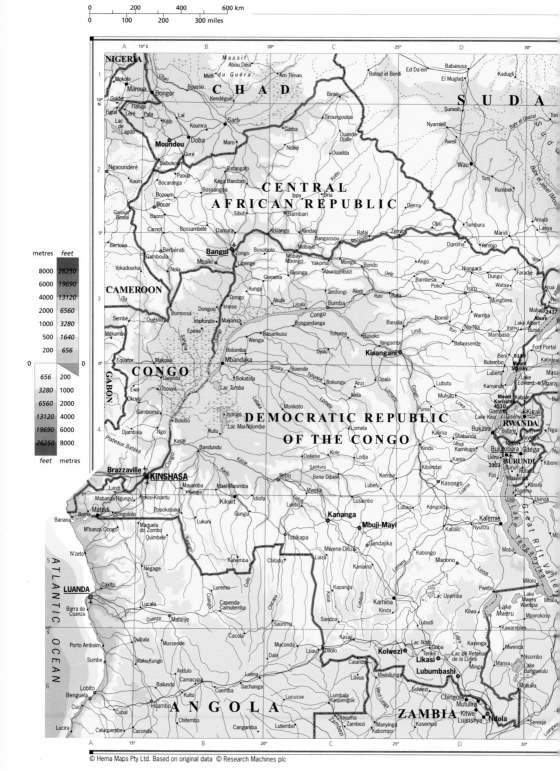

© Hema Maps Pty Ltd. Based on original data © Research Machines plc

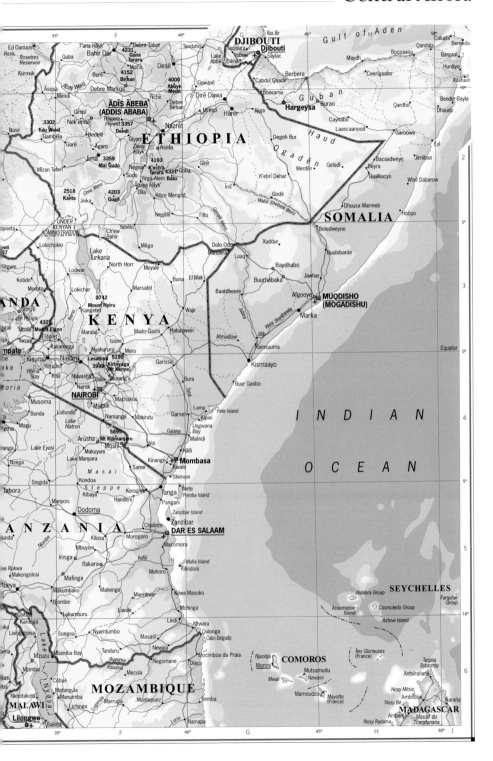

35° F 40° Ras Bir 45° Gulf of Aden 50° Caluula Bereeda

T'ana Häyk' Debre Tabor Tendaho DJIBOUTI Djibouti Boosaaso Qandala Bargaal
Ed Damazin Guba Bahir Dar 4231 Djibouti Maydh Ceerigaabo Hurdiyo Xaafuun
Roseires Guna Tadjoura Lake Dikhil Saylac 10°
Reservoir Terara Abbe Cabdul Qaadir Berbera Boorama Burao Qardho Bender-Bayla
Kurmuk Bure 4152 4000 Gewanē Dire Dawa Hargeysa Dhuudo
Birhan Abuye Boorama Burao Caynabo Garoowe
Āsosa Mendi Debre Markos Meda Fichē Debre Harēr Jijiga Laascaanood Eyl
Gimbi Birhan Caynabo
Nasir ĀDĪS ĀBEBA Nazrēt Mieso Degeh Bur Geladi Beyra Bacaadweyn Jirriiban
3302 (ADDIS ABABA) Hägere Deveh Bur Werder Gaalkacyo Wisil Dabarow
Tulu Welel Nek'emtē Hiywet 3357 K'ebri Dehar
Gambēla Bedelē Dendi ETHIOPIA Ogadēn
Gorē Agaro Godē
Mizan Teferī Jima 3359 4193 Ginir Īmī Wabē Shebelē Wenz
Mai Gudo K'ech'a Goba Dhuusa Marreeb
Negēlē Terara 4321 Batu SOMALIA Hobyo
2518 Sodo Yirga Alem Dīla
Kanta Jinka 4203 Abaya Häyk' Kibre Mengist Filtu Dolo Odo Beledweyne
Guge Negēlē Mega Xuddur Buulobarde 5°
UNDER Ch'ew Mandera Luuq
KENYAN Bahir Baydhabo
Lodwar ADMINISTRATION Yabelo Moyale Buna El Wak Buurhakaba Jawhar
Lake Baardheere Afgooye MUQDISHO
Lokichokio Turkana North Horr Afgooye (MOGADISHU)
Kotido Lokichar 2742 Marka
Moroto Mount Nyiru Marsabit Wajir Webi Shabeelle Jilib 3°
Soroti Kangetet KENYA Mado Gashi Habaswein Afmadow Kamsuuma
Mbale Mount Elgon Maralal Isiolo Nyahururu Equator 0°
Tororo Eldoret Meru
Kakamega Kisumu Nakuru Lesatima 5199 Garissa
Kericho Kisii Naivasha Kirinyaga Bura Kismaayo
Homa Thika Murang'a Buur Gaabo
Bay Narok NAIROBI
Musoma Machakos
Bunda Magadi Lamu INDIAN
Namanga Makindu Garsen Kipini Pate Island
Lollondo Lake Galana Ungwana
Magu Natron Arusha Mt Kilimanjaro 5895 Voi Malindi Bay OCEAN 4°
Lake Eyasi Moshi Kilifi
Makuyuni Kinango Mombasa
Nzega Lake Manyara Same Kwale
Singida Masai Shimoni
Kondoa Steppe Korogwe Wete 5°
Tabora Kibaya Handeni Pemba Island
Manyoni Tanga
Dodoma Pangani
Kilosa Zanzibar Island
Mbuyuni Morogoro Zanzibar DAR ES SALAAM
TANZANIA Chalinze
Iringa Ifakara Mazomora
Mbeya Mohoro Rufiji
Makongolosi Mafia Island
Mbeya Mafinga Kilindoni
Makumbako Mahenge Miembwe Kilwa Masoko SEYCHELLES
Njombe Liwale Aldabra Group Farquhar
Lukumburu Lindi Assumption Cosmoledo Group Group
Songea Nyamombo Mtwara Island Astove Island 10°
Masasi Quionga
Tunduru Newala Cabo Delgado
Negomane Diaca Mocimboa da Praia Njazidja Īles Glorieuses
Côbué Mecula Moroni COMOROS (France)
Metangula Marrupa Pemba Mutsamudu Tanjona
Lichinga Montepuez Mwali Nzwani Bobaomby
Nkhotakota Maniamba Mamoudzou Antsirañana
MOZAMBIQUE Mayotte Nosy Mitsio
MALAWI Lichinga Lurio (France) Nosy Be Ambilobe Iharaña
Lilongwe Namapa MADAGASCAR
Salima Nosy Radama Ambanja Massif du
Tsaratanana

35° F 40° G 45° H 50° J

89

Scale 1 : 15 900 000

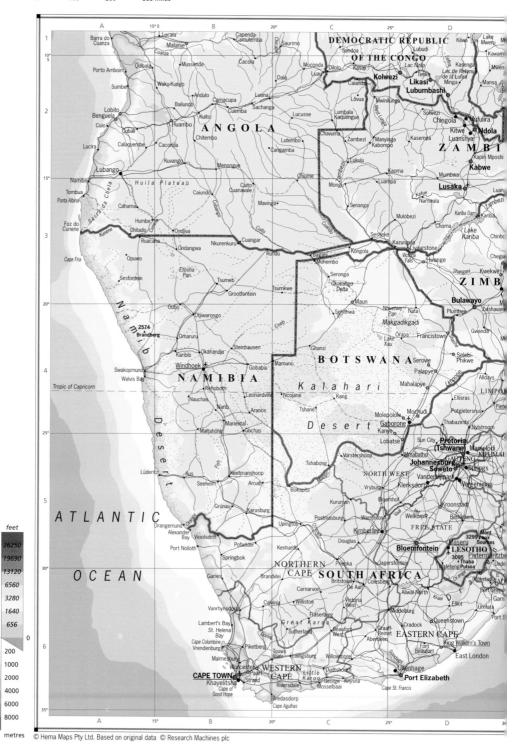

Africa

90

© Hema Maps Pty Ltd. Based on original data © Research Machines plc

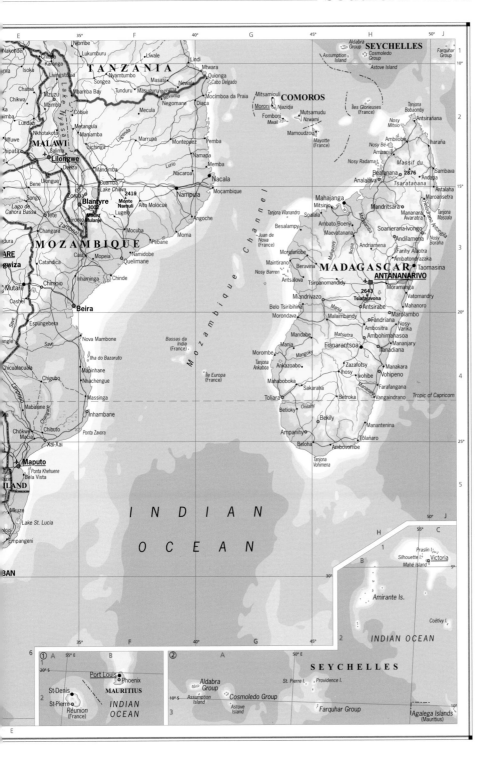

E 35° F 40° G 45° H 50° J

TANZANIA

Norrabe
Lukumburu
Liwale
Lindi
Nakonde
Chinsali
Karonga
Isoka
Nyamtumbo
Masasi
Newala
Mtwara
Livingstonia
Songea
Tunduru
Masuguru
Rovuma
Quionga
Cabo Delgado
Chama
Mzuzu
Mbamba Bay
Côtue
Negomane
Diaca
Mocímboa da Praia

COMOROS
Mitsamiouli
Fomboni
Moroni
Njazidja
Mutsamudu
Mwali
Mamoudzou
Mayotte
(France)

SEYCHELLES
Aldabra
Group
Assumption
Island
Cosmoledo
Group
Astove Island
Farquhar
Group

Nzwani

Îles Glorieuses
(France)

Nosy
Mitsio

Antsirañana
Tanjona
Bobaomby

MALAWI
Lilongwe

Ambilobe
Nosy Be
Iharaña
Ambanja

Nosy Radama

Massif du

Bealanana **2876** Sambava
Analalava Andapa
Tsaratanana

Antalaha

MOZAMBIQUE

Mahajanga
Mitsinjo
Mandritsara
Maroantsetra
Tanjona Masoala

Beira

MADAGASCAR
ANTANANARIVO

Tsiafajavona **2643**
Antsirabe

INDIAN

OCEAN

Tropic of Capricorn

SEYCHELLES

INDIAN OCEAN

MAURITIUS

St-Denis
Port Louis
Phoenix
St-Pierre
Réunion
(France)

**INDIAN
OCEAN**

Aldabra
Group
Assumption
Island
Cosmoledo Group
Astove
Island
St. Pierre I.
Providence I.
Farquhar Group
Agalega Islands
(Mauritius)

Scale 1 : 55 500 000

| 0 | 500 | 1000 | 1500 | 2000 km |

| 0 | 250 | 500 | 750 | 1000 miles |

J 170° K 160° L 150° M 140° N 130° P 120° W Q

1

40°

NORTH
AMERICA

LOS ANGELES

2

30°

SAN DIEGO

H
a
w
a
i
i
a
n

I
s
l
a
n
d
s

HAWAII
(U.S.)

P A C I F I C

Laysan I.

Necker I.

Kauai
Oahu
Honolulu Maui

Hawaii

Guadalupe
(Mexico)

Tropic of Cancer

3

20°

Johnston I.
(U.S.)

N. W. Christmas Island Ridge

Is. Revillagigedo
(Mexico)

4

Palmyra I.
(U.S.)

Tabuaeran Kiritimati

Line Islands

O C E A N

10°

Jarvis
(U.S.)

...land (U.S.)
...aker (U.S.)

...enix Islands

Rawaki

Birnie

...na Manra

K I R I B A T I

Maiden I.

Starbuck I.

Equator

0°

5

...O L Y N E S I A

Atafu
Nukunonu
Tokelau
(New Zealand)

Swains I.

SAMOA American
Samoa

Savai Apia
Upolu Tutuila

Tafahi

Rose I.

Tongareva

Danger Is.
Nassau

Manihiki

Suvorov I.

Cook Islands

Vostok I. Caroline I.

Motu One

Flint I.

Marquesas Islands

Nuku Hiva

Hiva Oa

Îles
Désappointement

Pukapuka

Raroia

6

10°

...TONGA

...a

Niue
(New Zealand)

Palmerston I.
(New Zealand)

Aitutaki

Îles Palliser

Arch.
de la Société

Archipel des Tuamotu

Tahiti

Hao

Îles Duc de
Gloucester

7

...Islands

Rarotonga

Mangaia

Îles
Maria

Rurutu

French
Polynesia

Mururoa

Morane

...Trench

Tonga Trench

Tubuai
Raevavae

Gambier
Is.

Tubuai Islands

Mangareva

Groupe Actéon

20°

...rizon Depth
10882

...Trench

Rapa

Marotiri

Oeno

Pitcairn Is.
(U.K.)

Henderson I.

Ducie I.

Tropic of Capricorn

8

...c Islands
...ealand)

Easter I.
(Chile)

30°

...d)

S o u t h   W e s t

P a c i f i c

B a s i n

9

40°

10

J 170° K 160° L 150° M 140° N 130° P 120° Q 110° R

Scale 1 : 18 900 000

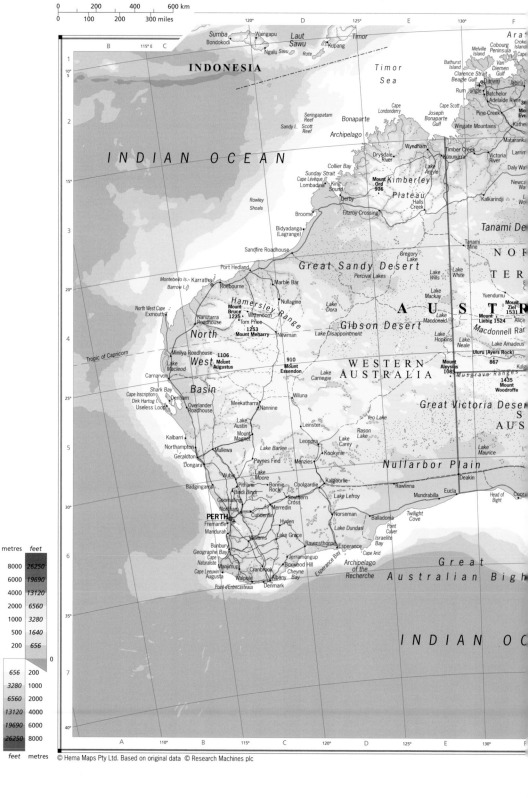

© Hema Maps Pty Ltd. Based on original data © Research Machines plc

PAPUA NEW GUINEA
Port Moresby
Alotau
D'Entrecasteaux Islands
Louisiade Archipelago
Torres Strait
Mulgrave I.
Moa (Banks Island)
Prince of Wales Island
Cape York
Bamaga
Somerset
Cape Wessel
Wessel Islands
Cape Arnhem
Nhulunbuy
Nangalala
Bickerton Island
Groote Eylandt
Numbulwar
Gulf of Carpentaria
Sir Edward Pellew Group
Borroloola
Cape Crawford
Wellesley Islands
Mornington I.
Bentinck I.
Duifken Point
Weipa
Albatross Bay
Aurukun
Cape York Peninsula
Cape Grenville
Cape Direction
Princess Charlotte Bay
Coen
Cape Melville
Silver Plains
Kowanyama
Laura
Cape Flattery
Cooktown
CORAL SEA ISLANDS
CORAL SEA
TERRITORY
(Australia)
Osprey Reef
Shark Reef
Bougainville Reef
Holmes Reefs
Diane Bank
Willis Group
Herald Cays
Magdelaine Cays
Diamond Islets
Flinders Reefs
Turtle I.
Tregosse Islets
Malay Reef
GREAT BARRIER REEF
Port Douglas
Cairns
Mareeba
Mount Bartle Frere
1612
Innisfail
Mount Garnet
Karumba
Burketown
Normanton
Croydon
Georgetown
Forsayth
Greenvale
Mutarnee
Ingham
Halifax Bay
Townsville
Ayr
Barkly Tableland
Camooweal
Mount Isa
Cloncurry
McKinlay
Richmond
Hughenden
Charters Towers
Bowen
The Whitsundays
Proserpine
Repulse Bay
Mackay
Sarina
Dalrymple Lake
Nebo
Broad Sound
Clairview
Townshend I.
QUEENSLAND
GREAT DIVIDING RANGE
PACIFIC OCEAN
Swain Reefs
Winton
Boulia
Muttaburra
Clermont
Longreach
Barcaldine
Jericho
Emerald
Blackwater
Yeppoon
Rockhampton
Capricorn Group
Curtis I.
Gladstone
Cato I.
Tropic of Capricorn
Springsure
Blackall
Great Artesian Basin
Simpson Desert
Jundah
Yaraka
Tambo
Banana
Biloela
Bundaberg
Sandy Cape
Hervey Bay
Fraser I.
Maryborough
Birdsville
Betoota
Windorah
Lake Yamma Yamma
Augathella
Taroom
Eidsvold
Gayndah
Charleville
Roma
Gympie
Lake Eyre Basin
Sturt Stony Desert
Quilpie
Mitchell
Muckadilla
Miles
Kingaroy
Caloundra
Oodnadatta
Tirari Desert
Lake Eyre North
Lake Eyre South
Coober Pedy
Grey Range
Thargomindah
Glenmorgan
St George
Moonie
Dalby
Moreton I.
BRISBANE
North Stradbroke I.
Toowoomba
Beenleigh
Cunnamulla
Dirranbandi
Bungunya
Goondiwindi
Mount Roberts
1387
Surfers Paradise
Gold Coast
Boggabilla
Hungerford
Lake Blanche
Marree
Tibooburra
Lake Callabonna
Wanaaring
Enngonia
Casino
Cape Byron
Ballina
Tenterfield
Moree
Brewarrina
Leigh Creek
Lake Frome
Glendambo
Pimba
Lake Torrens
Flinders Ranges
White Cliffs
Bourke
Walgett
Glen Innes
Grafton
Narrabi
Armidale
Round Mountain
1608
Coffs Harbour
Darling
Louth
Coolabah
Cobar
Lake Gairdner
Hawker
Broken Hill
Wilcannia
NEW SOUTH WALES
Nyngan
Coonabarabran
Gunnedah
Tamworth
Black Sugarloaf
1494
Quirindi
Port Macquarie
Port Augusta
Menindee
Gilgandra
Dubbo
Taree
Whyalla
Orroroo
Ivanhoe
Roto
Condobolin
Singleton
Cessnock
Newcastle
Kyancutta
Eyre Pen.
Cowell
Port Pirie
Burra
Morgan
Murray River
Pooncarie
Orange
1274
Bathurst
Lithgow
Katoomba
Marsden
Spencer Gulf
Gawler
ADELAIDE
Renmark
Mildura
Balranald
Goolgowi
West Wyalong
Cowra
1204
SYDNEY
Wollongong
Murray Basin
Hay
Cootamundra
Victor Harbor
Murray Bridge
Tailem Bend
Ouyen
Swan Hill
Narrandera
Wagga Wagga
Canberra
Nowra
Investigator Strait
Cape Borda
Kingscote
Kangaroo I.
Hopetoun
Big Desert
Deniliquin
Finley
Tumut
A.C.T.
Batemans Bay
Bordertown
VICTORIA
Bendigo
Shepparton
Albury
2229
Mount Kosciuszko
Cooma
Lacepede Bay
Cape Jaffa
Robe
Little Desert
Horsham
Mount Bogong
1986
Omeo
Bombala
Eden
Hamilton
Ballarat
Yea
Mount Gambier
MELBOURNE
Portland
Cape Nelson
Geelong
Morwell
Bairnsdale
Cape Howe
Warrnambool
Korumburra
Sale
Apollo Bay
Port Albert
Walkerville
Wilson's Promontory
South East Point
King Island
Currie
Bass Strait
Flinders I.
Furneaux Group
Whitemark
Cape Barren I.
Cape Grim
Stanley
Burnie
George Town
Banks Strait
TASMAN SEA
TASMANIA
Devonport
Launceston
Queenstown
1617
Mount Ossa
Swansea
Cape Forestier
Lake Gordon
Hobart
Dover
Port Arthur
Storm Bay
South West Cape
South East Cape
Lord Howe I.
Ball's Pyramid
A.C.T. = Australian Capital Territory

Scale   1 : 6 350 000

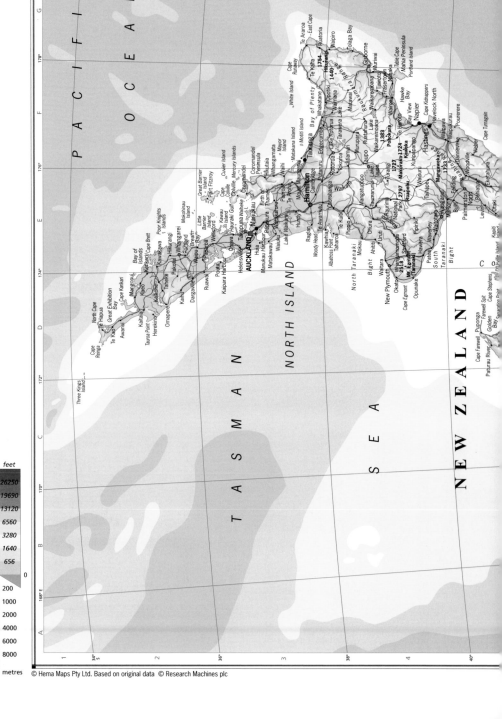

© Hema Maps Pty Ltd. Based on original data © Research Machines plc

SOUTH ISLAND
PACIFIC OCEAN
Christchurch
Dunedin
Invercargill
Stewart Island
Foveaux Strait
Canterbury Bight
Banks Peninsula
Pegasus Bay
Otago Peninsula
Chatham Islands (New Zealand)
Chatham I.
Pitt I.
Antipodes Islands (New Zealand)
Auckland Island (New Zealand)
Campbell Island (New Zealand)
Mt. Cook
3754
Greymouth
Hokitika
Westport
Timaru
Oamaru
Queenstown
Milford Sound
Lake Te Anau
Lake Manapouri
Lake Wakatipu
Lake Wanaka
Lake Tekapo
Lake Pukaki
Kaikoura
Bluff
Gore
Mosgiel
Ashburton
Fox Glacier
Franz Josef Glacier
Haast
Mt. Aspiring
3027

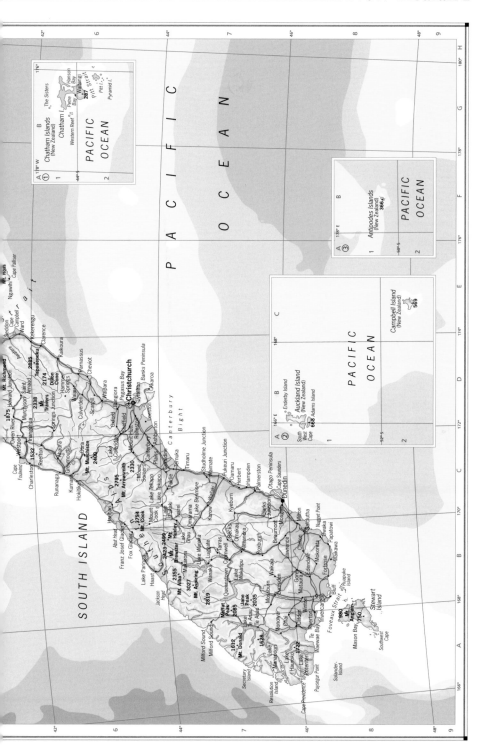

Scale 1 : 47 600 000

| 0 | 500 | 1000 | 1500 | 2000 km |

| 0 | 500 | 1000 miles |

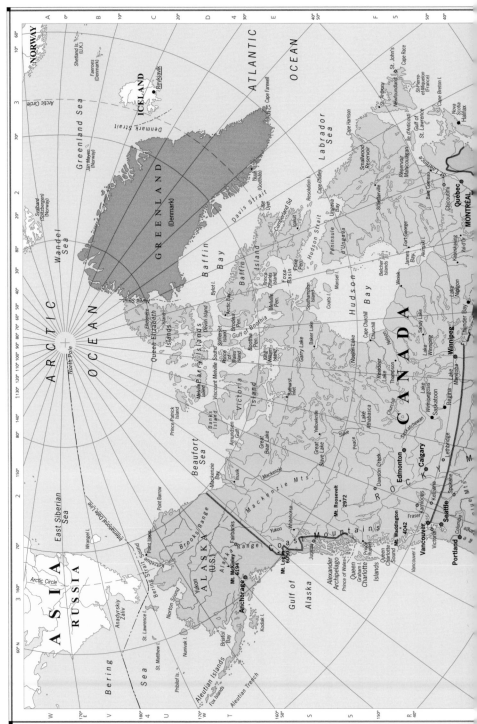

UNITED STATES
MEXICO
THE BAHAMAS
CUBA
JAMAICA
HAITI
DOMINICAN REPUBLIC
BELIZE
GUATEMALA
HONDURAS
EL SALVADOR
NICARAGUA
COSTA RICA
PANAMÁ
SOUTH AMERICA
PACIFIC OCEAN
OCEAN
Gulf of Mexico
Caribbean Sea
Greater Antilles
Lesser Antilles
Sacramento
San Francisco
San Jose
Fresno
LOS ANGELES
Channel Is.
SAN DIEGO
Mexicali
Ensenada
Las Vegas
Grand Canyon
PHOENIX
Tucson
Albuquerque
El Paso
Ciudad Juárez
Denver
Salt Lake City
Great Salt Lake Desert
Great Basin
Death Valley
Mojave Desert
Oklahoma City
Abilene
Kansas City
Little Rock
DALLAS
Fort Worth
Austin
Edwards Plateau
SAN ANTONIO
HOUSTON
Corpus Christi
Rio Grande
New Orleans
Mississippi River Delta
Mobile
Memphis
Nashville
St. Louis
Indianapolis
CHICAGO
Columbus
Cincinnati
Cleveland
Lake Erie
Knoxville
Atlanta
Charlotte
Savannah
Jacksonville
Cape Canaveral
Tampa
Miami
Raleigh
Cape Hatteras
Virginia Beach
Washington D.C.
Baltimore
PHILADELPHIA
Long Island
Bermuda (U.K.)
Hermosillo
Ciudad Obregón
Golfo de California
Baja California
La Paz
Cabo San Lucas
Guadalupe (Mexico)
Cedros
MONTERREY
Matamoros
Ciudad Madero
GUADALAJARA
León
MÉXICO
Vol. Citlaltepetl 5610
Acapulco
Veracruz
Mérida
Bahía de Campeche
Yucatán
Sierra Madre Occidental
Sierra Madre del Sur
Islas Marías
I. Clarión
Islas Revillagigedo (Mexico)
Nassau
Andros
Grand Bahama
Great Abaco
Florida Keys
Straits of Florida
LA HABANA (HAVANA)
Yucatan Channel
Isla de la Juventud
Cayman Is. (U.K.)
Santiago de Cuba
Great Inagua
Turks and Caicos Is. (U.K.)
Kingston
PORT-AU-PRINCE
Duarte 3175
SANTO DOMINGO
Cabo Beata
San Juan
Puerto Rico (U.S.)
Virgin Is. (U.S.)
Virgin Is. (U.K.)
Puerto Rico Trench
Tropic of Cancer
Netherlands Antilles
Aruba (Neth.)
Punta Gallinas
CARACAS
I. de Cozumel
Belmopan
GUATEMALA 4210
San Salvador
Tegucigalpa
Cabo Camarón
Swan Is. (Honduras)
Cabo Gracias á Dios
Managua
Lago de Nicaragua
San José
Canal de Panamá (Panama Canal)
Panamá
Golfo de Panamá
Punta Mariato
Isla Coiba
Middle America Trench
Clipperton Island (France)
I. de Coco (Costa Rica)
Isla de Malpelo (Columbia)
Cristóbal Colón 5775
BARRANQUILLA
Golfo del Darién
MEDELLÍN
BOGOTÁ
CALI 5750
Cordillera Occidental
Cordillera Central
Cordillera Oriental
Cordillera de Mérida
Orinoco
Meta
Equator
QUITO 6310
GUAYAQUIL
Golfo de Guayaquil
Iquitos
Amazonas
Chiclayo
Isla Isabela
Islas Galápagos (Galapagos Is.) (Ecuador)

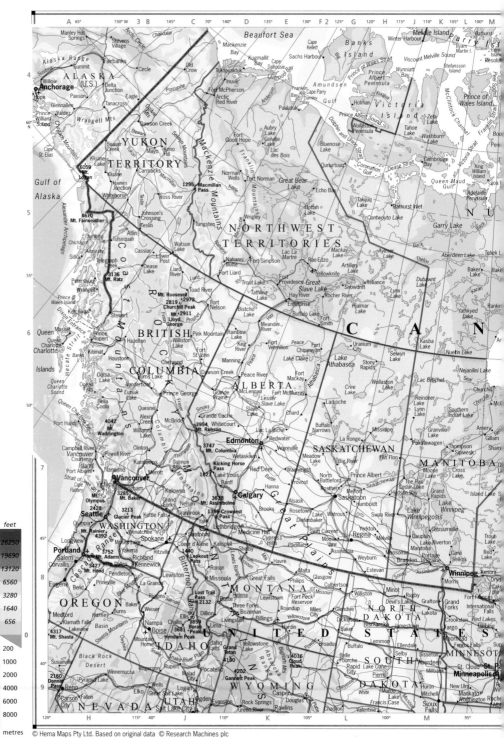

Scale 1 : 18 900 000

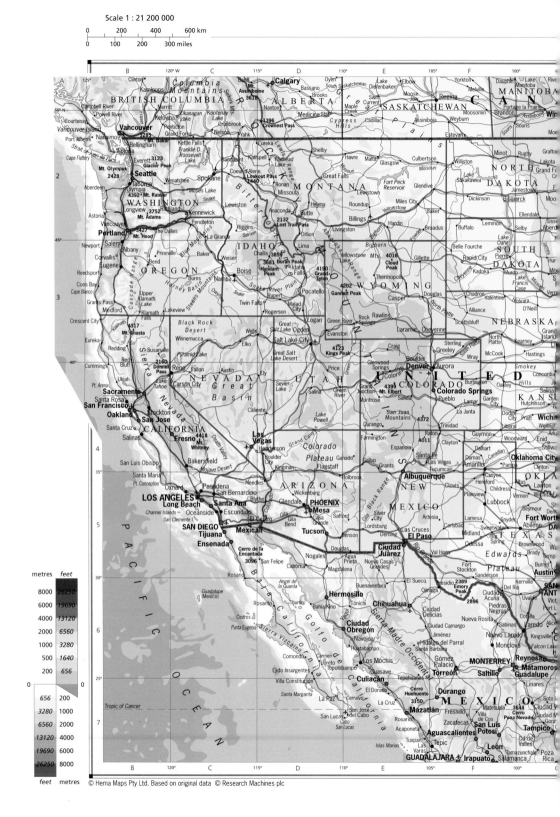

Scale 1 : 21 200 000

0   200   400   600 km

0   100   200   300 miles

metres	feet
8000	26250
6000	19690
4000	13120
2000	6560
1000	3280
500	1640
200	656
0	0
656	200
3280	1000
6560	2000
13120	4000
19690	6000
26250	8000

feet   *metres*

© Hema Maps Pty Ltd. Based on original data © Research Machines plc

O N T A R I O
Q U É B E C
M A I N E
WISCONSIN
M I C H I G A N
I O W A
ILLINOIS
INDIANA
O H I O
PENNSYLVANIA
N E W Y O R K
MASS.
CONN.
NEW JERSEY
MARYLAND
DELAWARE
WEST VIRGINIA
VIRGINIA
K E N T U C K Y
TENNESSEE
NORTH CAROLINA
SOUTH CAROLINA
MISSOURI
ARKANSAS
MISSISSIPPI
ALABAMA
GEORGIA
LOUISIANA
FLORIDA
VERMONT
NEW HAMPSHIRE
Appalachian Mountains
Lake Superior
Lake Michigan
Lake Huron
Lake Ontario
Lake Erie
Georgian Bay
Thunder Bay
Sault Ste. Marie
Sudbury
North Bay
Ottawa
MONTRÉAL
Québec
Trois Rivières
Sherbrooke
Fredericton
Toronto
Hamilton
London
Kingston
Windsor
CHICAGO
DETROIT
Milwaukee
St. Paul
Madison
Indianapolis
Columbus
Cleveland
Toledo
Cincinnati
Louisville
Pittsburgh
Buffalo
Rochester
Syracuse
Albany
Boston
Providence
Hartford
New Haven
NEW YORK
Newark
Trenton
PHILADELPHIA
Baltimore
Washington D.C.
Richmond
Norfolk
Virginia Beach
Raleigh
Durham
Charlotte
Nashville
Memphis
Knoxville
Chattanooga
Atlanta
Birmingham
Montgomery
Jackson
Mobile
New Orleans
Baton Rouge
Tallahassee
Jacksonville
Savannah
Charleston
Orlando
Tampa
St. Petersburg
Miami
Key West
Kansas City
St. Louis
Springfield
Des Moines
Shreveport
Little Rock
Portland
Augusta
Cape Hatteras
Cape Fear
Cape Canaveral
Straits of Florida
Yucatan Channel
Great Bahama Bank
Tropic of Cancer
A T L A N T I C
O C E A N
G u l f o f
M e x i c o
THE BAHAMAS
Nassau
Grand Bahama
Andros
LA HABANA (HAVANA)
CUBA
Matanzas
Santa Clara
Cienfuegos
Camagüey
Holguín
Mérida
Cancún
Progreso
Turks and Caicos Is. (U.K)

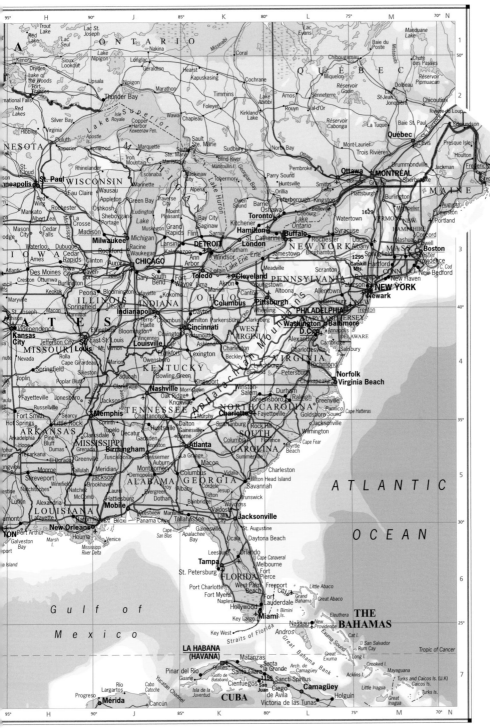

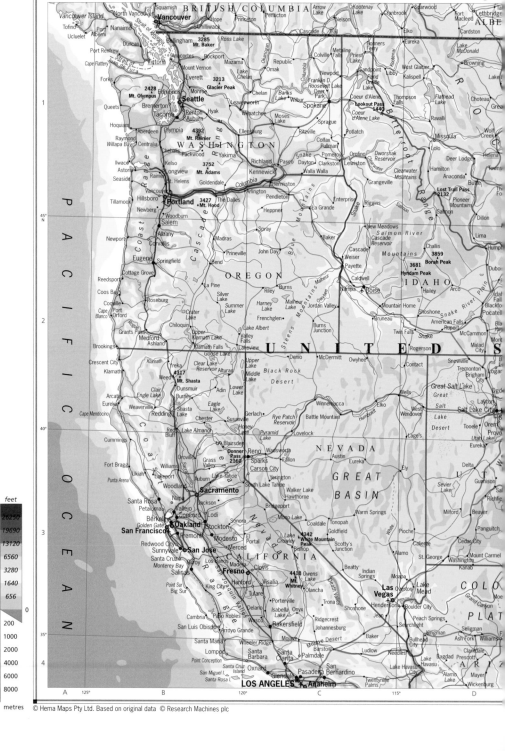

Scale 1 : 9 900 000

| 0 | 100 | 200 | 300 km |
| 0 | 50 | 100 | 150 miles |

metres	feet
8000	26250
6000	19690
4000	13120
2000	6560
1000	3280
500	1640
200	656
0	0
656	200
3280	1000
6560	2000
13120	4000
19690	6000
26250	8000
feet	metres

110°
E
105°
F
100°
G
SASKATCHEWAN
MANITOBA
Winnipeg
Brandon
Portage la Prairie
Weyburn
Carlyle
Estevan
Assiniboia
Consul
Climax
Fresno Reservoir
Havre
Harlem
Malta
Glasgow
Opheim
Scobey
Plentywood
Wolf Point
Culbertson
Big Sandy
Fort Peck Reservoir
Circle
Jordan
Glendive
Lewistown
Grassrange
Mosby
MONTANA
Harlowtown
Roundup
Miles City
Terry
Forsyth
Yellowstone
Billings
Hardin
Ashland
Broadus
Ekalaka
Baker
Columbus
Red Lodge
Bighorn Lake
Lodge Grass
Williston
Fortuna
Bowbells
Stanley
Minot
Watford City
Lake Sakakawea
NORTH DAKOTA
Bismarck
Mandan
Dickinson
Belfield
Beach
Hebron
Lake Tschida
New England
Elgin
Bowman
Fort Yates
Linton
Dawson
Jamestown
Valley City
Fargo
Moorhead
Grand Forks
Devils Lake
Langdon
Pembina
Hallock
Rugby
Towner
Velva
Max
Harvey
Carrington
Sheyenne
Lakota
Crookston
Ellendale
Ludden
Shadehill Reservoir
Lemmon
McLaughlin
Buffalo
Morea
La Plant
Selby
Aberdeen
Sisseton
Waubay Lake
Webster
Watertown
Milbank
Ortonville
Gettysburg
Faith
Belle Fourche
Spearfish
Sturgis
Rapid City
Black Hills
Cheyenne
SOUTH DAKOTA
Lake Oahe
Pierre
Fort Pierre
Miller
Redfield
Huron
Brookings
Woonsocket
Madison
Sioux Falls
Wall
Kadoka
Murdo
Presho
Chamberlain
White River
Mitchell
Winner
Lake Francis Case
Hot Springs
Oelrichs
Angostura Reservoir
Mission
Gregory
Lewis and Clark Lake
Yankton
Vermillion
Martin
Sheridan
Cody
Greybull
Worland
Buffalo
Gillette
Sundance
Moorcroft
4016 Cloud Peak
Bighorn Mountains
Kaycee
Thermopolis
Newcastle
4005 Francs Peak
Dubois
Boysen Reservoir
Shoshoni
4202 Gannett Peak
WYOMING
Lander
Casper
Powder River
Pathfinder Reservoir
Douglas
Lusk
Laramie Range
Muddy Gap
Seminoe Reservoir
Medicine Bow
Farson
Rawlins
Saratoga
Rock Springs
Green River
Flaming Gorge Reservoir
Laramie
Cheyenne
Baggs
Torrington
Scottsbluff
Chugwater
Crawford
Chadron
Rushville
Alliance
Hyannis
Bridgeport
Oshkosh
Arthur
Lake C. W. McConaughy
Sidney
Pine Bluffs
Valentine
Merriman
Bassett
Niobrara
O'Neill
Norfolk
Thedford
NEBRASKA
Stapleton
North Platte
Ansley
Grand Island
Kearney
Hastings
Columbus
Fremont
Omaha
Lincoln
Council Bluffs
Sioux City
Julesburg
Holyoke
Sterling
Imperial
Lexington
Holdrege
McCook
Alma
Red Cloud
Hebron
Beatrice
GREAT PLAINS
Fort Collins
Greeley
Wellington
Craig
Steamboat Springs
Kremmling
Meeker
Dinosaur
Vernal
Longmont
Boulder
Brighton
Denver
Lakewood
Aurora
Littleton
Brush
Wiggins
Wray
Last Chance
Strasburg
Rifle
Glenwood Springs
Minturn
Leadville
4399 Mt.Elbert
COLORADO
Grand Junction
Delta
Mack
Montrose
Gunnison
Buena Vista
Salida
Cañon City
Colorado Springs
Pueblo
Limon
Burlington
Cheyenne Wells
Eads
Ordway
La Junta
Lamar
Springfield
Walsenburg
Trinidad
Sangre de Cristo Range
4342 Mt. Wilson
Ouray
Saguache
Monte Vista
4372
Alamosa
Antonito
Cortez
Durango
Pagosa Springs
Navajo Reservoir
Monticello
Blanding
Bluff
Mexican Hat
Shiprock
Aztec
Farmington
Dulce
Tierra Amarilla
Chuska Mountains
San Juan Mountains
ROCKY MOUNTAINS
UNITED STATES
St. Francis
Goodland
Oakley
Benkelman
Oberlin
Norton
Phillipsburg
Smokey Hills
Stockton
Wakeeney
Hays
Russell
Salina
KANSAS
Scott City
Ness City
Great Bend
McPherson
Hutchinson
Cheney Reservoir
Wichita
Syracuse
Garden City
Lakin
Dodge City
Kinsley
Pratt
Sublette
Liberal
Elkhart
Ashland
Medicine Lodge
Caldwell
Wellington
Winfield
Arkansas City
Newton
El Dorado
Emporia
Topeka
Manhattan
Junction City
Concordia
Belleville
Marysville
Beloit
Wilson Reservoir
Boise City
Guymon
Stratford
Dalhart
Dumas
Stinnett
Borger
Pampa
TEXAS
Amarillo
Panhandle
Clarendon
Vega
Hereford
Muleshoe
Plainview
Childress
Vernon
Canadian
Woodward
Buffalo
Alva
Enid
Ponca City
Bartlesville
Tulsa
Stillwater
Guthrie
Sapulpa
OKLAHOMA
Oklahoma City
Midwest City
El Reno
Norman
Clinton
Elk City
Sayre
Shamrock
Hobart
Anadarko
Chickasha
Lawton
Altus
Frederick
Hollis
Ardmore
Ada
Seminole
McAlester
Atoka
Antlers
Waurika
Des Moines
Raton
Springer
Clayton
Taos
Espanola
Los Alamos
Santa Fe
Las Vegas
Mosquero
Logan
Tucumcari
Santa Rosa
Fort Summer
Clovis
Portales
Vaughn
NEW MEXICO
Albuquerque
Clines Corners
Grants
Gallup
Zuni
Cuba
Seven Lakes
Bernado
Socorro
Magdalena
Quemado
Springerville
Holbrook
Show Low
Sanders
Ganado
Kayenta
1
2
3
4
45°
40°
35°

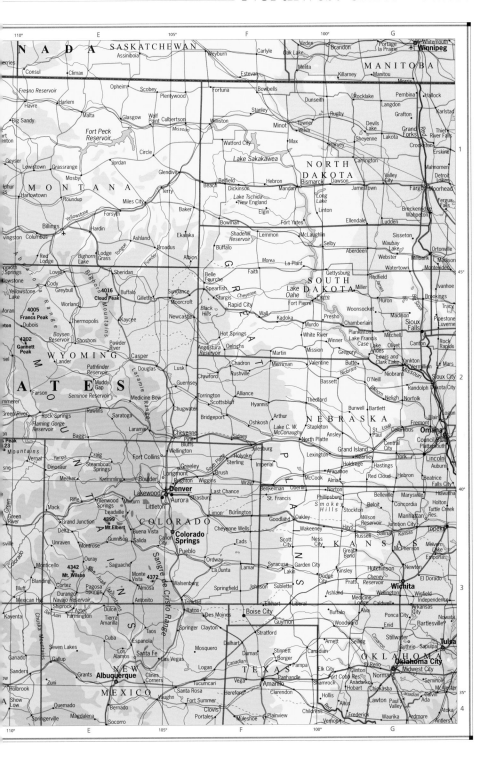

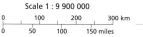

Scale 1 : 9 900 000

0   100   200   300 km
0   50   100   150 miles

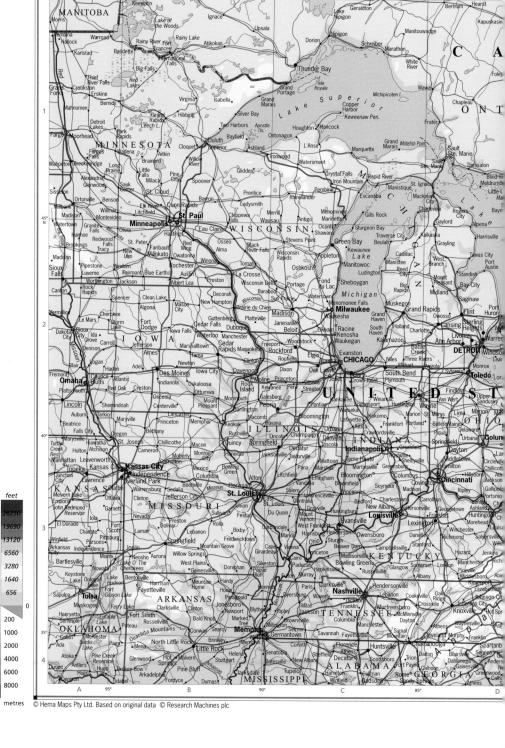

North America

106

80°
E
75°
F
70°
G
1
2
3
4
45°
40°
35°
QUÉBEC
MAINE
NEW BRUNSWICK
VERMONT
NEW HAMPSHIRE
NEW YORK
MASSACHUSETTS
CONNECTICUT
RHODE ISLAND
PENNSYLVANIA
NEW JERSEY
DELAWARE
MARYLAND
VIRGINIA
NORTH CAROLINA
ATLANTIC
OCEAN
St. Lawrence
Lake Ontario
Lake Erie
Massachusetts Bay
Cape Cod
Long Island
Cape Hatteras
Pamlico Sound
Réservoir Pipmuacan
Réservoir Gouin
Réservoir Cabonga
Lake Abitibi
Lake Nipissing
Lake Simcoe
Lac St-Jean
Matagami
Chapais
Miquelon
Val-Paradis
Lebel-sur-Quévillon
Bochart
Amos
Senneterre
Noranda
Rouyn
Val-d'Or
New Liskeard
Belleterre
Manouane
Mont-Laurier
Maniwaki
Mattawa
North Bay
Sudbury
Sturgeon Falls
Sundridge
Huntsville
Whitney
Pembroke
Eganville
Arnprior
Ottawa
Gatineau
Hull
Nepean
Carleton Place
Denbigh
Montebello
Laval
MONTRÉAL
Longueuil
Châteauguay
St-Jean-sur-Richelieu
Granby
Magog
Sherbrooke
Lac Mégantic
Trois Rivières
Cap-de-la-Madeleine
Grand-Mère
La Tuque
Joliette
Sorel
Drummondville
Victoriaville
Thetford Mines
St. Georges
Vallée Jonction
Québec
Lévis
Charlesbourg
Ste-Anne-de-Beaupré
Montmagny
St-Pamphile
Baie St. Paul
St. Siméon
Tadoussac
Chicoutimi
Jonquière
Alma
Dolbeau
St-Félicien
Roberval
Forestville
Baie Comeau
Godbout
Labrieville
Matane
Mont Joli
Rimouski
Causapscal
Campbellton
Rivière-du-Loup
Cabano
Kedgwick
Edmundston
St-Léonard
Grand Falls
Fort Kent
Van Buren
Presque Isle
Houlton
Woodstock
Marysville
Fredericton
Oromocto
St. Stephen
Calais
Blacks Harbour
Lincoln
Millinocket
Jackman
Dover-Foxcroft
Bangor
Skowhegan
Stratton
Farmington
Waterville
Augusta
Ellsworth
Bar Harbor
Rockland
Lewiston
Brunswick
Portland
Biddeford
Bethel
Berlin
Errol
Colebrook
Lancaster
Newport
St. Johnsbury
Burlington
Montpelier
Middlebury
Rutland
Lincoln
Hanover
Lebanon
Laconia
Concord
Manchester
Keene
Nashua
Rochester
Portsmouth
Springfield
Bennington
Brattleboro
Lawrence
Lowell
Gloucester
Lynn
Cambridge
Boston
Worcester
Brockton
Provincetown
Taunton
Fall River
New Bedford
Falmouth
Newport
Providence
Woonsocket
Chicopee
Springfield
Hartford
Norwich
Waterbury
New London
New Haven
Bridgeport
Stamford
Middletown
Montauk
Port Jefferson
Yonkers
Jersey City
Paterson
Newark
Elizabeth
NEW YORK
Long Branch
Trenton
Allentown
Reading
Norristown
PHILADELPHIA
Lancaster
Wilmington
Vineland
Atlantic City
Cape May
Dover
Milford
Ocean City
Salisbury
Pocomoke City
Cambridge
Annapolis
Baltimore
Columbia
Washington D.C.
Arlington
Alexandria
Manassas
Frederick
Hagerstown
Gettysburg
York
Harrisburg
Carlisle
Chambersburg
Lebanon
Sunbury
Hazelton
Wilkes-Barre
Scranton
Carbondale
Towanda
Binghamton
Elmira
Ithaca
Bath
Cortland
Syracuse
Utica
Oneonta
Rome
Oswego
Pulaski
Watertown
Lowville
Ogdensburg
Massena
Potsdam
Malone
Plattsburgh
Saranac Lake
Tupper Lake
Blue Mountain Lake
Glens Falls
Saratoga Springs
Amsterdam
Schenectady
Troy
Albany
Hudson
Delhi
Kingston
Poughkeepsie
Newburgh
Geneva
Rochester
Lockport
Niagara Falls
Cheektowaga
Buffalo
Hamburg
Springville
Dansville
Belmont
Salamanca
Olean
Jamestown
Dunkirk
Erie
Warren
Kane
Wellsboro
Ridgway
Williamsport
Lock Haven
Du Bois
Meadville
Oil City
Youngstown
Beaver Falls
Pen Hills
Pittsburgh
Indiana
Johnstown
Altoona
Lewistown
Greensburg
Somerset
Wheeling
Cumberland
Morgantown
Martinsburg
Romney
Winchester
Clarksburg
Weston
Elkins
Monterey
Staunton
Fredericksburg
Charlottesville
Lexington Park
Tappahannock
Lexington
Covington
Richmond
Colonial Heights
Roanoke
Lynchburg
Christiansburg
Burkeville
Petersburg
Williamsburg
Cape Charles
Norfolk
Virginia Beach
Portsmouth
Suffolk
Chesapeake
Martinsville
South Boston
Danville
South Hill
Murfreesboro
Henderson
Elizabeth City
Greensboro
Durham
Rocky Mount
Windsor
High Point
Raleigh
Wilson
Greenville
Washington
Manteo
Salisbury
Sanford
Goldsboro
Kinston
Concord
Charlotte
Fayetteville
New Bern
Hatteras
Monroe
Laurinburg
Clinton
Havelock
Atlantic
Beaufort
Lancaster
Cheraw
Jacksonville
Lumberton
Wilmington
Whiteville
Camden
Florence
Carolina Beach
Toronto
Hamilton
Oshawa
Markham
Brampton
Orangeville
Guelph
St. Catharines
Simcoe
Peterborough
Trenton
Belleville
Picton
Kingston
Brockville
Kaladar
Smiths Falls
Barrie
Orillia
Gravenhurst
Midland
Collingwood
Durham
Parry Sound
Matheson
Kirkland Lake
La Sarre
St.-Jovité
Kingston
Amherst

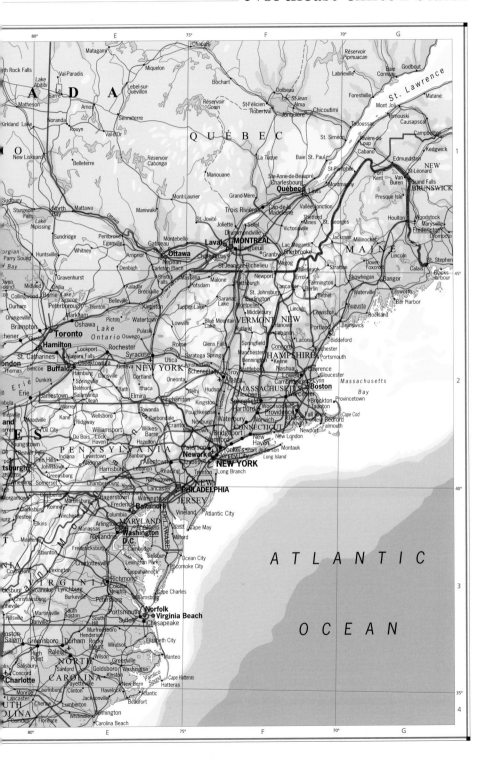

Scale 1 : 9 900 000

0   100   200   300 km
0   50   100   150 miles

North America

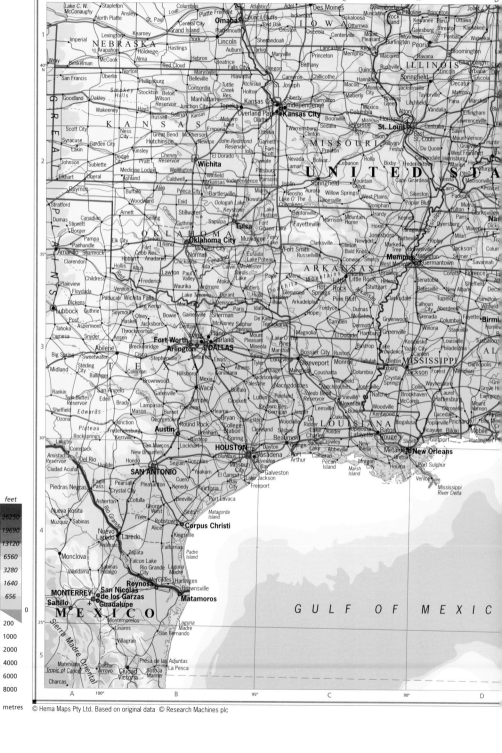

metres	feet
8000	26250
6000	19690
4000	13120
2000	6560
1000	3280
500	1640
200	656
0	0
656	200
3280	1000
6560	2000
13120	4000
19690	6000
26250	8000

feet   metres

108

© Hema Maps Pty Ltd. Based on original data © Research Machines plc

Southeast United States

ATLANTIC OCEAN
THE BAHAMAS
PENNSYLVANIA
NEW YORK
CONNECTICUT
NEW JERSEY
DELAWARE
MARYLAND
WEST VIRGINIA
VIRGINIA
NORTH CAROLINA
SOUTH CAROLINA
GEORGIA
FLORIDA
Lake Erie
Toledo
Cleveland
Pittsburgh
Columbus
Cincinnati
Dayton
Charleston
Lexington
Knoxville
Baltimore
Washington D.C.
PHILADELPHIA
NEW YORK
Newark
Richmond
Norfolk
Virginia Beach
Chesapeake
Durham
Raleigh
Greensboro
Winston-Salem
Charlotte
Atlanta
Augusta
Columbia
Savannah
Jacksonville
Tallahassee
Orlando
Tampa
St. Petersburg
Miami
Fort Lauderdale
Hollywood
Hialeah
Key West
Nassau
Grand Bahama
Great Abaco
Andros
Eleuthera
Cape Hatteras
Cape Fear
Cape Canaveral
Long Island
Pamlico Sound
Apalachee Bay
N.E. Providence Channel
Straits of Florida
Tropic of Cancer
85°
80°
75°
40°
35°
30°
25°
E
F
G
1
2
3
4
5

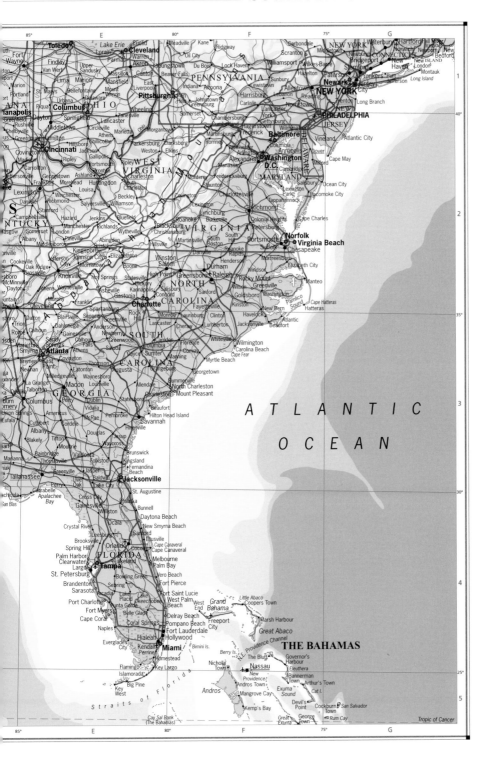

Scale 1 : 9 900 000

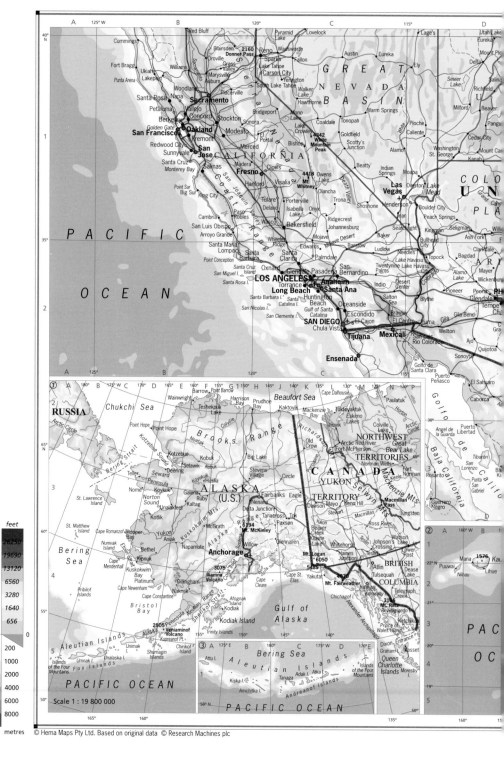

© Hema Maps Pty Ltd. Based on original data © Research Machines plc

Denver
Aurora
Boulder
Longmont
Lakewood
Littleton
Colorado Springs
Pueblo
COLORADO
ROCKY MOUNTAINS
Grand Junction
Mt. Elbert
Leadville
Glenwood Springs
Montrose
Gunnison
Salida
Cañon City
Trinidad
Walsenburg
Alamosa
Monte Vista
Durango
Cortez
Mt. Wilson
Sangre de Cristo Range
San Juan Mts.
Wheeler Peak
Taos
Santa Fe
Los Alamos
Espanola
Farmington
Gallup
Albuquerque
Grants
Socorro
Las Vegas
Tucumcari
Clovis
Portales
Roswell
Carlsbad
Hobbs
Artesia
Alamogordo
Las Cruces
Deming
Lordsburg
Truth or Consequences
Elephant Butte Reservoir
Caballo Reservoir
Black Range
NEW MEXICO
Rio Grande
Pecos
El Paso
Ciudad Juárez
Kansas
KANSAS
Topeka
Wichita
Salina
Hutchinson
Dodge City
Garden City
Liberal
Goodland
Hays
Emporia
Manhattan
Smokey Hills
GREAT PLAINS
OKLAHOMA
Oklahoma City
Midwest City
Tulsa
Norman
Lawton
Enid
Stillwater
Bartlesville
Ponca City
Woodward
Guymon
Boise City
Cimarron
Red
TEXAS
Amarillo
Lubbock
Dalhart
Dumas
Borger
Pampa
Plainview
Childress
Wichita Falls
Abilene
Midland
Odessa
Big Spring
San Angelo
Fort Worth
Arlington
DALLAS
Irving
Plano
Garland
Denton
Sherman
Waco
Temple
Killeen
Austin
San Antonio
New Braunfels
San Marcos
Del Rio
Eagle Pass
Laredo
Corpus Christi
Victoria
Harlingen
Edwards Plateau
Lake Texoma
Lake Travis
Padre Island
Emory Peak
Picacho del Centinela
MEXICO
Chihuahua
Sierra Madre Occidental
Sierra Madre Oriental
Ciudad Obregón
Monterrey
Saltillo
Torreón
Gómez Palacio
Durango
Monclova
Nuevo Laredo
Reynosa
Matamoros
San Nicolás de los Garzas
Guadalupe
Ciudad Victoria
Ciudad Madero
Tampico
San Luis Potosí
Zacatecas
Ciudad Mante
Ciudad Acuña
Piedras Negras
Hidalgo del Parral
Ojinaga
Presidio
Gulf of Mexico
Tropic of Cancer
HAWAII (U.S.)
Kaneohe
Kailua
Molokai
Kalaupapa
Wailuku
Maui
Lanai City
Lanai
Hawaii
Hilo
Honokaa
Mauna Kea
Mauna Loa
Kailua Kona
Kalapana
Naalehu
Ka Lae

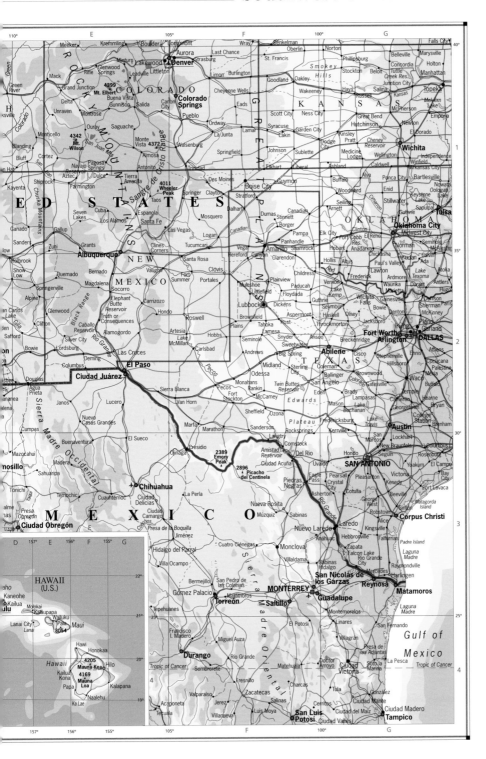

Scale 1 : 22 100 000

metres / feet

8000 / 26250
6000 / 19690
4000 / 13120
2000 / 6560
1000 / 3280
500 / 1640
200 / 656
0 / 0
656 / 200
3280 / 1000
6560 / 2000
13120 / 4000
19690 / 6000
26250 / 8000

feet / metres

© Hema Maps Pty Ltd. Based on original data © Research Machines plc

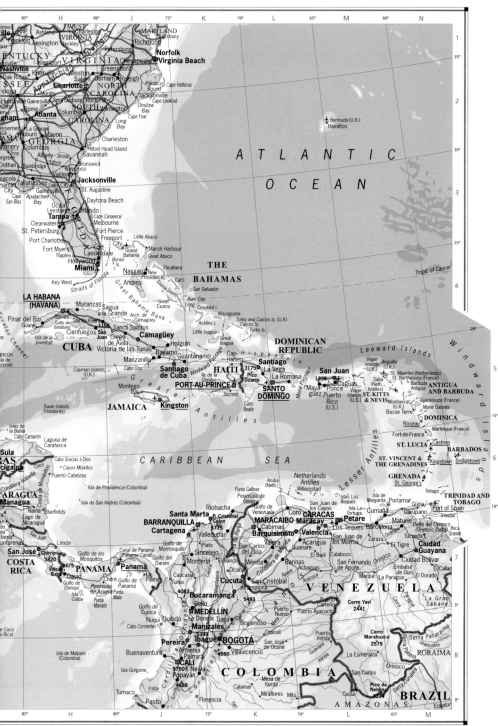

ATLANTIC

OCEAN

Bermuda (U.K.)
Hamilton

Tropic of Cancer

THE
BAHAMAS

LA HABANA
(HAVANA)

CUBA

DOMINICAN
REPUBLIC

Leeward Islands

Windward Islands

Virgin
Islands
(U.K.)
Anguilla
(U.K.)

HAITI

Santiago

San Juan

ANTIGUA
AND BARBUDA

Santiago
de Cuba

PORT-AU-PRINCE

SANTO
DOMINGO

Puerto
Rico
(U.S.)

ST. KITTS
& NEVIS

Montserrat
(U.K.)

Guadeloupe (France)

Marie Galante

JAMAICA

Kingston

Antilles

Basse Terre

DOMINICA

Roseau

Martinique (France)

Fort-de-France

ST. LUCIA

Castries

BARBADOS

Lesser

CARIBBEAN SEA

Antilles

ST. VINCENT &
THE GRENADINES

Kingstown

Bridgetown

GRENADA

St. George's

Aruba
(Neth.)

Netherlands
Antilles

Willemstad

Tobago

TRINIDAD AND
TOBAGO

Port of Spain

COSTA
RICA

San José

PANAMA

Panamá

Santa Marta

BARRANQUILLA

Cartagena

Riohacha

MARACAIBO

CARACAS

Maracay

Petare

Barcelona

VENEZUELA

Ciudad
Guayana

Ciudad Bolívar

El Dorado

Barquisimeto

Valencia

MEDELLÍN

Manizales

BOGOTÁ

Pereira

Ibagué

CALI

Armenia

Popayán

COLOMBIA

RORAIMA

BRAZIL

AMAZONAS

Equator

Scale 1 : 38 400 000

0   500   1000   1500 km

0   250   500   750 miles

© Hema Maps Pty Ltd. Based on original data © Research Machines plc

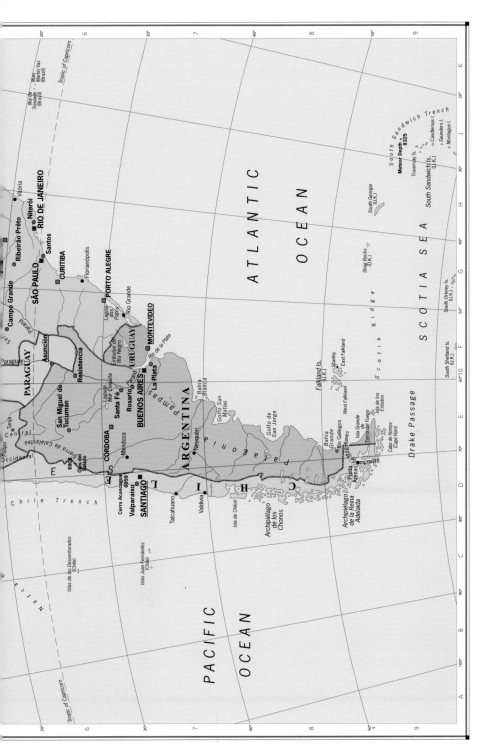
ATLANTIC OCEAN
PACIFIC OCEAN
SCOTIA SEA
Scotia Ridge
Drake Passage
South Sandwich Trench
Meteor Depth 8325
Chile Trench
Nazca
Tropic of Capricorn
PARAGUAY
URUGUAY
ARGENTINA
CHILE
Patagonia
Pampas
SÃO PAULO
RIO DE JANEIRO
Niterói
Vitória
Ribeirão Prêto
Santos
Campo Grande
CURITIBA
Florianópolis
PORTO ALEGRE
Rio Grande
Lagoa dos Patos
MONTEVIDEO
Embalse del Rio Negro
Asunción
Resistencia
Paraguay
Paraná
San Miguel de Tucumán
Laguna Mar Chiquita
Santa Fé
Rosario
BUENOS AIRES
La Plata
Rio de la Plata
CÓRDOBA
Mendoza
Tarija
Sierra de Calalasteo
Ojos del Salado 6908
Cerro Aconcagua 6959
Valparaíso
SANTIAGO
Talcahuano
Valdivia
Neuquén
Bahía Blanca
Golfo San Matías
Golfo de San Jorge
Isla de Chiloé
Archipiélago de los Chonos
Bahía Grande
Río Gallegos
Estrecho de Magallanes
Punta Arenas
Archipiélago de la Reina Adelaida
Isla Grande de Tierra del Fuego
Isla de los Estados
Cabo de Hornos (Cape Horn)
Falkland Is. (U.K.)
Stanley
East Falkland
West Falkland
South Georgia (U.K.)
Shag Rocks (U.K.)
South Orkney Is. (U.K.)
South Shetland Is. (U.K.)
South Sandwich Is. (U.K.)
Traversay Is.
Candlemas I.
Saunders I.
Montague I.
Ilha da Trindade (Brazil)
Ilhas Martin Vaz (Brazil)
Islas de los Desventurados (Chile)
Islas Juan Fernández (Chile)

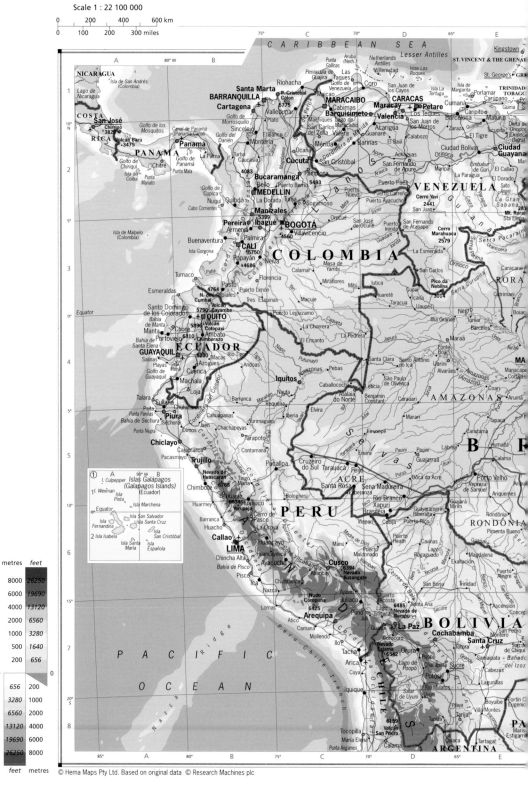

Scale 1 : 22 100 000

| 0 | 200 | 400 | 600 km |
| 0 | 100 | 200 | 300 miles |

metres *feet*

metres	feet
8000	*26250*
6000	*19690*
4000	*13120*
2000	*6560*
1000	*3280*
500	*1640*
200	*656*
0	0
656	200
3280	1000
6560	2000
13120	4000
19690	6000
26250	8000

feet **metres**

© Hema Maps Pty Ltd. Based on original data © Research Machines plc

ATLANTIC OCEAN
SURINAME
FRENCH GUIANA
AMAPÁ
PARÁ
MARANHÃO
PIAUÍ
CEARÁ
RIO GRANDE DO NORTE
PARAÍBA
PERNAMBUCO
ALAGOAS
SERGIPE
BAHIA
TOCANTINS
GOIÁS
MATO GROSSO
MATO GROSSO DO SUL
MINAS GERAIS
ESPÍRITO SANTO
RIO DE JANEIRO
SÃO PAULO
DISTRITO FEDERAL
Georgetown
Paramaribo
Cayenne
BELÉM
São Luís
FORTALEZA
Teresina
Natal
João Pessoa
Campina Grande
Olinda
RECIFE
Jaboatão
Maceió
Aracaju
SALVADOR
Feira de Santana
BRASÍLIA
Goiânia
Cuiabá
Campo Grande
Uberlândia
BELO HORIZONTE
Vitória
RIO DE JANEIRO
Niterói
Nova Iguaçu
Macapá
Santarém
Imperatriz
Palmas
Montes Claros
Juiz de Fora
Ribeirão Prêto
Equator
Mouths of the Amazon
Cabo Norte
Cabo Orange
Cabo de São Roque
I. Fernando de Noronha
Atol das Rocas
Planalto Central
Serra do Roncador
Serra do Cachimbo
Serra dos Carajás
Serra Tumucumaque
Serra Acari
Amazonas (Amazon)
Tocantins
Xingu
Tapajós
Araguaia
Represa Tucuruí
Barragem de Sobradinho
Pantanal
Pico da Bandeira
2890
Pico de Itambé
2033
Agulhas Negras
2797
Juliana Top
1230

Scale 1 : 22 100 000

South America

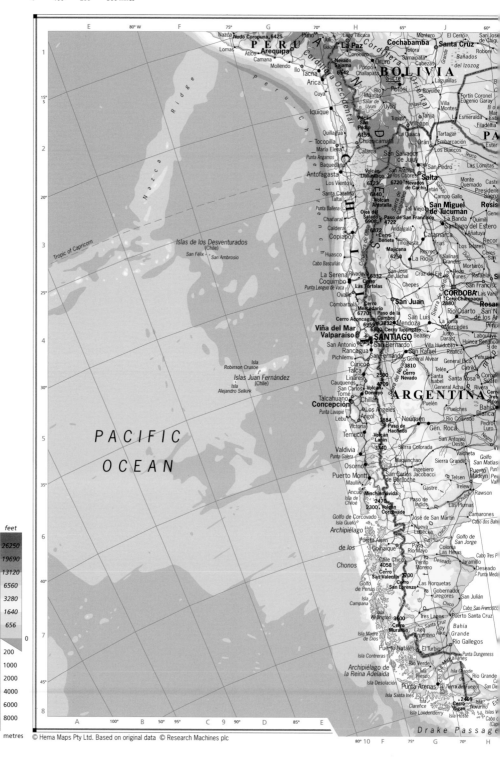

metres	feet
8000	26250
6000	19690
4000	13120
2000	6560
1000	3280
500	1640
200	656
0	0
656	200
3280	1000
6560	2000
13120	4000
19690	6000
26250	8000
feet	metres

118

© Hema Maps Pty Ltd. Based on original data © Research Machines plc

BRAZIL
GOIÁS
MATO GROSSO DO SUL
MINAS GERAIS
SÃO PAULO
PARANÁ
SANTA CATARINA
RIO GRANDE DO SUL
RIO DE JANEIRO
ESPÍRITO SANTO
URUGUAY
Uberlândia
Uberaba
BELO HORIZONTE
Ribeirão Prêto
Campinas
SÃO PAULO
Santos
RIO DE JANEIRO
Niterói
Duque de Caxias
Nova Iguaçu
Juiz de Fora
Vitória
Governador Valadares
CURITIBA
Joinville
Florianópolis
Blumenau
Londrina
Maringá
Ponta Grossa
Cascavel
Foz do Iguaçu
Caxias do Sul
Novo Hamburgo
PORTO ALEGRE
Pelotas
Rio Grande
Lagoa dos Patos
Lagoa Mirim
MONTEVIDEO
La Plata
Mar del Plata
Necochea
Tropic of Capricorn
Ilha da Trindade (Brazil)
Ilhas Martin Vaz (Brazil)
ATLANTIC OCEAN
Falkland Islands (U.K.)
East Falkland
Stanley
Shag Rocks (U.K.)
South Georgia (U.K.)
Grytviken
Cape Alexandra
Cape Disappointment
2934 Mt. Paget
Scotia Ridge
SCOTIA SEA

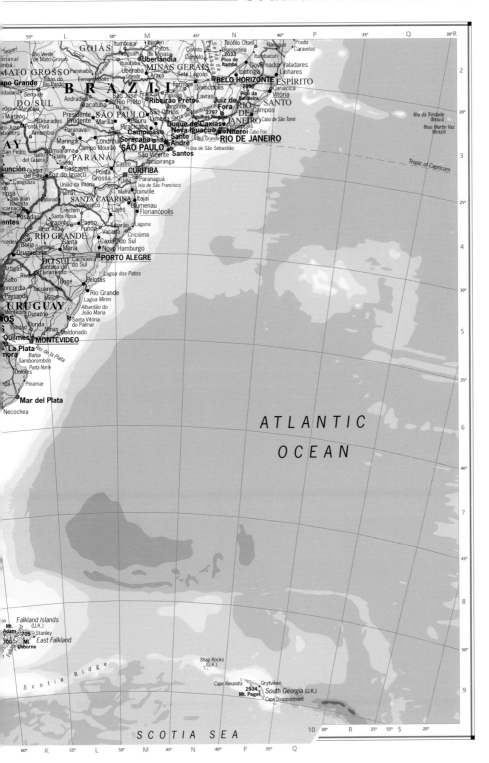

Polar Regions

Scale 1 : 69 500 000

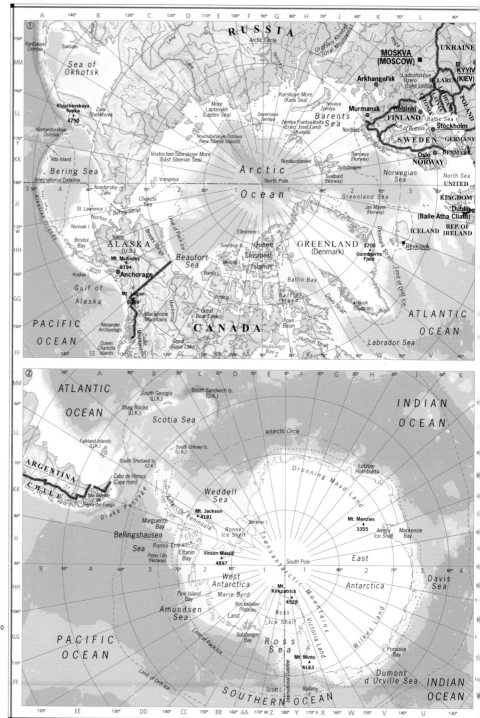

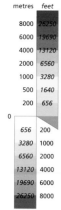

© Hema Maps Pty Ltd. Based on original data © Research Machines plc

Index to country maps

A

Afghanistan 75
Albania...................................54
Algeria...................................85
Andorra 47
Angola...................................80
Antigua & Barbuda 113
Argentina 118
Armenia.................................77
Australia................................94
Austria...................................49
Azerbaijan 77

B

Bahamas, The 109
Bahrain 79
Bangladesh 72
Barbados 113
Belarus...................................56
Belgium..................................41
Belize....................................112
Benin 87
Bhutan...................................72
Bolivia...................................116
Bosnia-Herzegovina..............52
Botswana...............................90
Brazil....................................117
Brunei....................................70
Bulgaria.................................53
Burkina 86
Burma (Myanmar) 68
Burundi..................................88

C

Cambodia...............................68
Cameroon 87
Canada.................................100
Cape Verde............................86
Central African Republic 88
Chad......................................82
Chile.....................................118
China.....................................64
Colombia..............................116
Comoros.................................91
Congo....................................87
Congo, Democratic
    Republic of the 88
Costa Rica 113
Cote d'Ivoire 86
Croatia...................................52
Cuba.....................................113
Cyprus...................................76
Czech Republic 37

D

Denmark 35
Djibouti..................................83
Dominica 113
Dominican Republic..............113

E

East Timor 71
Ecuador................................116
Egypt 82
El Salvador...........................112
Equatorial Guinea..................87
Eritrea 83
Estonia...................................35
Ethiopia.................................89

F

Fiji 92
Finland 34
France 44

G

Gabon 87
Gambia, The 86
Georgia..................................77
Germany 38
Ghana 86
Greece 54
Grenada 113
Guatemala 112
Guinea 86
Guinea-Bissau 86
Guyana.................................117

H

Haiti 113
Honduras 112
Hungary 52

I

Iceland 34
India.......................................72
Indonesia...............................70
Iran 74
Iraq 74
Ireland 43
Israel 78
Italy 50

J

Jamaica 113
Japan.....................................67
Jordan....................................78

K

Kazakhstan............................61
Kenya.....................................89
Kiribati...................................93
Kosovo...................................52
Kuwait 79
Kyrgyzstan 61

L

Laos 68
Latvia 35
Lebanon.................................78
Lesotho..................................90
Liberia 86
Libya 82

Liechtenstein 48
Lithuania 35
Luxembourg 41

M

Macedonia 54
Madagascar 91
Malawi 91
Malaysia.................................70
Maldives 73
Mali 84
Malta 51
Marshall Islands 92
Mauritania 84
Mauritius 91
Mexico 112
Micronesia,
    Federated States of............92
Moldova.................................53
Monaco 48
Mongolia................................59
Montenegro 52
Morocco.................................80
Mozambique 91
Myanmar (Burma) 68

N

Namibia 90
Nauru.....................................92
Nepal 72
Netherlands 41
New Zealand..........................96
Nicaragua.............................113
Niger 85
Nigeria...................................87
North Korea 66
Norway 34

O

Oman 75

P

Pakistan 75
Palau 92
Panama 113
Papua New Guinea................92
Paraguay..............................118
Peru 116
Philippines 69
Poland 36
Portugal.................................46

Q

Qatar 79

R

Romania 53
Russia 58
Rwanda..................................88

S

Saint Kitts-Nevis 113
Saint Lucia...........................113

Saint Vincent & the
    Grenadines 113
Samoa....................................93
San Marino 49
São Tomé and Príncipe 87
Saudi Arabia 74
Senegal 86
Serbia.....................................52
Seychelles 91
Sierra Leone 86
Singapore 70
Slovakia 37
Slovenia 49
Solomon Islands 92
Somalia...................................89
South Africa...........................90
South Korea 66
Spain......................................46
Sri Lanka 73
Sudan.....................................82
Suriname 117
Swaziland...............................91
Sweden 34
Switzerland 48
Syria 74

T

Taiwan....................................69
Tajikistan 75
Tanzania 89
Thailand.................................68
Togo.......................................86
Tonga.....................................93
Trinidad & Tobago 113
Tunisia....................................85
Turkey 76
Turkmenistan 75
Tuvalu 92

U

Uganda 88
Ukraine 56
United Arab Emirates.............74
United Kingdom.....................42
United States 102
Uruguay................................119
Uzbekistan 61

V

Vanuatu 92
Vatican City 50
Venezuela..............................116
Vietnam 68

Y, Z

Yemen 74
Zambia 90
Zimbabwe 90

Index

How to use the index

This is an alphabetically arranged index of the places and features that can be found on the maps in this atlas. Each name is generally indexed to the largest scale map on which it appears. If that map covers a double page, the name will always be indexed by the left-hand page number.

Names composed of two or more words are alphabetised as if they were one word.

All names appear in full in the index, except for 'St.' and 'Ste.', which although abbreviated, are indexed as though spelled in full.

Where two or more places have the same name, they can be distinguished from each other by the country or province name which immediately follows the entry. These names are indexed in the alphabetical order of the country or province.

Alternative names, such as English translations, can also be found in the index and are cross-referenced to the map form by the '=' sign. In these cases the names also appear in brackets on the maps.

Settlements are indexed to the position of the symbol, all other features are indexed to the position of the name on the map.

Abbreviations used in this index are explained in the list opposite.

Finding a name on the map

Each index entry contains the name, followed by a symbol indicating the feature type (for example, settlement, river), a page reference and a grid reference:

Name	Owosso	●	106	D2
	Owyhee	●	104	C2
Symbol	Owyhee	↗	104	C2
	Oxford, *New Zealand*	●	96	D6
	Oxford, *UK*	●	40	A3
	Oxnard	●	110	C2
Page reference	Oyama	●	66	K5
	Oyapock	↗	116	G3
	Oyem	●	86	G4
Grid reference	Oyen	●	102	D1

The grid reference locates a place or feature within a rectangle formed by the network of lines of longitude and latitude. A name can be found by referring to the red letters and numbers placed around the maps. First find the letter, which appears along the top and bottom of the map, and then the number, down the sides. The name will be found within the rectangle uniquely defined by that letter and number. A number in brackets preceding the grid reference indicates that the name is to be found within an inset map.

Abbreviations

Ak.	Alaska
Al.	Alabama
Ariz.	Arizona
Ark.	Arkansas
B.C.	British Columbia
Calif.	California
Colo.	Colorado
Conn.	Connecticut
Del.	Delaware
Dem. Rep. of Congo	Democratic Republic of the Congo
Eng.	England
Fla.	Florida
Ga.	Georgia
Ia.	Iowa
Id.	Idaho
Ill.	Illinois
Ind.	Indiana
Kans.	Kansas
Ky.	Kentucky
La.	Louisiana
Man.	Manitoba
Mass.	Massachusetts
Md.	Maryland
Me.	Maine
M.G.	Mato Grosso
Mich.	Michigan
Minn.	Minnesota
Miss.	Mississippi
Mo.	Missouri
Mont.	Montana
N.B.	New Brunswick
N.C.	North Carolina
N.D.	North Dakota
Nebr.	Nebraska
Nev.	Nevada
Nfld.	Newfoundland
N.H.	New Hampshire
N. Ire.	Northern Ireland
N.J.	New Jersey
N. Mex.	New Mexico
N.W.T.	Northwest Territories
N.Y.	New York
Oh.	Ohio
Okla.	Oklahoma
Ont.	Ontario
Oreg.	Oregon
Orkney Is.	Orkney Islands
Pa.	Pennsylvania
R.G.S.	Rio Grande do Sul
R.I.	Rhode Island
S.C.	South Carolina
Scot.	Scotland
S.D.	South Dakota
Shetland Is.	Shetland Islands
Tenn.	Tennessee
Tex.	Texas
UK.	United Kingdom
US.	United States
Ut.	Utah
Va.	Virginia
Vt.	Vermont
Wash.	Washington
Wis.	Wisconsin
W. Va.	West Virginia
Wyo.	Wyoming
Y.T.	Yukon Territory

Symbols

☒	Continent name	↗	River, canal
Ⓐ	Country name	⬗	Lake, salt lake
ⓐ	State or province name	◣	Gulf, strait, bay
▣	Country capital	⌷	Sea, ocean
▢	State or province capital	⊵	Cape, point
●	Settlement	⬖	Island or island group, rocky or coral reef
▲	Mountain, volcano, peak		
⛰	Mountain range	✳	Place of interest
⬱	Physical region or feature	⌘	Historical or cultural region

A

Name	Page	Ref
Aachen	40	J4
Aalen	38	F8
Aalst	40	G4
Aarau	48	D3
Aare	48	C3
Aarschot	40	G4
Aba	86	F3
Ābādān	79	C1
Ābādeh	79	E1
Abadla	84	E2
Abaji	86	F3
Abakaliki	86	F3
Abakan	60	S7
Abancay	116	C6
Abano Terme	48	G5
Abarqū	79	E1
Abashiri	66	N1
Abava	34	M8
Ābaya Hāyk'	88	F2
Abay Wenz	82	G5
Abbeville, France	40	D4
Abbeville, US	108	C4
Abd al Kūrī	74	F7
Abéché	82	D5
Abengourou	86	D3
Abenójar	46	F6
Ābenrå	38	E1
Abensberg	38	G8
Abeokuta	86	E3
Aberaeron	42	H9
Aberdeen, South Africa	90	C6
Aberdeen, UK	42	K4
Aberdeen, Miss., US	108	D3
Aberdeen, S.D., US	104	G1
Aberdeen, Wash., US	104	B1
Aberdeen Lake	100	M4
Aberystwyth	42	H9
Abez'	56	M1
Abhā	82	H4
Abhar	76	N5
Abidjan	86	D3
Abilene	110	G2
Abingdon	98	M6
Abingdon, UK	40	A3
Abingdon, US	108	E2
Abnūb	82	F2
Aboisso	86	D3
Abomey	86	E3
Abong Mbang	86	G4
Abou Dêia	82	C5
Abqaiq	79	C4
Abrantes	46	B5
Absaroka Range	104	E1
Abū al Abayd	79	E4
Abu Aweigila	78	B6
Abu Ballās	82	E3
Abu Dhabi = Abū Ẓabī	79	F4
Abu Hamed	82	F4
Abuja	86	F3
Ābune Yosēf	82	G5
Abū Nujaym	82	C1
Abū Qarin	82	C1
Aburo	88	E3
Abu Simbel	82	F3
Abut Head	96	B6
Abuye Meda	88	F1
Abū Ẓabī	79	F4
Abv Nujaym	84	J2
Acaponeta	102	E7
Acapulco	112	E5
Acará	116	H4
Acarigua	116	D2
Accra	86	D3
Achaguas	112	L7
Achayvayam	62	W4
Acheng	64	H1
Achenkirch	48	G3
Achen See	48	G3
Achill Island	42	B8
Achim	38	E3
Achinsk	60	S6
Achit	56	L3
Aci Göl	54	M7
A Cihanbeyli	54	Q6
Acireale	50	K11
Acklins Island	112	K4
Aconcagua	114	D7
Açores	84	(1)B2
A Coruña	46	B1
Acqui Terme	48	D6
Acre	116	C5
Acri	50	L9
Ada	36	K12
Ada	108	B3
Adak Island	110	(3)C1
Adam	74	G5
Adams Island	96	(2)B1
'Adan	74	E7
Adana	76	F5
Adda	48	E5
Ad Dafrah	79	E5
Ad Dahnā	79	B3
Ad Dakhla	84	B4
Ad Dammām	79	D3
Ad Dawādimī	74	D5
Ad Dawhah	79	D4
Ad Dilam	79	B5
Ad Dir'īyah	79	B4
Addis Ababa = Ādīs Ābeba	88	F2
Ad Dīwānīyah	74	D3
Adel	106	B2
Adelaide	94	G6
Adelaide Peninsula	100	M3
Adelaide River	94	F2
Aden = Adan	74	E7
Aderbissinat	86	F1
Adh Dhayd	79	F4
Adi	70	(2)D3
Adige	48	G5
Adīgrat	82	G5
Adilabad	72	C5
Adin	104	B2
Adirī	82	B2
Ādīs Ābeba	88	F2
Adi Ugri	82	G5
Adiyaman	74	C2
Adjud	52	Q3
Adler	76	H2
Admiralty Island	100	E5
Admiralty Islands	92	E6
Adoni	72	C5
Adour	44	F10
Adra	46	H8
Adrano	50	J11
Adrar	84	E3
Adrar des Ifôghas	84	F5
Adrar Tamgak	84	G5
Adria	48	H5
Adriatic Sea	50	H4
Adycha	62	P3
Adygeya	76	J1
Adygeysk	76	H1
Adz'vavom	56	L1
Aegean Sea	54	H5
A Estrada	46	B2
Afghanistan	74	H3
'Afīf	74	H3
Afikpo	86	F3
Afognak Island	110	(1)G4
A Fonsagrada	46	C1
Afragola	50	J8
'Afrīn	76	G5
Afuá	116	G4
'Afula	78	C4
Afyon	54	N6
Agadez	84	G5
Agadir	84	D2
Agadyr'	60	N8
Agalega Islands	80	J7
Agan	62	B4
Agaro	88	F2
Agartala	72	F4
Agathonisi	54	J7
Agattu Island	62	W6
Agde	44	J10
Agen	44	F9
Ağın	76	H4
Aginskoye	60	S6
Agios Efstratios	54	H5
Agios Georgios	54	F7
Agios Nikolaos	54	H9
Agnita	52	M4
Agra	72	C3
Agrakhanskiy Poluostrov	76	M2
Agri	50	L8
Ağrı	76	K4
Agrigento	50	H11
Agrinio	54	D6
Agrópoli	50	K8
Agryz	56	K3
Agua Prieta	110	E2
Aguascalientes	112	D4
A Gudiña	46	C2
Aguelhok	84	F5
Águilas	46	J7
Agulhas Negras	116	H8
Ağva	54	M3
Ahar	76	M4
Ahaura	96	C6
Ahaus	40	K2
Ahititi	96	E4
Ahlen	40	K3
Ahmadabad	72	B4
Ahmadnagar	72	B5
Ahmadpur East	72	B3
Ahr	38	B6
Ahram	79	D2
Ahrensburg	38	F3
Ahvāz	74	E3
Aichach	38	G8
Aigialousa	76	F6
Aigina	54	F7
Aigio	54	E6
Aigosthena	54	F6
Aihui	62	M6
Aim	62	N5
Ain	44	L7
Ain Beïda	84	G1
'Aïn Ben Tili	84	D3
Ain Bessem	46	P8
Ain el Hadjel	46	P9
Ain Oussera	84	F1
Ainsa	46	L2
Ain Sefra	84	E2
Ain Taya	46	P8
Ain-Tédélès	46	L8
Ain Témouchent	46	J9
Airão	116	E4
Aire	42	L8
Air Force Island	100	S3
Airolo	48	D4
Airpanas	70	(2)C4
Aisne	40	F5
Aitape	70	(2)F3
Aitkin	106	B1
Aitutaki	92	K7
Aiud	52	L3
Aix-en-Provence	44	L10
Aix-les-Bains	44	L8
Aizawl	72	F4
Aizkraukle	34	N8
Aizpute	34	L8
Aizu-wakamatsu	66	K5
Ajaccio	50	C7
Aj Bogd Uul	64	B2
Ajdābiyā	82	D1
Ajigasawa	66	L3
Ajka	36	G10
Ajlun	78	C4
Ajmān	79	F4
Ajmer	72	B3
Ajo	110	D2
Akanthou	78	A1
Akaroa	96	D6
Akasha	82	F3
Akashi	66	H6
Akbalyk	60	P8
Akçakale	76	H5
Akçakoca	54	P3
Aken	38	H5
Aketi	88	C3
Akhalk'alak'i	76	K5
Akhisar	54	K6
Akhmīm	82	F2
Akhty	76	M3
Akimiski Island	100	Q6
Akita	66	L4
Akjoujt	84	C5
Akka	84	D3
Akkajaure	34	J3
Akkeshi	66	N2
'Akko	78	C4
Akmeqit	74	L2
Aknanes	34	(1)B2
Akobo	88	E2
Akola	72	C4
Akonolinga	86	G4
Akordat	82	G4
Akpatok Island	100	T4
Akqi	60	P9
Akra Drepano	54	G5
Akra Sounio	54	F7
Akra Spatha	54	F9
Akra Trypiti	54	F10
Åkrehamn	34	C7
Akron	106	D2
Aksaray	76	E4
Aksarka	60	M4
Akşehir	54	P6
Akseki	54	P7
Aksha	62	J6
Akshiy	60	Q9
Aksu	60	Q8
Aksuat	60	Q8
Åksum	82	G4
Aktau, Kazakhstan	32	K3
Aktau, Kazakhstan	60	N7
Aktobe	56	L4
Aktogay	60	N8
Aktogay	60	P8
Aktuma	60	M8
Akula	88	C3
Akune	66	F8
Akure	86	F3
Akureyri	34	(1)E2
Akwanga	86	F3
Alabama	108	D3
Alaçam	76	F3
Alagoas	116	K5
Alagoinhas	116	K6
Alagón	46	J3
Al Ahmadi	79	C2
Al 'Amārah	74	E3
Alaminos	68	F1
Alamo	104	C3
Alamogordo	110	E2
Alamo Lake	110	D2
Åland	34	K6
Alanya	76	E5
Alappuzha	72	C7
Al Artāwīyah	74	E4
Alaşehir	54	L6
Al 'Ashurīyah	82	H1
Alaska	110	(1)F2
Alaska Peninsula	110	(1)E4
Alaska Range	110	(1)G3
Alassio	48	D6
Alatri	50	H7
Alatyr'	56	J4
Alaverdi	76	L3
Alavus	34	M5
Alaykuu	60	N9
Al 'Ayn	79	F4
Alazeya	62	S2
Alba, Italy	48	D6
Alba, Spain	46	L4
Albacete	46	J5
Alba Iulia	52	L3
Albania	54	B3
Albany	100	Q6
Albany, Australia	94	C6
Albany, Ga., US	108	E3
Albany, Ky., US	108	E2
Albany, N.Y., US	106	F2
Albany, Oreg., US	104	B2
Albardão do João Maria	118	L4
Al Başrah	74	E3
Albatross Bay	94	H2
Albatross Point	96	E4
Al Baydā'	82	D1
Albenga	48	D6
Albert	40	E4
Alberta	100	H6
Albertirsa	36	J10
Albert Kanaal	40	G3
Albert Lea	106	B2
Albert Nile	88	E3
Albertville	44	M8
Albi	44	H10
Albina	116	G2
Albino	48	E5
Albion	104	F1
Ålborg	34	E8
Ålborg Bugt	34	F8
Albox	46	H7
Albstadt	38	E8
Albufeira	46	B7
Āl Bū Kamāl	76	J6
Albuquerque	110	E1
Al Buraymī	74	G5
Alburquerque	46	D5
Albury	94	J7
Al Bayyarah	79	B1
Alcácer do Sal	46	B6
Alcala de Guadaira	46	E7
Alcala de Henares	46	G4
Alcalá la Real	46	G7
Alcamo	50	G11
Alcañiz	46	K3
Alcantarilla	46	J7
Alcaraz	46	H6
Alcaudete	46	F7
Alcazar de San Juan	46	G5
Alcobendas	46	G4
Alcoi	46	K6
Alcolea del Pinar	46	H3
Alcorcón	46	G4
Alcoutim	46	C7
Aldabra Group	90	(2)A2
Aldan	62	M5
Aldan	62	N5
Aldeburgh	40	D2
Alderney	44	C4
Aldershot	40	B3
Aleg	84	C5
Aleksandrov-Sakhalinskiy	62	Q6
Aleksandrovskiy Zavod	62	K6
Aleksandrovskoye	56	Q2

Alekseyevka . . . . ● 60 N7
Aleksinac . . . . ● 52 J6
Alençon . . . . ● 44 F5
Aleppo = Halab . . . . . ● 76 G5
Aléria . . . . ● 50 D6
Alès . . . . ● 44 K9
Aleşd . . . . ● 36 M10
Alessándria . . . . ● 48 D6
Ålesund . . . . ● 34 D5
Aleutian Islands . . . . . . ☒ 110 (3)B1
Aleutian Range . . . . . . ● 110 (1)F4
Aleutian Trench 58 W5
Alexander Archipelago . . . ☒ 110 (1)K4
Alexander Bay . . . . ● 90 B5
Alexander City . . . . ● 108 D3
Alexandra . . . . ● 96 B7
Alexandreia . . . . ● 54 E4
Alexandria =
  El Iskandarîya, Egypt . . ● 82 E1
Alexandria, Romania . . . ● 52 N6
Alexandria, La., US . . . . ● 108 C3
Alexandria, Minn., US . . . ● 106 A1
Alexandria, Va., US . . . . ● 106 E3
Alexandroupoli . . . . . . ● 54 H4
Alexis Creek . . . . ● 100 G6
Aley . . . . ◪ 60 Q7
'Äley . . . . ● 78 C3
Aleysk . . . . ● 60 Q7
Al Farwānīyah . . . . ● 79 B2
Al Fāw . . . . ● 79 C2
Alfeld . . . . ● 38 E5
Alföld . . . . ● 52 H2
Alfonsine . . . . ● 48 H6
Alfreton . . . . ● 40 A1
Al Fuhayhil . . . . ● 79 C2
Al-Fujayrah . . . . ● 79 G4
Algeciras . . . . ● 46 E8
Algemesí . . . . ● 46 K5
Algena . . . . ● 82 G4
Alger . . . . ■ 84 F1
Algeria . . . . Ⓐ 84 E3
Al Ghāt . . . . ● 79 A3
Al Ghaydah . . . . ● 74 F6
Alghero . . . . ● 50 C8
Algiers = Alger . . . . . . ■ 84 F1
Algona . . . . ● 106 B2
Al Hadīthah . . . . ● 78 E5
Alhama de Murcia . . . . . ● 46 J7
Al Hamar . . . . ● 79 B5
Al Hamīdīyah . . . . ● 78 C2
Al Hammādah al Hamrā' . . ◪ 84 G3
Al Harūj al Aswad . . . . . ● 82 C2
Al Hasakah . . . . ● 76 J5
Alhaurmín el Grande . . . ● 46 F8
Al Hijāz . . . . ◙ 82 G2
Al Hillah . . . . ● 74 D3
Al Hilwah . . . . ● 79 B5
Al Hoceima . . . . ◙ 84 E1
Al Hudaydah . . . . ● 82 H5
Al Hufūf . . . . ● 79 C4
Al Humaydah . . . . ● 74 C4
Aliabad . . . . ● 79 F2
Aliağa . . . . ● 54 J6
Aliakmonas . . . . ◪ 54 E4
Áli Bayrämli . . . . ● 76 N4
Alicante . . . . ● 46 K6
Alice . . . . ● 108 B4
Alice Springs . . . . ● 94 F4
Alicudi . . . . ☒ 50 J10
Aligarh . . . . ● 72 C3
Alindao . . . . ● 88 C2
Alingås . . . . ● 34 G8
Alisos . . . . ◪ 110 D2
Aliwal North . . . . ● 90 D6
Al Jabal al Akhdar . . . . . ⛰ 82 D1
Al Jaghbūb . . . . ● 82 D2
Al Jālamīd . . . . ● 82 G1
Al Jarah . . . . ● 79 B2
Al Jawf . . . . ● 82 G2
Aljezur . . . . ● 46 B7
Al Jifārah . . . . ● 79 A5
Al Jubayl . . . . ● 79 C3
Aljustrel . . . . ● 46 B7
Al Kāmil . . . . ● 74 G5
Al Khābūrah . . . . ● 79 G5
Al Kharj . . . . ● 79 B4
Al Khasab . . . . ● 79 G3
Al Khawr . . . . ● 79 D4
Al Khubar . . . . ● 79 D3
Al Khums . . . . ● 84 H2
Al Khuwayr . . . . ● 79 D3
Alkmaar . . . . ● 40 G2
Al Kūt . . . . ● 74 E3
Al Kuwayt . . . . ■ 79 C2
Al Lādhiqīyah . . . . ● 76 F6
Allahabad . . . . ● 72 D3
Allakh-Yun' . . . . ● 62 P4
Alldays . . . . ● 90 D4

Allen . . . . ● 68 G4
Allendale . . . . ● 108 E3
Allentown . . . . ● 106 E2
Aller . . . . ◪ 38 E4
Aller = Cabañquinta . . . . ● 46 E1
Alliance . . . . ● 104 F2
Allier . . . . ◪ 44 J8
Allinge . . . . ● 36 D2
Al Lith . . . . ● 82 H3
Alma, Canada . . . . ● 106 F1
Alma, Nebr., US . . . . . . ● 104 G2
Alma, Wis., US . . . . ● 106 B2
Almada . . . . ● 46 A6
Almadén . . . . ● 46 F6
Al Madīnah . . . . ● 82 G3
Al Majma'ah . . . . ● 74 E4
Almalyk . . . . ● 60 M9
Al Manāmah . . . . ■ 79 D3
Almansa . . . . ● 46 J6
Al Marj . . . . ● 82 D1
Almaty . . . . ● 60 P9
Al Mawsil . . . . ● 76 K5
Al Mazāhumīyah . . . . . . ● 79 B4
Almazán . . . . ● 46 H3
Almeirim . . . . ● 116 G4
Almelo . . . . ● 40 J2
Almendralejo . . . . ● 46 D6
Almería . . . . ● 46 H8
Al'met'yevsk . . . . ● 60 J7
Almiros . . . . ● 54 E5
Al Mish'āb . . . . ● 79 C2
Almonte . . . . ● 46 D7
Almora . . . . ● 72 C3
Almosa . . . . ● 104 E3
Al Mubarraz . . . . ● 79 C4
Al Mudawwara . . . . ● 78 D7
Al Mukallā . . . . ● 74 E7
Al Mukhā . . . . ● 82 H5
Almuñécar . . . . ● 46 G8
Al Muqdādīyah . . . . . . ● 76 L7
Al Nu'ayrīyah . . . . ● 79 C3
Alnwick . . . . ● 42 L6
Alonnisos . . . . ☒ 54 F5
Alor . . . . ☒ 70 (2)B4
Alor Setar . . . . ● 68 C5
Alotau . . . . ● 94 K2
Alpena . . . . ● 106 D1
Alphen . . . . ● 40 G2
Alpi Lepontine . . . . ● 48 D4
Alpine . . . . ● 110 E2
Alpi Orobie . . . . ● 48 E4
Alps . . . . ● 48 B5
Al Qadmūs . . . . ● 78 D1
Al Qāmishlī . . . . ● 76 J5
Al Qar'ah . . . . ● 79 B3
Al Qaryāt . . . . ● 82 B1
Al Qaryatayn . . . . ● 78 E2
Al Qatrūn . . . . ● 82 B3
Al Qunaytirah . . . . ● 78 C3
Al Qunfudhah . . . . ● 82 H4
Al Qurayyāt . . . . ● 82 G1
Al Qurnah . . . . ● 79 B1
Al Quşayr . . . . ● 79 A1
Al Qutayfah . . . . ● 78 D3
Als . . . . ☒ 38 E1
Alsask . . . . ● 100 K6
Alsasua . . . . ● 46 H2
Alsfeld . . . . ● 38 E6
Altaelva . . . . ◪ 34 M2
Altai Mountains . . . . . . ● 64 A1
Altamira . . . . ● 116 G4
Altamura . . . . ● 50 L8
Altanbulag . . . . ● 62 H6
Altay, China . . . . ● 60 R7
Altay, Mongolia . . . . . . ● 64 B1
Alte Mellum . . . . ☒ 38 D3
Altenburg . . . . ● 38 H6
Altenkirchen . . . . ● 38 J2
Altkirch . . . . ● 48 C3
Alto Garças . . . . ● 116 G7
Alto Molócuè . . . . ● 90 F3
Alton, UK . . . . ● 40 B3
Alton, US . . . . ● 106 B3
Altoona . . . . ● 106 E2
Alto Parnaíba . . . . ● 116 H5
Altötting . . . . ● 48 H2
Altun Shan . . . . ● 60 S10
Alturas . . . . ● 104 B2
Altus . . . . ● 108 B3
Al 'Ubaylah . . . . ● 74 F5
Alūksne . . . . ● 34 P8
Alupka . . . . ● 76 E1
Alushta . . . . ● 76 F1
Al 'Uwayqīlah . . . . ● 82 H1
Al 'Uzayr . . . . ● 79 B1
Alva . . . . ● 108 B2

Alvarães . . . . ● 116 E4
Älvdalen . . . . ● 34 H6
Älvsbyn . . . . ● 34 L4
Al Wafrā' . . . . ● 79 B2
Al Wajh . . . . ● 82 G2
Alwar . . . . ● 72 C3
Al Wari'ah . . . . ● 79 B3
Alytus . . . . ● 36 P3
Alzey . . . . ● 38 D7
Alzira . . . . ● 46 K5
Amadi . . . . ● 88 E2
Amādīyah . . . . ● 76 K5
Amadjuak Lake . . . . . . ◪ 100 S4
Amadora . . . . ● 46 A6
Amahai . . . . ● 70 (2)C3
Amakusa-Shimo-shima . . ☒ 66 E7
Amaliada . . . . ● 54 D7
Amalner . . . . ● 72 C4
Amamapare . . . . ● 70 (2)E3
Amami-Ōshima . . . . . . ☒ 58 S7
Amanab . . . . ● 70 (2)F3
Amándola . . . . ● 50 H6
Amantéa . . . . ● 50 L9
Amapá . . . . ● 116 G3
Amapá . . . . ● 116 G3
Amarante . . . . ● 116 J5
Amarapura . . . . ● 68 B2
Amarillo . . . . ● 110 F1
Amasya . . . . ● 76 F3
Amay . . . . ● 40 H4
Amazar . . . . ● 62 L6
Amazon = Amazonas . . . ◪ 114 F4
Amazonas . . . . ◪ 116 D4
Amazonas . . . . ◪ 116 E4
Ambala . . . . ● 72 C2
Ambanjä . . . . ● 90 H2
Ambarchik . . . . ● 62 U3
Ambato . . . . ● 116 B4
Ambato Boeny . . . . ● 90 H3
Ambatondrazaka . . . . . ● 90 H3
Amberg . . . . ● 38 G7
Ambikapur . . . . ● 72 D4
Ambilobe . . . . ● 90 H2
Amboise . . . . ● 44 G6
Ambon . . . . ● 70 (2)C3
Ambositra . . . . ● 90 H4
Ambovombe . . . . ● 90 H5
Amchitka Island . . . . . . ☒ 110 (3)B1
Amderma . . . . ● 60 L4
Amdo . . . . ● 72 F2
Ameland . . . . ● 40 H1
Amengel'dy . . . . ● 60 M7
American Falls . . . . ● 104 D2
American Samoa . . . . . . ◙ 92 J7
Americus . . . . ● 108 E3
Amersfoort . . . . ● 40 H2
Amery . . . . ● 100 N5
Amery Ice Shelf . . . . . . ◙ 120 (2)M2
Ames . . . . ● 106 B2
Amfilochia . . . . ● 54 D6
Amfissa . . . . ● 54 E6
Amga . . . . ◪ 62 L5
Amga . . . . ● 62 N4
Amgun' . . . . ◪ 62 P6
Amherst . . . . ● 100 U7
Amiens . . . . ● 40 E5
Amirante Islands . . . . . . ☒ 90 (2)B2
Amistad Reservoir . . . . . ◪ 110 F3
Amlekhganj . . . . ● 72 D3
Åmli . . . . ● 34 E7
'Ammān . . . . ■ 78 C5
Ammerland . . . . ◪ 40 K1
Ammersee . . . . ● 48 F2
Ammochostos . . . . ● 76 E6
Ammochostos Bay . . . . . ▷ 78 A1
Amo . . . . ● 62 C2
Amol . . . . ● 74 F2
Amorgos . . . . ● 54 H8
Amos . . . . ● 106 E1
Ampana . . . . ● 70 (2)B3
Ampanihy . . . . ● 90 G4
Amparai . . . . ● 72 D7
Ampezzo . . . . ● 48 H4
Amposta . . . . ● 46 L4
Amrān . . . . ● 74 D6
Amravati . . . . ● 72 C4
Amritsar . . . . ● 72 B2
Amroha . . . . ● 72 C3
Amrum . . . . ● 38 D2
Amsterdam, Netherlands . . ● 40 G2
Amsterdam, US . . . . . . ● 106 F2
Amstetten . . . . ● 48 K2
Am Timan . . . . ● 82 D5
Amudar'ya . . . . ◪ 60 L9
Amundsen Gulf . . . . . . ▷ 100 G2
Amundsen Sea . . . . ▷ 120 (2)GG3
Amungen . . . . ● 34 H6
Amuntai . . . . ● 70 (1)F3

Amur . . . . ◪ 62 P6
Amursk . . . . ● 62 P6
Amvrakikos Kolpos . . . . . ▷ 54 C6
Anabar . . . . ◪ 62 J2
Anaconda . . . . ● 104 D1
Anacortes . . . . ● 104 B1
Anadarko . . . . ● 104 G3
Anadolu Dağları . . . . . . ⛰ 76 H3
Anadyr' . . . . ● 62 X4
Anadyrskaya Nizmennost' . ◙ 62 X3
Anadyrskiy Zaliv . . . . . . ▷ 62 Y3
Anafi . . . . ● 54 H8
'Änah . . . . ● 76 J3
Anaheim . . . . ● 110 C2
Anáhuac . . . . ● 110 F3
Analalava . . . . ● 90 H2
Anamur . . . . ● 76 E5
Anan . . . . ● 66 H7
Anantapur . . . . ● 72 C6
Anan'yiv . . . . ● 52 T2
Anapa . . . . ● 76 G1
Anápolis . . . . ● 116 H7
Anār . . . . ● 79 F1
Anárak . . . . ● 74 F3
Anardara . . . . ● 74 H3
Anatolia . . . . ● 54 M6
Añatuya . . . . ● 118 J4
Anchorage . . . . ● 110 (1)H3
Ancona . . . . ● 50 H5
Ancud . . . . ● 118 G7
Anda . . . . ● 64 H1
Andalgalá . . . . ● 118 H4
Ándalsnes . . . . ● 34 D5
Andalusia . . . . ● 108 D3
Andaman Islands . . . . . ☒ 68 A4
Andaman Sea . . . . ▬ 68 A4
Andapa . . . . ● 90 H2
Andaráb . . . . ● 74 J2
Andenne . . . . ● 40 H4
Andernach . . . . ● 40 K4
Anderson . . . . ◪ 100 F3
Anderson . . . . ● 108 E3
Andes . . . . ● 114 D5
Andfjorden . . . . ▷ 34 J2
Andipsara . . . . ● 54 H6
Andizhan . . . . ● 60 N9
Andkhvoy . . . . ● 74 J2
Andoas . . . . ● 116 B4
Andong . . . . ● 66 E5
Andorra . . . . Ⓐ 46 L2
Andorra la Vella . . . . . . ■ 46 M2
Andover . . . . ● 40 A3
Andøya . . . . ● 34 H2
Andradina . . . . ● 118 L3
Andreanof Islands . . . . . ☒ 110 (3)C1
Andrews . . . . ● 110 F2
Andria . . . . ● 50 L7
Andros . . . . ● 54 G7
Andros, Greece . . . . . . ☒ 54 G7
Andros, The Bahamas . . . ☒ 108 F5
Andros Town . . . . ● 108 F5
Andrott . . . . ☒ 72 B6
Andrychów . . . . ● 36 J8
Andújar . . . . ● 46 F6
Andulo . . . . ● 90 B2
Aneto . . . . ▲ 46 L2
Angara . . . . ◪ 62 G5
Angarsk . . . . ● 62 G6
Änge . . . . ● 34 H5
Angel de la Guarda . . . . ☒ 110 D3
Angeles . . . . ● 68 G3
Ángelholm . . . . ● 34 G8
Angeln . . . . ◪ 38 E2
Angermünde . . . . ● 38 K4
Angern . . . . ● 48 M2
Angers . . . . ● 44 E6
Anglesey . . . . ☒ 42 H8
Angmagssalik = Tasiilaq . . ● 100 Z3
Ango . . . . ● 88 D3
Angoche . . . . ● 90 F3
Angol . . . . ● 118 G6
Angola . . . . Ⓐ 80 D2
Angostura Reservoir . . . . ◪ 104 F2
Angoulême . . . . ● 44 F8
Angren . . . . ● 60 M9
Anguilla . . . . ● 112 M5
Aniak . . . . ● 110 (1)F3
Anina . . . . ● 52 J4
Anıyaman . . . . ● 76 H5
Ankang . . . . ● 64 D4
Ankara . . . . ■ 76 E4
Ankazoabo . . . . ● 90 G4
Anklam . . . . ● 38 J3
Ankpa . . . . ● 86 F3
Ånn . . . . ● 34 G5
Anna . . . . ● 56 H4
Annaba . . . . ● 84 G1

Name	Page	Grid
Annaberg-Buchholz	38	H6
An Nabk, *Saudi Arabia*	78	E5
An Nabk, *Syria*	78	D2
An Nafud	82	G2
An Nāʻirīyah	74	E3
An Najaf	74	D3
Annapolis	106	E3
Annapurna	72	D3
Ann Arbor	106	D2
An Nāşirīyah	82	J1
Annecy	48	B5
Annemasse	48	B4
Anniston	108	D3
Annobón	86	F5
Annonay	44	K8
An Nukhayb	74	D3
Anqing	64	F4
Ansbach	38	F7
Anshan	66	B3
Anshun	64	D5
Ansley	104	G2
Anson	108	B3
Ansongo	84	F5
Antakya	76	G5
Antalaha	90	J2
Antalya	54	N8
Antalya Körfezi	54	N8
Antananarivo	90	H3
Antarctic Peninsula	120	(2)LL3
Antequera	46	F7
Anti-Atlas	84	D3
Antibes	48	C7
Antigo	106	C1
Antigua	112	M5
Antigua and Barbuda	112	M5
Antikythira	54	F9
Antiparos	54	G7
Antipaxoi	54	C5
Antipayuta	60	P4
Antipodes Islands	96	(3)A1
Antlers	108	B3
Antofagasta	118	G3
Antonito	104	E3
Antrim	42	F7
Antropovo	56	H3
Antsalova	90	G3
Antsirabe	90	H3
Antsirañana	90	H2
Antu	66	E2
Antwerp = Antwerpen	40	G3
Antwerpen	40	G3
Anuradhapura	72	D7
Anxi	64	B2
Anyang, *China*	64	E3
Anyang, *South Korea*	66	D5
Anyuysk	62	U3
Anzhero-Sudzhensk	60	R6
Anzio	50	G7
Aoga-shima	66	K7
Aomori	66	L3
Aosta	48	C5
Aoukâr	84	C5
Aoukoukar	86	C1
Apalachee Bay	108	E4
Apalachicola	108	D4
Aparri	68	G3
Apatin	52	F4
Apatity	56	F1
Ape	34	P8
Apeldoorn	40	H2
Api	72	D2
Apia	92	J7
Apoera	116	F2
Apolda	38	G5
Apollo Bay	94	H7
Aporé	116	G7
Apostle Islands	106	B1
Apoteri	116	F3
Appalachian Mountains	108	E3
Appennino	50	G5
Appennino Abruzzese	50	H6
Appennino Calabro	50	K10
Appennino Lucano	50	K8
Appennino Tosco-Emiliano	48	E6
Appennino Umbro-Marchigiano	50	H6
Appleton	106	C2
Aprilia	50	G7
Apure	116	D2
Apurimac	116	C6
Āqā	74	H3
ʻAqaba	78	C7
Aquidauana	116	F8
Ara	72	D3
Arabian Sea	74	H6
Aracaju	116	K6
Aracati	116	K4
Araçatuba	116	G8
Aracuca	112	L7
Arad	52	J3
Arādah	74	F5
Arafura Sea	70	(2)D5
Aragarças	116	G7
Araguaia	114	F4
Araguaina	116	H5
Araguari	116	H7
Araguatins	116	H5
Arāk	74	E3
Arak	84	F3
Aral Sea	60	K8
Aral'sk	56	M5
Aranda de Duero	46	G3
Arandjelovac	52	H5
Aran Island	42	D6
Aran Islands	42	B8
Aranjuez	46	G4
Aranos	90	B4
Aranyaprathet	68	C4
Araouane	84	E5
Arapahoe	104	G2
Arapiraca	116	K5
'Ar'ar	74	D3
Araras	116	G5
Ararat	76	L4
Arauca	116	D2
Araxá	116	H7
Araz	76	L4
Arbīl	76	K5
Arbon	48	E3
Arbre du Ténéré	84	G5
Arbroath	42	K5
Arcachon	44	D9
Arcadia	108	E4
Arcata	104	B2
Archidona	46	F7
Archipelago of the Recherche	94	D6
Archipel de la Société	92	L7
Archipiélago de Camagüey	112	J4
Archipiélago de la Reina Adelaida	118	F9
Archipiélago de los Chonos	118	F7
Arco	104	D2
Arcos de la Frontera	46	E8
Arctic Bay	100	P2
Arctic Ocean	120	(1)A1
Arctic Red River	100	E3
Arda	76	H3
Ardabīl	76	N4
Ardahan	76	K3
Årdalstangen	34	D6
Ardas	54	J3
Ardatov	56	J4
Ardennes	40	G4
Ardestān	74	F3
Ardila	46	C6
Ardmore	102	G5
Aredo	70	(2)D3
Areia Branca	116	K5
Arendal	34	E7
Arenys de Mar	46	N3
Arequipa	116	C7
Arere	116	G4
Arévalo	46	F3
Arezzo	50	F5
Argan	60	R9
Argenta	48	G6
Argentan	40	B6
Argentina	118	H6
Argenton-sur-Creuse	44	G7
Argeş	52	N5
Argolikos Kolpos	54	E7
Argos	54	E7
Argos Orestiko	54	D4
Argostoli	54	C6
Argun'	62	K6
Argungu	86	E2
Argunsk	62	L6
Argyll	42	G5
Århus	34	F8
Ariano Irpino	50	K7
Ari Atoll	72	B8
Arica	116	C7
Ariège	44	G11
Arihge	46	M2
Arinos	116	F6
Aripuanã	116	E5
Aripuanã	116	E5
Ariquemes	116	E5
Arizona	110	D2
Arjang	34	G7
Arka	62	Q5
Arkadak	56	H4
Arkadelphia	108	C3
Arkalyk	60	M7
Arkansas	108	C3
Arkansas	108	C3
Arkansas City	108	B2
Arkhalts'ikhe	76	K3
Arkhangel'sk	56	H2
Arkhipelag Nordenshel'da	60	R2
Arklow	42	F9
Arkoudi	54	C6
Arles	44	K10
Arlington, *Oreg., US*	104	B1
Arlington, *Tex., US*	108	B3
Arlington, *Va., US*	106	E3
Arlit	84	G5
Arlon	40	H4
Armagh	42	F7
Armavir	76	J1
Armenia	76	K3
Armenia	116	B3
Armentières	40	E4
Armidale	94	K6
Armstrong	100	P6
Armyans'k	56	F5
Arnedo	46	H2
Arnett	108	B2
Arnhem	40	H3
Arnhem Land	94	F2
Arno	48	F7
Arnøy	34	G3
Arnøya	34	L1
Arnprior	106	E1
Arnsberg	40	L3
Arnstadt	38	F6
Arolsen	38	E5
Arorae	92	H6
Arquipélago dos Bijagós	86	A2
Ar Ramādī	74	D3
Ar Ramlah	78	C7
Arran	42	G6
Ar Raqqah	76	H6
Arras	40	E4
Arrasate	46	H1
Ar Rastan	78	D2
Ar Rawdah	74	E7
Ar Rayn	79	A5
Arrecife	84	C3
Ar Riyād	74	E5
Arrow Lake	104	C1
Arroyo Grande	110	B1
Ar Ruşāfah	76	H6
Ar Rustāq	74	G5
Ar Rutba	74	D3
Ar Ruways	74	F5
Årsandøy	34	G4
Arsiè	48	G5
Arta, *Greece*	54	C5
Arta, *Mallorca*	46	P5
Artem	66	G2
Artemovsk	60	S7
Artemovskiy	62	K5
Artesia	110	F2
Arthur	104	F2
Arthur's Town	108	F5
Artigas	118	K5
Artillery Lake	100	J4
Artsyz	52	S4
Artux	60	P10
Artvin	76	J3
Artyk	62	Q4
Aru	92	D6
Arua	88	E3
Aruba	112	K6
Arumã	116	E4
Arusha	88	F4
Arvayheer	64	C1
Arviat	100	N4
Arvidsjaur	34	K4
Arvika	34	G7
Ary	60	Y3
Aryta	62	M4
Arzamas	56	H3
Arzew	84	K9
Arzignano	48	G5
Asahi-dake	66	M2
Asahikawa	66	M2
Asālě	82	G5
Asansol	72	E4
Asarum	36	D1
Asbest	56	M3
Ascension	80	B6
Ascensión	116	E7
Aschaffenburg	38	E7
Aschersleben	38	G5
Áscoli Piceno	50	H6
Asela	88	F2
Åsele	34	J4
Asenovgrad	54	G3
Asha	56	L3
Ashburton	96	C6
Asherton	108	B4
Asheville	106	D3
Ashford	40	C3
Ash Fork	110	D1
Ashgabat	74	G2
Ashington	42	L6
Ashizuri-misaki	66	G7
Ashkhabad = Ashgabat	74	G2
Ashland, *Kans., US*	104	G3
Ashland, *Ky., US*	106	D3
Ashland, *Mont., US*	104	E1
Ashland, *Oreg., US*	104	B2
Ashland, *Wis., US*	106	B1
Ashqelon	78	B5
Ash Shadādah	76	J5
Ash Shāriqah	79	F4
Ash Shihr	74	E7
Ash Shu'bah	79	A2
Ash Shurayf	82	G2
Ash Shuwayrif	84	H3
Ashtabula	106	D2
Ashuanipi	100	T6
Ashuanipi Lake	100	T6
Asia	92	B2
Åsika	72	D5
Asilah	84	D1
Asinara	50	C7
Asino	60	R6
Asīr	82	H3
Aşkale	76	J4
Askim	34	F7
Askot	72	D3
Asmara	82	G4
Äsnen	34	H8
Aso	48	J7
Åsosa	88	E1
Aspang Markt	48	M3
Aspe	46	K6
Aspermont	110	F2
As Pontes de Garcia Rodriguez	46	C1
As Sa'an	78	E1
Assab	82	H5
As Şāfī	74	D6
As Salmān	74	E3
As Salwā	79	D4
Assamakka	84	G5
As Samāwah	82	J1
As Şanamayn	78	D3
As Sarīr	82	D2
Asse	40	G4
Assen	40	J2
Assens	38	E1
As Sīb	79	H5
As Sidrah	82	C1
Assiniboia	100	K7
Assiniboine	100	M7
Assis	118	L3
Assisi	50	G5
As Sukhnah	76	H6
As Sulaymānīyah	76	L6
As Sulayyil	74	E5
Assumption Island	88	H5
As Suwaydā'	78	D4
As Suwayh	74	G5
As Suwayq	74	J9
Astakida	54	J8
Astana	60	N7
Astara	74	E2
Asti	48	D6
Astorga	46	D2
Astoria	104	B1
Astove Island	88	H6
Astrakhan'	56	J5
Astypalaia	54	J8
Asunción	118	K4
Aswān	82	F3
Aswān Dam	82	F3
Asyūt	82	F2
As Zaydīyah	82	H4
Ata	92	J8
Atafu	92	J6
Atakpamé	86	E3
Atâr	84	C4
Atasu	60	N8
Atbara	82	F4
Atbasar	56	N4
Atchison	108	B2
Aterno	50	H6
Ath	40	F4
Athabasca	100	J5
Athens = Athina	54	F7
Athens, *Al., US*	108	D3
Athens, *Ga., US*	108	E3
Athens, *Oh., US*	108	E2
Athens, *Tenn., US*	108	E2
Athens, *Tex., US*	108	B3
Athina	54	F7
Athlone	42	E8

Index

Ath Thāyat ... 78 D7
Athy ... 42 F8
Ati ... 82 C5
Atiamuri ... 96 F4
Atico ... 116 C7
Atikokan ... 106 B1
Atka ... 62 S4
Atka Island ... 110 (3)C1
Atlanta ... 108 E3
Atlantic, Ia., US. ... 108 B1
Atlantic, N.C., US ... 108 F3
Atlantic City ... 106 F3
Atlantic Ocean ... 42 C2
Atlantic Ocean ... 80 C7
Atlas Bogd ... 64 B2
Atlas Mountains ... 46 N9
Atlasovo ... 62 T5
Atlas Saharien ... 84 E2
Atlin ... 100 E5
Atmakur ... 72 C5
Atmore ... 108 D3
Atoka ... 108 B3
Atokos ... 54 C6
Atol das Rocas ... 116 L4
Aṭ Ṭā'if ... 74 D5
Attapu ... 68 D4
Attawapiskat ... 100 Q6
Attersee ... 48 J3
Attica ... 106 C2
Attu Island ... 110 (3)A1
Attu Island ... 120 (1)KK4
At Turbah ... 82 H5
Atyrau ... 56 K5
Aubagne ... 44 L10
Aubange ... 40 H5
Aube ... 44 K5
Aubenas ... 44 K9
Aubry Lake ... 100 F3
Auburn, Al., US. ... 108 D3
Auburn, Calif., US. ... 104 B3
Auburn, Nebr., US. ... 104 G2
Auburn, Wash., US ... 104 B1
Aubusson ... 44 H8
Auce ... 36 M1
Auch ... 44 F10
Auchi ... 86 F3
Auckland ... 96 E3
Auckland Island ... 96 (2)B1
Aude ... 44 H10
Aue ... 38 H6
Auerbach ... 38 H6
Augathella ... 94 J5
Augsburg ... 48 F2
Augusta, Australia ... 94 C6
Augusta, Italy ... 50 K11
Augusta, Ga., US ... 108 E3
Augusta, Me., US. ... 106 G2
Augustów ... 36 M4
Aulla ... 48 E6
Aurangābād ... 72 C5
Auray ... 44 C6
Aurich ... 40 K1
Aurillac ... 44 H9
Aurora, Colo., US ... 104 F3
Aurora, Ill., US ... 106 C2
Aurora, Mo., US ... 108 C2
Aurukun ... 94 H2
Aus ... 90 B5
Auschwitz = Oświęcim ... 36 J7
Austin, Minn., US ... 106 B2
Austin, Nev., US ... 104 C3
Austin, Tex., US ... 108 B3
Australia ... 94 E4
Australian Alps ... 92 E9
Australian Capital Territory ... 94 J7
Austria ... 48 J3
Autun ... 44 K7
Auxerre ... 44 J6
Avallon ... 44 J6
Avam ... 62 E2
Aveiro ... 46 B4
Avellino ... 50 J8
Averøya ... 34 D5
Avesnes-sur-Helpe ... 40 F4
Avesta ... 34 J6
Avezzano ... 50 H6
Aviemore ... 42 J4
Avignon ... 44 K10
Ávila ... 46 F4
Avilés ... 46 E1
Avion ... 40 E4
Avola ... 50 K12
Avon, UK ... 40 A2
Avon, UK ... 40 A3
Avranches ... 44 D5
Avrig ... 52 M4
Awaji-shima ... 66 H6

Awanui ... 96 D2
Awat ... 60 Q9
Awatere ... 96 D5
Awbārī ... 82 B2
Awjilah ... 82 D2
Awka ... 86 F3
Ax-les-Thermes ... 44 G11
Ayacucho ... 116 C6
Ayaguz ... 60 Q8
Ayakkuduk ... 60 M9
Ayamonte ... 46 C7
Ayan ... 62 E3
Ayan ... 62 P5
Aya Napa ... 78 A2
Ayancik ... 76 F3
Ayanka ... 62 V4
Ayaviri ... 116 C6
Aydin ... 76 B5
Aydincik ... 54 R8
Ayers Rock = Uluru ... 94 F5
Aykhal ... 62 J3
Aykino ... 60 H5
Aylesbury ... 40 B3
Aylmer Lake ... 100 K4
Ayní ... 60 M10
Ayní ... 74 J2
Ayn 'Isá ... 76 H5
Ayoûn el 'Atroûs ... 84 D5
Ayr, Australia ... 94 J3
Ayr, UK ... 42 H6
Aytos ... 52 Q7
Ayutthaya ... 68 C4
Ayvalik ... 54 J5
Azaila ... 46 K3
Azaouâd ... 84 E5
Āzarān ... 76 M5
Azare ... 86 G2
A'zāz ... 76 G5
Azdavay ... 54 R3
Azerbaijan ... 76 M3
Azogues ... 116 B4
Azores = Açores ... 84 (1)B2
Azov ... 56 G5
Azpeitia ... 46 H1
Azrou ... 84 D2
Aztec ... 104 E3
Azuaga ... 46 E6
Azul ... 118 K6
Az Zabadānī ... 78 D3
Az Zahrān ... 79 D3
Az Zāwiyah ... 82 B1
Az Zubayr ... 79 B1

B

Ba'albek ... 78 D2
Baardheere ... 88 G3
Babadag ... 52 R5
Babaeski ... 54 K3
Bāb al Mandab ... 74 D7
Babanusa ... 88 D1
Babar ... 70 (2)C4
Babayevo ... 56 G3
Babayurt ... 76 M2
Babo ... 70 (2)D3
Bābol ... 74 F2
Babruysk ... 56 E4
Babura ... 86 F2
Babushkin ... 62 H6
Babuyan Islands ... 68 G3
Bacabal ... 116 J4
Bacan ... 70 (2)C3
Bacău ... 52 P3
Baccarat ... 48 B2
Bachu ... 74 L2
Back ... 100 M3
Bačka Palanka ... 52 G4
Bačka Topola ... 52 G4
Backnang ... 48 E2
Bac Liêu ... 68 D5
Bacolod ... 68 G4
Badajós ... 116 H4
Badajoz ... 46 D6
Bad al Milh ... 76 K7
Badalona ... 46 N3
Bad Ausee ... 48 J3
Bad Bentheim ... 48 K2
Bad Berleburg ... 38 D5
Bad Doberan ... 38 G2
Bad Dürkheim ... 38 D7
Bad Ems ... 40 K4
Baden ... 36 F9
Baden-Baden ... 48 D2
Bad Freienwalde ... 38 K4
Badgastein ... 48 J3
Badgingarra ... 54 C6
Bad Harzburg ... 38 F5
Bad Hersfeld ... 38 E6
Bad Homburg ... 38 D6

Bad Honnef ... 40 K4
Badin ... 72 A4
Bad Ischl ... 48 J3
Bādiyat ash Shām ... 78 D4
Bad Kissingen ... 38 F6
Bad Kreuznach ... 40 K5
Bad Langensalza ... 38 F5
Bad Lauterberg ... 38 F5
Bad Liebenwerda ... 38 J5
Bad Mergentheim ... 38 E7
Bad Nauheim ... 38 D6
Bad Neuenahr-Ahrweiler ... 40 K4
Bad Neustadt ... 38 F6
Bad Oeynhausen ... 38 D4
Badong ... 64 E4
Bad Reichenhall ... 48 H3
Bad Säckingen ... 38 C9
Bad Salzuflen ... 38 D4
Bad Salzungen ... 38 F6
Bad Schwartau ... 38 F3
Bad Segeberg ... 38 F3
Bad Sobernheim ... 40 K5
Bad Urach ... 48 E2
Bad Vöslau ... 52 D2
Bad Waldsee ... 48 E3
Bad Wilbad ... 48 D2
Bad Wildungen ... 38 E5
Bad Windsheim ... 38 F7
Bad Wurzach ... 48 E3
Baena ... 46 F7
Bærum ... 34 F7
Baeza ... 46 G6
Baffin Bay ... 98 J2
Baffin Island ... 100 R2
Bafia ... 86 G4
Bafoulabé ... 86 B2
Bafoussam ... 86 G3
Bāfq ... 74 G3
Bafra ... 76 F3
Bafra Burun ... 76 G3
Bāft ... 79 G2
Bafwasende ... 88 D3
Baga ... 82 B5
Bagani ... 90 C3
Bagaroua ... 86 E2
Bagdad ... 110 D2
Bagdarin ... 62 J6
Bagé ... 118 L5
Baggs ... 104 E2
Baghdād ... 74 D3
Bagheria ... 50 H10
Baghlān ... 74 J2
Bagnères-de-Bigorre ... 44 F10
Bagno di Romagna ... 48 G7
Bagnols-sur-Cèze ... 44 K9
Baguio ... 68 G3
Bagun Datuk ... 70 (1)C2
Baharampur ... 72 E4
Bahawalnagar ... 72 B3
Bahawalpur ... 72 B3
Bahçe ... 76 G5
Bahia ... 116 J6
Bahía Blanca ... 118 J6
Bahía Blanca ... 118 J6
Bahía de Banderas ... 112 C4
Bahía de Campeche ... 112 F4
Bahía de Manta ... 116 A4
Bahía de Petacalco ... 112 D5
Bahía de Pisco ... 116 B6
Bahía de Santa Elena ... 116 A4
Bahía de Sechura ... 116 A5
Bahía Grande ... 118 H9
Bahía Kino ... 102 D6
Bahía Kino ... 112 B3
Bahía Negra ... 118 K3
Bahía Samborombón ... 118 K6
Bahir Dar ... 82 G5
Bahraich ... 72 D3
Bahrain ... 79 D4
Baḥrat Ḥims ... 78 D2
Bahr el Abiad ... 82 F5
Bahr el Azraq ... 82 F5
Bahr el Ghazal ... 82 C5
Bahr el Ghazal ... 88 D2
Bahr el Jebe ... 88 E2
Bahr el Nîl = Nile ... 82 F4
Baia de Marajó ... 116 H4
Baia de Todos os Santos ... 116 K6
Baía do Bengo ... 86 G6
Baia Mare ... 52 L2
Baião ... 116 H4
Baia Sprie ... 52 L2
Baïbokoum ... 88 B2
Baicheng, China ... 60 Q9
Baicheng, China ... 64 G1
Baie Comeau ... 106 G1
Baie de la Seine ... 40 B5
Baie de la Somme ... 40 D4

Baie du Poste ... 100 S6
Baie St. Paul ... 106 F1
Baiji ... 76 K6
Baile Átha Cliath = Dublin ... 42 F8
Bailén ... 46 G6
Bailleul ... 40 E4
Bailundo ... 90 B2
Bainbridge ... 108 E3
Bairiki ... 92 H5
Bairin Yuoqi ... 64 F2
Bairin Zuoqi ... 64 F2
Bairnsdale ... 94 J7
Bais ... 68 G5
Baja ... 52 F3
Baja California ... 102 C5
Bakchar ... 60 Q6
Bakel ... 86 B2
Baker ... 92 J5
Baker, Calif., US ... 104 C3
Baker, Mont., US ... 104 F1
Baker, Oreg., US ... 104 C2
Baker Lake ... 100 M4
Baker Lake ... 100 N4
Bakersfield ... 110 C1
Bakhta ... 62 D4
Baki ... 74 E1
Bakkafjörður ... 34 (1)F1
Bakkaflói ... 34 (1)F1
Baku = Baki ... 74 E1
Balâ ... 76 E4
Balabac ... 68 F5
Balabac Strait ... 68 F5
Balagansk ... 62 G6
Balaghat ... 72 D4
Balaguer ... 46 L3
Balakhta ... 60 S6
Balaklava ... 76 E1
Balakovo ... 56 J4
Bālā Morghāb ... 60 L10
Bälan ... 52 N3
Balāngïr ... 72 D4
Balashov ... 56 H4
Balassagyarmat ... 52 E3
Balaton ... 52 E3
Balatonfüred ... 52 E3
Balatonlelle ... 52 E3
Balchik ... 76 C2
Balclutha ... 96 B8
Bald Knob ... 106 B3
Baldwin ... 108 E3
Balearic Islands = Islas Baleares ... 46 N5
Bāleshwar ... 72 E4
Baley ... 62 K6
Baléyara ... 86 E2
Balguntay ... 60 R9
Bali ... 70 (1)F4
Balige ... 70 (1)B2
Balıkesir ... 54 K5
Balikpapan ... 70 (1)F3
Balimo ... 70 (2)F4
Balingen ... 48 D2
Balintang Channel ... 68 G3
Balkhash ... 60 N8
Ballarat ... 94 H7
Balleny Island ... 120 (2)Y3
Ballina, Australia ... 94 K5
Ballina, Ireland ... 42 C7
Ballinasloe ... 42 D8
Ballinger ... 110 G2
Ball's Pyramid ... 94 L6
Ballymena ... 42 F7
Balmazújváros ... 52 J2
Balotra ... 72 B3
Balranald ... 94 H6
Balş ... 52 M5
Balsas ... 112 D5
Balsas ... 116 H5
Balta ... 52 S2
Bălți ... 52 Q2
Baltic Sea ... 34 J8
Baltijsk ... 36 J3
Baltimore ... 106 E3
Baltrum ... 38 C3
Balvi ... 34 P8
Balykchy ... 60 P9
Balykshi ... 56 K5
Bam ... 74 G4
Bamaga ... 94 H2
Bamako ... 86 C2
Bamba ... 86 E5
Bambari ... 88 C2
Bamberg ... 38 F7
Bambesa ... 88 D3
Bambouk Kaarta ... 86 B2
Bamda ... 64 B4
Bamenda ... 86 G3

Name	Page	Grid
Bāmīān	74	J3
Banaba	92	G6
Bañados del Izozog	116	E7
Banalia	88	D3
Banana, *Australia*	94	K4
Banana, *Dem. Rep. of Congo*	88	A5
Banaz	54	M6
Ban Ban	68	C3
Banbury	42	L9
Banda	72	D3
Banda Aceh	68	B5
Bandama	86	C3
Bandar-e 'Abbās	79	G3
Bandar-e Anzalī	74	E2
Bandar-e Deylam	79	D1
Bandar-e Ganāveh	79	D2
Bandar-e Khomeir	79	F3
Bandar-e Lengeh	79	F3
Bandar-e Ma'shur	79	C1
Bandar-e Torkeman	74	F2
Bandar Khomeynī	79	C1
Bandar Lampung	70	(1)D4
Bandar Seri Begawan	70	(1)E2
Band-e Moghūyeh	79	F3
Bandirma	54	K4
Bandundu	88	B4
Bandung	70	(1)D4
Bāneasa	52	Q5
Bāneh	76	L6
Banff, *Canada*	100	H6
Banff, *UK*	42	K4
Bangalore	72	C6
Bangangté	86	G3
Bangassou	88	C3
Bangbong	70	(2)B3
Banggi	70	(1)F1
Banghāzī	82	D1
Bangka	70	(1)D3
Bangkok = Krung Thep	68	C4
Bangladesh	72	E4
Bangor, *N.Ire., UK*	42	G7
Bangor, *Wales, UK*	42	H8
Bangor, *US*	106	G2
Bang Saphan Yai	68	B4
Bangui	88	B3
Ban Hat Yai	68	C5
Ban Hua Hin	68	B4
Bani-Bangou	86	E1
Banī Walīd	84	H2
Bāniyās	76	F6
Banja Luka	52	E5
Banjarmasin	70	(1)E3
Banjul	86	A2
Ban Khemmarat	68	D3
Banks Island = Moa, *Australia*	94	H2
Banks Island, *B.C., Canada*	100	E6
Banks Island, *N.W.T., Canada*	100	G2
Banks Lake	104	C1
Banks Peninsula	96	D6
Banks Strait	94	J8
Bannerman Town	108	F5
Bannu	72	B2
Bánovce	36	H9
Banská	36	J9
Banská Štiavnica	36	H9
Bansko	54	F3
Bantry	42	C10
Banyo	86	G3
Banyoles	46	N2
Banyuwangi	70	(1)E4
Baode	64	E3
Baoding	64	F3
Baoji	64	D4
Bao Lôc	68	D4
Baoro	88	B2
Baoshan	68	B1
Baotou	64	E2
Baoying	64	F4
Bapaume	40	E4
Ba'qūbah	74	D3
Baquedano	118	H3
Bar	52	G7
Barabai	70	(1)F3
Baraboo	106	C2
Barakaldo	46	H1
Baramati	72	B5
Baramula	72	B2
Baran	72	C3
Baranavichy	56	E4
Baraolt	52	N3
Barbados	116	F1
Barbastro	46	L2
Barbate	46	E8
Barbuda	112	M5
Barcaldine	94	J4
Barcău	52	K2
Barcellona Pozzo di Gotto	50	K10
Barcelona, *Spain*	46	N3
Barcelona, *Venezuela*	112	M6
Barcelos, *Brazil*	116	E4
Barcelos, *Spain*	46	B3
Barco de Valdeorras = O Barco	46	D2
Barcs	52	E4
Bärdä	76	M3
Bardai	82	C3
Barddhamān	72	E4
Bardejov	36	L8
Bareilly	72	C3
Barents Sea	60	E3
Barentu	82	G4
Bareo	70	(1)F2
Barga	72	D2
Bargaal	88	J1
Barguzin	62	H6
Bar Harbor	106	G2
Bari	50	L7
Barikot	72	B1
Barinas	116	C2
Bârîs	82	F3
Barisal	72	F4
Barito	70	(2)A3
Barkam	64	C4
Barkava	34	P8
Barkly Tableland	94	F3
Barkol	60	S9
Bârlad	52	Q3
Bârlad	52	Q3
Bar-le-Duc	40	H6
Barletta	50	L7
Barmer	72	B3
Barmouth Bay	42	H9
Barnaul	60	Q7
Barnsley	42	L8
Barnstaple	42	H10
Barnstaple Bay	42	H10
Barpeta	72	F3
Barquisimeto	116	D1
Barr	48	C2
Barra, *Brazil*	116	J6
Barra, *UK*	42	E4
Barração do Barreto	116	G5
Barra do Bugres	116	F7
Barra do Corda	116	H5
Barra do Garças	116	G7
Barra do São Manuel	116	G5
Barragem de Santa Clara	46	B7
Barragem de Sobradinho	116	J5
Barragem do Castelo de Bode	46	B5
Barragem do Maranhão	46	C6
Barranca, *Peru*	116	B4
Barranca, *Peru*	116	B6
Barranquilla	112	K6
Barreiras	116	H6
Barreiro	46	A6
Barretos	116	H8
Barrie	106	E2
Barron	106	B1
Barrow	110	(1)F1
Barrow-in-Furness	42	J7
Barrow Island	94	B4
Barrow Strait	100	N2
Barshatas	60	P8
Barsi	72	C5
Barstow	110	C2
Bar-sur-Aube	44	K5
Barth	38	H2
Bartin	76	E3
Bartle Frere	92	E7
Bartlesville	108	B2
Bartlett	104	G2
Bartoszyce	36	K3
Barus	70	(1)B2
Baruun Urt	64	E1
Barwani	72	B4
Barysaw	56	E4
Basaidu	79	F3
Basankusu	88	B3
Basarabeasca	52	R3
Basarabi	52	R5
Basca	50	C2
Basel	48	C3
Bashkiriya	56	K4
Bāsht	79	D1
Basilan	70	(2)B1
Basildon	40	C3
Basingstoke	42	L10
Basiluzzo	50	K10
Başkale	76	K4
Basoko	88	C3
Bassano	102	D1
Bassano del Grappa	48	G5
Bassar	86	E3
Bassas da India	90	F4
Basse Santa Su	84	C6
Basse Terre	112	M5
Bassett	104	G2
Bass Strait	94	H7
Bassum	38	D4
Bastak	79	F3
Bastānābād	76	M5
Basti	72	D3
Bastia	50	D6
Bastogne	40	H4
Bastrop, *La., US*	108	C3
Bastrop, *Tex., US*	108	B3
Bata	86	F4
Batagay	62	N3
Batak	54	G3
Batamay	62	M4
Batangas	68	G4
Batan Islands	68	G2
Batanta	70	(2)C3
Batemans Bay	94	K7
Batesville	108	D3
Bath, *UK*	42	K10
Bath, *US*	106	E2
Bathinda	72	B2
Bathurst, *Australia*	94	J6
Bathurst, *Canada*	100	T7
Bathurst Inlet	100	K3
Bathurst Island, *Australia*	94	E2
Bathurst Island, *Canada*	100	M1
Batman	74	D2
Batna	84	G1
Baton Rouge	108	C3
Bátonyterenye	52	G2
Batroûn	78	C2
Battipaglia	50	J8
Battle	40	C4
Battle Creek	106	C2
Battle Harbour	100	V6
Battle Mountain	104	C2
Batu	88	F2
Batui	70	(2)B3
Bat'umi	76	J3
Batu Pahat	70	(1)C2
Baturino	60	R6
Baubau	70	(2)B4
Bauchi	86	F2
Baudette	106	B1
Baukau	70	(2)C4
Baume-les-Dames	44	M6
Bauru	118	M3
Bauska	34	N8
Bautzen	36	D6
Bawean	70	(1)E4
Bawiti	82	E2
Bawku	86	D2
Bayamo	112	J4
Bayanaul	60	P7
Bayandelger	62	H7
Bayan Har Shan	64	B4
Bayanhongor	64	C1
Bayan Mod	64	C2
Bayan Obo	64	D2
Bayansumküre	60	Q9
Bayburt	76	J3
Bay City, *Mich., US*	106	D2
Bay City, *Tex., US*	108	B4
Baydhabo	88	G3
Bayerische Alpen	48	G3
Bayeux	40	B5
Bayfield	106	B1
Bayindir	54	K6
Bayir	78	D6
Baykit	60	T5
Baykonur	60	M8
Bay Minette	108	D3
Bay of Bengal	44	C9
Bay of Biscay	44	C9
Bay of Fundy	100	T8
Bay of Islands	96	E2
Bay of Plenty	96	F3
Bayonne	44	D10
Bayramaly	74	H2
Bayramiç	54	J5
Bayreuth	38	G7
Baysun	74	J2
Bayt al Faqīh	82	H5
Bay View	96	F4
Baza	46	H7
Bazas	44	E9
Bazdar	74	J4
Beach	104	F1
Beachy Head	40	C4
Beagle Gulf	94	E2
Bealanana	90	H2
Bear Island	42	B10
Bear Island = Bjørnøya	60	B3
Bear Lake	104	D2
Beasain	46	H1
Beas de Segura	46	H6
Beatrice	108	B1
Beatty	110	C1
Beaufort, *Malaysia*	70	(1)F1
Beaufort, *N.C., US*	108	F3
Beaufort, *S.C., US*	108	E3
Beaufort Sea	98	Q2
Beaufort West	90	C6
Beaumont	108	C3
Beaune	44	K6
Beauvais	40	E5
Beaver	104	D3
Beaver Creek	110	(1)J3
Beaver Dam	106	C3
Beaver Falls	106	D2
Beawar	72	B3
Beazley	118	H5
Bebra	38	E6
Bečej	52	H4
Béchar	84	E2
Beckley	108	E2
Becks	96	B7
Beckum	40	L3
Beclean	52	M2
Bedford, *UK*	42	M9
Bedford, *US*	108	D2
Bedworth	40	A4
Beenleigh	94	K5
Beer Menuha	78	C6
Be'er Sheva'	78	B5
Beeville	108	B4
Behbehān	79	D1
Bei'an	62	M7
Beihai	68	D2
Beijing	64	F3
Beipan	64	D5
Beipiao	64	G2
Beira	90	E3
Beirut = Beyrouth	78	C3
Beiuş	52	K3
Beizhen	66	A3
Béja	84	G1
Bejaia	84	G1
Béjar	46	E4
Bekdash	74	F1
Békés	36	L11
Békéscsaba	52	J3
Bekily	90	H4
Bela	74	J4
Bela Crkva	52	J5
Belaga	70	(1)E2
Belarus	32	G2
Bela Vista	90	E5
Belaya	56	K3
Belaya Gora	62	R3
Belchatów	36	J6
Belcher Islands	100	Q5
Beledweyne	88	H3
Belém	116	H4
Belen	112	C2
Belfast	42	G7
Belfield	104	F1
Belfort	48	B3
Belgazyn	60	T7
Belgium	40	G4
Belgorod	56	G4
Belgrade = Beograd	52	H5
Beli	86	G3
Belice	50	H11
Beli Manastir	52	F4
Belinyu	70	(1)D3
Belitung	70	(1)D3
Belize	112	G5
Belize	112	G5
Bellac	44	G7
Bella Coola	100	F6
Bellary	72	C5
Bellefontaine	106	D2
Belle Fourche	104	F2
Belle Glade	108	E4
Belle Île	44	B6
Belle Isle	100	V6
Bellême	44	F5
Belleterre	106	E1
Belleville, *Canada*	106	E2
Belleville, *US*	108	D2
Bellingham	104	B1
Bellingshausen Sea	120	(2)JJ4
Bellinzona	48	E4
Bello	116	B2
Belluno	48	H4
Bellyk	62	E6
Belmont	106	E2
Belmonte, *Brazil*	116	K7
Belmonte, *Spain*	46	H5
Belmopan	112	G5

Name	Page	Grid
Belmullet	42	B7
Belogorsk	62	M6
Belogradchik	52	K6
Belo Horizonte	116	J7
Beloit, *Kans., US.*	108	B2
Beloit, *Wis., US.*	106	C2
Belomorsk	56	F2
Belorechensk	76	H1
Beloretsk	56	L4
Belo Tsiribihina	90	G3
Belovo	60	R7
Beloyarskiy	60	M5
Beloye More	56	G1
Belozersk	56	G2
Belozerskoye	56	N3
Belye Vody	60	M9
Belyy Yar	60	Q6
Belzig	38	H4
Bembibre	46	D2
Bemidji	106	A1
Bena Dibele	88	C4
Benavente	46	E3
Benbecula	42	E4
Bend	104	B2
Bender-Bayla	88	J2
Bender Qaasim	88	H1
Bendigo	95	H7
Bendorf	40	K4
Bene	90	E3
Benešov	36	D8
Benevento	50	J7
Bengbu	64	F4
Bengkulu	70	(1)C3
Benguela	90	A2
Benguerir	84	D2
Benha	82	F1
Beni	88	D3
Beni	116	D6
Beni Abbès	84	E2
Benicarló	46	L4
Benidorm	46	K6
Beni Mazâr	82	F2
Beni Mellal	84	D2
Benin City	86	F3
Benin Saf	46	J9
Beni Slimane	46	P8
Beni Suef	82	F2
Benito Juárez	118	K6
Benjamin Constant	116	D4
Benkelman	104	F2
Benkovac	48	L6
Ben More Assynt	42	H3
Ben Nevis	42	H5
Bennington	106	F2
Benoud	84	F2
Bensheim	38	D7
Benson, *Ariz., US*	110	D2
Benson, *Minn., US.*	102	G2
Benteng	70	(2)B4
Bentinck Island	94	G3
Bentonville	108	C2
Bentung	70	(1)C2
Benue	86	G3
Benxi	64	G2
Beograd	52	H5
Bepazarı	76	D3
Berat	54	B4
Beravina	90	H3
Berber	82	F4
Berbera	82	H5
Berbérati	88	B3
Berchtesgaden	48	J3
Berck	40	D4
Berdigestyakh	62	M4
Berdyans'k	56	G5
Berdychiv	56	E5
Bereeda	88	J1
Berehove	52	K1
Bererreá	46	C2
Berettyóújfalu	52	J2
Berettys	36	L10
Bereznik	56	H2
Berezniki	56	L3
Berezovo	56	N2
Berezovyy	62	P6
Berga	46	M2
Bergama	54	K5
Bérgamo	48	E5
Bergara	46	H1
Bergedorf	38	F3
Bergen, *Netherlands*	40	G2
Bergen, *Norway*	34	C6
Bergen, *Germany*	38	J2
Bergen, *Germany*	38	E4
Bergen op Zoom	40	G3
Bergerac	44	F9
Bergheim	40	J4
Bergisch Gladbach	38	C6
Bergsfjordhalvøya	34	L1
Beringen	40	H3
Beringovskiy	62	X4
Bering Sea	110	(1)C4
Bering Strait	110	(1)C2
Berkeley	110	B1
Berkner Island	120	(2)A2
Berkovitsa	52	L6
Berlin, *Germany*	38	J4
Berlin, *US*	106	F2
Bermejíllo	110	F3
Bermejo	118	K4
Bermeo	46	H1
Bermuda	98	H6
Bern	48	C4
Bernado	110	E2
Bernau	38	J4
Bernay	40	C5
Bernburg	38	G5
Berner Alpen	48	C4
Beroun	36	D8
Berounka	38	J7
Berovo	54	E3
Berrouaghia	46	N8
Berry Islands	108	F4
Bertoua	86	G4
Bertram	106	D1
Beruni	60	L9
Berwick-upon-Tweed	42	L6
Besalampy	90	G3
Besançon	44	M6
Beshneh	79	F2
Bessemer	108	D3
Bestamak	60	P8
Bestuzhevo	56	H2
Bestyakh, *Russia*	62	L3
Bestyakh, *Russia*	62	M4
Betanzos	46	B1
Bětdâmbâng	68	C4
Bethany	106	B2
Bethel, *Ak., US.*	110	(1)E3
Bethel, *Pa., US.*	106	F2
Bethlehem, *Israel*	78	C5
Bethlehem, *South Africa*	90	D5
Béthune	40	E4
Betioky	90	G4
Betoota	94	H5
Betpak-Dala	60	M8
Betroka	90	H4
Bet-She'an	78	C4
Bettiah	72	D3
Betul	72	C4
Betzdorf	38	C6
Beulah	106	C2
Beverley	42	M8
Beverungen	38	E5
Bexhill	40	C4
Bey Dağları	54	M8
Beyla	86	C3
Beyneu	60	J8
Beypazarı	54	P4
Beyrouth	78	C3
Beyşehir	54	P7
Beyşehir Gölü	54	P7
Bezhetsk	56	G3
Béziers	44	J10
Bhadgaon	72	E3
Bhadrakh	72	E4
Bhadravati	72	C6
Bhagalpur	72	E3
Bhairab Bazar	72	F4
Bhakkar	72	B2
Bhamo	68	B2
Bharuch	72	B4
Bhatpara	72	E4
Bhavnagar	72	B4
Bhawanipatna	72	D5
Bhilai	72	D4
Bhilwara	72	B3
Bhīmavaram	72	D5
Bhind	72	C3
Bhiwandi	72	B5
Bhopal	72	C4
Bhubaneshwar	72	E4
Bhuj	72	A4
Bhusawal	72	C4
Bhutan	72	E3
Biak	70	(2)E3
Biak	70	(2)E3
Biała Podlaska	36	N5
Białogard	36	F3
Białystok	36	N4
Biarritz	44	D10
Biasca	48	D4
Bibbiena	48	G7
Biberach	48	E2
Bicaz	52	P3
Bickerton Island	94	G2
Bicske	52	F2
Bida	86	F3
Bidar	72	C5
Bidbid	79	H5
Biddeford	106	F2
Bideford	42	H10
Biedenkopf	38	D6
Biel	48	C3
Bielefeld	38	D4
Biella	48	D5
Bielsko-Biała	36	J8
Bielsk Podlaski	36	N5
Biên Hoa	68	D4
Bietigheim-Bissingen	48	E2
Big	100	G2
Biga	54	K4
Bigadiç	54	L5
Big Desert	94	H7
Big Falls	106	B1
Bighorn	102	E2
Bighorn Lake	104	E1
Bighorn Mountains	104	E2
Bight of Bangkok	68	C4
Bight of Benin	86	E3
Bight of Biafra	86	F4
Big Lake	110	(1)H2
Bignona	84	B6
Big Pine	108	E5
Big Rapids	106	C2
Big River	100	K6
Big Sandy	104	D1
Big Sioux	104	G2
Big Spring	110	F2
Big Sur	110	B1
Big Trout Lake	100	P6
Bihać	48	L6
Bijapur	72	C5
Bījār	76	M6
Bijeljina	52	G5
Bijelo Polje	52	G6
Bijie	64	D5
Bikaner	72	B3
Bikin	62	N7
Bikini	92	G4
Bilaspur	72	D4
Biläsuvar	76	N4
Bila Tserkva	56	F5
Bilbao	46	H1
Bileća	52	F7
Bilecik	54	M4
Bilečko Jezero	52	F7
Biled	52	H4
Biłgoraj	36	M7
Bilhorod-Dnistrovs'kyy	56	F5
Bilina	38	J6
Billings	104	D1
Bill of Portland	42	K11
Bilma	82	B4
Biloxi	108	D3
Bimini Islands	108	F4
Binche	40	G4
Bindi Bindi	94	C6
Bindura	90	E3
Bingen	38	C7
Binghamton	106	E2
Bingöl	76	J4
Binongko	70	(2)B4
Bintulu	70	(1)E2
Bintuni	70	(2)D3
Binyang	68	D2
Binzhou	64	F3
Biograd	48	L7
Birāk	84	H3
Birao	88	D2
Biratnagar	72	E3
Bīr Bazīrī	78	E2
Birdsville	94	G5
Bireun	70	(1)B1
Bîr Gifgâfa	78	A6
Birhan	82	G5
Bîr Hasana	78	A6
Bīrjand	74	G3
Birkenfeld	40	K5
Birmingham, *UK*	42	L9
Birmingham, *US*	108	D3
Bîr Mogrein	84	C3
Birnie	92	J6
Birnin-Gwari	86	F2
Birnin Kebbi	86	E2
Birnin Konni	86	F2
Birnin Kudu	86	F2
Birobidzhan	62	N7
Birsk	56	L3
Biržai	36	P1
Bi'r Zaltan	82	C2
Bisbee	110	E2
Biscéglie	50	L7
Bischofshofen	48	J3
Bischofswerda	36	D6
Biševo	50	L6
Bishkek	60	N9
Bishop	104	C3
Bishop Auckland	42	L7
Bishop's Stortford	40	C3
Biskra	84	G2
Bislig	68	H5
Bismarck	102	F2
Bismarck Sea	92	E6
Bissau	84	B6
Bistcho Lake	100	H5
Bistrița	52	M2
Bistrița	52	P3
Bitburg	40	J5
Bitche	38	C7
Bitkine	82	C5
Bitlis	76	K4
Bitola	54	D3
Bitonto	50	L7
Bitterfeld	38	H5
Bitterroot Range	104	C1
Bitti	50	D8
Bitung	70	(2)C2
Biu	86	G2
Biwa-ko	66	H6
Bixby	106	B3
Biyâvra	72	C4
Biysk	60	R7
Bizerte	84	G1
Bjelovar	52	E2
Bjørnøya	60	B3
B-Köpenick	38	J4
Blackburn	42	K8
Blackfoot	104	D3
Blackfoot Reservoir	104	D2
Black Hills	104	F2
Blackpool	42	J8
Black Range	110	E2
Black River Falls	106	B2
Black Rock Desert	104	C2
Blacksburg	106	D3
Black Sea	76	D2
Blacks Harbour	106	G1
Black Sugarloaf	94	K6
Black Volta	86	D3
Blackwater	42	D9
Blagny-sur-Bresle	40	D4
Blagodarnyy	76	K1
Blagoevgrad	54	F3
Blagoveshchenka	60	P7
Blagoveshchensk	62	M6
Blain	44	D6
Blair	106	A2
Blairsden	104	B3
Blairsville	108	E3
Blaj	52	L3
Blakely	108	E3
Blanco	116	E6
Blanding	110	E1
Blankenberge	40	F4
Blankenburg	38	F5
Blankenheim	40	J4
Blantyre	90	F3
Blasket Islands	42	B9
Blaubeuren	48	E2
Blaye-et-Sainte-Luce	44	E8
Bled	48	K4
Blenheim	96	D5
Blevands Huk	38	D1
Blida	84	F1
Blind River	102	K2
Bloemfontein	90	D5
Bloemhof	90	D5
Blois	44	G6
Blönduós	34	(1)C2
Błonie	36	K5
Bloomfield	108	C2
Bloomington, *Ill., US*	106	C2
Bloomington, *Ind., US*	106	C3
Bludenz	48	E3
Blue Earth	106	B2
Bluefield	106	D3
Bluefields	112	H6
Blue Mountain Lake	106	F2
Blue Mountains	104	C2
Blue Nile = Bahr el Azraq	82	F5
Bluenose Lake	100	H3
Bluff, *New Zealand*	96	B8
Bluff, *US*	110	E1
Blumenau	118	M4
Blythe	110	D2
Blytheville	108	D2
Bo	86	B3
Boac	68	G4
Boa Vista, *Brazil*	116	E3

Name	Page	Grid
Boa Vista, *Cape Verde Islands*	86	(1)B1
Bobbili	72	D5
Bóbbio	48	E6
Bobigny	40	E6
Bobingen	48	F2
Boblingen	48	E2
Bobo Dioulasso	86	D2
Bobr	36	E6
Bobrov	56	H4
Bôca do Acre	116	D5
Boca Grande	112	M7
Boca Grande	114	E3
Bocaiúva	116	J7
Bocaranga	88	B2
Bochart	106	F1
Bochnia	36	K8
Bocholt	38	B5
Bochum	38	C5
Bodaybo	62	J5
Bode	38	G4
Bodélé	82	C4
Boden	34	L4
Bodham	72	C5
Bodmin	42	H11
Bodø	34	H3
Bodrog	36	L9
Bodrum	54	K7
Boe	104	D2
Boende	88	C4
Bogale	68	B3
Bogalusa	108	D3
Boggabilla	94	K5
Boghni	46	P8
Bognor Regis	40	B4
Bogo	68	G4
Bogor	70	(1)D4
Bogorodskoye	62	Q6
Bogotá	116	C3
Bogotol	60	R6
Bogra	72	E4
Boguchany	62	F5
Bogué	84	C5
Bo Hai	64	F3
Bohmerwald	38	H7
Bohol	68	G5
Bohumin	36	H8
Boiaçu	116	E4
Boise	104	C2
Boise City	110	F1
Bojnürd	60	K10
Bokatola	88	B4
Boké	86	B2
Bokspits	90	C5
Bokungu	88	C4
Bolbec	40	C5
Bole, *China*	60	Q9
Bole, *Ghana*	86	D3
Bolechiv	36	N8
Bolesławiec	36	E6
Bolgatanga	86	D2
Bolhrad	52	R4
Bolintin-Vale	52	N5
Bolivar	106	B3
Bolivia	116	D7
Bollène	44	K9
Bollnäs	34	J6
Bolmen	34	G8
Bolnisi	76	L3
Bolobo	86	H5
Bologna	48	G6
Bolognesi	116	C5
Bolomba	86	H4
Bolotnoye	60	Q6
Bol'shaya Pyssa	56	J2
Bol'sherech'ye	56	P3
Bol'shezemel'skaya Tundra	60	J4
Bol Shirta	62	C4
Bol'shoy Atlym	56	N2
Bol'shoy Osinovaya	62	W3
Bol'shoy Vlas'evo	62	Q6
Bolshoy Yuga	56	P2
Bolsover	40	A1
Bolton	42	K8
Bolu	76	D3
Bolvadin	54	P6
Bolzano = Bozen	48	G4
Boma	86	G6
Bombala	94	J7
Bombay = Mumbai	72	B5
Bomili	88	D3
Bom Jesus da Lapa	116	J6
Bømlo	34	C7
Bomnak	62	M6
Bonāb	76	M5
Bonaparte Archipelago	94	B2
Bonavista Bay	100	W7
Bondeno	48	G6

Name	Page	Grid
Bondo	88	C3
Bondokodi	94	C1
Bondoukou	86	D3
Bondowoso	70	(1)E4
Bongandanga	88	C3
Bongao	70	(2)A1
Bongor	86	H2
Bonifacio	50	D7
Bonn	38	C6
Bonners Ferry	104	C1
Bonorva	50	C8
Bonthe	86	B3
Bontoc	68	G3
Bonyhád	52	F3
Boone	106	D3
Boonville	108	C2
Boorama	88	G2
Boosaaso	74	E7
Boothia Peninsula	100	M2
Booué	86	G5
Boppard	38	C6
Bor, *Russia*	62	D4
Bor, *Sudan*	88	E2
Bor, *Turkey*	54	S7
Bor, *Serbia*	52	K5
Borah Peak	104	C3
Borås	34	G8
Borāzjān	79	D2
Bordeaux	44	E9
Borden Peninsula	100	Q2
Bordertown	94	H7
Bordj Bou Arréridj	84	F1
Bordj Bounaam	46	M9
Bordj Flye Sante Marie	84	E3
Bordj Messaouda	84	G2
Bordj Mokhtar	84	F4
Bordj Omar Driss	84	G3
Borgarnes	34	(1)C2
Borger	110	F1
Borgomanero	48	D5
Borgo San Dalmazzo	48	C6
Borgo San Lorenzo	48	G7
Borgosésia	48	D5
Borgo Val di Taro	48	E6
Bori Jenein	84	H2
Borislav	36	N8
Borisoglebsk	56	H4
Borjomi	76	K3
Borken	40	J3
Borkou	82	C4
Borkum	40	J1
Borlänge	34	H6
Bórmida	48	D6
Bormio	48	F4
Borna	38	H5
Borneo	70	(1)E3
Bornholm	34	H9
Borodino	60	R5
Borodinskoye	34	Q6
Boromo	86	D2
Borovichi	56	F3
Borovskoy	56	M4
Borriana	46	K5
Borroloola	94	G3
Borşa	52	M2
Borshchiv	52	P1
Borshchovochnyy Khrebet	62	J7
Borðeyri	34	(1)C2
Borüjerd	74	E3
Borzya	62	K6
Bosa	50	C8
Bosanska Dubica	52	D4
Bosanska Gradiška	52	E4
Bosanska Kostajnica	48	M5
Bosanska Krupa	52	D5
Bosanski Brod	52	F4
Bosanski Novi	52	D4
Bosansko Petrovac	52	D5
Bosansko Grahovo	48	M6
Boşca	52	J4
Bose	68	D2
Bosilegrad	52	K7
Boskovice	36	F8
Bosna	52	F5
Bosnia-Herzegovina	52	E5
Bosobolo	88	B3
Bosporus = İstanbul Boğazı	54	M3
Bosporus	74	A1
Bossambélé	88	B2
Bossangoa	88	B2
Bossier City	108	C3
Bosten Hu	60	R9
Boston, *UK*	42	M9
Boston, *US*	106	F2
Botevgrad	52	L7
Botlikh	74	E1
Botna	52	R3
Botoşani	52	P2

Name	Page	Grid
Botou	64	F3
Botrange	40	J4
Botswana	90	C4
Bottrop	40	J3
Bou Ahmed	46	F9
Bouaké	86	C3
Bouar	88	B2
Bouârfa	84	E2
Boufarik	46	N8
Bougainville Island	92	F6
Bougainville Reef	94	J3
Bougouni	86	C2
Bougzoul	46	N9
Bouira	84	F1
Bou Ismaïl	46	N8
Bou Izakarn	84	D3
Boujdour	84	C3
Bou Kadir	46	M8
Boulder	104	E2
Boulder City	110	D1
Boulia	94	G4
Boulogne-sur-Mer	40	D4
Bounty Islands	92	H10
Bourem	84	E5
Bourg-de-Piage	44	L9
Bourg-en-Bresse	44	L7
Bourges	44	H6
Bourgoin-Jallieu	44	L8
Bourke	94	J6
Bournemouth	42	L11
Bou Saâda	84	F1
Bousso	82	C5
Boussu	40	F4
Boutilimit	84	C5
Bouzghaia	46	M8
Bowbells	104	F1
Bowen	94	J4
Bowie, *Ariz., US*	110	E2
Bowie, *Tex., US*	110	G2
Bowkan	76	M5
Bowling Green, *Fla., US*	108	E4
Bowling Green, *Ky., US*	108	D2
Bowling Green, *Mo., US*	108	C2
Bowman	104	F1
Bowman Bay	100	R3
Bo Xian	64	F4
Boxwood Hill	94	C6
Boyabat	76	F3
Boyang	64	F5
Boyarka	62	F2
Boysen Reservoir	104	E2
Boyuibe	118	J3
Bozcaada	54	H5
Boz Dağ	54	M7
Bozeman	104	D1
Bozen	48	G4
Bozkir	54	Q7
Bozoum	88	B2
Bozüyük	54	N5
Bra	48	C6
Brač	52	D6
Bracciano	50	G6
Bräcke	34	H5
Brad	52	K3
Brádano	52	L8
Bradford	42	L8
Brady	108	B3
Braga	46	B3
Bragança, *Brazil*	116	H4
Bragança, *Portugal*	46	D3
Brahmapur	72	D5
Brahmaputra	72	F3
Brăila	52	Q4
Brainerd	106	B1
Braintree	40	C3
Brake	38	D3
Bramming	38	D1
Brampton	106	E2
Bramsche	38	D4
Branco	116	E3
Brandberg	90	A4
Brandenburg	38	H4
Brandenton	108	E4
Brandon	100	M7
Brandvlei	90	C5
Brandýs	36	D7
Braniewo	36	J3
Brasileia	116	D6
Brasília	116	H7
Braslaw	34	P9
Braşov	52	N4
Bratislava	36	G9
Bratsk	62	G5
Bratskoye Vodokhranilishche	62	G5
Brattleboro	106	F2
Braţul	52	R4
Braunau	48	J2

Name	Page	Grid
Braunschweig	38	F4
Brawley	110	C2
Bray	42	F8
Brazil	114	F4
Brazzaville	88	B4
Brčko	52	F5
Brda	36	G4
Bream Bay	96	E2
Breckenridge	110	G2
Břeclav	36	F9
Breda	40	G3
Bredasdorp	90	C6
Bredstedt	38	E2
Bredy	56	M4
Bree	40	H3
Bree	44	L2
Bregenz	48	E3
Breiðafjörður	34	(1)A2
Bremangerlandet	34	B6
Bremen, *Germany*	38	D3
Bremen, *US*	108	D3
Bremerhaven	38	D3
Bremerton	104	B1
Bremervörde	38	E3
Brenham	108	B3
Brennero	48	G4
Breno	48	F5
Brentwood	40	C3
Bréscia	48	F5
Breslau = Wrocław	36	G6
Bressanone = Brixen	50	F2
Bressay	42	M1
Bressuire	44	E7
Brest, *Belarus*	56	D4
Brest, *France*	44	A5
Breteuil	40	E5
Bretten	38	D7
Breves	116	G4
Brewarrina	94	J5
Brewton	108	D3
Brežice	52	C4
Brézina	84	F2
Brezno	36	J9
Bria	88	C2
Briançon	48	B6
Briceni	52	Q1
Bridgend	42	J10
Bridgeport, *Calif., US*	110	C1
Bridgeport, *Conn., US*	106	F2
Bridgeport, *Nebr., US*	104	F2
Bridgetown	116	F1
Bridgewater	100	U8
Bridgwater	42	J10
Bridlington	42	M7
Brienzer See	48	D4
Brig	48	C4
Brigham City	104	D2
Brighton, *UK*	40	B4
Brighton, *US*	104	F3
Brignoles	48	B7
Brikama	86	A2
Brilon	38	D5
Bríndisi	50	M8
Brinkley	108	C3
Brisbane	94	K5
Bristol, *UK*	42	K10
Bristol, *US*	108	D2
Bristol Bay	110	(1)E4
Bristol Channel	42	H10
British Columbia	100	F5
Britstown	90	C6
Brive-la-Gaillarde	44	G8
Briviesca	46	G2
Brixen	48	G4
Brixham	42	J11
Brlik	60	N9
Brno	36	F8
Broad Sound	94	J4
Broadus	104	E1
Brockton	106	F2
Brockville	106	E2
Brod	52	J9
Brodeur Peninsula	100	P2
Brodick	42	G6
Brodnica	36	J4
Broken Arrow	112	E1
Broken Bow	108	C3
Broken Hill	94	H6
Brokopondo	116	F2
Bromölla	36	D1
Bromsgrove	42	K9
Brønderslev	34	E8
Brooke's Point	68	F5
Brookhaven	102	H5
Brookhaven	108	G5
Brookhaven	112	F2
Brookings, *Oreg., US*	104	B2
Brookings, *S.D., US*	104	G2

Index

Name	Page	Ref
Brooks	100	J6
Brooks Range	110	(1)F2
Brooksville	108	E4
Broome	94	D3
Brösarp	34	H9
Brovary	56	F4
Brownfield	110	F2
Browning	104	D1
Brownsville, *Tenn., US*	108	D2
Brownsville, *Tex., US*	108	B4
Brownwood	108	B3
Bruchsal	38	D7
Bruck, *Austria*	48	L3
Bruck, *Austria*	48	M2
Bruck an der Mur	52	C2
Brugge	40	F3
Brühl	40	J4
Bruint	72	G3
Brumado	116	J6
Brumath	48	C2
Bruneau	104	C2
Bruneck	48	G4
Brunei	70	(1)E2
Brunflo	34	H5
Brunico = Bruneck	50	F2
Brunsbüttel	38	E3
Brunswick, *Ga., US*	108	E3
Brunswick, *Me., US*	106	G2
Bruntal	36	G8
Brush	104	F2
Brussels = Bruxelles	40	G4
Bruxelles	40	G4
Bryan	108	B3
Bryanka	60	S6
Bryansk	56	F4
Brzeg	36	G7
Brzeg Dolny	36	F6
Brzeziny	36	J6
B-Spandau	36	C5
Bubi	90	E4
Bucak	76	D5
Bucaramanga	116	C2
Buchanan	86	B3
Buchan Gulf	100	S2
Bucharest = Bucureşti	52	P5
Buchen	38	E7
Buchholz	38	E3
Buchy	44	M5
Bückeburg	38	E4
Bucureşti	52	P5
Budapest	52	G2
Budennovsk	76	L1
Büdingen	38	E6
Budrio	48	G6
Buenaventura, *Colombia*	116	B3
Buenaventura, *Mexico*	110	E3
Buena Vista	104	E3
Buenos Aires	118	K5
Buffalo, *Okla., US*	108	B2
Buffalo, *N.Y., US*	106	E2
Buffalo, *S.D., US*	104	F1
Buffalo, *Tex., US*	108	B3
Buffalo, *Wyo., US*	104	E2
Buffalo Lake	100	J4
Buffalo Narrows	100	K5
Buftea	52	N5
Bug	36	L5
Bugojno	52	E5
Bugrino	60	H4
Bugul'ma	56	K4
Buguruslan	56	K4
Buhayrat al Asad	76	H5
Buhayrat ath Tharthar	76	K6
Buhuşi	52	P3
Builth Wells	42	J9
Buinsk	56	J3
Buir Nuur	64	F1
Bujanovac	52	J7
Buje	48	J5
Bujumbura	88	D4
Bukachacha	62	K6
Bukavu	88	D4
Bukhara	74	H2
Bukittinggi	70	(1)C3
Bukoba	88	E4
Bula, *Indonesia*	70	(2)D3
Bula, *Papua New Guinea*	70	(2)F4
Bülach	48	D3
Bulawayo	90	D4
Buldir Island	62	X6
Bulgan	62	E4
Bulgaria	52	M7
Buli	70	(2)C2
Bulle	48	C4
Bullhead City	110	D1
Bulls	96	E5
Bulukumba	70	(2)B4
Bulun	62	M2
Bumba	88	C3
Bumbeşti Jiu	52	L4
Buna	88	F3
Bunbury	94	C6
Buncrana	42	E6
Bunda	88	E4
Bundaberg	94	K4
Bünde	38	D4
Bungunya	94	J5
Bunia	88	E3
Bunkie	108	C3
Bunnell	108	E4
Bünyan	76	F4
Buôn Mê Thuôt	68	D4
Buotama	62	M4
Bura	88	F4
Buran	60	R8
Buranj	72	D2
Burao	88	H2
Burāq	78	D3
Buraydah	74	D4
Burco	82	J6
Burdur	76	D5
Burdur Gölü	54	N7
Burē	82	G5
Büren	40	L3
Burg	38	G4
Burgas	52	Q7
Burgaski Zaliv	52	Q7
Burgdorf	48	C3
Burghausen	48	H2
Burglengenfeld	38	H7
Burgos	46	G2
Burgsvik	34	K8
Burhaniye	54	K5
Burhanpur	72	C4
Burjassot	46	K5
Burj Sāfitā	78	D2
Burketown	94	G3
Burkeville	106	E3
Bur-Khaybyt	62	P3
Burkina	86	D2
Burlington, *Colo., US*	110	F1
Burlington, *Ia., US*	106	B2
Burlington, *Vt., US*	106	F2
Burma = Myanmar	68	B2
Burnet	108	B3
Burney	104	B2
Burnie	94	J8
Burns	104	C2
Burns Junction	104	C2
Burns Lake	100	F6
Burqin	60	R8
Burra	94	G6
Burrel	54	C3
Bursa	54	M4
Bûr Safâga	82	F2
Bûr Sa'îd	82	F1
Bur Sudan	82	G4
Burtnieks	34	N8
Burton-upon-Trent	42	L9
Buru	70	(2)C3
Burundi	88	D4
Bururi	88	D4
Burwell	104	G2
Buryatiya	62	J6
Bury St. Edmunds	40	C2
Bushehr = Büshehr	79	D2
Bushire = Büshehr	79	D2
Businga	88	C3
Busira	88	C4
Buşrá ash Shām	78	D4
Bussum	40	H2
Busto Arsizio	48	D5
Buta	88	C3
Butare	88	D4
Butaritari	92	H5
Bute	42	G6
Butembo	88	D3
Buðardalur	34	(1)C2
Buton	70	(2)B3
Butte, *Mont., US*	104	D1
Butte, *Nebr., US*	104	G2
Butuan	68	H5
Butwal	72	D3
Butzbach	38	D6
Bützow	38	G3
Buulobarde	88	H3
Buxton	40	A1
Buynaksk	76	M2
Büyükada	54	L4
Büyükçekmece	54	L4
Buzai Gumbad	74	K2
Buzançais	44	G7
Buzău	52	P4
Buzău	52	Q4
Buzuluk	56	K4
Byala	52	N6
Byala Slatina	52	L6
Byam Martin Island	98	L2
Byaroza	34	N10
Bydgoszcz	36	H4
Bygdin	34	D6
Bygland	34	D7
Bykovskiy	62	M2
Bylot Island	100	R2
Byskeälven	34	L4
Bystřice	36	G8
Bystrzyca Kłodzka	36	F7
Bytatay	62	N3
Bytča	36	H8
Bytom	36	H7
Bytów	36	G3
Bzura	36	J5

C

Name	Page	Ref
Caaguazú	118	K4
Caballococha	116	C5
Caballo Reservoir	110	E2
Cabanatuan	68	G3
Cabano	106	G1
Cabañquinta	46	E1
Cabdul Qaadir	82	H5
Cabeza del Buey	46	E6
Cabezas	116	E7
Cabimas	116	C1
Cabinda, *Id.*	86	G6
Cabinda	86	G6
Cabo Bascuñán	118	G4
Cabo Beata	112	K5
Cabo Camarón	112	G5
Cabo Carvoeiro	46	A5
Cabo Catoche	112	G4
Cabo Corrientes, *Colombia*	116	B2
Cabo Corrientes, *Mexico*	112	C4
Cabo Corrubedo	46	A2
Cabo Cruz	112	J5
Cabo de Espichel	46	A6
Cabo de Gata	46	H8
Cabo de Hornos	118	H10
Cabo de la Nao	46	L6
Cabo Delgado	90	G2
Cabo de Palos	46	K7
Cabo de São Roque	116	K5
Cabo de Sao Tomé	118	N3
Cabo de São Vicente	46	A7
Cabo de Trafalgar	46	D8
Cabo dos Bahías	118	H8
Cabo Fisterra	46	A2
Cabo Frio	118	N3
Cabo Gracias á Dios	112	H6
Cabo Mondego	46	A4
Cabo Norte	116	H3
Cabo Orange	116	G3
Cabo Ortegal	46	B1
Cabo Peñas	46	E1
Caborca	110	D2
Cabo Rojo	112	E4
Cabo Roxo	86	A2
Cabo San Diego	118	H9
Cabo San Francisco de Paula	118	H8
Cabo San Juan	86	F4
Cabo San Lucas	102	D7
Cabo Santa Elena	112	J7
Cabo Tortosa	46	L4
Cabo Tres Puntas	118	H8
Cabot Strait	100	U7
Cabrera	46	N5
Čačak	52	H6
Cáceres, *Brazil*	116	F7
Cáceres, *Spain*	46	D5
Cachimbo	116	G5
Cachoeira do Sul	118	L4
Cachoeiro de Itapemirim	116	J8
Cacola	90	B2
Caconda	90	B2
Čadca	36	H8
Cadillac, *Mich., US*	106	C2
Cadillac, *Mont., US*	102	E4
Cádiz	46	D8
Caen	40	B5
Caernarfon	42	H8
Cagayan de Oro	68	G5
Cagli	48	H7
Cagliari	50	D9
Cagnes-sur-Mer	48	C7
Caguas	112	L5
Cahama	90	A3
Cahors	44	G9
Cahuapanas	116	B5
Cahul	52	R4
Caia	90	F3
Caianda	90	C2
Caicos Islands	112	K4
Cairns	94	J3
Cairo = El Qâhira	82	F1
Cairo	108	D2
Caiundo	90	B3
Cajamarca	116	B5
Čakovec	52	D3
Calabar	86	F3
Calabozo	116	D2
Calafat	52	K6
Calahorra	46	J2
Calais	40	D4
Calama	118	H3
Calamar	116	C3
Calamian Group	68	F4
Calamocha	46	J4
Călan	52	L4
Calanscio Sand Sea	82	D2
Calapan	68	G4
Călăraşi, *Moldova*	52	R2
Călăraşi, *Romania*	52	Q5
Calatafim	50	G11
Calatayud	46	J3
Calauag	68	G4
Calbayog	68	G4
Calçoene	116	G3
Calcutta = Kolkata	72	E4
Caldas da Rainha	46	A5
Caldera	118	G4
Caldwell, *Id., US*	104	C2
Caldwell, *Kans., US*	108	B2
Calf of Man	42	H7
Calgary	100	J6
Calhoun	108	E3
Calhoun City	108	D3
Calhoun Falls	108	E3
Cali	116	B3
Calicut = Kozhikode	72	C6
Caliente	104	D3
California	102	B4
Calilabad	76	N4
Callao	116	B6
Caloundra	94	K5
Caltagirone	50	J11
Caltanissetta	50	J11
Caluquembe	90	A2
Caluula	88	J1
Calvi	50	C6
Calvin	108	B3
Calvinia	90	B6
Calw	48	D2
Camaçari	116	K6
Camacupa	90	B2
Camagüey	112	J4
Camaiore	48	F7
Camana	116	C7
Camargue	44	K10
Camariñas	46	A1
Camarones	118	H7
Ca Mau	68	D5
Camberley	42	M10
Cambodia	68	C4
Cambrai	40	F4
Cambria	104	B3
Cambrian Mountains	42	H10
Cambridge, *New Zealand*	96	E3
Cambridge, *UK*	42	N9
Cambridge, *Md., US*	106	E3
Cambridge, *Mass., US*	106	F2
Cambridge, *Oh., US*	106	D3
Cambridge Bay	100	K3
Cambrils	46	M3
Camden, *Ark., US*	108	C3
Camden, *S.C., US*	108	E3
Cameron, *La., US*	108	C4
Cameron, *Mo., US*	108	C2
Cameron, *Tex., US*	108	B3
Cameroon	86	G3
Cametá	116	H4
Çamiçigölü	54	K7
Caminha	46	A3
Camiranga	116	H4
Camocim	116	J4
Camooweal	94	G3
Camopi	116	G3
Campbell Island	92	(2)C2
Campbell River	100	F7
Campbellsville	106	C3
Campbellton	106	G1
Campbeltown	42	G6
Campeche	112	F5
Câmpeni	52	L3
Câmpia Turzii	52	L3
Câmpina	52	N4
Campina Grande	116	L5
Campinas	118	M3
Campobasso	50	J7

130

Name	Page	Ref
Campo de Criptana	46	G5
Campo de Diauarum	116	G6
Campo Gallo	118	J4
Campo Grande	118	L3
Campo Maior	116	J4
Campo Mourão	118	L3
Campos	118	N3
Câmpulung	52	N4
Câmpulung Moldovenesc	52	N2
Cam Ranh	68	D4
Can	54	K4
Canada	98	M4
Canadian	110	F1
Canadian	110	F1
Çanakkale	54	J4
Çanakkale Boğazı	54	J4
Canal de Panamá	112	J7
Cananea	110	D2
Canary Islands = Islas Canarias	80	A3
Canary Islands = Islas Canarias	84	B3
Cañaveras	46	H4
Canberra	94	J7
Cancún	112	G4
Çandarlı Körfezi	54	J6
Candelaro	52	C8
Candlemas Island	114	J9
Cangamba	90	B2
Cangas	46	B2
Cangas de Narcea	46	D1
Cangyuan	68	B2
Cangzhou	64	F3
Canicatti	50	H11
Canindé	116	K4
Çankırı	76	E3
Canna	42	F4
Cannanore	72	B6
Cannanore	72	C6
Cannes	48	C7
Cannock	40	A2
Canon City	110	E1
Cantanduanes	68	G4
Canterbury	40	D3
Canterbury Bight	96	C7
Canterbury Plains	96	C6
Cân Tho	68	D5
Canto do Buriti	116	J5
Canton, Miss., US	108	D3
Canton, Oh., US	108	E1
Canton, S.D., US	104	G2
Canumã	116	F4
Canumã	116	F5
Canutama	116	E5
Canyon	110	F1
Canyon Ferry Lake	104	D1
Cao Bằng	68	D2
Caorle	48	H5
Cap Blanc	50	D11
Cap Bon	84	H1
Cap Corse	50	D5
Cap d'Agde	44	J10
Cap d'Antifer	40	C5
Cap de Fer	84	G1
Cap de Formentor	46	P5
Cap de la Hague	44	D4
Cap-de-la-Madeleine	106	F1
Cap de Nouvelle-France	100	S4
Cap de ses Salines	46	P5
Cap des Trois Fourches	46	H9
Cape Agulhas	90	C6
Cape Alexandra	118	P9
Cape Andreas	74	B2
Cape Apostolos Andreas	76	F4
Cape Arid	94	D6
Cape Arnaoutis	76	G3
Cape Arnhem	94	G2
Cape Barren Island	94	J8
Cape Bauld	100	V6
Cape Blanco	104	B2
Cape Borda	94	G7
Cape Breton Island	100	U7
Cape Brett	96	E2
Cape Byron	94	K5
Cape Campbell	96	E5
Cape Canaveral	108	E4
Cape Canaveral	108	E4
Cape Carnot	94	F6
Cape Charles	106	E3
Cape Chidley	100	U4
Cape Christian	100	T2
Cape Churchill	100	N5
Cape Clear	42	C10
Cape Cleare	110	(1)H4
Cape Coast	86	D3
Cape Cod	106	G2
Cape Columbine	90	B6
Cape Colville	96	E3
Cape Comorin	72	C7
Cape Constantine	110	(1)E4
Cape Coral	108	E4
Cape Crawford	94	G3
Cape Croker	94	F2
Cape Dalhousie	110	(1)L1
Cape Direction	94	H2
Cape Disappointment	118	P9
Cape Dominion	100	R3
Cape Dorchester	100	Q3
Cape Dorset	100	R4
Cape Dyer	100	U3
Cape Egmont	96	D4
Cape Eleaia	78	B1
Cape Farewell, Greenland	98	F4
Cape Farewell, New Zealand	96	D5
Cape Finisterre = Cabo Fisterra	46	A2
Cape Flattery, Australia	94	J2
Cape Flattery, US	104	A1
Cape Forestier	94	J8
Cape Foulwind	96	C5
Cape Fria	90	A3
Cape Girardeau	106	C3
Cape Greko	76	F6
Cape Grenville	94	H2
Cape Grim	94	H8
Cape Harrison	100	V6
Cape Hatteras	108	F2
Cape Henrietta Maria	100	Q5
Cape Horn = Cabo de Hornos	118	H10
Cape Howe	94	K7
Cape Inscription	94	B5
Cape Jaffa	94	G7
Cape Karikari	96	D2
Cape Kellett	100	F2
Cape Kidnappers	96	F4
Cape Leeuwin	94	B6
Cape Lévêque	94	D3
Cape Londonderry	94	E2
Cape Lookout	112	J2
Cape May	106	F3
Cape Melville	94	H2
Cape Mendenhall	110	(1)D4
Cape Mendocino	104	A2
Cape Mercy	100	U4
Cape Meredith	118	J9
Cape Naturaliste	94	B6
Capenda-Camulemba	90	B1
Cape Negrais	68	A3
Cape Nelson	94	H7
Cape Newenham	110	(1)E4
Cape of Good Hope	90	B6
Cape Palliser	96	E5
Cape Palmas	86	C4
Cape Parry	100	G2
Cape Providence	96	A8
Cape Race	98	G5
Cape Ray	100	V7
Cape Reinga	96	D2
Cape Romanzof	110	(1)D3
Cape Runaway	96	G3
Cape Sable	100	T8
Cape St. Elias	110	(1)J4
Cape St. Francis	90	C6
Cape San Agustin	68	H5
Cape San Blas	108	D4
Cape Saunders	96	C7
Cape Scott	94	E1
Cape Stephens	96	D5
Cape Terawhiti	96	E5
Cape Three Points	86	D4
Cape Turnagain	96	F5
Cape Town	90	B6
Cape Verde	86	(1)B2
Cape Wessel	94	G2
Cape Wrangell	62	W6
Cape Wrath	42	G3
Cape York	94	H2
Cape York Peninsula	94	H2
Cap Figalo	46	J9
Cap Fréhel	44	C5
Cap Gris-Nez	40	D4
Cap-Haïtien	112	K5
Cap Juby	84	C3
Cap Lopez	86	F5
Cap Negro	46	E9
Capo Carbonara	50	D10
Capo Colonna	50	M9
Capo Gallo	50	H11
Capo Granitola	50	G11
Capo Murro di Porco	50	K11
Capo Palinuro	50	J8
Capo Passero	50	K12
Capo Santa Maria di Leuca	50	N9
Capo San Vito	50	G10
Capo Spartivento	50	C10
Capo Vaticano	50	K10
Capraia	50	D5
Cap Rhir	84	C2
Capri	50	J8
Capricorn Group	94	K4
Cap Rosa	50	C11
Cap Serrat	50	D11
Cap Spartel	46	E9
Cap Timiris	84	B5
Capua	50	J7
Cap Verga	86	B2
Cap Vert	86	A2
Caquetá	116	C4
Caracal	52	M5
Caracarai	116	E3
Caracas	116	D1
Caransebeş	52	K4
Carauari	116	D4
Caravaca de la Cruz	46	J6
Caravelas	116	K7
Carazinho	118	L4
Carballiño	46	B2
Carballo	46	B1
Carbondale, Ill., US	108	D2
Carbondale, Pa., US	108	F1
Carboneras	46	J7
Carbónia	50	C9
Carcar	50	K11
Carcassonne	44	H10
Cardiff	42	J10
Cardigan Bay	42	H9
Cardston	104	D1
Carei	52	K2
Carentan	44	D4
Cariacica	118	N3
Cariati	50	L9
Caribbean Sea	112	J6
Carleton Place	106	E1
Carlisle, UK	42	K7
Carlisle, US	106	E2
Carlow	42	F9
Carlsbad	110	F2
Carlyle	104	F1
Carmacks	100	D4
Carmagnola	48	C6
Carmarthen	42	H10
Carmarthen Bay	42	G10
Carmaux	44	H9
Carmen	112	B3
Carmen, Australia	46	E7
Carmona	46	E7
Carnarvon, Australia	94	B4
Carnarvon, South Africa	90	C6
Car Nicobar	72	F7
Carnot	88	B2
Carnsore Point	42	F9
Carolina	116	H5
Carolina Beach	108	F3
Caroline Island	92	L6
Caroline Islands	92	E5
Carpathian Mountains	36	J8
Carpatii Meridionali	52	K4
Carpentras	44	L9
Carpi	48	F6
Carrabelle	108	E4
Carrara	48	F6
Carrickfergus	42	G7
Carrick-on-Suir	42	E9
Carrington	104	G1
Carrizo	110	E2
Carrizozo	110	E2
Carroll	106	B2
Carrollton, Ky., US	106	D3
Carrollton, Mo., US	108	C1
Carşamba	76	G3
Carson City	104	C3
Cartagena, Colombia	116	B1
Cartagena, Spain	46	K7
Carthage	108	C3
Cartwright	100	V6
Caruarú	116	K5
Carúpano	116	E1
Casablanca	84	D2
Casa Grande	110	D2
Casale Monferrato	48	D5
Casalmaggiore	48	F6
Casarano	50	N9
Cascade, Id ., US	104	C2
Cascade, Mont., US	104	C1
Cascade Range	104	B2
Cascade Reservoir	104	C2
Cascais	46	A6
Cascavel	118	L3
Caserta	50	J7
Cashel	42	E9
Casino	94	K5
Casma	48	M5
Caspe	46	K3
Casper	104	E2
Caspian Sea	32	J3
Cassiar	100	F5
Cassino	50	H7
Castanhal	116	H4
Castelbuono	50	J11
Castel di Sangro	50	J7
Castellammare del Golio	50	G10
Castellane	48	B7
Castellaneta	50	L8
Castelli	118	J4
Castelló de la Plana	46	K5
Castelnaudary	44	G10
Castelo Branco	46	C5
Castelsarrasin	44	G10
Castelvetrano	50	G11
Castets	44	D10
Castiglion Fiorentino	48	G7
Castlebar	42	C8
Castleford	42	L8
Castle Point	96	F5
Castres	44	H10
Castricum	40	G2
Castries	112	M6
Castro	118	M3
Castro Verde	46	B7
Castrovillari	50	L9
Castuera	46	E6
Catamarca	118	H4
Catandica	90	E3
Catánia	50	K11
Catanzaro	50	L10
Catanzaro Marina	50	L10
Catarman	68	G4
Catbalogan	68	H4
Cat Island	108	F5
Cat Lake	100	N6
Cato Island	94	L4
Catriló	118	J6
Catskill Mountains	102	M3
Cattólica	48	H7
Cauayan	68	G5
Cauca	116	C2
Caucaia	116	K4
Caucasia	116	B2
Caucasus	76	K2
Caudry	40	F4
Cauquenes	118	G6
Caura	116	E2
Causapscal	106	G1
Căuşeni	52	S3
Cavaillon	44	L10
Cavalese	48	G4
Cavan	42	E8
Cavárzere	48	H5
Cavinas	116	D6
Cavtat	52	F7
Caxias	116	J4
Caxias do Sul	118	L4
Caxito	86	G6
Çay	54	P6
Cayce	108	E2
Çaycuma	54	Q3
Cayenne	116	G3
Cayman Islands	112	H5
Caynabo	88	H2
Cayos Miskitos	112	H6
Cay Sal Bank	108	E5
Cazorla	46	H7
Ceanannus Mor	42	F8
Ceará	116	J4
Cebu	68	G4
Cebu	68	G4
Cedar City	104	D3
Cedar Falls	106	B2
Cedar Lake	100	L6
Cedar Rapids	106	B2
Cedros	102	C6
Ceduna	94	F6
Ceerigaabo	88	H1
Cefalù	50	J10
Cegléd	52	D4
Celaya	112	D4
Celebes = Sulawesi	70	(2)A3
Celebes Sea	70	(2)B2
Celje	52	C3
Celldömölk	52	E2
Celle	38	F4
Celtic Sea	42	E10
Centerville	106	B2
Cento	48	G6
Central African Republic	88	C2
Central City	104	G2
Centralia, Ill., US	106	C3
Centralia, Wash., US	104	B1
Central Range	70	(2)F3

Index

Central Siberian Plateau = Srednesibirskoye Ploskogor'ye ... 58 N2
Cenxi ... 68 E2
Ceres, *Argentina* ... 118 J4
Ceres, *Brazil* ... 116 H7
Cerezo de Abajo ... 46 G3
Cerignola ... 50 K7
Çerikli ... 76 E4
Çerkes ... 54 Q4
Çerkezköy ... 54 K3
Cernavodă ... 52 R5
Cero Champaqui ... 118 J5
Cerralvo ... 102 E7
Cërrik ... 54 C3
Cerritos ... 110 F4
Cerro Aconcagua ... 118 G5
Cerro Bonete ... 118 H4
Cerro de la Encantada ... 102 C5
Cerro de Pasco ... 116 B6
Cerro Huehuento ... 112 C4
Cerro Las Tórtolas ... 118 H5
Cerro Marahuaca ... 116 D3
Cerro Mercedario ... 118 G5
Cerro Murallón ... 118 G8
Cerro Nevado ... 118 H6
Cerro Pena Nevade ... 112 D4
Cerro San Lorenzo ... 118 G8
Cerro San Valentin ... 118 G8
Cerros de Bala ... 116 D6
Cerro Tres Picos ... 118 J6
Cerro Tupungato ... 118 H5
Cerro Yavi ... 116 D2
Cerro Yogan ... 118 H9
Certaldo ... 48 G7
Cervaro ... 50 K7
Cervia ... 48 H6
Cervionne ... 50 D6
Cervo ... 46 C1
Cesena ... 48 H6
Cesenático ... 48 H6
Cēsis ... 34 N8
Česka Lípa ... 38 K6
České Budějovice ... 48 K2
Český Krumlov ... 48 K2
Çeşme ... 54 J6
Česna ... 48 M5
Cessano ... 48 J7
Cessnock ... 94 K6
Cetate ... 52 L5
Cetinje ... 52 F7
Cetraro ... 50 K9
Ceuta ... 84 D1
Cevizli ... 54 P7
Chachapoyas ... 116 B5
Chaco Boreal ... 116 K3
Chad ... 82 C5
Chadan ... 60 S7
Chadron ... 104 F2
Chagai ... 74 H4
Chagda ... 62 N5
Chaghcharān ... 74 J3
Chagyl ... 74 G1
Chāh Bahār ... 74 H4
Chāībāsa ... 72 E4
Chainat ... 68 C3
Chaiyaphum ... 68 C3
Chalais ... 44 F8
Chalhuanca ... 116 C6
Chalinze ... 88 F5
Chalki ... 54 K8
Chalkida ... 54 F6
Chalkidiki ... 54 F4
Challans ... 44 D7
Challapata ... 116 D7
Challenger Deep ... 92 E4
Challis ... 104 D2
Châlons-sur-Marne ... 40 G6
Chalon-sur-Saône ... 44 K7
Cham ... 38 H7
Chama ... 90 E2
Chamba ... 72 C2
Chambal ... 72 C3
Chamberlain ... 104 G2
Chambersburg ... 106 E3
Chambéry ... 48 A5
Chambly ... 40 F5
Chamonix ... 48 B5
Champagnole ... 48 A4
Champaign ... 106 C2
Champaubert ... 40 F6
Champlitte ... 48 A3
Chañaral ... 118 G4
Chandalar ... 100 B3
Chandeleur Islands ... 112 G3
Chandigarh ... 72 C2
Chandler ... 110 D2
Chandrapur ... 72 C5

Changane ... 90 E4
Changara ... 90 E3
Changchun ... 66 C2
Changde ... 64 E5
Chang-hua ... 64 G6
Chang Jiang ... 64 D4
Changsha ... 64 E5
Changshu ... 64 G4
Changting ... 64 F5
Changzhi ... 64 E3
Changzhou ... 64 F4
Chania ... 54 G9
Channel Islands, *UK* ... 42 K12
Channel Islands, *US* ... 102 C5
Channel-Port aux Basques ... 100 V7
Chanthaburi ... 68 C4
Chantilly ... 40 E5
Chanute ... 108 B2
Chao Phraya ... 68 C4
Chaouèn ... 84 D1
Chao Xian ... 64 F4
Chaoyang ... 64 G2
Chaozhou ... 64 F6
Chapada Diamantina ... 116 J6
Chapais ... 106 F1
Chapayev ... 56 K4
Chapayevo ... 62 K4
Chapayevskoye ... 60 N7
Chapecó ... 118 L4
Chapleau ... 106 D1
Chapra ... 72 D3
Chara ... 62 K5
Charcas ... 110 F4
Chard ... 100 J5
Chardara ... 74 J1
Chardzhev ... 74 H2
Chari ... 82 C5
Chārīkār ... 74 J2
Charleroi ... 40 G4
Charlesbourg ... 106 F1
Charleston, *New Zealand* ... 96 C5
Charleston, *S.C., US* ... 108 F3
Charleston, *W.Va., US* ... 108 E2
Charlestown ... 94 J5
Charleville ... 94 J5
Charleville-Mézières ... 40 G5
Charlevoix ... 106 C1
Charlotte, *Mich., US* ... 106 D2
Charlotte, *N.C., US* ... 108 E2
Charlottesville ... 108 F2
Charlottetown ... 100 U7
Charlton Island ... 100 Q6
Charsk ... 60 Q8
Charters Towers ... 94 J4
Chartres ... 44 G5
Charymovo ... 56 Q3
Chasel'ka ... 62 C3
Chastyye ... 56 K3
Châteaguay ... 106 F1
Châteaubriant ... 44 D6
Châteaudun ... 44 G5
Châteaulin ... 44 A5
Châteauneuf-sur-Loire ... 44 H6
Châteauroux ... 44 G7
Château-Thierry ... 44 F5
Châtellerault ... 44 F7
Châtenois ... 48 A2
Chatham ... 106 D2
Chatham Island ... 96 (1)B1
Chatham Islands ... 96 (1)B1
Châtillon-sur Seine ... 44 K6
Chattanooga ... 102 J4
Chauffayer ... 48 B6
Chauk ... 72 F4
Chaumont ... 44 L5
Chaunskaya Guba ... 62 V3
Chauny ... 40 F5
Chaves, *Brazil* ... 116 G4
Chaves, *Portugal* ... 46 C3
Chavuma ... 90 C2
Cheb ... 38 H6
Cheboksary ... 56 J3
Chechnya ... 76 L2
Cheduba Island ... 72 F5
Cheektowaga ... 106 E2
Chegdomyn ... 62 N6
Chegutu ... 90 E3
Chehalis ... 104 B1
Cheju ... 66 D7
Cheju do ... 66 D7
Chekhov ... 62 Q7
Chelan ... 104 C1
Cheleken ... 74 F2
Chélif ... 46 L8
Chelkar ... 60 K8
Chelm ... 36 N6
Chelmno ... 36 H4
Chelmsford ... 40 C3

Cheltenham ... 42 L10
Chelyabinsk ... 56 M3
Chelyuskin ... 60 U2
Chemnitz ... 38 H6
Chenab ... 72 B2
Cheney Reservoir ... 108 B2
Chengde ... 64 F2
Chengdu ... 64 C4
Chengshan Jiao ... 66 B5
Chennai ... 72 D6
Chenzhou ... 64 E5
Chepes ... 118 H5
Cher ... 44 G6
Cheraw ... 108 F3
Cherbaniani Reef ... 72 B6
Cherbourg ... 44 D4
Cherchell ... 46 N8
Cherdyn ... 56 L2
Cheremkhovo ... 62 G6
Cherepovets ... 56 G3
Cherkasy ... 56 F5
Cherkessk ... 76 K1
Chermoz ... 56 L3
Chernihiv ... 56 F4
Chernushka ... 56 L3
Chernyakhovsk ... 36 L3
Chernyayevo ... 62 M6
Chernyshevsk ... 62 K6
Chernyshevskiy ... 62 J4
Chernyye Zemli ... 56 J5
Cherokee ... 106 A2
Cherskiy ... 62 U3
Cherven Bryag ... 52 M6
Chesapeake ... 108 F2
Cheshskaya Guba ... 56 J1
Cheshunt ... 40 C3
Chester, *UK* ... 42 K8
Chester, *Calif., US* ... 104 B2
Chester, *Mont., US* ... 104 D1
Chesterfield ... 42 L8
Chesterfield Inlet ... 100 N4
Chetumal ... 112 G5
Chetwynd ... 100 G5
Ch'ew Bahir ... 88 F3
Cheyenne ... 104 F2
Cheyenne ... 104 F2
Cheyenne Wells ... 110 F1
Cheyne Bay ... 94 C6
Chhatarpur ... 72 C4
Chhindwara ... 72 C4
Chhuka ... 72 E3
Chia-i ... 64 G6
Chiang Khan ... 68 C3
Chiang-Mai ... 68 B3
Chiang Rai ... 68 B3
Chiavari ... 48 E6
Chiavenna ... 48 E4
Chiba ... 66 L6
Chibougamau ... 100 S6
Chibuto ... 90 E4
Chicago ... 106 C2
Chicapa ... 88 C5
Chichagof Island ... 110 (1)K4
Chichaoua ... 84 D2
Chichester ... 40 B4
Chickasha ... 108 B3
Chiclana de la Frontera ... 46 D8
Chiclayo ... 116 B5
Chico ... 118 H8
Chicopee ... 106 F2
Chicoutimi ... 100 S7
Chicualacuala ... 90 E4
Chiemsee ... 48 H3
Chieri ... 48 C5
Chiese ... 48 F5
Chieti ... 50 J6
Chifeng ... 64 F2
Chiganak ... 60 N8
Chigubo ... 90 E4
Chihuahua ... 110 E3
Chiili ... 60 M9
Chikwa ... 90 E2
Chilas ... 72 B1
Childress ... 110 F2
Chile ... 114 D8
Chile Chico ... 118 G8
Chilik ... 60 P9
Chilika Lake ... 72 D4
Chillán ... 118 G6
Chillicothe, *Mo., US* ... 106 B3
Chillicothe, *Oh., US* ... 106 D3
Chilliwack ... 104 B1
Chiloquin ... 104 B2
Chilpancingo ... 112 E5
Chi-lung ... 64 G5
Chimbay ... 60 K9

Chimborazo ... 116 B4
Chimbote ... 116 B5
Chimchememel' ... 62 V3
Chimec ... 52 J1
Chimoio ... 90 E3
China ... 58 N6
Chincha Alta ... 116 B6
Chincilla de Monte-Aragón ... 46 J6
Chinde ... 90 F3
Chin do ... 66 C6
Chindwin ... 68 A2
Chingola ... 90 D2
Chinhoyi ... 90 E3
Chiniot ... 72 B2
Chinju ... 66 C6
Chinmen ... 68 F2
Chinnur ... 72 C5
Chióggia ... 48 H5
Chios ... 54 H6
Chios ... 54 J6
Chipata ... 90 E2
Chippewa Falls ... 106 B2
Chipping Norton ... 40 A3
Chirchik ... 60 M9
Chirikof Island ... 110 (1)F5
Chiromo ... 90 F3
Chirpan ... 54 H2
Chirripo ... 112 H7
Chişinău ... 52 R2
Chişineu-Criş ... 52 J3
Chita ... 62 J6
Chitato ... 88 C5
Chitembo ... 90 B2
Chitipa ... 88 E5
Chitradurga ... 72 C6
Chitral ... 72 B1
Chitré ... 112 H7
Chittagong ... 72 F4
Chittaurgarh ... 72 B4
Chittoor ... 72 C6
Chitungwiza ... 90 E3
Chiume ... 90 C3
Chivasso ... 48 C5
Chizha ... 56 H1
Chodov ... 38 H6
Choiseul ... 92 F6
Chojnice ... 36 G4
Chokurdakh ... 62 R2
Chókwé ... 90 E4
Cholet ... 44 E6
Choma ... 90 D3
Chomutov ... 36 C7
Chona ... 62 H4
Chonan ... 66 D5
Chone ... 116 A4
Ch'ŏngjin ... 66 E3
Ch'ŏngju ... 66 D6
Chŏngp'yŏng ... 66 D4
Chongqing ... 58 P7
Chŏngŭp ... 66 D6
Ch'ŏnju ... 66 D5
Chonogol ... 64 F1
Chon Thanh ... 68 D4
Chop ... 36 M9
Chornobyl' ... 56 F4
Chornomors'ke ... 56 F5
Ch'osan ... 66 C3
Chōshi ... 66 L6
Choszczno ... 36 E4
Choteau ... 104 D1
Chott el Hodna ... 84 F1
Chott el Jerid ... 84 G2
Chott Melrhir ... 84 G2
Choybalsan ... 62 J7
Choyr ... 64 D1
Chre ... 44 H9
Christchurch ... 96 D6
Christiansborg ... 106 D3
Christiansø ... 36 E2
Christmas Island ... 70 (1)D5
Chrudim ... 36 E8
Chrysi ... 54 H10
Chu ... 60 N9
Chubut ... 118 H7
Chugach Mountains ... 100 B4
Chūgoku-sanchi ... 64 J3
Chugwater ... 104 F2
Chukchi Sea ... 110 (1)C2
Chukotskiy Khrebet ... 62 W3
Chukotskiy Poluostrov ... 62 Z3
Chula Vista ... 110 C2
Chulucanas ... 116 A5
Chulym ... 60 R6
Chum ... 56 M1
Chumikan ... 62 P6
Chum Phae ... 68 C3
Chumphon ... 68 B4
Ch'unch'ŏn ... 66 D5

Name	Page	Ref
Chunchura	72	E4
Chundzha	60	P9
Ch'ungju	66	D5
Chur	48	E4
Churapcha	62	N4
Churchill	100	N5
Churchill, *Man., Canada*	100	M5
Churchill, *Nfld., Canada*	100	U6
Churchill Falls	100	U6
Churchill Peak	100	F5
Churu	72	B3
Chuska Mountains	110	E1
Chusovoy	56	L3
Chute des Passes	100	S7
Chuuk	92	F5
Chuvashiya	56	J3
Chuxiong	68	C2
Chuya	62	J5
Ciadîr-Lunga	52	R3
Cide	76	E3
Ciechanów	36	K5
Ciego de Avila	112	J4
Cienfuegos	112	H4
Cieza	46	J6
Cihanbeyli	76	E4
Cijulang	70	(1)D4
Cilacap	70	(1)D4
Cili	64	E5
Cimarron	108	B2
Cimişlia	52	R3
Cîmpeni	36	N11
Cinca	46	L3
Cincinnati	106	D3
Cine	54	L7
Ciney	40	H4
Cintalapa	112	F5
Circle, *Ak., US*	110	(1)J2
Circle, *Mont., US*	104	E1
Circleville	106	D3
Cirebon	70	(1)D4
Cirò Marina	50	M9
Cisco	108	B3
Cistierna	46	E2
Citronelle	108	D3
Cittadella	48	G5
Città di Castello	48	H7
Ciucea	52	K3
Ciudad Acuña	110	F3
Ciudad Bolívar	116	E2
Ciudad Camargo	110	E3
Ciudad del Carmen	112	F5
Ciudad del Este	118	L4
Ciudad Delicias	110	E3
Ciudad del Maíz	110	G4
Ciudad de Valles	112	E4
Ciudad Guayana	116	E2
Ciudad Juárez	110	E2
Ciudad Madero	110	G4
Ciudad Mante	112	E4
Ciudad Obregón	112	C3
Ciudad Real	46	G6
Ciudad-Rodrigo	46	D4
Ciudad Valles	110	G4
Ciudad Victoria	102	G7
Ciutadella	46	P4
Cividale del Friuli	48	J4
Civita Castellana	50	G6
Civitanova Marche	50	H5
Civitavécchia	50	F6
Cizre	76	K5
Clacton-on-Sea	40	D3
Clair Engle Lake	104	B2
Clairview	94	J4
Clamecy	44	J6
Clare Island	42	B8
Clarence	96	D6
Clarence Strait	94	E2
Clarendon	110	F2
Clarkdale	110	D2
Clarksburg	108	E2
Clarksdale	108	C3
Clarks Junction	96	C7
Clarkston	104	C1
Clarksville, *Ark., US*	108	C2
Clarksville, *Tenn., US*	108	D2
Claro	116	G7
Clausthal-Zellerfeld	38	F5
Claveria	68	G3
Clayton	110	F1
Clear Island	42	C10
Clear Lake	106	B2
Clear Lake Reservoir	104	B2
Clearwater	104	C1
Clearwater	108	E4
Clearwater Mountains	104	C1
Cleburne	108	B3
Clermont, *Australia*	94	J4
Clermont, *France*	40	E5
Clermont-Ferrand	44	J8
Cles	48	F4
Cleveland, *Oh., US*	106	D2
Cleveland, *Tenn., US*	108	E2
Cleveland, *Tex., US*	108	B3
Clifden	96	A7
Clifton	110	E2
Climax	104	E1
Clines Corners	110	E2
Clinton	100	G6
Clinton, *Canada*	100	G6
Clinton, *New Zealand*	96	B8
Clinton, *Ark., US*	106	B3
Clinton, *Ia., US*	102	H3
Clinton, *Miss., US*	108	C3
Clinton, *Mo., US*	106	B3
Clinton, *N.C., US*	108	F3
Clinton, *Okla., US*	108	B2
Clipperton Island	112	C6
Clonmel	42	E9
Cloppenburg	38	D4
Cloquet	106	B1
Cloud Peak	104	E2
Clovis, *Calif., US*	104	C3
Clovis, *N.Mex., US*	110	F2
Cluj-Napoca	52	L3
Cluny	44	K7
Cluses	48	B4
Clyde	42	H6
Clyde River	100	T2
Coaldale	104	C3
Coalville	104	C2
Coari	116	E4
Coast Mountains	100	E5
Coast Range	104	B3
Coatbridge	42	J6
Coats Island	100	Q4
Coatzacoalcos	112	F5
Cobalt	100	R7
Cobán	112	F5
Cobija	116	D6
Cobourg	102	L3
Cobourg Peninsula	94	F2
Cóbuè	90	E2
Coburg	38	F6
Cochabamba	116	D7
Cochin = Kochi	72	C7
Cochrane	106	D1
Cockburn Town	108	G5
Coco	112	H6
Cocoa	108	E4
Cocobeach	86	F4
Coco Channel	68	A4
Coco Island	68	A4
Codajás	116	E4
Cod Island	100	U5
Codlea	52	N4
Codó	116	J4
Codogno	48	E5
Codroipo	48	J5
Cody	104	E2
Coesfeld	38	C5
Coëtivy Island	80	J6
Coeur d'Alene	104	C1
Coeur d'Alene Lake	104	C1
Coevorden	40	J2
Coffs Harbour	94	K6
Cofrents	46	J5
Cognac	44	E8
Cogne	48	C5
Coiba	112	H7
Coihaique	118	G8
Coimbatore	72	C6
Coimbra	46	B4
Colchester	40	C3
Colebrook	106	F1
Coleman	108	B3
Coleraine	42	F6
Colesberg	90	D6
Colfax	104	C1
Colibaşi	52	M5
Colico	48	E4
Coll	42	F5
Collado-Villalba	46	F4
College Station	108	B3
Collier Bay	94	D3
Collingwood	106	E2
Collins	108	D3
Colmar	48	C2
Colmenar Viejo	46	G4
Colombia	116	C3
Colombo	72	C7
Colonia Las Heras	118	H8
Colonial Heights	106	E3
Colonsay	42	F5
Colorado	104	E3
Colorado, *Colo., US*	110	E1
Colorado, *Tex., US*	110	G2
Colorado Plateau	110	D1
Colorado Springs	104	F3
Columbia	104	C1
Columbia, *La., US*	108	C3
Columbia, *Md., US*	108	F2
Columbia, *Mo., US*	108	C2
Columbia, *S.C., US*	108	E3
Columbia, *Tenn., US*	108	D2
Columbia Mountains	100	G6
Columbus, *Ga., US*	108	E3
Columbus, *Ind., US*	108	D2
Columbus, *Miss., US*	108	D3
Columbus, *Mont., US*	104	E1
Columbus, *Nebr., US*	104	G2
Columbus, *N.Mex., US*	110	E2
Columbus, *Oh., US*	108	E1
Columbus, *Tex., US*	108	B4
Colville	110	(1)G2
Colville Lake	110	(1)M2
Comacchio	48	H6
Comănești	52	P3
Comarnic	52	N4
Combarbalá	118	G5
Combeaufontaine	44	M6
Comilla	68	F4
Comino = Kemmuna	50	J12
Commentry	44	H7
Commercy	44	H6
Como	48	E5
Comoé	86	D3
Comondú	102	D6
Comoros	90	G2
Compiègne	40	E5
Comrat	52	R3
Comstock	110	F3
Conakry	86	B3
Concarneau	44	B6
Conceição do Araguaia	116	H5
Concepción, *Bolivia*	116	E7
Concepción, *Chile*	118	G6
Conches-en-Ouche	40	C6
Conchos	112	C3
Concord, *Calif., US*	110	B1
Concord, *N.H., US*	106	F2
Concord, *N.C., US*	108	E2
Concordia, *Argentina*	118	K5
Concordia, *US*	108	B2
Condé-sur-Noireau	40	B6
Condobolin	94	J6
Condom	44	F10
Conegliano	48	H5
Conggar	72	F3
Congo	80	E6
Congo	86	G5
Connecticut	106	F2
Connemara	42	C8
Conrad	104	D1
Côn Son	68	D5
Constanța	76	C1
Constantina	46	E7
Constantine	84	G1
Consul	104	E1
Contact	104	D2
Contamana	116	B5
Contwoyto Lake	100	J3
Conway	108	F3
Conway	108	C2
Conwy	42	J8
Conwy Bay	42	H8
Coober Pedy	94	F5
Cookeville	108	C3
Cook Inlet	110	(1)G4
Cook Islands	92	K5
Cook Strait	96	E5
Cooktown	94	J3
Coolabah	94	J6
Coolgardie	94	D6
Cooma	94	J7
Coonabarabran	94	J6
Coon Rapids	106	B1
Coopers Town	108	F4
Coorabie	94	F6
Coos Bay	104	B2
Cootamundra	94	J6
Copenhagen = København	34	G9
Copiapó	118	G4
Copper Harbor	106	C1
Coquille	104	B2
Coquimbo	118	G4
Corabia	52	M6
Coral	102	K1
Coral Sea	94	K2
Coral Sea Islands Territory	92	F7
Coral Sea Islands Territory	92	J2
Coral Springs	108	E4
Corantijn	116	F3
Corbeil-Essonnes	44	H5
Corbigny	44	J6
Corby	40	B2
Cordele	108	E3
Cordillera Cantábrica	46	D2
Cordillera Central	114	E5
Cordillera del Condor	116	B5
Cordillera de Mérida	114	D3
Cordillera de Oliva	118	G4
Cordillera Isabella	112	G6
Cordillera Occidental	114	E5
Cordillera Oriental	114	D5
Cordillera Penibética	46	F8
Cordillera Vilcabamba	116	C6
Córdoba, *Argentina*	118	J5
Córdoba, *Spain*	46	F7
Corfu = Kerkyra	54	B5
Coria	46	D5
Corigliano	50	L9
Corinth	108	D3
Corinto	116	H7
Cork	42	D10
Cork Harbour	42	D10
Corleone	50	H11
Çorlu	54	K3
Corn Islands	114	C2
Cornwall	102	M2
Cornwallis Island	100	M2
Coro	116	D1
Corocoro	116	D7
Coromandel	96	E3
Coromandel Coast	72	D6
Coromandel Peninsula	96	E3
Coron	68	G4
Coronation Gulf	100	J3
Coronel Oviedo	118	K4
Coronel Pringles	118	J6
Coronel Suárez	118	J6
Corpus Christi	108	B4
Corrientes	118	K4
Corrigan	108	C3
Corriverton	116	F2
Corse	50	D6
Corsica = Corse	50	D6
Corsicana	108	B3
Corte	50	D6
Cortegana	46	D7
Cortez	110	E1
Cortina d'Ampezzo	48	H4
Cortland	106	E2
Cortona	50	F5
Coruche	46	B6
Çorum	76	F3
Corumbá	116	F7
Corvallis	104	B2
Corvo	84	(1)A2
Cosenza	50	L9
Cosmoledo Group	90	(2)A2
Cosne-sur-Loire	44	H6
Cossato	48	D5
Costa Blanca	46	K7
Costa Brava	46	P3
Costa del Sol	46	F8
Costa de Mosquitos	112	H6
Costa Dorada	46	M4
Costa do Sol	46	A6
Costa Rica	112	G7
Costa Smeralda	50	D7
Costa Verde	46	D1
Costești	52	M5
Coswig	38	H5
Cotabato	68	G5
Côte D'Ivoire	86	C3
Cotonou	86	E3
Cottage Grove	104	B2
Cottbus	36	D6
Cotulla	108	B4
Couhe	44	F7
Coulommiers	40	F6
Council Bluffs	104	F2
Courland Lagoon	36	L2
Courtacon	40	F6
Courtenay	102	B2
Coushatta	108	C3
Coutances	44	D4
Couvin	40	G4
Covasna	52	P4
Coventry	42	L9
Covilhã	46	C4
Covington, *Ga., US*	108	E3
Covington, *Ky., US*	108	E2
Covington, *Va., US*	106	D3
Cowell	94	G6
Cowes	40	A4
Cowra	94	J6
Cox's Bazar	72	F4
Cradock	90	D6
Craig	104	E2
Crailsheim	38	F7

Index

Craiova ... 52 L5
Cranbrook, *Australia* ... 94 C6
Cranbrook, *US* ... 102 C2
Crater Lake ... 104 B2
Crato ... 116 K5
Crawford ... 104 F2
Crawfordsville ... 106 C2
Crawley ... 40 B3
Cree Lake ... 100 K5
Creil ... 40 E5
Crema ... 48 E5
Cremona ... 48 F5
Crépy-en-Valois ... 40 E5
Cres ... 48 K6
Cres ... 48 K6
Crescent City ... 104 B2
Crest ... 44 L9
Creston ... 106 B2
Crestline ... 102 J5
Crestview ... 112 G2
Crete = Kriti ... 54 H10
Créteil ... 40 E6
Creuse ... 44 G7
Crevillent ... 46 K6
Crewe ... 42 K8
Crianlarich ... 42 H5
Criciúma ... 118 M4
Cristalina ... 116 H7
Cristóbal Colón ... 98 J8
Croatia ... 52 C4
Crockett ... 108 B3
Croker Island ... 94 F2
Cromer ... 42 P9
Cromwell ... 96 B7
Crooked Island ... 112 K4
Crookston ... 102 G2
Cross City ... 108 E3
Cross Lake ... 100 M6
Crossville ... 106 C3
Crotone ... 50 M9
Crowley ... 108 C3
Crownest Pass ... 102 D2
Crown Point ... 106 C2
Cruz Alta ... 118 L4
Cruz del Eje ... 118 J5
Cruzeiro do Sul ... 116 C5
Crvenka ... 52 G4
Crystal City ... 108 B4
Crystal Falls ... 106 C1
Crystal River ... 108 E4
Crystal Springs ... 108 C3
Csorna ... 52 G2
Csurgó ... 48 N4
Cuamba ... 90 F2
Cuando ... 90 C3
Cuangar ... 90 B3
Cuango ... 88 B5
Cuanza ... 88 B5
Cuatro Ciénegas ... 110 F3
Cuauhtémoc ... 110 E3
Cuba ... 104 E3
Cuba ... 112 H4
Cubal ... 88 A6
Cubali ... 90 A2
Cubango ... 90 B3
Çubuk ... 54 R4
Cucuí ... 116 D3
Cúcuta ... 116 C2
Cuddalore ... 72 C6
Cuddapah ... 72 C6
Cuemba ... 90 B2
Cuenca, *Ecuador* ... 116 B4
Cuenca, *Spain* ... 46 H4
Cuernavaca ... 112 E5
Cuero ... 108 B4
Cuiabá ... 116 F7
Cuilo ... 88 B5
Cuito ... 90 B3
Cuito Cuanavale ... 90 B3
Culbertson ... 104 E1
Culfa ... 76 L4
Culiacán ... 112 C4
Cullera ... 46 K5
Cullman ... 108 D3
Culpepper ... 116 (1)A1
Culuene ... 116 G6
Culverden ... 96 D6
Cumaná ... 116 E1
Cumberland ... 106 D3
Cumberland Peninsula ... 100 T3
Cumberland Sound ... 100 T3
Cummings ... 104 B3
Cumpas ... 110 E2
Cumra ... 54 Q7
Cunderdin ... 94 C6
Cunene ... 90 A3
Cuneo ... 48 C6
Cunnamulla ... 94 J5

Čuprija ... 52 J6
Cure ... 44 J6
Curicó ... 118 G5
Curitiba ... 118 M4
Currais Novos ... 116 K5
Curral Velho ... 86 (1)B1
Currie ... 94 H7
Curtea de Argeş ... 52 M4
Curtici ... 52 J3
Curtis Island ... 94 K4
Curuá ... 116 G5
Curup ... 70 (1)C3
Curuzú Cuatiá ... 118 K4
Curvelo ... 116 J7
Cusco ... 116 C6
Cuthbert ... 108 E3
Cutro ... 50 L9
Cuttack ... 72 E4
Cuvier Island ... 96 E3
Cuxhaven ... 38 D3
Cuya ... 116 C7
Cuyuni ... 116 F2
Cwmbran ... 42 J10
Cyclades = Kyklades ... 54 G7
Cypress Hills ... 102 D2
Cyprus ... 54 E6
Czarnków ... 36 F5
Czech Republic ... 36 C8
Częstochowa ... 36 J7
Cziechow ... 36 G4

D

Da'an ... 64 G1
Daaquam ... 106 F1
Dab'a ... 78 D5
Dabas ... 52 G2
Dabat ... 82 G5
Dabola ... 86 B2
Dąbrowa Górnicza ... 36 J7
Dăbuleni ... 52 M6
Dachau ... 48 G2
Dagana ... 84 B5
Daet ... 68 G4
Dagestan ... 76 M2
Dagupan ... 68 G3
Da Hinggan Ling ... 64 G1
Dahlak Archipelago ... 82 H4
Dahlonega ... 108 E3
Dahn ... 40 K5
Dahod ... 72 B4
Dahongliutan ... 74 L2
Dahūk ... 76 K5
Daimiel ... 46 G5
Dai Xian ... 64 E3
Dakoro ... 86 F2
Dakota City ... 104 G2
Dakovica ... 52 H7
Dakovo ... 52 F4
Dalai Nur ... 64 F2
Dalälven ... 34 H6
Dalaman ... 76 C5
Dalandzadgad ... 64 C2
Dalap-Uliga-Darrit ... 92 H5
Da Lat ... 68 D4
Dalbandin ... 74 H4
Dalby ... 94 K5
Dalgán ... 74 G4
Dalhart ... 110 F1
Dalhousie ... 72 C2
Dali ... 68 C1
Dalian ... 64 G3
Dalizi ... 66 D3
Dallas ... 108 B3
Daloa ... 86 C3
Dalry ... 42 H6
Dăltenganj ... 72 D4
Dalton ... 108 E3
Dalvík ... 34 (1)D2
Daly Waters ... 94 F3
Daman ... 72 B4
Damanhûr ... 82 F1
Damar ... 70 (2)C4
Damara ... 86 H3
Damasak ... 86 G2
Damascus = Dimashq ... 78 D3
Damaturu ... 86 G2
Damoh ... 72 C4
Damqawt ... 74 F6
Danau Poso ... 70 (2)A3
Danau Toba ... 70 (1)B2
Danau Towuti ... 70 (2)B3
Danba ... 64 C4
Dandeldhura ... 72 D3
Dandong ... 66 C3
Da Nĕng ... 68 D3
Dangara ... 74 J2
Danger Islands ... 92 K7

Danghe Nanshan ... 64 B3
Daniel ... 104 D1
Danilov ... 56 H3
Dank ... 79 G5
Dankov ... 56 G4
Dannenberg ... 38 G3
Dannevirke ... 96 F5
Dansville ... 106 E2
Danube ... 32 F3
Danville, *Ill., US* ... 108 D1
Danville, *Ky., US* ... 108 E2
Danville, *Va., US* ... 108 F2
Dan Xian ... 68 D3
Dao Phu Quôc ... 68 C4
Dapa ... 68 H5
Dapaong ... 86 E2
Da Qaidam ... 64 B3
Daqing ... 62 M7
Dar'ã ... 78 D4
Dārāb ... 79 F2
Darabani ... 52 P1
Daraj ... 82 B1
Darazo ... 86 G2
Darbhanga ... 72 E3
Dardanelles = Canakkale
  Boğazı ... 54 J4
Darende ... 76 G4
Dar es Salaam ... 88 F5
Darfo ... 48 F5
Dargaville ... 96 D2
Darham ... 62 H7
Darjeeling ... 72 E3
Darling ... 94 H6
Darlington ... 42 L7
Darłowo ... 34 J9
Dărmăneşti ... 52 P3
Dar Mazăr ... 79 G2
Darmstadt ... 38 D7
Darnah ... 82 D1
Darnley Bay ... 100 G3
Daroca ... 46 J3
Darß ... 38 H2
Dartmouth ... 100 U8
Daru ... 70 (2)F4
Daruba ... 70 (2)C2
Daruvar ... 52 E4
Darvaza ... 60 K9
Darwin ... 94 F2
Daryācheh-ye Bakhtegan ... 79 E2
Daryācheh-ye Orūmīyeh ... 76 L5
Daryācheh-ye Tashk ... 79 E2
Dārzīn ... 79 H2
Dashkhovuz ... 60 K9
Dasht-e Kavir ... 74 F3
Dasht-e Lut ... 79 H1
Datça ... 54 K8
Datça ... 76 B5
Date ... 66 L2
Datong ... 64 C3
Datong ... 64 E2
Daugava ... 56 E3
Daugavpils ... 56 E3
Daun ... 40 J4
Dauphin ... 100 M6
Dausa ... 72 C3
Dāvāci ... 76 N3
Davangere ... 72 C6
Davao ... 68 H5
Davenport ... 106 B2
Daventry ... 40 A2
David ... 112 H7
Davis Sea ... 120 (2)Q3
Davis Strait ... 100 V3
Davlekanovo ... 60 J7
Davos ... 48 E4
Dawa ... 64 G2
Dawqah ... 74 F6
Dawson ... 110 (1)K3
Dawson Creek, *B.C.,
  Canada* ... 100 G5
Dawson Creek, *Y.T.,
  Canada* ... 100 D4
Dawu ... 64 G2
Dax ... 44 D10
Daxian ... 64 D4
Dayong ... 64 E5
Dayr az Zawr ... 76 J6
Dayton, *Oh., US* ... 106 D3
Dayton, *Tenn., US* ... 106 C3
Dayton, *Tex., US* ... 108 C4
Dayton, *Wash., US* ... 104 C1
Daytona Beach ... 108 E4
De Aar ... 90 C6
Dead Sea ... 78 C5
Deakin ... 94 E6
Deal ... 40 D3
De'an ... 64 F5
Deán Funes ... 118 J5

Dease Lake ... 110 (1)M4
Dease Strait ... 100 J3
Death Valley ... 104 C3
Deba Habe ... 86 G2
Debar ... 54 C3
Debica ... 36 L7
Deblin ... 62 S4
Deblin ... 36 L6
Debno ... 36 D4
Debre Birhan ... 88 F2
Debrecen ... 52 J2
Debre Markos ... 82 G5
Debre Tabor ... 82 G5
Decatur, *Al., US* ... 106 C4
Decatur, *Ill., US* ... 106 C3
Decazeville ... 44 H9
Deccan ... 72 C5
Děčín ... 36 D7
Decize ... 44 J7
Decorah ... 106 B2
Dedoplis ... 76 M3
Dédougou ... 86 D2
Dedza ... 90 E2
Dee, *Scot., UK* ... 42 K4
Dee, *Wales, UK* ... 42 J9
Deering ... 110 (1)E2
Deer Lake ... 100 V7
Deer Lodge ... 104 D1
Deer Park ... 104 C1
De Funiak Springs ... 108 D3
Degeh Bur ... 88 G2
Deggendorf ... 48 J2
Dehaj ... 79 F1
Dehalak Desēt ... 74 D6
Deh Bid ... 79 E1
Deh-Dasht ... 79 D1
Dehkūyeh ... 79 F3
Dehlonãn ... 74 E3
Dehra ... 74 L3
Dehra Dun ... 72 C2
Dehri ... 72 D4
Deh Shū ... 74 H3
Deinze ... 40 F4
Dej ... 52 L2
De Kalb ... 108 C3
De-Kastri ... 62 Q6
Dekese ... 88 C4
Delano ... 110 C1
Delaware ... 106 D2
Delaware ... 108 F2
Delbrück ... 38 D5
Delémont ... 48 C3
Delfoi ... 54 E6
Delft ... 40 G2
Delfzijl ... 40 J1
Delgo ... 82 F3
Delhi, *India* ... 72 C3
Delhi, *US* ... 106 F2
Delitzsch ... 38 H5
Dellys ... 46 P8
Delmenhorst ... 38 D3
Delnice ... 48 K5
Delray Beach ... 108 E4
Del Rio ... 110 F3
Delta, *Colo., US* ... 104 E3
Delta, *Ut., US* ... 104 D3
Delta del Orinoco ... 116 E2
Delta Junction ... 110 (1)H3
Deming ... 110 E2
Demirci ... 54 L5
Demmin ... 38 J3
Democratic Republic
  of Congo ... 88 C4
Demopolis ... 108 D3
Demyanka ... 56 P3
Dem'yanskoye ... 56 N3
Denain ... 40 F4
Denau ... 74 J2
Denbigh ... 106 E1
Den Burg ... 40 G1
Dender ... 40 F4
Dendi ... 88 F2
Denham ... 94 B5
Den Helder ... 40 G2
Dénia ... 46 L6
Deniliquin ... 94 H7
Denio ... 104 C2
Denison, *Ia., US* ... 106 A2
Denison, *Tex., US* ... 108 B3
Denizli ... 76 C5
Denmark ... 32 E2
Denmark ... 94 C6
Denmark Strait ... 98 D3
Denpasar ... 70 (1)E4
Denton ... 110 G2
D'Entrecasteaux Islands ... 94 K1
Denver ... 104 F3
Deogarh, *India* ... 72 B3

Name	Page	Grid
Deogarh, *India*	72	D4
Deoghar	72	E4
De Panne	40	E3
Depok	70	(1)D4
Dépression du Mourdi	82	D4
Deputatskiy	62	P3
Dêqên	68	B1
Dera Ghazi Khan	74	K3
Dera Ismail Khan	74	K3
Derbent	74	E1
Derby, *Australia*	94	D3
Derby, *UK*	42	L9
De Ridder	108	C3
Dermott	108	C3
Derventa	52	E5
Desē	82	G5
Deseado	118	H8
Deseado	118	H8
Desert Center	110	C2
Des Moines, *Ia., US.*	102	H3
Des Moines, *N.Mex., US*	110	F1
Desna	56	F4
Dessau	38	H5
Desvres	40	D4
Deta	52	J4
Detmold	38	D5
Detroit	102	K3
Detroit Lakes	106	A1
Det Udom	68	C4
Detva	36	J9
Deurne	40	H3
Deva	52	K4
Deventer	40	J2
Devil's Lake	106	L7
Devils Lake	104	G1
Devil's Point	108	F5
Devnya	52	Q6
Devon Island	100	P1
Devonport	94	J8
Dewas	72	C4
Deyang	64	C4
Deyhuk	74	G3
Dezfūl	74	E3
Dezhou	64	F3
Dhahran = Az Ẕahrān	79	D3
Dhaka	72	F4
Dhamār	82	H5
Dhamtri	72	D4
Dhanbad	72	E4
Dhar	72	C4
Dhārwād	72	B5
Dhaulagiri	72	D3
Dhekelia	78	A2
Dhībān	78	C5
Dhoraji	72	B4
Dhule	72	B4
Dhulian	72	E4
Dhuudo	88	J2
Dia	54	H9
Diamantina	116	H7
Diamantina	116	F6
Diamond Islets	94	K3
Diane Bank	94	J3
Dianópolis	116	H6
Dibā al Ḩiṣn	79	G4
Dibbiena	50	F5
Dibrugarh	72	F3
Dickens	110	F2
Dickinson	104	F1
Dickson	108	D2
Didiéni	86	C2
Didymoteicho	54	J3
Die	44	L9
Diébougou	86	D2
Dieburg	38	D7
Diéma	86	C2
Diemel	38	E5
Diemeringen	38	C8
Diepholz	38	D4
Dieppe	40	D5
Diest	40	H4
Diffa	86	G2
Digne-les-Bains	48	B6
Digoin	44	J7
Dijon	44	L6
Dikhil	82	H5
Dikili	56	J5
Diklosmta	76	L2
Diksmuide	40	E3
Dikson	60	Q3
Dikwa	86	G2
Dīla	88	F2
Dili	70	(2)C4
Dilijan	76	L3
Dillenburg	38	D6
Dillingen, *Germany*	38	F8
Dillingen, *Germany*	38	B7
Dillingham	110	(1)F4
Dillon	102	D2
Dillon	104	D1
Dillon Cone	96	D6
Dilolo	90	C2
Dimapur	72	F3
Dimashq	78	D3
Dimitrovgrad, *Bulgaria*	52	N7
Dimitrovgrad, *Russia*	56	J4
Dimitrovgrad, *Serbia*	52	K7
Dimona	78	C5
Dinagat	68	H4
Dinajpur	72	E3
Dinan	44	C5
Dinant	40	G4
Dinar	76	D4
Dinaric Alps	48	L6
Dindigul	72	C6
Dindori	72	D4
Dingle Bay	42	B9
Dingolfing	48	H2
Dinguiraye	86	B2
Dingwall	42	H4
Dinkelsbühl	38	F7
Dinosaur	104	E2
Diomede Islands	62 A	A3
Dioriga Korinthou	54	F7
Diourbel	84	B6
Dipolog	68	G5
Dir	72	B1
Dirē Dawa	88	G2
Dirk Hartog Island	94	B5
Dirranbandi	94	J5
Disko = Qeqertarsuatsiaq	100	V2
Disko Bugt = Qeqertarsuup Tunua	100	V3
Diss	40	D2
Distrito Federal	116	H7
Dithmarschen	38	D2
Dīvāndarreh	76	M6
Divinópolis	118	N3
Divo	86	C3
Divriği	76	H4
Dixon	106	C2
Dixon Entrance	110	(1)L5
Diyarbakır	76	J5
Dja	86	G4
Djado	84	H4
Djamâa	84	G2
Djambala	86	G5
Djanet	84	G4
Djelfa	84	F2
Djéma	88	D2
Djibo	86	D2
Djibouti	82	H5
Djibouti	82	H5
Djolu	88	C3
Djougou	86	E3
Djúpivogur	34	(1)F2
Dnieper	56	F5
Dniester	52	Q1
Dnipro	52	H3
Dniprodzerzhyns'k	56	F5
Dnipropetrovs'k	56	F5
Dnister	52	G3
Dno	56	E3
Doba, *Chad*	88	B2
Doba, *China*	72	E2
Döbeln	38	J5
Doboj	52	F5
Dobre Miasto	36	K4
Dobrich	52	Q6
Dobryanka	56	L3
Doctor Arroyo	110	F4
Dodecanese = Dodekanisos	54	J8
Dodge City	104	F3
Dodoma	88	F5
Doetinchem	40	J3
Doğanşehir	76	G4
Dōgo	66	G5
Dogondoutchi	86	E2
Doha = Ad Dawḩah	79	D4
Doka	70	(2)D4
Dokkum	38	B3
Dolak	70	(2)E4
Dolbeau	106	F1
Dole	48	A3
Dolgany	62	E2
Dolinsk	62	Q7
Dollard	38	C3
Dolný Kubín	36	J8
Dolomiti	48	G4
Dolo Odo	88	G3
Dolores	118	K6
Dolphin and Union Strait	100	H3
Domar	72	D2
Domažlice	38	H7
Dombås	34	E5
Dombóvár	52	F3
Domfront	44	E5
Dominica	114	E2
Dominican Republic	114	D1
Domodóssola	48	D4
Domokos	54	E5
Dompu	70	(2)A4
Domžale	48	K4
Don	32	H2
Donau = Danube	48	H2
Donaueschingen	48	D3
Donauwörth	38	F8
Don Benito	46	E6
Doncaster	42	L8
Dondra Head	72	D7
Donegal	42	D7
Donegal Bay	42	D7
Donets	32	H3
Donets'k	56	G5
Dongco	72	D2
Dongfang	68	D3
Donggala	70	(2)A3
Donggou	66	C4
Dongguan	68	E2
Dong Hôi	68	D3
Dongjingcheng	66	E1
Donglük	60	R10
Dongning	66	F2
Dongo	86	H4
Dongola	82	F4
Dongou	86	H4
Dongsha Qundao	68	F2
Dongsheng	64	E3
Dong Ujimqin Qi	64	F1
Dongying	64	F3
Doniphan	108	C2
Donji Vakuf	48	N6
Donner Pass	104	B3
Donostia	46	J1
Donousa	54	H7
Dora	48	C5
Dorchester	42	K11
Dordrecht	40	G3
Dorfen	48	H2
Dori	86	D2
Doring	90	B6
Dorion	106	C1
Dormagen	40	J3
Dornbirn	48	E3
Dorog	36	H10
Dorohoi	52	P2
Döröö Nuur	60	S8
Dorsten	40	J3
Dortmund	38	C5
Dos Hermanas	46	E7
Dosse	38	H4
Dosso	86	E2
Dothan	108	D3
Douai	40	F4
Douala	86	F4
Douarnenez	44	A5
Doubs	48	B3
Douentza	86	C2
Douglas, *South Africa*	90	C5
Douglas, *UK*	42	H7
Douglas, *Ariz., US.*	110	E2
Douglas, *Ga., US*	108	E3
Douglas, *Wyo., US*	104	E2
Doullens	40	E4
Dourados	118	L3
Douro	46	B3
Dover, *UK*	40	D3
Dover, *US*	108	F2
Dover, *Australia*	94	J8
Dover-Foxcroft	106	G1
Dowlatābād, *Iran*	79	E2
Dowlatābād, *Iran*	79	G2
Dowshī	74	J2
Drac	48	B6
Drachten	40	J1
Dragan	34	H4
Drăgănești-Olt	52	M5
Drăgăşani	52	M5
Draguignan	48	B7
Drakensberg	90	D6
Drake Passage	118	G10
Drama	54	G3
Drammen	34	F7
Drasenhofen	48	M2
Drau	48	J4
Drava	52	E4
Dravograd	50	K2
Drawsko Pomorskie	36	G5
Dresden	38	J5
Dreux	40	D4
Drezdenko	36	G5
Drina	52	G5
Driva	34	E5
Drniš	52	D6
Drobeta-Turnu Severin	52	K5
Drochia	52	Q1
Drogheda	42	F8
Drohobych	36	N8
Drôme	44	K9
Dronne	44	F8
Dronning Maud Land	120	(2)F2
Dronten	40	H2
Drummondville	106	F1
Druskininkai	34	M9
Druzhina	62	Q3
Drvar	52	D5
Dryanovo	52	N7
Dryden	102	H2
Dschang	86	G3
Dubā	82	G2
Dubai = Dubayy	79	F4
Dubăsari	52	S2
Dubawnt Lake	100	L4
Dubayy	79	F4
Dubbo	94	J6
Dübendorf	48	D3
Dublin, *Ireland*	42	F8
Dublin, *US*	108	E3
Dublin Bay	42	F8
Dubna	56	G3
Dubnica	36	H9
Du Bois	106	E2
Dubois, *Id., US*	104	D2
Dubois, *Wyo., US*	104	E2
Dubovskoye	56	H5
Dubreka	86	B3
Dubrovnik	52	F7
Dubuque	106	B2
Duchesne	104	D2
Ducie Island	92	P8
Dudelange	40	J5
Duderstadt	38	F5
Dudinka	60	R4
Dudley	42	K9
Duero	46	F3
Dugi Otok	52	B6
Duifken Point	94	H2
Duisburg	40	J3
Duiveland	40	F3
Duk Faiwil	88	E2
Dukhān	79	D4
Dukla	36	L8
Dukou	64	C5
Dulan	64	B3
Dulce	110	E1
Dulce	118	J4
Dul'Durga	62	J6
Dullewala	72	B2
Dülmen	38	C5
Dulovo	52	Q6
Duluth	106	B1
Dūmā	78	D3
Dumaguete	68	G5
Dumai	70	(1)C2
Dumas, *Ark., US.*	108	C3
Dumas, *Tex., US.*	104	F3
Dumayr	78	D3
Dumbarton	42	H5
Ďumbier	36	J9
Dumboa	86	G2
Dumfries	42	J6
Dümmer	38	D4
Dumont d'Urville Sea	120	(2)U3
Dumyât	82	F1
Duna = Danube	52	E2
Dunaj = Danube	36	G10
Dunajská Streda	52	E2
Dunakeszi	52	G2
Dunărea = Danube	52	K5
Dunaújváros	52	F3
Dunav = Danube	52	J5
Dunayivtsi	56	E5
Dunbar	42	K6
Duncan	104	B1
Duncan Passage	68	A4
Dundaga	34	M8
Dundalk	42	F7
Dundalk Bay	42	F8
Dundee, *South Africa*	90	E5
Dundee, *UK*	42	K5
Dunedin	96	C7
Dunfermline	42	J5
Dungarvan	42	E9
Dungeness	40	C4
Dungu	88	D3
Dungun	68	C6
Dunhua	66	E2
Dunhuang	64	A2
Dunkerque	40	E3
Dunkirk	106	E2
Dunkwa	86	D3
Dun Laoghaire	42	F8

135

Index

Dunnet Head ... 42 J3
Dunseith ... 104 G1
Dunsmuir ... 104 B2
Duque de Caxias ... 118 N3
Du Quoin ... 108 D2
Durance ... 44 L10
Durango, *Mexico* ... 110 F4
Durango, *Spain* ... 46 H1
Durango, *US* ... 104 E3
Durant ... 108 B3
Durazno ... 118 K5
Durban ... 90 E5
Düren ... 40 J4
Durgapur ... 72 E4
Durham, *Canada* ... 106 D2
Durham, *UK* ... 42 L7
Durham, *US* ... 108 F2
Duri ... 70 (1)C2
Durmā ... 79 B4
Durmanec ... 52 C3
Durmitor ... 52 G6
Durrës ... 54 B3
Dursey ... 42 B10
Dursunbey ... 54 L5
D'Urville Island ... 96 D5
Dushanbe ... 74 J2
Düsseldorf ... 40 J3
Duvno ... 48 N7
Duyun ... 64 D5
Düzce ... 54 P4
Dvina ... 32 H2
Dvinskaya Guba ... 56 G1
Dwarka ... 72 A4
Dworshak Reservoir ... 104 C1
Dyat'kovo ... 56 F4
Dyersburg ... 108 D2
Dyje ... 48 M2
Dzavhan ... 60 S8
Dzerzhinsk ... 56 H3
Dzhalinda ... 62 L6
Dzhambeyty ... 56 K4
Dzhankoy ... 56 F5
Dzhardzhan ... 62 L3
Dzharkurgan ... 74 J2
Dzhetygara ... 56 M4
Dzhezkazgan ... 56 N5
Dzhigudzhak ... 62 T4
Dzhizak ... 60 M9
Dzhusaly ... 56 M5
Działdowo ... 36 K4
Dzüünbulag ... 64 F1

E

Eads ... 104 F3
Eagle ... 110 (1)J3
Eagle Lake ... 104 B2
Eagle Pass ... 110 F3
East Antarctica ... 120 (2)P2
Eastbourne ... 40 C4
East Cape ... 96 G3
East China Sea ... 64 H4
East Dereham ... 40 C2
Easter Island ... 92 Q8
Eastern Cape ... 90 D6
Eastern Ghats ... 72 C6
Easter Ross ... 42 H4
East Falkland ... 118 K9
East Grinstead ... 40 C3
East Kilbride ... 42 H6
Eastleigh ... 40 A4
East Liverpool ... 108 E1
East London ... 90 D6
Eastmain ... 100 R6
Eastmain ... 100 S6
East Point ... 108 E3
East Retford ... 40 B1
East St. Louis ... 106 B3
East Sea = Sea of Japan ... 66 G3
East Siberian Sea = Vostochno-Sibirskoye More ... 62 U2
East Timor ... 70 (2)C4
Eatonton ... 108 E3
Eau Claire ... 106 B2
Ebbw Vale ... 42 J10
Ebensee ... 48 J3
Eberbach ... 38 D7
Ebersbach ... 36 D6
Ebersberg ... 48 G2
Eberswalde ... 38 J4
Ebinur Hu ... 60 Q9
Éboli ... 50 K8
Ebolowa ... 86 G4
Ebro ... 46 K3
Eceabat ... 54 J4
Ech Chélif ... 84 F1
Echinos ... 54 G3
Echo Bay ... 100 H3

Écija ... 46 E7
Eckernförde ... 38 E2
Ecuador ... 116 B4
Ed ... 82 H5
Edam ... 40 H2
Eday ... 42 K2
Ed Da'ein ... 82 E5
Ed Damazin ... 82 F5
Ed Debba ... 82 F4
Ed Dueim ... 82 F5
Ede, *Netherlands* ... 40 H2
Ede, *Nigeria* ... 86 E3
Edéa ... 86 G4
Edelény ... 36 K9
Eden, *Australia* ... 94 J7
Eden, *US* ... 110 G2
Edendale ... 96 B8
Eder ... 38 D5
Edersee ... 38 E5
Edessa ... 54 E4
Edgecumbe ... 96 F3
Edinburgh ... 42 J6
Edineț ... 52 Q1
Edirne ... 54 J3
Edmonds ... 104 B1
Edmonton ... 100 J6
Edmundson ... 102 N2
Edmundston ... 106 G1
Edolo ... 48 F4
Edremit ... 54 J5
Edremit Körfezi ... 54 H5
Edwards ... 110 C2
Edwards Plateau ... 110 F2
Eemshaven ... 40 J1
Éfaté ... 92 G7
Eferding ... 36 D9
Effingham ... 108 D2
Eganville ... 106 E1
Eger ... 38 G6
Eger ... 52 H2
Egersund ... 34 D7
Eggenfelden ... 48 H2
Egilsstaðir ... 34 (1)F2
Eğridir ... 54 N7
Eğridir Gölü ... 54 N6
Egvekinot ... 62 Y3
Egypt ... 82 E2
Ehingen ... 48 E2
Eibar ... 46 H1
Eichstätt ... 48 G2
Eider ... 38 D2
Eidsvold ... 94 K5
Eidsvoll ... 34 F6
Eifel ... 40 J4
Eigg ... 42 F5
Eight Degree Channel ... 72 B7
Eilenburg ... 38 H5
Einbeck ... 38 E5
Eindhoven ... 40 H3
Eirunepé ... 116 D5
Eiseb ... 90 C4
Eisenach ... 38 F6
Eisenerz ... 48 K3
Eisenhüttenstadt ... 36 D5
Eisenstadt ... 48 M3
Eisleben ... 38 G5
Eivissa ... 46 M5
Eivissa ... 46 M6
Ejea de los Caballeros ... 46 J2
Ejido Insurgentes ... 102 D6
Ejin Horo Qi ... 64 D3
Ejin Qi ... 64 C2
Ejmiadzin ... 76 L3
Ekalaka ... 104 F1
Ekenäs ... 34 M7
Ekibastuz ... 60 P7
Ekimchan ... 62 N6
Ekonda ... 60 V4
Eksjö ... 34 H8
Ekwan ... 100 Q6
El Aaiún ... 84 C3
Elafonisos ... 54 E8
El 'Alamein ... 82 E1
El Amria ... 46 J9
El 'Arîsh ... 78 A5
Elat ... 78 B7
Elazığ ... 76 H4
Elba ... 50 E6
El Banco ... 116 C2
Elbasan ... 54 C3
El Baúl ... 116 D2
Elbe ... 38 F3
Elbeuf ... 40 D5
Elbistan ... 76 G4
Elbląg ... 36 J3
El Borj ... 46 E9
Elbow ... 102 E1

Elbrus ... 76 K2
El Burgo de Ebro ... 46 K3
El Burgo de Osma ... 46 G3
El Cajon ... 110 C2
El Callao ... 116 E2
El Campo ... 108 B4
El Centro ... 110 C2
El Cerro ... 116 E7
Elch ... 46 K6
Elda ... 46 K6
El'dikan ... 62 P4
Eldorado ... 118 L4
El Dorado, *Mexico* ... 102 E7
El Dorado, *Ark., US* ... 108 C3
El Dorado, *Kans., US* ... 108 B2
El Dorado, *Venezuela* ... 116 E2
Eldoret ... 88 F3
Elefsína ... 54 F6
Elektrénai ... 36 P3
El Encanto ... 116 C4
Elephant Butte Reservoir ... 110 E2
Eleuthera ... 102 L6
El Fahs ... 50 D12
El Faiyûm ... 82 F2
El Fasher ... 82 E5
El Geneina ... 82 D5
Elgin, *UK* ... 42 J4
Elgin, *Ill., US* ... 106 C2
Elgin, *N.D., US* ... 104 F1
El'ginskiy ... 62 Q4
El Gîza ... 82 F1
El Goléa ... 84 F2
El Iskandarîya ... 82 E1
Elista ... 56 H5
Elizabeth ... 106 F2
Elizabeth City ... 108 F2
Elizabethton ... 108 E2
El Jadida ... 84 D2
El Jafr ... 78 D6
El Jafr ... 78 D6
Elk ... 36 M4
Elk ... 36 M4
El Kala ... 50 C12
Elk City ... 110 G1
El Kef ... 50 C12
El Kelaâ des Srahna ... 84 D2
El Khârga ... 82 F2
Elkhart, *Ind., US* ... 106 C2
Elkhart, *Kans., US* ... 108 A2
El Khartum ... 82 F4
El Khartum Bahri ... 82 F4
Elkhorn ... 104 G2
Elkhorn ... 106 C2
Elkhovo ... 54 J2
Elkins ... 106 E3
Elko, *Canada* ... 104 C1
Elko, *US* ... 104 C2
Elk River ... 106 B1
El Kuntilla ... 78 B7
Ellendale ... 102 G2
Ellensburg ... 104 B1
Ellesmere Island ... 98 K1
Ellice Islands ... 92 H6
Elliot ... 90 D6
Ellis ... 100 J8
Ellisras ... 90 D4
Elliston ... 94 F6
Ellsworth ... 106 G2
Ellwangen ... 48 F2
Elmadağ ... 54 R5
Elmali ... 54 M8
El Mansûra ... 82 F1
El Minya ... 82 F2
Elmira ... 106 E2
Elmshorn ... 38 E3
El Muglad ... 82 E5
El Nido ... 68 F4
El Obeid ... 82 F5
El Odaiya ... 82 E5
El Oued ... 84 G2
El Paso ... 110 E2
El Portal ... 110 C1
El Potosí ... 110 F4
El Prat de Llobregat ... 46 N3
El Puerto de Santa María ... 46 D8
El Qâhira ... 82 F1
El Reno ... 108 B2
El Sahuaro ... 110 D2
El Salvador ... 112 F6
Elster ... 38 H5
Elsterwerda ... 38 J5
El Sueco ... 110 E3
El Suweis ... 82 F2
Eltanin Bay ... 120 (2)JJ2
El Thamad ... 78 B7
El Tigre ... 116 E2
El Turbio ... 118 G9

Eluru ... 72 D5
Elvas ... 46 C6
Elverum ... 34 F6
Elvira ... 116 C5
El Wak ... 88 G3
Ely, *UK* ... 42 N9
Ely, *US* ... 104 D3
Emajõgi ... 34 P7
Emämrüd ... 74 F2
Emba ... 56 L5
Emba ... 56 L5
Embalse de Alarcon ... 46 H5
Embalse de Alcántara Uno ... 46 D5
Embalse de Almendra ... 46 D3
Embalse de Contreras ... 46 J5
Embalse de Gabriel y Galán ... 46 D4
Embalse de Guadalhorce ... 46 F8
Embalse de Guadalmena ... 46 G6
Embalse de Guri ... 116 E2
Embalse de la Serena ... 46 E6
Embalse de la Sotonera ... 46 K2
Embalse del Bembézar ... 46 E6
Embalse del Ebro ... 46 G1
Embalse del Río Negro ... 114 F7
Embalse de Negratmn ... 46 G7
Embalse de Ricobayo ... 46 E3
Embalse de Santa Teresa ... 46 E4
Embalse de Yesa ... 46 J2
Embalse Toekomstig ... 116 F3
Embarcación ... 118 J3
Emden ... 38 C3
Emerald ... 94 J4
Emi Koussi ... 82 C4
Emin ... 60 Q8
Emirdağ ... 54 P5
Emmeloord ... 40 H2
Emmen ... 40 J2
Emmendingen ... 48 C2
Emmerich ... 40 J3
Emory Peak ... 110 F3
Empalme ... 110 D3
Empangeni ... 90 E5
Empoli ... 48 F7
Emporia ... 108 B2
Empty Quarter = Rub' al Khālī ... 74 E6
Ems ... 40 J1
Ems-Jade-Kanal ... 38 C3
Enafors ... 56 B2
Encarnación ... 118 K4
Encs ... 52 J1
Ende ... 70 (2)B4
Enderby Island ... 96 (2)B1
Energetik ... 56 L4
Enewetak ... 92 F4
Enez ... 54 J4
Enfida ... 50 E12
Engel's ... 56 J4
Enggano ... 70 (1)C4
Enghien ... 40 G4
England ... 42 L9
English Channel ... 42 J12
Engozero ... 34 S4
'En Hazeva ... 78 C6
Enid ... 108 B2
Enkhuizen ... 40 H2
Enköping ... 34 J7
Enna ... 50 J11
En Nahud ... 82 E5
Enngonia ... 94 J5
Ennis, *Ireland* ... 42 D9
Ennis, *US* ... 104 D1
Enniscorthy ... 42 F9
Enniskillen ... 42 E7
Enns ... 48 K2
Enns ... 48 K3
Enschede ... 40 J2
Ensenada ... 110 C2
Enshi ... 64 D4
Entebbe ... 88 E3
Enterprise ... 104 C1
Entrevaux ... 48 B7
Entroncamento ... 46 B5
Enugu ... 86 F3
Enurmino ... 62 Z3
Envira ... 116 C5
Enz ... 48 D2
Enza ... 48 F6
Epanomi ... 54 E4
Epéna ... 88 B3
Épernay ... 44 J4
Épinal ... 48 B2
Epsom ... 40 B3
Eqlīd ... 79 E1
Equatorial Guinea ... 86 F4
Erbach ... 38 D7
Erçek ... 76 K4

Name	Symbol	Page	Grid
Erciş	●	76	K4
Ercolano	●	50	J8
Érd	●	52	F2
Erdek	●	54	K4
Erdemli	●	54	S8
Erdenet	●	62	G7
Erding	●	48	G2
Erechim	●	118	L4
Ereğli, Turkey	●	76	D3
Ereğli, Turkey	●	76	F5
Ereikoussa	◴	54	B5
Erenhot	●	64	E2
Erfurt	●	38	G6
Ergani	●	76	H4
Erg Chech	◈	84	D4
Erg du Ténéré	◈	84	H5
Ergel	●	64	D2
Erg Iguidi	◈	84	D3
Erie	●	106	D2
Erimo-misaki	▷	66	M3
Eriskay	◴	42	E4
Eritrea	A	82	G4
Erlangen	●	38	G7
Ermenek	●	76	E5
Ermoupoli	●	54	G7
Erode	●	72	C6
Er Rachidia	●	84	E2
Er Renk	●	88	E1
Errol	●	106	F2
Er Ruseifa	●	78	D4
Ersekë	●	54	C4
Erskine	●	106	A1
Ertai	●	60	S8
Ertix	↗	60	R8
Erzgebirge	◈	38	H6
Erzin	●	60	S7
Erzincan	●	76	H4
Erzurum	●	76	J4
Esan-misaki	▷	66	L3
Esashi, Japan	●	66	L3
Esashi, Japan	●	66	M1
Esbjerg	●	34	E9
Escanaba	●	106	C1
Escárcega	●	112	F5
Esch	●	40	J5
Eschwege	●	38	F5
Eschweiler	●	40	J4
Escondido	●	110	C2
Eséka	●	86	G4
Eşfahān	●	74	F3
Eskifjörður	●	34	(1)G2
Eskilstuna	●	34	J7
Eskimo Lakes	↗	110	(1)L2
Eskişehir	●	76	D4
Esla	↗	46	E3
Eslāmābād e Gharb	●	76	M6
Eslamshahr	●	74	F2
Esler Dağ	◮	54	M7
Eslö	●	36	C2
Esmeraldas	●	116	B3
Esneux	●	40	H4
Espalion	●	44	H9
Espanola, Canada	●	106	D1
Espanola, US	●	104	E3
Espelkamp	●	38	D4
Esperance	●	94	D6
Esperance Bay	▷	94	D6
Espinho	●	46	B4
Espírito Santo	●	116	J7
Espíritu Santo	●	92	G7
Esplanada	●	116	K6
Espoo	●	34	N6
Espungebera	●	90	E4
Essaouira	●	84	D2
Es Semara	●	84	C3
Essen, Belgium	●	40	G3
Essen, Germany	●	40	K3
Essequibo	↗	116	F2
Esslingen	●	48	E2
Eştahbānāt	●	79	F2
Este	●	48	G5
Estella	●	46	H2
Estepona	●	46	E8
Esteros	●	118	J3
Estevan	●	102	F2
Estonia	A	34	M7
Estoril	●	46	A6
Estrecho de Le Maire	▷	118	H10
Estrecho de Magallanes	▷	118	G9
Estrela	●	46	C4
Estremoz	●	46	C6
Estuário do Rio Amazonaz	▷	116	H3
Esztergom	●	52	F2
Étain	●	40	H5
Étampes	●	44	H5
Étang de Berre	◮	44	L10
Étaples	●	40	D4
Etawah	●	72	C3

Name	Symbol	Page	Grid
Ethiopia	A	80	G5
Etolin Strait	▷	110	(1)D3
Etosha Pan	◮	90	B3
Étretat	●	40	C5
Ettelbruck	●	38	B7
Ettlingen	●	38	D8
Eucla	●	94	E6
Euclid	●	106	D2
Eufala	●	108	D3
Eufaula Lake	◮	108	B2
Eugene	●	104	B2
Eupen	●	38	B6
Euphrates	↗	74	D3
Euphrates = Firat	↗	76	H4
Eure	↗	40	D6
Eureka, Calif., US	●	104	B2
Eureka, Mont., US	●	104	C1
Eureka, Nev., US	●	110	C1
Eureka, Ut., US	●	104	D3
Europoort	▷	40	F3
Euskirchen	●	38	B6
Eutin	●	38	F2
Eutsuk Lake	◮	100	F6
Evans Strait	▷	100	Q4
Evanston, Ill., US	●	106	C2
Evanston, Wyo., US	●	104	D2
Evansville	●	108	D2
Everett	●	104	B1
Everglades City	●	108	E4
Evergreen	●	108	D3
Evesham	●	40	A2
Évora	●	46	C6
Évreux	●	40	D5
Evron	↗	44	E5
Evros	↗	54	J3
Evvoia	◴	54	F6
Ewo	●	86	G5
Exaltación	●	116	D6
Exe	↗	42	J11
Exeter	●	42	J11
Exmouth, Australia	●	94	B4
Exmouth, UK	●	42	J11
Exuma Sound	▷	102	L7
Eyl	●	88	H2
Eyre Peninsula	◈	94	G2
Ezine	●	54	J5

F

Name	Symbol	Page	Grid
Faadippolu Atoll	◴	72	B8
Fåborg	●	38	F1
Fabriano	●	48	H7
Fada	●	82	D4
Fada Ngourma	●	86	E2
Faenza	●	48	G6
Færingehavn = Kangerluarsoruseq	●	100	W4
Faeroes	◴	32	D1
Făgăraş	●	52	M4
Fagernes	●	34	E6
Fagersta	●	34	H6
Fagurhólsmýri	●	34	(1)E3
Fahraj	●	79	H2
Faial	◴	84	(1)B2
Fairbanks	●	110	(1)H3
Fair Isle	◴	42	L2
Fairlie	●	96	C7
Fairmont	●	106	B2
Faisalabad	●	72	B2
Faith	●	104	F1
Faizabad	●	72	D3
Fakfak	●	70	(2)D3
Fakse	●	38	H1
Fakse Bugt	▷	34	G9
Faku	●	64	G2
Falaise	●	40	B6
Falaise de Tiguidit	◈	84	G5
Falconara Marittima	●	48	J7
Falcon Lake	◮	108	B4
Fâleşti	●	52	Q2
Falfurrias	●	108	B4
Falkenberg	●	34	G8
Falkensee	●	38	J4
Falkland Islands	◴	118	K9
Falkland Sound	▷	118	J9
Falköping	●	34	G7
Fallingbostel	●	38	E4
Fallon	●	104	C3
Fall River	●	106	F2
Falls City	●	102	G3
Falmouth, UK	●	42	G11
Falmouth, US	●	106	F2
Falster	◴	38	H2
Fălticeni	●	52	P2
Falun	●	34	H6
Famagusta = Ammochostos	●	78	A1
Fanchang	●	64	F4

Name	Symbol	Page	Grid
Fandriana	●	90	H4
Fangzheng	●	64	H1
Fannúj	●	74	G4
Fanø	◴	38	D1
Fano	●	48	J7
Fanø Bugt	▷	38	D1
Faradje	●	88	D3
Farafangana	●	90	H4
Farāh	●	74	H3
Farah Rud	↗	74	H3
Faranah	●	86	B2
Fareham	●	40	A4
Farewell Spit	▷	96	D5
Fargo	●	102	G2
Faribault	●	106	B2
Faridabad	●	72	C3
Farihy Alaotra	◮	90	H3
Färjestaden	●	36	F1
Farmington, Me., US	●	106	F2
Farmington, N.Mex., US	●	110	E1
Farnborough	●	40	B3
Farne Islands	◴	42	L6
Fårö	◴	34	K8
Faro, Brazil	●	116	F4
Faro, Portugal	●	46	C7
Farquhar Group	◴	90	(2)B3
Farrāshband	●	79	E2
Farson	●	104	E2
Fasā	●	79	E2
Fasano	●	50	M8
Fategarh	●	72	C3
Fatehpur	●	72	D3
Fãurei	●	52	Q4
Fauske	●	34	H3
Fauville-en-Caux	●	40	C5
Favara	●	50	H11
Faversham	●	40	C3
Favignana	◴	50	G11
Faxaflói	▷	34	(1)B2
Faya	●	82	C4
Fayette	●	108	D3
Fayetteville, Ark., US	●	108	C2
Fayetteville, N.C., US	●	106	E3
Fayetteville, Tenn., US	●	108	D2
Faylakah	◴	79	C2
Fdérik	●	84	C4
Featherston	●	96	E5
Fécamp	●	40	C5
Federated States of Micronesia	A	92	E5
Fedorovka	●	56	M4
Fehmarn	◴	38	G2
Feijó	●	116	C5
Feilding	●	96	E5
Feira de Santana	●	116	K6
Feistritz	↗	48	L3
Fejø	◴	38	G2
Feldbach	●	48	L4
Feldkirch	●	48	E3
Feldkirchen	●	48	K4
Felidu Atoll	◴	72	B8
Felixstowe	●	40	D3
Feltre	●	48	G4
Femø	◴	38	G2
Femund	◮	34	F5
Fengcheng	●	66	C3
Fenghua	●	64	G5
Fengning	●	64	F2
Feng Xian	●	64	F4
Feni	●	72	F4
Fenyang	●	64	E3
Feodosiya	●	76	F1
Fergana	●	60	J9
Fergus Falls	●	102	G2
Ferkessédougou	●	86	C3
Ferlach	●	48	K4
Fermo	●	50	H5
Fernandina Beach	●	108	E3
Fernandópolis	●	118	L3
Ferrara	●	48	G6
Ferreira do Alentejo	●	46	B7
Ferrol	●	46	B1
Ferry Lake	◮	108	C2
Fès	●	84	E2
Festus	●	106	B3
Fetesti	●	52	Q5
Fethiye	●	54	M8
Fetisovo	●	74	F1
Fetlar	◴	42	M1
Feucht	●	38	G7
Feuchtwangen	●	38	F7
Feyzābād	●	74	K2
Fianarantsoa	●	90	H4
Fianga	●	88	B2
Fichê	●	88	F2
Fidenza	●	48	F6
Fieni	●	52	N4
Fier	●	54	B4

Name	Symbol	Page	Grid
Figeac	●	44	G9
Figline Valdarno	●	48	G7
Figueira da Foz	●	46	B4
Figueres	●	46	N2
Figuig	●	84	E2
Fiji	A	92	H8
Filadélfia	●	118	J3
Fil'akovo	●	36	J9
Filiaşi	●	52	L5
Filicudi	◴	50	J10
Finale Ligure	●	48	D6
Findlay	●	106	D2
Fingoè	●	90	E3
Finike	●	54	N8
Finland	A	34	P3
Finlay	↗	100	F5
Finley	●	94	J7
Finnsnes	●	34	K2
Finsterwalde	●	38	J5
Firat	↗	76	H4
Firenze	●	48	G7
Firminy	●	44	K8
Firozabad	●	72	C3
Firozpur	●	72	B2
Firth of Clyde	▷	42	G6
Firth of Forth	▷	42	K5
Firth of Lorn	▷	42	G5
Firth of Thames	▷	96	E3
Fish	↗	90	B5
Fisher Strait	▷	100	Q4
Fishguard	●	42	H9
Fiskenæsset = Qeqertarsuatsiaat	●	100	W4
Fismes	●	40	F5
Fitzroy Crossing	●	94	E3
Fivizzano	●	48	F6
Fizi	●	88	D4
Flaming Gorge Reservoir	◮	104	E2
Flamingo	●	108	E4
Flannan Islands	◴	42	E3
Flåsjön	◮	34	H4
Flateyri	●	34	(1)B1
Flathead Lake	◮	104	D1
Flensburg	●	38	E2
Flensburg Fjorde	▷	38	E2
Flers	●	40	B6
Flinders Island	◴	94	J7
Flinders Ranges	◮	94	G6
Flinders Reefs	◴	94	J3
Flin Flon	●	100	L6
Flint	●	106	D2
Flint Island	◴	92	L7
Flirey	●	48	A2
Flöha	●	38	J6
Florac	●	44	J9
Florence = Firenze, Italy	●	48	G7
Florence, Al., US	●	108	D3
Florence, S.C., US	●	108	F3
Florencia	●	116	B3
Florenville	●	40	H5
Flores, Azores	◴	84	(1)A2
Flores, Indonesia	◴	70	(2)B4
Floreşti	●	52	R2
Floriano	●	116	J5
Florianópolis	◉	118	M4
Florida	●	108	E4
Florida	●	118	K5
Florida Keys	◴	98	K7
Florina	●	54	D4
Florissant	●	106	B3
Florø	●	34	D6
Floydada	●	110	F2
Flumendosa	↗	50	D9
Fly	↗	70	(2)F4
Foča	●	52	F6
Foça	●	54	J6
Focşani	●	52	Q4
Fóggia	●	50	K7
Fogo	◴	86	(1)B1
Fogo Island	◴	100	W7
Fohnsdorf	●	48	K3
Föhr	◴	38	D2
Foix	●	44	G11
Folegandros	◴	54	G8
Foleyet	●	106	D1
Foligno	●	50	G6
Folkestone	●	40	D3
Folkston	●	108	E3
Follónica	●	50	E6
Fond du Lac	●	106	C2
Fondi	●	50	H7
Fongafale	●	92	H6
Fontainebleau	●	44	H5
Fonte Boa	●	116	D4
Fontenay-le-Comte	●	44	E7
Fontur	▷	34	(1)F1

137

Fonyód	50	M2	Fraga	46	L3	Fukui	66	J5	Ganganagar	72	B3
Forbach, *France*	40	J5	Franca	118	M3	Fukuoka	66	F7	Gangara	86	F2
Forbach, *Germany*	40	L6	Francavilla	50	M8	Fukushima	66	L5	Gangdise Shan	72	D2
Forchheim	38	G7	Francavilla al Mare	50	J6	Fukuyama	66	G6	Ganges	44	J10
Førde	34	C6	France	44	G7	Fulda	38	E6	Ganges	72	E3
Fordyce	108	C3	Franceville	86	G5	Fulda	38	E6	Gangi	50	J11
Forest, *Canada*	106	D2	Francisco I. Madero	110	F4	Fuling	64	D5	Gangtok	72	E3
Forest, *US*	108	D3	Francistown	90	D4	Fulton	108	D2	Gannett Peak	104	E2
Forestville	106	G1	Francs Peak	104	E2	Funabashi	66	L6	Ganta	86	C3
Forfar	42	K5	Frankenberg	38	D5	Funafuti	92	H6	Ganye	86	G3
Forges-les-Eaux	40	D5	Frankenthal	38	D7	Funchal	84	B2	Ganzhou	64	E5
Forks	104	B1	Frankfort, *Ind., US*	108	D1	Fundão	46	C4	Gao	84	E5
Forlì	48	H6	Frankfort, *Ky., US*	108	E2	Funing	68	D2	Gaoual	84	C6
Formazza	48	D4	Frankfurt, *Germany*	38	K4	Funtua	86	F2	Gap	48	B6
Formentera	46	M6	Frankfurt, *Germany*	38	D6	Furano	66	M2	Garanhuns	116	K6
Fórmia	50	H7	Franklin, *N.C., US*	106	D3	Fürg	79	F2	Garbsen	38	E4
Formiga	118	M3	Franklin, *Tenn., US*	106	C3	Furmanovka	60	N9	Gardelegen	38	G4
Formosa, *Brazil*	116	H7	Franklin Bay	100	F2	Furmanovo	56	J5	Garden City	104	F3
Formosa, *Paraguay*	118	K4	Franklin D. Roosevelt Lake	104	C1	Furneaux Group	94	J8	Gardëz	74	J3
Fornovo di Taro	48	F6	Franklin Mountains	100	F3	Furqlus	78	E2	Gardone Val Trómpia	48	F5
Forssa	34	M5	Franklin Strait	100	M2	Fürstenberg	38	J3	Gargždai	36	L2
Forst	38	K5	Franz Josef Glacier	96	C6	Fürstenfeldbruck	48	G2	Gariau	70	(2)D3
Forsyth	104	E1	Franz Josef Land =			Fürstenwalde	38	K4	Garissa	88	F4
Fort Abbas	72	B3	Zemlya Frantsa-Iosifa	60	J2	Fürth	38	F7	Garland	108	B3
Fortaleza	116	K4	Fraser	100	G6	Furukawa	66	L4	Garlasco	48	D5
Fort Bayne	106	C4	Fraserburg	90	C6	Fushun	66	B3	Garliava	36	N3
Fort Beaufort	90	D6	Fraserburgh	42	L4	Fusong	66	D2	Garmisch-Partenkirchen	48	G3
Fort Benton	104	D1	Fraser Island	94	K5	Füssen	48	F3	Garnett	108	B2
Fort Bragg	110	B1	Frater	106	D1	Futog	52	G4	Garonne	44	E9
Fort Chipewyan	100	J5	Frauenfeld	48	D3	Fuxhou	64	F5	Garoowe	88	H2
Fort Cobb Reservoir	108	B2	Fredensborg	36	B2	Fu Xian	64	D3	Garoua	86	G3
Fort Collins	104	E2	Frederick, *Md., US*	106	E3	Fuxin	64	G2	Garoua Boulaï	86	G3
Fort-de-France	112	M6	Frederick, *Okla., US*	108	B3	Fuyang	64	F4	Garry Lake	100	L3
Fort Dodge	106	B2	Fredericksburg, *Tex., US*	108	B3	Fuyu	64	G1	Garut	70	(1)D4
Forte dei Marmi	48	F7	Fredericksburg, *Va., US*	106	E3	Fuyun	60	R8	Garwolin	36	L6
Fort Frances	106	B1	Fredericktown	106	B3	Fuzhou	68	F1	Gary	102	J3
Fort George	100	R6	Fredericton	100	T7	Fyn	38	F1	Garyarsa	72	D2
Fort Gibson Lake	108	B2	Frederikshåb = Paamiut	100	X4	Fynshav	38	F2	Garzê	64	B4
Fort Good Hope	100	F3	Frederikshavn	34	F8				Gasan Kuli	74	H4
Forth	42	H5	Frederikssund	36	B2	**G**			Gasht	74	H4
Fort Hope	100	P6	Frederiksværk	34	G9	Gaalkacyo	88	H2	Gashua	86	G2
Fortín Coronel Eugenio			Fredrikstad	34	F7	Gabès	84	H2	Gastonia	108	E2
Garay	118	J3	Freeport, *Ill., US*	106	C2	Gabon	86	G5	Gastre	118	H7
Fort Kent	106	G1	Freeport, *Tex., US*	108	B4	Gaborone	90	D4	Gatchina	56	F3
Fort Lauderdale	108	E4	Freeport City	108	F4	Gabrovo	52	N7	Gateshead	42	L7
Fort Liard	100	G4	Freer	108	B4	Gacé	40	C6	Gatesville	108	B3
Fort Mackay	100	J5	Free State	90	D5	Gacko	52	F6	Gatineau	106	E1
Fort Macleod	104	D1	Freetown	86	B3	Gäddede	34	H4	Gatrūyeh	79	F2
Fort McMurray	100	J5	Fregenal de la Sierre	46	D6	Gadsden	108	D3	Gauja	34	N8
Fort McPherson	110	(1)L2	Freiberg	38	J6	Găeşti	52	N5	Gaula	34	F5
Fort Munro	74	J4	Freiburg	48	C3	Gaeta	50	H7	Gauteng	90	D5
Fort Myers	108	E4	Freilassing	48	H3	Gafsa	84	G2	Gava	46	N3
Fort Nelson	100	G5	Freising	48	G2	Gaggenau	48	D2	Gāvbandī	79	E3
Fort Norman	110	(1)M3	Freistadt	48	K2	Gagnoa	86	C3	Gavdos	54	G10
Fort Payne	108	D3	Fréjus	44	M10	Gagra	76	J2	Gävle	34	J6
Fort Peck Reservoir	104	E1	Fremantle	94	C6	Gaildorf	48	E2	Gawler	94	G6
Fort Pierce	108	E4	Fremont, *Calif., US*	110	B1	Gaillac	44	G10	Gawler Ranges	94	G6
Fort Pierre	104	F2	Fremont, *Nebr., US*	102	G3	Gainesville, *Fla., US*	108	E4	Gaxun Nur	64	C2
Fort Portal	88	E3	Frenchglen	104	C2	Gainesville, *Ga., US*	108	E3	Gaya, *India*	72	E4
Fort Providence	100	H4	French Guiana	116	G3	Gainesville, *Mo., US*	108	C2	Gaya, *Niger*	86	E2
Fortrose	96	B8	French Polynesia	92	L7	Gainesville, *Tex., US*	108	B3	Gaylord	106	D1
Fort Rupert	100	R6	Frenda	84	F1	Gai Xian	66	B3	Gayndah	94	K5
Fort St. John	100	G5	Fresnes-sur-Apances	48	A3	Gala	72	E3	Gayny	56	K2
Fort Saint Lucie	108	E4	Fresnillo	112	D4	Galana	88	F4	Gaza	78	B5
Fort Scott	108	C2	Fresno	110	C1	Galapagos Islands =			Gaz-Achak	60	L9
Fort Severn	100	P5	Fresno Reservoir	104	E1	Islas Galápagos	116	(1)B1	Gazandzhyk	60	K10
Fort Shevchenko	60	J9	Freudenstadt	48	D2	Galashiels	42	K6	Gaza Strip	78	B5
Fort Simpson	100	G4	Freyung	38	J8	Galaţi	52	R4	Gaziantep	76	G5
Fort Smith, *Canada*	100	J4	Frias	118	H4	Galdhøpiggen	34	D6	Gazipasa	54	Q8
Fort Smith, *US*	108	C2	Fribourg	48	C4	Galena	110	(1)F3	Gazli	60	L9
Fort Stockton	110	F2	Friedberg	48	G2	Galesburg	106	B2	Gbaaka	86	C3
Fort Summer	110	F2	Friedrichshafen	48	E3	Galich	56	H3	Gbarnga	86	C3
Fortuna	104	F1	Friesach	48	K4	Gallabat	82	G5	Gdańsk	36	H3
Fortune Bay	100	V7	Frisian Islands	40	H1	Galle	72	D7	Gdov	34	P7
Fort Vermilion	100	H5	Fritzlar	38	E5	Gallipoli	50	N8	Gdyel	46	K9
Fort Wayne	108	D1	Frobisher Bay	100	T4	Gallipolis	108	E2	Gdynia	36	H3
Fort William	42	G5	Frolovo	56	H5	Gällivare	34	L3	Gebel el Tih	78	A7
Fort Worth	108	B3	Frome	42	K10	Gallup	110	E1	Gebel Halāl	78	A6
Fort Yates	104	F1	Frontera	112	F5	Galtat Zemmour	84	C3	Gebel Katherina	82	F2
Foshan	68	G2	Frontignan	44	J10	Galveston Bay	102	G6	Gebel Yi'allaq	78	A6
Fosna	34	F5	Frosinone	50	H7	Galway	42	C8	Gebze	54	M4
Fossano	48	C6	Frøya	34	D5	Galway Bay	42	C8	Gedaref	82	G5
Fossombrone	48	H7	Fruges	40	E4	Gambèla	88	E2	Gediz	54	K6
Fougamou	86	G5	Frýdek Mistek	36	H8	Gambier Islands	92	N8	Gediz	54	M6
Fougères	44	D5	Fudai	66	L4	Gamboma	88	B4	Gedser	38	G2
Foula	42	K1	Fuding	64	G5	Gamboula	88	B3	Geel	40	H3
Foulness	40	C3	Fuengirola	46	F8	Gan	62	L7	Geelong	94	H7
Foumban	86	G3	Fuentesaúco	46	E3	Gancă	76	M3	Geesthacht	38	F3
Fourmies	40	G4	Fuerteventura	84	C3	Gandajika	88	C5	Gê'gyai	72	D2
Fournoi	54	J7	Fuhai	60	R8	Gander	100	W7	Geidam	86	G2
Fouta Djallon	86	B2	Fujieda	66	K6	Ganderkesee	38	D3	Geilenkirchen	40	J4
Foveaux Strait	96	A8	Fujin	62	N7	Gandesa	46	L3	Geilo	34	E6
Foxe Basin	100	R3	Fuji-san	66	K6	Gāndhīdhām	72	B4	Geinhausen	38	E6
Foxe Channel	100	R4	Fukuchiyama	66	H6	Gandhinagar	72	B4	Geislingen	48	E2
Foxe Peninsula	100	R4	Fukue	66	E7	Gandia	46	K6	Geita	88	E4
Fox Islands	110	(1)D5	Fukue-jima	66	E7	Gandu	116	K6	Gejiu	68	C2
Foz do Cunene	90	A3							Gela	50	J11
Foz do Iguaçu	118	L4							Geladī	88	H2

Name	Page	Grid
Geldern	40	J3
Geleen	40	H4
Gelendzhik	76	H1
Gelibolu	54	J4
Gelibolu Yarimadasi	54	J4
Gelsenkirchen	40	K3
Gembloux	40	G4
Gembu	86	G3
Gemena	88	B3
Gemlik	54	M4
Gemlik Körfezi	54	L4
Gemona del Friuli	48	J4
Genalē Wenz	88	G2
General Acha	118	J6
General Alvear	118	H6
General Pico	118	J6
General Pinedo	118	J4
General Roca	118	H6
General Santos	68	H5
Geneva	106	E2
Genève	48	B4
Gengma	68	B2
Genil	46	F7
Genk	40	H4
Genoa = Genova	48	D6
Genova	48	D6
Gent	40	F3
Genteng	70	(1)D4
Genthin	38	H4
Geographe Bay	94	B6
George	90	C6
George	100	T5
George Town, *Australia*	94	J8
George Town, *Malaysia*	70	(1)C1
George Town, *US*	108	F5
Georgetown, *Gambia*	86	B2
Georgetown, *Guyana*	116	F2
Georgetown, *Ky., US*	108	E2
Georgetown, *S.C., US*	108	F3
Georgetown, *Tex., US*	108	B3
George West	108	B4
Georgia	76	K2
Georgia	108	E3
Georgian Bay	106	D1
Gera	38	H6
Geraldine	96	C7
Geraldton, *Australia*	94	B5
Geraldton, *Canada*	102	J2
Gérardmer	48	B2
Gerāsh	79	F3
Gerede	76	E3
Gerefsried	48	G3
Gereshk	74	H3
Gérgal	46	H7
Gerik	68	C5
Gerlach	104	C2
Germantown	106	C3
Germany	38	E6
Germencik	54	K7
Germering	48	G2
Germersheim	40	L5
Gernika	46	H1
Gerolzhofen	38	F7
Gêrzê	72	D2
Geser	70	(2)D3
Getafe	46	G4
Gettysburg	104	F2
Getxo	46	H1
Geugnon	44	K7
Gevaş	76	K4
Gevgelija	54	E3
Gewanē	82	H5
Geyik Dağ	54	Q8
Geyser	104	D1
Geyve	54	N4
Ghadāmis	84	G2
Ghadīr Minqār	78	E3
Ghana	86	D3
Ghanzi	90	C4
Gharandal	78	C6
Ghardaïa	84	F2
Gharo	74	J5
Gharyān	84	H2
Ghāt	82	B2
Ghazaouet	84	E1
Ghaziabad	72	C3
Ghazipur	72	D3
Ghazn	74	J3
Gheorgheni	52	N3
Gherla	52	L2
Ghizar	72	B1
Ghotāru	72	B3
Giannitsa	54	E4
Giannutri	50	F6
Giarre	50	K11
Gibraltar	46	E8
Gibson Desert	94	D4
Gideån	34	K5
Gien	44	H6
Gießen	38	D6
Gifhorn	38	F4
Gifu	66	J6
Gigha	42	G6
Giglio	50	E6
Gijón	46	E1
Gila	110	E2
Gila Bend	110	D2
Gilan Garb	76	L6
Gilazi	76	N3
Gilbert Islands	116	H5
Gilbués	116	H5
Gilching	48	G2
Gilf Kebir Plateau	82	E3
Gilgandra	94	J6
Gilgit	72	B1
Gilgit	74	K2
Gillam	100	N5
Gillette	104	E2
Gillingham	40	C3
Gills Rock	106	C1
Gilroy	104	B3
Gīmbī	88	F2
Gimli	100	M6
Gimol'skoe Ozero	34	R5
Ginir	88	G2
Gióia del Colle	50	L8
Gióia Tauro	50	K10
Gioura	54	F5
Giresun	76	H3
Girga	82	F2
Girona	46	N3
Gironde	44	E8
Girvan	42	H6
Gisborne	96	G4
Gisenyi	88	D4
Gitega	88	D4
Giurgiu	52	N6
Givet	40	G4
Givors	44	K8
Giyon	88	F2
Gizhiga	62	U4
Gizhiginskaya Guba	62	T4
Gizycko	36	L3
Gjiri i Vlorës	54	B4
Gjirokaster	54	C4
Gjøvik	34	F6
Glacier Peak	104	B1
Gladstone	94	K4
Glamoč	52	D5
Glan	38	C7
Glan	70	(2)C1
Glarner Alpen	48	D4
Glasgow, *UK*	42	H6
Glasgow, *Ky., US*	106	C3
Glasgow, *Mont., US*	104	E1
Glauchau	38	H6
Glazov	60	J6
Gleisdorf	48	L3
Glendale, *Ariz., US*	110	D2
Glendale, *Calif., US*	110	C2
Glendambo	94	G6
Glendive	104	F1
Glennallen	110	(1)H3
Glenn Innes	94	K5
Glenrothes	42	J5
Glens Falls	106	F2
Glenwood, *Minn., US*	106	A1
Glenwood, *N.Mex., US*	110	E2
Glenwood Springs	104	E3
Glidden	106	B1
Glina	48	M5
Gliwice	36	H7
Głogów	36	F6
Glomfjord	34	H3
Glomma	34	F5
Glorieuses	80	H7
Gloucester, *UK*	42	K10
Gloucester, *US*	106	F2
Głowno	36	J6
Głuchołazy	36	G7
Glückstadt	38	E3
Gmünd, *Austria*	48	J4
Gmünd, *Austria*	48	L2
Gmunden	48	J3
Gniezno	36	G5
Gnjilane	54	D2
Gnoien	38	H3
Goalpara	72	F3
Goba	88	F2
Gobabis	90	B4
Gobernador Gregores	118	G8
Gobi Desert	64	C2
Gobustan	74	E1
Goch	40	J3
Godbout	106	G1
Godé	88	G2
Goderich	106	D2
Godhra	72	B4
Gödöllő	52	G2
Gods Lake	100	N6
Godthåb = Nuuk	100	W4
Goeree	40	F3
Goes	40	F3
Gogama	106	D1
Goiânia	116	H7
Goiás	116	G6
Goiás	116	G7
Gökceada	54	H4
Gökova Körfezi	54	K8
Göksun	76	G5
Golaghat	72	F3
Golan Heights	78	C3
Golbāf	79	G2
Gölbasi	76	G5
Gol'chikha	60	Q3
Gölcük	54	K5
Gołdap	36	M3
Gold Coast	94	K5
Golden Bay	96	D5
Goldendale	104	B1
Golden Gate	110	B1
Goldfield	104	C3
Goldsboro	106	E3
Göle	76	K3
Goleniów	36	D4
Golestānak	79	F1
Golfe d'Ajaccio	50	C7
Golfe de Gabès	84	H2
Golfe de Hammamet	84	H1
Golfe de Porto	50	C6
Golfe de Sagone	50	C6
Golfe de Saint-Malo	44	C5
Golfe de Tunis	50	E11
Golfe de Valinco	50	C7
Golfe du Lion	44	J10
Golfo de Almería	46	H8
Golfo de Batabanó	112	H4
Golfo de Cádiz	46	C7
Golfo de California	112	B3
Golfo de Chiriquí	112	H7
Golfo de Corcovado	118	F7
Golfo de Cupica	116	B2
Golfo de Fonseca	112	G6
Golfo de Guayaquil	116	A4
Golfo de Honduras	112	G5
Golfo del Darién	116	B2
Golfo dell' Asinara	50	C7
Golfo de los Mosquitos	116	A2
Golfo de Mazarrón	46	J7
Golfo de Morrosquillo	112	B1
Golfo de Panamá	112	J7
Golfo de Penas	118	F8
Golfo de San Jorge	118	H8
Golfo de Santa Clara	110	D2
Golfo de Tehuantepec	112	E5
Golfo de València	46	L5
Golfo de Venezuela	116	C1
Golfo di Augusta	50	K11
Golfo di Catánia	50	K11
Golfo di Gaeta	50	H7
Golfo di Gela	50	J11
Golfo di Génova	50	C4
Golfo di Manfredonia	50	L7
Golfo di Ólbia	50	D8
Golfo di Oristano	50	C9
Golfo di Orosei	50	D8
Golfo di Palmas	50	C10
Golfo di Policastro	50	K9
Golfo di Salerno	50	J8
Golfo di Sant'Eufemia	50	K10
Golfo di Squillace	50	L10
Golfo di Taranto	50	L8
Golfo di Trieste	48	J5
Golfo San Matías	118	J6
Gölhisar	54	M8
Golin Baixing	66	A1
Gölköy	76	G3
Gölmarmara	54	K6
Golyshmanovo	60	M6
Goma	88	D4
Gombe	86	G2
Gombi	86	G2
Gomera	84	B3
Gómez Palacio	110	F3
Gonam	62	M5
Gonbad-e Kavus	74	G2
Gonda	72	D3
Gonder	82	G5
Gondia	72	D4
Gondomar	46	B3
Gönen	54	K4
Gongga Shan	64	C5
Gonghe	64	C3
Gongliu	60	Q9
Gongpoquan	64	B2
Gongshan	68	B1
Gonzáles	102	G7
Gonzales	108	B4
González	110	G4
Goodland	104	F3
Goolgowi	94	J6
Goomalling	94	C6
Goondiwindi	94	K5
Goose Lake	104	B2
Göppingen	48	E2
Göra	36	F6
Gora Bazardyuzi	76	M3
Gora Kamen	60	S4
Gorakhpur	72	D3
Gora Ledyanaya	62	W4
Gora Pobeda	62	R4
Gora Yenashimskiy Polkan	60	S6
Goražde	52	F6
Gorbitsa	62	K6
Goré	86	H3
Gorē	88	F2
Gore	96	B8
Gorgān	74	F2
Gorgona	48	E7
Gori	76	L2
Gorinchem	40	H3
Goris	76	M4
Gorizia	48	J5
Gorki	56	N1
Gorlice	36	L8
Görlitz	36	D6
Gorna Oryakhovitsa	52	N6
Gornji Milanovac	52	H5
Gorno-Altaysk	60	R7
Gorno Oryakhovitsa	54	H1
Gorodets	56	H3
Gorontalo	70	(2)B2
Goryachiy Klyuch	76	H1
Gory Belukha	60	R8
Gory Ulutau	56	N5
Gorzów Wielkopolski	36	E5
Goslar	38	F5
Gospić	50	K4
Gosport	44	D3
Gostivar	54	C3
Gostyń	36	G5
Gostynin	36	J5
Göteborg	34	F8
Gotha	38	F6
Gothèye	86	E2
Gotland	34	K8
Gotō-rettō	66	E7
Gotse Delchev	54	F3
Gotska Sandön	34	K7
Göttingen	38	E5
Gouda	40	G2
Gough Island	80	B10
Goundam	84	E5
Gouraya	46	M8
Gourdon	44	G9
Gournay-en-Bray	40	D5
Governador Valadares	116	J7
Governor's Harbour	108	F4
Govorovo	62	M3
Gowārān	74	J4
Goya	118	K4
Gozha Co	72	D1
Gozo = Gwardex	50	J12
Graaff-Reinet	90	C6
Grabovica	52	K5
Gračac	48	L6
Gračanica	52	F5
Gradačac	52	F5
Gräfenhainichen	38	H5
Grafton, *Australia*	94	K5
Grafton, *US*	104	G1
Graham Island	110	(1)L5
Grajagan	116	H5
Grajaú	116	H5
Grajewo	36	M4
Gram	38	E1
Grampian Mountains	42	H5
Granada, *Nicaragua*	112	G6
Granada, *Spain*	46	G7
Granby	106	F1
Gran Canaria	84	B3
Grand Bahama	108	F4
Grand Ballon	44	N6
Grand Bank	100	V7
Grand Canyon	104	D3
Grande, *Bolivia*	116	E7
Grande, *Brazil*	116	J6
Grand Cache	100	H6
Grand Prairie	100	H5
Grand Erg de Bilma	84	H5
Grand Erg Occidental	84	E3
Grand Erg Oriental	84	F3

Index

Name	Page	Grid
Grand Falls, *N.B., Canada*	106	G1
Grand Falls, *Nfld., Canada*	100	V7
Grand Forks, *Canada*	102	C2
Grand Forks, *US*	104	G1
Grand Haven	106	C2
Grand Island	104	G2
Grand Junction	104	E3
Grand Marais, *Mich., US*	106	C1
Grand Marais, *Minn., US*	106	B1
Grand-Mère	106	F1
Grândola	46	B6
Grand Portage	106	C1
Grand Rapids, *Canada*	100	M6
Grand Rapids, *Mich., US*	106	C2
Grand Rapids, *Minn., US*	106	B1
Grand Teton	104	D2
Grangeville	104	C1
Granite Falls	106	A2
Granollers	46	N3
Gran Paradiso	48	C5
Grantham	42	M9
Grants	110	E1
Grants Pass	104	B2
Granville	44	D5
Granville Lake	100	M5
Gräsö	34	K6
Grasse	48	B7
Grassrange	104	E1
Grass Valley	104	B3
Graulhet	44	G10
Gravelines	40	E3
Gravenhurst	106	E2
Gravesend	40	C3
Gravina in Puglia	50	L8
Gray	44	L6
Grayling	106	D2
Grays	40	C3
Grays Lake	104	D2
Grayville	106	C3
Graz	48	L3
Great Abaco	108	F4
Great Artesian Basin	94	H4
Great Australian Bight	94	E6
Great Bahama Bank	112	J4
Great Barrier Island	96	E3
Great Barrier Reef	94	J2
Great Basin	104	C3
Great Bear Lake	110	(1)M2
Great Bend	110	G1
Great Dividing Range	94	J4
Greater Antilles	112	J3
Greater Sunda Islands	92	B6
Great Exhibition Bay	96	D2
Great Exuma	102	L7
Great Falls	104	D1
Great Inagua	112	K4
Great Karoo	90	C6
Great Malvern	42	K9
Great Nicobar	72	F7
Great Ouse	42	N9
Great Plains	104	F2
Great Rift Valley	88	E5
Great Salt Lake	104	D2
Great Salt Lake Desert	104	D2
Great Sand Sea	82	D2
Great Sandy Desert	94	D4
Great Slave Lake	98	N3
Great Victoria Desert	94	E5
Great Wall	64	C3
Great Yarmouth	42	P9
Greece	54	D5
Greeley	104	F2
Green	104	D3
Green Bay	106	C2
Greenfield	108	D2
Greenland	98	G2
Greenland Sea	98	B2
Greenock	42	H6
Green River, *Wyo., US*	104	E2
Green River, *Ut., US*	104	D3
Greensboro	108	F2
Greensburg, *Ind., US*	108	D3
Greensburg, *Pa., US*	106	E2
Greenvale	46	J3
Green Valley	112	B2
Greenville, *Liberia*	86	C3
Greenville, *Al., US*	108	D3
Greenville, *Fla., US*	108	E3
Greenville, *Miss., US*	108	C3
Greenville, *N.C., US*	106	E3
Greenville, *S.C., US*	108	E3
Greenwood, *Miss., US*	108	C3
Greenwood, *S.C., US*	108	E3
Gregory	104	G2
Gregory Lake	94	E4
Greifswald	38	J2
Greifswalder Bodden	38	J2
Greiz	38	H6
Grenada	102	J5
Grenada	116	E1
Grenchen	48	C3
Grenoble	44	L8
Gretna	108	C4
Greve in Chianti	48	G7
Greven	40	K2
Grevena	54	D4
Grevenbroich	40	J3
Grevesmühlen	38	G3
Greybull	104	E2
Greymouth	96	C6
Grey Range	94	H5
Griesheim	38	D7
Grieskirchen	48	J2
Grigoriopol	52	S2
Grimma	38	H5
Grimmen	38	J2
Grimsby	42	M8
Grimsey	34	(1)D1
Grímsstaðir	34	(1)E2
Grímsvötn	34	(1)E2
Grindsted	34	E9
Grobina	36	L1
Gröbming	48	J3
Grodekovo	64	J2
Grodzisk Wielkopolski	36	F5
Grójec	36	K6
Gronau	38	C4
Groningen	38	B3
Groote Eylandt	94	G2
Grootfontein	90	B3
Großenhain	38	J5
Großer Arber	38	J7
Grosser Beerberg	38	F6
Grosseto	50	F6
Groß-Gerau	38	D7
Großglockner	48	H3
Groswater Bay	100	V6
Grottaglie	50	M8
Groupe Actéon	92	N8
Grove Hill	108	D3
Groznyy	76	L2
Grubišno Polje	52	E4
Grudovo	54	K2
Grudziądz	36	H4
Grünberg	38	D6
Gryazi	56	G4
Gryazovets	56	H3
Gryfice	36	E4
Gryfino	38	K3
Grytøya	34	J2
Grytviken	118	P9
Gstaad	48	C4
Guadalajara, *Mexico*	112	D4
Guadalajara, *Spain*	46	G4
Guadalcanal	92	F7
Guadalquivir	46	E7
Guadalupe	112	A3
Guadalupe	112	E3
Guadeloupe	114	E2
Guadiana	46	C7
Guadix	46	G7
Guaíra	118	L3
Guajará Mirim	116	D6
Guam	92	E4
Guanambi	116	J6
Guanare	116	D2
Guangshui	64	E4
Guangyuan	64	D4
Guangzhou	68	E2
Guanipa	116	E2
Guanling	64	D5
Guantánamo	112	J4
Guanyun	64	F4
Guaporé	116	E6
Guaqui	116	D7
Guarabira	116	K5
Guarda	46	C4
Guardo	46	F2
Guasave	102	E6
Guastalla	48	F6
Guatemala	112	F5
Guatemala	112	F4
Guaviare	116	D3
Guayaquil	116	D4
Guayaramerín	116	D6
Guaymas	110	D4
Guba, *Democratic Republic of Congo*	88	D6
Guba, *Ethiopia*	82	G5
Guba Buorkhaya	62	N2
Gubakha	56	L3
Guban	88	G2
Gubbi	72	C6
Gúbbio	48	H7
Guben	38	K5
Gubin	36	D6
Gudauta	76	J2
Gudbransdalen	34	E6
Gudermes	76	M2
Gudvangen	34	D6
Guebwiller	38	C9
Guéckédou	86	B3
Guelma	84	G1
Guelph	106	D2
Guéret	44	B7
Guernsey	44	C4
Guernsey	104	F2
Guerrero Negro	110	D3
Gugë	88	F2
Gûh Kûh	74	G4
Guiana	112	L7
Guiana Highlands	116	F3
Guider	86	G3
Guiglo	86	C3
Guildford	42	M10
Guilianova	50	H6
Guilin	68	E1
Guillaumes	48	B6
Guillestre	48	B6
Guimarães	46	B3
Guinea	86	B2
Guinea-Bissau	86	A2
Günes	112	H4
Guingamp	44	B5
Güira	116	E1
Guise	40	F5
Guitiriz	46	C1
Guiyang	64	D5
Gujranwala	72	B2
Gujrat	72	B2
Gulang	64	C3
Gulbarga	72	C5
Gulbene	34	P8
Gulf of Aden	74	E7
Gulf of Alaska	110	(1)H4
Gulf of Aqaba	74	B4
Gulf of Boothia	100	N2
Gulf of Bothnia	34	K6
Gulf of Carpentaria	94	G2
Gulf of Finland	34	M7
Gulf of Gdansk	36	J3
Gulf of Guinea	86	D4
Gulf of Mannar	72	C7
Gulf of Martaban	68	B3
Gulf of Mexico	112	F3
Gulf of Oman	79	G4
Gulf of Riga	34	M8
Gulf of St. Lawrence	100	U7
Gulf of Santa Catalina	110	C2
Gulf of Thailand	68	C4
Gulf of Tongking	68	D3
Gulf of Venice	48	H5
Gulfport	108	D3
Gulistan	60	M9
Gülsehir	54	S6
Gulu	88	E3
Gülübovo	54	H2
Gumdag	74	F2
Gumel	86	F2
Gumla	72	D4
Gummersbach	40	K3
Gumma	86	F2
Gümüshane	76	H3
Guna	72	C4
Guna Terara	82	G5
Gungu	88	B5
Gunib	76	M2
Gunnbjørns Fjeld	120	(1)U2
Gunnedah	94	K6
Gunnison, *Colo., US*	104	E3
Gunnison, *Ut., US*	104	D3
Gunong Kinabalu	70	(1)F1
Guntakal	72	C5
Guntur	72	D5
Gunung Kerinci	70	(1)C3
Gunung Korbu	70	(1)C2
Gunung Kwoka	70	(2)D3
Gunung Leuser	70	(1)B2
Gunung Mekongga	70	(2)B3
Gunung Mulu	70	(1)E2
Gunung Pangrango	70	(1)D4
Gunungsitoli	70	(1)B2
Gunung Togwomeri	70	(2)D3
Günzburg	48	F2
Gunzenhausen	38	F7
Guoyang	64	F4
Gura Humorului	52	N2
Gurskoye	62	P6
Gürün	76	G4
Gurupi	116	H4
Gusau	86	F2
Gusev	36	M3
Gushgy	74	H2
Gusinoozersk	62	H6
Gúspini	50	C9
Güssing	48	M3
Güstrow	36	B4
Gütersloh	38	D5
Guthrie, *Okla., US*	104	G3
Guthrie, *Tex., US*	110	F2
Gutsuo	72	E3
Guttenberg	106	B2
Guwahati	72	F3
Guyana	116	F2
Guyang	64	E2
Guymon	110	F1
Guyuan	64	D3
Guzar	74	J2
Gvardejsk	36	L3
Gwadar	74	H4
Gwalior	72	C3
Gwanda	90	D4
Gwardex	50	J12
Gwda	36	F4
Gweebarra Bay	42	C7
Gweru	90	D3
Gyangzê	72	E3
Gyaring Hu	64	B4
Gyaros	54	G7
Gyda	60	P3
Gydanskiy Poluostrov	60	P3
Gyirong	72	E3
Gyldenløues Fjord	100	Y4
Gympie	94	K5
Gyomaendröd	52	H3
Gyöngyös	52	G2
Györ	52	E2
Gypsumville	100	M6
Gytheio	54	E8
Gyula	52	J3
Gyumri	76	K3
Gyzylarbat	74	G2

H

Name	Page	Grid
Haapajärvi	34	N5
Haapsalu	34	M7
Haar	48	G2
Haarlem	40	G2
Haast	96	B6
Habahe	64	R8
Habarút	74	F6
Habaswein	88	F3
Habbán	74	E7
Habbánīyah	76	K7
Habirag	64	F2
Habomai-Shoto	62	R8
Haboro	66	L1
Hachijō-jima	66	K7
Hachinohe	66	L3
Hachiōji	66	K6
Hadadong	60	Q9
Haddunmahti Atoll	72	B8
Hadejia	86	F2
Hadejia	86	G2
Hadera	78	B4
Haderslev	38	E1
Hadhramaut	74	E6
Hadilik	60	R10
Hadjout	46	N8
Haeju	66	C4
Haenam	66	D6
Hafar al Bātin	79	A2
Hafnarfjördur	34	(1)C2
Haft Gel	79	C1
Hagen	40	K3
Hagenow	38	G3
Hägere Hiywet	88	F2
Hagerstown	106	E3
Haguenau	40	K6
Haicheng	66	B3
Haifa = Hefa	78	B4
Haikou	68	E3
Hā'il	74	D4
Hailar	62	K7
Hailey	104	D2
Hailong	66	C2
Hailuoto	34	N4
Hainan	68	D3
Haines Junction	110	(1)K3
Haining	64	G4
Hai Phong	68	D2
Haiti	112	K5
Haiya	82	G4
Hajdúböszörmény	52	J2
Hajdúhadház	52	L10
Hajdúnánás	36	L10
Hajdúszoboszló	52	L10
Hajipur	72	E3
Hajmah	74	G6
Hajnówka	36	N5

Name	Pg	Grid
Haka	72	F4
Hakkâri	76	K5
Hakodate	66	L3
Halab	76	G5
Halabân	82	H3
Halabja	76	L6
Halaib	82	G3
Halba	78	D2
Halberstadt	38	G5
Halden	34	F7
Haldensleben	38	G4
Halifax	100	U8
Halifax Bay	94	J3
Hall	48	G3
Hall Beach	100	Q3
Halle	40	G4
Hallein	48	J3
Halligen	38	D2
Hallock	104	G1
Hall Peninsula	100	T4
Halls Creek	94	E3
Halmahera	70	(2)C2
Halmahera Sea	70	(2)C3
Halmstad	36	B1
Haltern	40	K3
Hamada	66	G6
Hamadân	74	E3
Hamâh	76	G6
Hamamatsu	66	J6
Hamar	34	F6
Hamarøy	34	H2
Hamatonbetsu	66	M1
Hambantota	72	D7
Hamburg, Germany	38	E3
Hamburg, Ark., US	108	C3
Hamburg, N.Y., US	106	E2
Hämeenlinna	34	N6
Hameln	38	E4
Hamersley Range	94	C4
Hamhŭng	66	D3
Hami	60	S9
Hamilton, Australia	94	H7
Hamilton, Bermuda	112	M2
Hamilton, Canada	106	E2
Hamilton, New Zealand	96	E3
Hamilton, Al., US	108	D3
Hamilton, Mont., US	104	D1
Hamilton, Oh., US	106	D3
Hamina	34	P6
Hamirpur	72	D3
Hamm	38	C5
Hammada du Drâa	84	D3
Hammam Bou Hadjar	46	K9
Hammamet	50	E12
Hammam Lif	84	H1
Hammelburg	38	E6
Hammerfest	34	M1
Hammer Springs	96	D6
Hampden	96	C7
Hāmûn-e Jaz Mûriân	79	H3
Hanamaki	66	L4
Hanau	38	D6
Hânceşti	52	R3
Hancheng	64	E3
Hancock	106	C1
Handan	64	E3
Handeni	88	F5
Handerslev	34	E9
Handlová	36	H9
Hanford	110	C1
Hangayn Nuruu	60	T8
Hangu	64	F3
Hangzhou	64	F4
Hanîdh	79	C3
Hanko	34	M7
Hanksville	104	D3
Hanna	100	K6
Hannibal	108	C2
Hannover	38	E4
Hanö	36	D2
Hanöbukten	36	D2
Ha Nôi	68	D2
Hanoi = Ha Nôi	68	D2
Hanover	106	F2
Han Shui	64	D4
Hanson Bay	96	(1)B1
Hanumangarh	72	B3
Hanzhong	64	D4
Hao	92	M7
Hāora	72	E4
Haparanda	34	N4
Hāpoli	72	F3
Hapur	72	C3
Harad, Saudi Arabia	74	E5
Harad, Yemen	82	H4
Haramachi	66	L5
Harare	90	E3
Harbin	64	H1

Name	Pg	Grid
Harbour Breton	100	V7
Harburg	38	F3
Hardangerfjorden	34	C7
Hardangervidda	34	D6
Hardenberg	40	J2
Harderwijk	40	H2
Hardin	104	E1
Hardy	108	C2
Haren	40	K2
Hårer	88	G2
Hargeysa	88	G2
Har Hu	64	B3
Haridwar	72	C3
Harihari	96	C6
Harima-nada	66	H6
Hari Rud	74	H3
Harlan	106	A2
Hârlău	52	P2
Harlem	104	E1
Harlingen, Netherlands	40	H1
Harlingen, US	108	B4
Harlow	42	N10
Harlowtown	104	E1
Harney Basin	102	B3
Harney Lake	104	C2
Härnösand	34	J5
Har Nuur	60	S8
Haro	46	H2
Harricanaw	100	R6
Harrisburg, Ill., US	106	C3
Harrisburg, Pa., US	108	F1
Harrison	106	B3
Harrison Bay	110	(1)G1
Harrisville	106	D2
Harrogate	42	L8
Har Saggi	78	B6
Harsin	76	M6
Hârşova	52	Q5
Harstad	34	J2
Hartberg	48	L3
Hartford	106	F2
Hartland Point	42	H10
Hartlepool	42	L7
Har Us Nuur	60	S8
Harvey	104	G1
Harwich	40	D3
Harz	38	F5
Hāsā	78	C6
Haselünne	38	C4
Hashtpar	76	N5
Hāsik	74	G6
Haskell	108	B3
Haslemere	40	B3
Hassan	72	C6
Hasselfelde	38	F5
Haßfurt	38	F6
Hassi Bel Guebbour	84	G3
Hässleholm	34	G8
Hastings, New Zealand	96	F4
Hastings, UK	40	C4
Hastings, Minn., US	106	B2
Hastings, Nebr., US	104	G2
Haţeg	52	K4
Hatgal	62	G6
Ha Tinh	68	D3
Hatteras	108	F2
Hattiesburg	108	D3
Hatvan	52	G2
Haud	82	H6
Haud Ogadēn	88	G2/H2
Haugesund	34	C7
Hauraki Gulf	96	E3
Haut Atlas	84	D2
Hauts Plateaux	84	E2
Havana	108	C1
Havana = La Habana	112	H4
Havant	40	M11
Havel	36	C5
Havelock, New Zealand	96	D5
Havelock, US	108	F3
Havelock North	96	F4
Havenby	38	D1
Haverfordwest	42	H10
Havlíčkův Brod	36	E8
Havre	104	E1
Havre-St-Pierre	100	U6
Havrylivtsi	52	P1
Havza	76	F3
Hawaii	110	(2)E2
Hawaii	110	(2)E4
Hawaiian Islands	92	J3
Hawera	96	E4
Hawi	110	(2)F3
Hawick	42	K6
Hawke Bay	96	F4
Hawker	94	G6
Hawr al'Awdah	79	B1

Name	Pg	Grid
Hawr al Hammar	79	B1
Hawthorne	104	C3
Hay	94	H6
Hay	100	H5
Hayange	40	J5
Haydarâbad	76	L5
Hayden	110	D2
Hayrabolu	54	K3
Hay River	100	H4
Hays	104	B2
Hazard	106	D3
Hazârîbâg	72	E4
Hazebrouck	40	E4
Hazelton, Canada	100	F5
Hazelton, US	106	E2
Head of Bight	94	F6
Hearne	108	B3
Hearst	106	D1
Hebbronville	110	G3
Hebgen Lake	104	D2
Hebi	64	E3
Hebron, Canada	100	U5
Hebron, Israel	78	C5
Hebron, Nebr., US	104	G2
Hebron, N.D., US	104	F1
Hecate Strait	100	E6
Hechi	68	D2
Hechingen	48	D2
Hede	34	G5
Heerenveen	40	H2
Heerlen	40	J4
Hefa	78	B4
Hefei	64	F4
Hegang	64	J1
Hegura-jima	66	J5
Hegyfalu	48	M3
Heide	38	E2
Heidelberg	38	D7
Heidenheim	48	F2
Heilbad Heiligenstadt	38	F5
Heilbronn	38	E7
Heimaey	34	(1)C3
Heinola	34	N6
Hejing	60	R9
Hekla	34	(1)D3
Helagsfjället	34	G5
Helena, Ark., US	108	C3
Helena, Mont., US	104	D1
Helen Reef	70	(2)D2
Helensville	96	E3
Helgea	36	D1
Helgoland	38	C2
Helgoländer Bucht	38	D2
Hellin	46	A6
Helmand	74	H3
Helmond	40	H3
Helmsdale	42	J3
Helmstedt	38	G4
Helodrano Antongila	90	H3
Helong	66	E2
Helsingborg	34	G8
Helsinge	36	B1
Helsingør	34	G8
Helsinki	34	N6
Helston	42	G11
Helwan	82	F2
Hemel Hempstead	40	M10
Henashi-zaki	66	K3
Henderson, Ky., US	106	C3
Henderson, Nev., US	104	D3
Henderson, N.C. US	108	F2
Henderson Island	92	P8
Hendersonville	106	C3
Hendijan	79	C1
Hengelo	40	J2
Hengyang	64	E5
Henichesk	56	F5
Hénin-Beaumont	40	E4
Hennebont	44	B6
Hennigsdorf	38	J4
Henrietta	106	A3
Henzada	68	B3
Heppenheim	38	D7
Heppner	104	C1
Hepu	68	D2
Héradsflói	34	(1)F2
Herald Cays	94	J3
Herät	74	H3
Herbert	96	C7
Herborn	38	D6
Herceg-Novi	52	F7
Henryetta	106	A3
Hereford, UK	42	K9
Hereford, US	112	D2
Herentals	40	G3
Herford	38	D4
Herisau	48	E3
Herlen Gol	64	E1
Hermagor	48	J4

Name	Pg	Grid
Herma Ness	42	M1
Hermel	78	D2
Hermiston	104	C1
Hermosillo	102	D6
Hernâd	36	L9
Herne	38	C5
Herne Bay	40	D3
Herning	34	E8
Herrenberg	48	D2
Hersbruck	38	G7
Herstat	40	H4
Hertlay	40	E6
Hervey Bay	94	K5
Herzberg	38	F5
Hesdin	40	E4
Heshan	68	D2
Hesselø	36	A1
Hessisch-Lichtenau	38	E5
Hettstedt Lutherstadt	38	G3
Heves	36	K10
He Xian	68	E2
Hexigten Qi	64	F2
Heze	64	F3
Hialeah	108	E4
Hiawatha	108	B2
Hibbing	106	B1
Hickory	106	D3
Hidaka-sammyaku	66	M2
Hidalgo del Parral	112	C3
Hiddensee	38	H2
Hierro	84	B3
Higashi-suidô	66	E7
High Point	106	E3
High Wycombe	40	B3
Hiiumaa	34	M7
Hikurangi	96	E2
Hikurangi	96	G3
Hikutaia	96	E3
Hildburghausen	38	F6
Hildesheim	38	E4
Hillsboro, Oh., US	108	E2
Hillsboro, Oreg., US	104	B1
Hillsboro, Tex., US	110	G2
Hillsville	106	D3
Hillswick	42	L1
Hilo	110	(2)F4
Hilton Head Island	108	E3
Hilva	76	H5
Hilversum	40	H2
Himalayas	58	L6
Himarë	54	B4
Himatnagar	72	B4
Himeji	66	H6
Himora	82	G5
Hims	78	D2
Hindu Kush	72	A1
Hindupur	72	C6
Hinesville	108	E3
Hingoli	72	C5
Hinnøya	34	H2
Hiroo	66	M2
Hirosaki	66	L3
Hiroshima	66	G6
Hirson	40	G5
Hirtshals	34	C3
Hisar	72	C3
Hisdal	34	C6
Hispaniola	114	D2
Hitachi	66	L5
Hitoyoshi	66	F7
Hitra	34	D5
Hiuchi-nada	66	G6
Hiva Oa	92	M6
Hjälmaren	34	H7
Hjalmar Lake	100	K4
Hjelmsøya	34	M1
Hlinsko	36	E8
Hlohovec	48	N2
Hlyboka	52	N1
Hlybokaye	56	E3
Ho	86	E3
Hobart, Australia	94	J8
Hobart, US	110	G1
Hobbs	110	F2
Hobro	34	E8
Hobyo	88	H3
Hô Chi Minh	68	D4
Höchstadt	38	F7
Hockenheim	38	D7
Hódmezövásárhely	52	H3
Hodh	36	G9
Hoek van Holland	40	G3
Hoeryöng	66	E2
Hof	38	G6
Hofgeismar	38	E5
Höfn	34	(1)F2
Hofsjökull	34	(1)D2
Hôfu	66	F6

Name		Page	Grid		Name		Page	Grid		Name		Page	Grid		Name		Page	Grid
Hohe		48	H3		Houdelaincourt		48	A2		Hüngnam		66	D4		Ilharaña		90	H2
Hohe Dachstein		36	C10		Houghton		106	C1		Hunjiang		66	D3		Ihosy		90	H4
Hohe Tauern		50	G1		Houlton		106	G1		Hunsrück		38	B7		Ihtiman		54	F2
Hohhot		64	E2		Houma, China		64	E3		Hunstanton		40	C2		Iida		66	J6
Hoh Xil Shan		72	E1		Houma, US.		102	H6		Hunte		38	D4		Iim		48	G2
Hôi An		68	D3		Houmt Souk		84	H2		Hunter Island		92	H8		Iisalmi		34	P5
Hoima		88	E3		Houston		102	G6		Huntingburg		108	D2		Iiulissat		100	W3
Hokitika		96	C6		Hovd		60	S8		Huntingdon, UK		40	B2		Ijebu Ode		86	E3
Hokkaidō		66	N2		Hövsgöl Nuur		62	F6		Huntingdon, US.		108	E2		IJmuiden		40	G2
Holbæk		36	A2		Howard Junction		96	D5		Huntington		108	D1		IJssel		40	J2
Holbrook		110	D2		Howland		92	J5		Huntington Beach		110	C2		IJsselmeer		40	H2
Holdrege		104	G2		Hoxie		108	C2		Huntly		96	E3		Ikaria		54	J7
Holguín		112	J4		Höxter		38	E5		Huntsville, Canada		106	E1		Ikeda		66	M2
Holič		48	N2		Hoxud		60	R9		Huntsville, Al., US.		108	D3		Ikela		88	C4
Hollabrunn		48	M2		Hoy		42	J3		Huntsville, Tex., US.		112	E2		Ikhtiman		52	L7
Holland		106	C2		Høyanger		34	D6		Hunyuan		64	E3		Iki		66	E7
Hollis		110	G2		Hoyerswerda		38	K5		Hūr		79	G1		Ikire		86	E3
Hollywood		108	E4		Hradec Králové		36	E7		Hurdiyo		88	J1		Ikom		86	F3
Holman		100	H2		Hranice		36	G8		Hurghada		82	F2		Ikopa		90	H3
Hólmavík		34	(1)C2		Hrazdan		76	L3		Huron		104	G2		Ikorodu		86	E3
Holmes Reefs		94	J3		Hrodna		36	N4		Hürth		40	J4		Ilagan		68	G3
Holstebro		34	E8		Hron		36	H9		Húsavík		34	(1)E1		Ilām		74	E3
Holsteinische Schweiz		38	F2		Hrubieszów		36	N7		Huşi		52	R3		Iława		36	J4
Holsteinsborg = Sisimiut		100	W3		Hsin-chu		68	G2		Huslia		110	(1)F2		Ilbenge		62	L4
Holton		108	B2		Hsueh-Shan		68	G2		Husn		78	C4		Ilebo		88	C4
Holyhead		42	H8		Hsweni		68	B2		Husum		38	E2		Île d'Anticosti		100	U7
Holy Island, Eng., UK.		42	L6		Huacho		116	B6		Hutag		62	G1		Île de Jerba		84	H2
Holy Island, Wales, UK.		42	H8		Huade		64	E2		Hutanopan		70	(1)B2		Île de la Gonâve		112	K5
Holyoke		104	F2		Huadian		66	D2		Hutchinson		110	G1		Île de Noirmoutier		44	C7
Holzkirchen		48	G3		Huaibei		64	F4		Hüth		82	H4		Île de Ré		44	D7
Holzminden		38	E5		Huaibin		64	F4		Huttwil		48	C3		Île d'Oléron		44	D8
Homa Bay		88	E4		Huaihua		64	D5		Huvadu Atoll		72	B8		Île d'Yeu		44	C7
Homberg		38	E5		Huainan		64	F4		Huy		40	H4		Île Europa		90	G4
Hombori		84	E5		Huaiyin		64	F4		Huzou		64	F4		Ilek		56	K4
Home Bay		100	T3		Huaki		70	(2)C4		Hvannadalshnúkur		34	(1)E2		Ilek		56	K4
Homestead		108	E4		Huallaga		116	B5		Hvar		52	D6		Île Plane		50	E11
Homewood		108	D3		Huambo		90	B2		Hvar		52	D6		Îles Cani		50	D11
Homs = Hims		78	D2		Huancavelica		116	B6		Hvolsvöllur		34	(1)C3		Îles Chesterfield		92	F7
Homyel'		56	F4		Huancayo		116	B6		Hwange		90	D3		Îles Crozet		80	J10
Hondo, N.Mex., US		110	E2		Huang		64	F3		Hyak		104	B1		Îles de la Madeleine		100	U7
Hondo, Tex., US		110	G3		Huangchuan		64	F4		Hyannis		104	F2		Îles Désappointement		92	M7
Honduras		112	G6		Huangshan		64	F4		Hyderabad, India		72	C5		Îles d'Hyères		44	M11
Hønefoss		34	F6		Huang Xian		64	G3		Hyderabad, Pakistan		74	J4		Îles Duc de Gloucester		92	M7
Honey Lake		104	B2		Huangyan		64	G5		Hyesan		66	D3		Îles Glorieuses		90	H2
Honfleur		40	C5		Huanren		66	C3		Hyères		44	M10		Ilesha		86	E3
Hon Gai		68	D2		Huánuco		116	B5		Hyndam Peak		104	D2		Îles Kerkenah		84	H2
Hong Kong		68	G2		Huaráz		116	B5		Hyūga		66	F7		Îles Maria		92	L8
Hongliuyuan		64	B2		Huarmey		116	B6		Hyvinkää		34	N6		Îles Palliser		92	M7
Hongor		64	E1		Huasco		118	G4							Île Tidra		84	B5
Honiara		92	F6		Huashixia		64	B3		**I**					Île Zembra		50	E11
Honjō		66	K4		Huatabampo		102	E6		Iaco		116	D6		Ilfracombe		42	H10
Honokaa		110	(2)F3		Hubli		72	C5		Ialomiţa		52	P5		Ilha da Trindade		114	H6
Honolulu		110	(2)D2		Huch'ang		66	D3		Ianca		52	Q4		Ilha de Marajó		116	H4
Honshū		66	L5		Huddersfield		42	L8		Iaşi		52	Q2		Ilha de São Luis		116	J4
Hooge		38	D2		Hudiksvall		34	J6		Ibadan		86	E3		Ilha do Bazaruto		92	F4
Hoogeveen		40	J2		Hudson		106	F2		Ibagué		116	B3		Ilha Fernando de Noronha		116	L4
Hoogezand-Sappemeer		40	J1		Hudson		106	F2		Ibar		52	H6		Ilha Grande de Gurupa		116	G4
Hooper Bay		110	(1)D3		Hudson Bay		100	L6		Ibb		82	H5		Ilhas Martin Vaz		118	Q3
Hoorn		40	H2		Hudson Bay		100	P5		Ibbenbüren		38	C4		Ilhéus		116	K6
Hoorn Islands		92	H7		Hudson Strait		100	S4		Iberia		116	C5		Iliamna Volcano		110	(1)G4
Hopa		76	J3		Huê		68	D3		Ibiza = Eivissa		46	M5		Iligan		68	G5
Hope, Canada		104	B1		Hué		46	D7		Ibiza = Eivissa		46	M6		Ilkal		72	C5
Hope, Ak., US.		100	B4		Huercal Overa		46	J7		Ibotirama		116	J6		Iller		48	F3
Hope, Ark., US		108	C3		Huesca		46	K2		Ibrä'		74	G5		Illertissen		48	F2
Hopedale		100	U5		Huéscar		46	H7		Ibrī		79	G5		Illichivs'k		52	T3
Hopetoun		94	H7		Huftaroy		34	C6		Ica		116	B6		Illinois		102	H3
Hopin		72	G4		Hugo		108	B3		Içel		76	F5		Illinois		106	C2
Hopkinsville		106	C3		Hugo Lake		108	B3		Iceland		32	C1		Illizi		84	G3
Hoquiam		104	B1		Huia		96	E3		Ichalkaranji		72	B5		Ilmenau		38	F6
Horadiz		76	M4		Huich'ôn		66	D3		Ichinoseki		66	L4		Ilo		116	C7
Horasan		76	K3		Huila Plateau		90	A3		Idabel		108	C3		Iloilo		68	G4
Horgo		62	F7		Huinan		66	C2		Ida Grove		106	A2		Ilorin		86	E3
Horizon Depth		92	D8		Huinca Renancó		118	J5		Idah		86	F3		Ilovlya		56	H5
Hormak		74	H4		Huizhou		68	E2		Idaho		104	D2		Il'pyrskiy		62	U4
Hormoz		79	F3		Hulin		62	N7		Idaho Falls		104	D2		Ilwaco		104	B1
Horn		48	L2		Hull		106	E1		Idar-Oberstein		38	C7		Ilych		56	L2
Hornavan		34	J3		Hulst		40	G3		Idfu		82	F3		Imabari		66	G6
Horncastle		40	B1		Hulun Nur		62	K7		Idhän Awbärī		84	H3		Imatra		34	Q6
Horodenka		52	N1		Huma		62	M6		Idhän Murzūq		84	H4		Imeni-Babushkina		60	G6
Horodok		36	N8		Huma		62	M6		Idiofa		88	C4		Imeni Polinyosipenko		62	P6
Horqin Youyi Qianqi		62	L7		Humaitá		116	E5		Idlib		76	G6		Imese		88	B3
Horsens		34	E9		Humbe		90	A3		Idstein		38	D6		Imī		88	G2
Horsham, Australia		94	H7		Humboldt		100	L6		Ieper		40	E4		Imisli		76	N4
Horsham, UK		40	B3		Humboldt		104	C2		Ierapetra		54	H9		Immeln		36	D1
Horten		34	F7		Hümedän		74	G4		Ifanadiana		90	H4		Immenstadt		48	F3
Hortiguela		46	G2		Humenné		36	L9		Ife		86	E3		Imola		48	G6
Horton		110	(1)N2		Humphrey		104	D2		Igarka		60	R4		Imotski		52	E6
Hoseynābād		79	G2		Humpolec		36	E8		Iggesund		34	J6		Imperatriz		116	H5
Hoshab		74	H4		Hün		82	C2		Igizyar		74	L2		Impéria		48	D7
Hoshangabad		72	C4		Húnaflói		34	(1)C2		Iglésias		50	C9		Imperial		104	F2
Hospet		72	C5		Hunchun		66	F2		Igloolik		100	Q3		Impfondo		88	B3
Hosséré Vokre		86	G3		Hunedoara		52	K4		Ignace		106	B1		Imphal		72	F4
Hotan		60	Q10		Hünfeld		38	E6		Iĝneada		54	K3		Imrali Adasi		54	L4
Hotan		60	Q10		Hungary		52	H3		Igoumenitsa		54	C5		Imroz		54	H4
Hot Springs, Ark., US		106	B4		Hungen		38	D6		Igra		56	K3		Inambari		116	C6
Hot Springs, N.C., US		106	D3		Hungerford		94	H5		Igrim		56	M2		In Aménas		84	G3
Hottah Lake		100	H3							Igualada		46	M3		Inangahua		96	C5
Houdan		40	D6							Iguatu		116	K5		Inanwatan		70	(2)D3

142

Name	Page	Grid
Iñapari	116	D6
Inarijärvi	34	P2
Inca	46	N5
Ince Burun	76	F2
Inch'ŏn	66	D5
Incirliova	54	K7
Indalsälven, Kans., US.	34	H5
Independence, Kans., US.	108	B2
Independence, Mo., US	106	B3
India	72	C4
Indiana	102	J3
Indiana	106	E2
Indianapolis	108	D2
Indian Ocean	72	D8
Indianola	106	B2
Indian Springs	104	C3
Indiga	56	J1
Indio	110	C2
Indonesia	70	(1)D3
Indore	72	C4
Indramayu	70	(1)D4
Indre	44	G6
Indre Sula	34	C6
Indus	74	K3
Inebolu	76	E3
Inecik	54	K4
Inegöl	76	C3
In Ekker	84	G4
Ineu	52	J3
Ingelheim	40	L5
Ingeniero Jacobacci	118	H7
Ingham	94	J3
Ingoda	62	J6
Ingolstadt	48	G2
Ingrāj Bāzār	72	E3
Ingushetiya	76	L2
Inhambane	90	F4
Inírida	116	D3
Inishmore	42	B8
Inkisi-Kisantu	86	H6
Inn	48	H2
Inner Hebrides	42	F5
Inner Mongolia = Nei Monggol	64	E2
Innisfail	94	J3
Innsbruck	48	G3
Inongo	88	B4
Inowrocław	36	H5
In Salah	84	F3
Insein	68	B3
Inta	60	K4
Interlaken	48	C4
International Falls	106	B1
Intsy	56	H1
Inubō-zaki	66	L6
Inukjuak	100	R5
Inuvik	110	(1)L2
Invercargill	96	B8
Inverness	42	H4
Investigator Group	94	F6
Investigator Strait	94	G7
Inya	60	R7
Inya	62	R4
Ioannina	54	C5
Ioanga	60	F4
Iola	108	B2
Iona	42	F5
Ionian Sea	54	B6
Ionioi Nisoi	54	B5
Ios	54	H8
Iowa	102	H3
Iowa City	106	B2
Iowa Falls	106	B2
Ipameri	116	H7
Ipatinga	118	N2
Ipatovo	56	H5
Ipiales	116	B3
Ipiaú	116	K6
Ipoh	70	(1)C2
Iporá	116	G7
Ippy	88	C2
Ipsala	54	J4
Ipswich	42	P9
Iqaluit	100	T4
Iquique	118	G3
Iquitos	116	C4
Iracoubo	116	G2
Irakleia	54	F3
Irakleia	54	H8
Irakleio	54	H9
Iraklion = Irakleio	32	G4
Iran	74	F3
Īrānshahr	74	H4
Irapuato	112	D4
Iraq	74	D3
Irbid	78	C4
Irbit	56	M3
Irecê	116	J6
Ireland	42	D8
Irgiz	56	M5
Irgiz	56	M5
Irhil M'Goun	84	D2
Iringa	88	F5
Iriri	116	G4
Irish Sea	42	G8
Irkutsk	62	G6
Iron Mountain	106	C1
Ironton	108	E2
Ironwood	106	B1
Irrawaddy	72	F5
Irshava	52	L1
Irta	56	J2
Irtysh	56	P3
Irtyshsk	60	P7
Irumu	88	D3
Irún	46	J1
Irvine	42	H6
Irving	110	G2
Isabela	70	(2)B1
Isabella	106	B1
Isabella Lake	110	C1
Ísafjarðardjúp	34	(1)A1
Ísafjörður	34	(1)B1
Isahaya	64	J4
Isar	48	G3
Ischia	50	H8
Ise	66	J6
Isel	48	H4
Isère	48	B5
Iserlohn	40	K3
Isernia	50	J7
Isetskoye	56	N3
Iseyin	86	E3
Isfana	74	J2
Ishikari-wan	66	L2
Ishim	56	N3
Ishim	56	N4
Ishinomaki	66	L4
Ishkoshim	74	K2
Isiolo	88	F3
Isiro	88	D3
Iskăr	52	M6
Iskenderun	76	G5
Iskitim	60	Q7
Isla Alejandro Selkirk	118	E5
Isla Campana	118	F8
Isla Clarence	118	G9
Isla Clarión	112	B5
Isla Coiba	112	H7
Isla Contreras	118	F9
Isla de Alborán	46	G9
Isla de Bioco	86	F4
Isla de Chiloé	118	G7
Isla de Coco	112	G7
Isla de Cozumel	112	G4
Isla de la Juventud	112	H4
Isla de los Estados	118	J9
Isla de Malpelo	116	A3
Isla de Margarita	116	E1
Isla de Providencia	112	H6
Isla de San Andrés	112	H6
Isla de São Francisco	118	M4
Isla de São Sebastião	118	M3
Isla Desolación	118	F9
Isla Española	116	(1)B2
Isla Fernandina	116	(1)A2
Isla Gorgona	116	B3
Isla Grande	118	N3
Isla Grande de Tierra del Fuego	118	H9
Isla Guafo	118	F7
Isla Hoste	118	G10
Isla Isabela	116	(1)A2
Isla La Tortuga	116	D1
Isla Londonderry	118	G9
Islamabad	72	B2
Isla Madre de Dios	118	F8/9
Isla Marchena	116	(1)A1
Islamgarh	72	B3
Islamorada	108	C6
Isla Navarino	118	H10
Island Lake	100	M6
Islands of the Four Mountains	110	(1)C5
Isla Pinta	116	(1)A1
Isla Puná	116	A4
Isla Riesco	118	G9
Isla Robinson Crusoe	118	E5
Isla San Benedicto	112	B5
Isla San Cristóbal	116	(1)B2
Isla San Salvador	116	(1)A2
Isla Santa Cruz	116	(1)A2
Isla Santa Inés	118	F9
Isla Santa María	116	(1)A2
Islas Baleares	46	N5
Islas Canarias	80	A3
Islas Canarias	84	B3
Islas Columbretes	46	L5
Islas de la Bahía	112	G5
Islas de los Desventurados	118	E4
Islas Galápagos	116	(1)B1
Islas Juan Fernández	118	E5
Islas Los Roques	116	D1
Islas Marías	112	C4
Isla Socorro	112	B5
Islas Revillagigedo	112	B5
Islas Wollaston	118	H10
Isla Wellington	118	F8
Islay	42	F6
Isle	44	F8
Isle of Man	42	H7
Isle of Wight	42	L11
Isle Royale	106	C1
Ismâ'ilîya	82	F1
Ismayıllı	76	N3
Isna	82	F2
Isoka	90	E2
Isola delle Correnti	50	J12
Isola di Capo Rizzuto	50	M10
Isola di Pantelleria	50	G12
Isole Égadi	50	F11
Isole Lípari	50	J10
Isole Ponziane	50	H8
Isole Trémiti	50	K6
Iso-Vietonen	34	N3
Isparta	54	N7
Ispica	50	J12
Israel	78	B5
Israelite Bay	94	D6
Issia	86	C3
Issimu	70	(2)B2
Issoire	44	J8
Issoudun	44	H7
Istanbul	76	C3
Istanbul Boğazı	76	C3
Istiaia	54	F6
Istmo de Tehauntepec	112	F5
Istra	48	J5
Istres	44	K10
Itaberaba	116	J6
Itabira	116	J7
Itabuna	116	K6
Itacoatiara	116	F4
Itaituba	116	F4
Itajaí	118	M4
Italy	50	E4
Itambacuri	116	J7
Itanagar	72	F3
Itapebi	116	K7
Itapetinga	116	J7
Itapicuru	116	K6
Itapicuru Mirim	116	J4
Itapipoca	116	K4
Itarsi	72	C4
Ithaca	106	E2
Ithaki	54	C6
Ithaki	54	C6
Itiquira	116	C5
I t u í	116	H7
Ituiutaba	116	H7
Itumbiara	116	H7
Ituni	116	F2
Ituri	88	D3
Ituxi	116	D5
Itzehoe	38	E3
Ivalo	34	P2
Ivanava	34	N10
Ivangrad	52	G7
Ivanhoe, Australia	94	H6
Ivanhoe, US	106	A2
Ivano-Frankivs'k	56	D5
Ivanovo	56	H3
Ivatsevichy	34	N10
Ivdel'	56	M2
Ivittuut	100	X4
Ivosjön	36	D1
Ivrea	48	C5
Ivujivik	100	R4
Iwaki	66	L5
Iwamizawa	66	L2
Iwo	86	E3
Iyo-nada	66	G7
Izberbash	76	M2
Izegem	40	F4
Izhevsk	56	K3
Izhma	56	K1
Izhma	56	K2
Izk	74	G5
Izkī	79	G5
Izmayil	52	R4
İzmir	76	B4
İzmir Körfezi	54	J6
İzmit	76	C3
İznik	76	C3
İznik Gölü	76	C3
Izola	48	J5
Izra'	78	D4
Izuhara	66	E6
Izumo	66	G6
Izu-shotō	66	K6

J

Name	Page	Grid
Jabal ad Durūz	78	D4
Jabal Akhdar	79	G5
Jabal al Nuşayrīyah	78	D1
Jabal an Nabī Shu'ayb	82	H4
Jabal Ash Sham	79	G5
Jabal az Zannah	79	E4
Jabalpur	72	C4
Jabal Shammar	82	G2
Jabal Thamar	82	J5
Jabiru	94	F2
Jablah	78	C1
Jablonec	36	E7
Jablunkov	36	H8
Jaboatão	116	K5
Jaca	46	K2
Jacareacanga	116	G5
Jackman	106	F1
Jacksboro	108	B3
Jackson, Calif., US	104	B3
Jackson, Minn., US	106	B2
Jackson, Miss., US	108	C3
Jackson, Oh., US	108	E2
Jackson, Tenn., US	108	D2
Jackson Head	96	B6
Jackson Lake	104	D2
Jacksonville, Fla., US	108	E3
Jacksonville, Ill., US	106	B3
Jacksonville, N.C., US	108	F3
Jacksonville, Tex., US	108	B3
Jacmel	112	K5
Jacobabad	72	A3
Jacobina	116	J6
Jacunda	116	H4
Jacupiranga	118	M3
Jade	38	D3
Jadebusen	38	D3
Jādū	84	H2
Jaén	46	G7
Jaen	116	B5
Jaffna	72	D7
Jagdalpur	72	D5
Jagersfontein	90	D5
Jaggang	72	C2
Jagst	38	E7
Jahrom	79	E2
Jaipur	72	C3
Jaisalmer	72	B3
Jajce	52	E5
Jakarta	70	(1)D4
Jakobshavn = Iiulissat	100	W3
Jakobstad	34	M5
Jalālābād	72	B2
Jalandhar	72	C2
Jalapa Enriquez	112	E5
Jalgaon	72	C4
Jalībah	79	B1
Jalingo	86	G3
Jalna	72	C5
Jalón	46	J3
Jalpaiguri	72	E3
Jalūlā'	76	L6
Jamaica	112	H5
Jamalpur	72	E3
Jambi	70	(1)C3
James	104	G2
James Bay	100	Q6
Jamestown, N.Y., US	106	E2
Jamestown, N.D., US	104	G1
Jammerbugten	34	E8
Jammu	72	B2
Jammu and Kashmir	72	C2
Jamnagar	72	B4
Jämsä	34	N6
Jamshedpur	72	E4
Janakpur	72	E3
Janaúba	116	J7
Jandaq	74	F3
Jandongi	88	C3
Jane Peak	96	B7
Janesville	106	C2
Jan Mayen	98	C2
Janos	110	E2
Jánossomorja	48	N3
Janów Lubelski	36	M7
Jantarnyj	36	J3
Januária	116	J7
Jaora	72	C4
Japan	66	L5
Japan Trench	92	D4

Name	Page	Ref
Japurá	116	D4
Jarābulus	76	H5
Jaramillo	118	H8
Jarash	78	C4
Jardim	118	K3
Jarosław	36	M7
Järpen	34	G5
Jarud Qi	64	G2
Järvenpää	34	N6
Jarvis	92	K6
Jaseľda	34	N10
Jāsk	79	G4
Jason Islands	118	J9
Jasper, *Al., US*	108	D3
Jasper, *Fla., US*	108	E3
Jasper, *Tex., US*	108	C3
Jastrebarsko	48	L5
Jászberény	52	G2
Jataí	116	G7
Jatapu	116	F4
Jaunpur	72	D3
Java = Jawa	70	(1)E4
Javarthushuu	62	J7
Javoriv	36	N8
Jawa	70	(1)E4
Jawhar	88	H3
Jayapura	70	(2)F3
Jayrūd	78	D3
Jaza'īr Farasān	82	H4
Jazīrat Būbīyān	79	C2
Jazīrat-ye Khārk	79	D2
Jbail	78	C2
Jbel Ayachi	84	E2
Jbel Bou Naceur	84	E2
Jbel Toubkal	84	D2
Jean	104	C3
Jebba	86	E3
Jebel Bāqir	78	C7
Jebel el Atā'ita	78	C6
Jebel el Batrā	78	C7
Jebel-esh Sharqi	78	C3
Jebel Gimbala	82	D5
Jebel Ithrīyat	78	D6
Jebel Liban	78	C3
Jebel Mubrak	78	C6
Jebel Ram	78	C7
Jebel Uweinat	82	E3
Jedburgh	42	K6
Jedda = Jiddah	74	C5
Jedeida	50	D12
Jędrzejów	36	K7
Jefferson	106	B2
Jefferson City, *Mo., US*	106	B3
Jefferson City, *Tenn., US*	108	E2
Jeffersonville	106	C3
Jega	86	E2
Jēkabpils	34	N8
Jelgava	34	M8
Jemaja	70	(1)D2
Jena	38	G6
Jendouba	84	G1
Jenin	78	C4
Jenkins	106	D3
Jequié	116	J6
Jequitinhonha	116	J7
Jerada	84	E2
Jeremoabo	116	K6
Jerez	110	F4
Jerez de la Frontera	46	D8
Jerez de los Caballeros	46	D6
Jericho, *Australia*	94	J4
Jericho, *Israel*	78	C5
Jersey	44	C4
Jersey City	108	G1
Jerusalem = Yerushalayim	78	C5
Jesenice	52	B3
Jesenik	36	G7
Jesi	48	J7
Jésolo	48	H5
Jessore	72	E4
Jesup	108	E3
Jeumont	40	G4
Jever	38	C3
Jeypore	72	D5
Jezioro Gardno	36	D4
Jezioro Gardno	34	J9
Jezioro Jeziorsko	36	H6
Jezioro Łebsko	36	F3
Jezioro Śniardwy	36	L4
Jezioro Wigry	36	N2
Jezzine	78	C3
Jhang Maghiana	72	B2
Jhansi	72	C3
Jharsuguda	72	D4
Jhelum	72	B2
Jialing Jiang	64	D4
Jiamusi	64	J1
Ji'an	64	E5
Jiangle	64	F5
Jiangling	64	E4
Jiangmen	64	E6
Jiangyou	64	C4
Jiaonan	64	F3
Jiaozou	64	E3
Jiaxing	64	G4
Jiayuguan	64	B3
Jibou	52	L2
Jičín	36	E7
Jiddah	74	C5
Jiesjavrre	34	N2
Jiexiu	64	E3
Jihlava	36	E8
Jijia	52	Q2
Jijiga	88	G2
Jilib	88	G3
Jilin	66	D2
Jima	88	F2
Jimbolia	52	H4
Jiménez	110	F3
Jimsar	60	R9
Jinan	64	F3
Jinapo Hu	66	E2
Jinchang	64	C3
Jincheng	64	E3
Jindřichův Hradec	36	E8
Jingdezhen	64	F5
Jinggu	64	C6
Jinghe	60	Q9
Jinghong	64	C6
Jingmen	64	E4
Jingning	64	D3
Jingxi	64	D6
Jinhua	64	F5
Jining, *China*	64	E2
Jining, *China*	64	F3
Jinja	88	E3
Jinka	88	F2
Jinsha	64	C5
Jinshi	64	E5
Jinta	64	B2
Jinxi	64	G2
Jinzhou	64	G2
Jirgatol	74	K2
Jirkov	38	J6
Jīroft	79	G2
Jirriiban	88	H2
Jishou	64	D5
Jiu	52	L4
Jiujiang	64	F5
Jiwani	74	H4
Jixi	66	F1
Jīzān	82	H4
Jizera	36	D7
J. J. Castelli	116	D4
Joal-Fadiout	84	B6
João Pessoa	116	L5
Jódar	46	G7
Jodhpur	72	B3
Joensuu	56	E2
Jōetsu	66	K5
Jõgeva	34	P7
Johannesburg, *South Africa*	90	D5
Johannesburg, *US*	110	C1
John Day	104	C2
John o' Groats	42	J3
John Redmond Reservoir	108	B2
Johnson	108	A2
Johnson City	106	D3
Johnson's Crossing	110	(1)L3
Johnston Island	92	J4
Johnstown	106	E2
Johor Bahru	70	(1)C2
Joigny	44	J5
Joinville, *Brazil*	118	M4
Joinville, *France*	44	L5
Jokkmokk	34	K3
Jökulsá á Fjöllum	34	(1)E1
Jolfa	76	L4
Joliet	102	J3
Joliette	106	F1
Jolo	70	(2)B1
Jolo	70	(2)B1
Jonava	36	P2
Jonesboro	106	B3
Jones Sound	100	P1
Jonesville	108	C3
Jonglei Canal	88	E2
Jongunjärvi	34	P4
Joniškis	36	N1
Jönköping	34	H8
Jonquière	106	F1
Joplin	108	C2
Jordan	78	D5
Jordan	104	E1
Jordan Valley	104	C2
Jorhat	72	F3
Jörn	34	L4
Jos	86	F3
José de San Martín	118	G7
Joseph Bonaparte Gulf	94	E2
Joûnié	78	C2
Juan de Nova	90	G3
Juàzeiro	116	J5
Juàzeiro do Norte	116	K5
Juba	88	E3
Jubba	88	G3
Júcar	46	J5
Juchitán	112	F5
Judenburg	48	K3
Juhre	62	L8
Juist	38	B3
Juiz de Fora	118	N3
Julesburg	104	F2
Juli	116	C7
Juliaca	116	C7
Juliana Top	116	F3
Jülich	40	J4
Jumilla	46	J6
Jumla	72	D3
Junagadh	72	B4
Junction	108	B3
Junction City	108	B2
Jundah	94	H4
Juneau	110	(1)L4
Jungfrau	48	C4
Junggar Pendi	60	R8
Jun Xian	64	E4
Jūra	36	M2
Jura	42	G5
Jura	48	B4
Jurbarkas	36	M2
Jurf ed Darāwīsh	78	C6
Jurhe	64	G2
Jūrmala	34	M8
Jūrmala	56	D3
Juruá	116	D4
Juruena	116	F5
Juruena	116	F6
Justo Daract	118	H5
Jutaí	116	D5
Jüterbog	38	J5
Juwain	74	H3
Ju Xian	64	F3
Jūymand	74	G3
Jūyom	79	F2
Juzur al Halaniyat	74	G6
Jylland	34	E8
Jyväskylä	56	E2
Jyväskylä	34	N5

K

Name	Page	Ref
K2	72	C1
Kaakha	74	G2
Kaamanen	34	P2
Kaaresuvanto	34	M2
Kaarta	84	C6
Kabaena	70	(2)B4
Kabakly	74	H2
Kabala	86	B3
Kabale	88	E4
Kabardino-Balkariya	76	K2
Kabompo	90	C2
Kabongo	88	D5
Kabugao	68	G3
Kābul	74	J3
Kabwe	90	D2
Kachikattsy	62	M4
Kachug	62	H6
Kadama	72	B6
Kadaň	36	C7
Kadinhanı	54	Q6
Kadirli	76	G5
Kadoka	104	F2
Kadoma	90	D3
Kadugli	82	E5
Kaduna	86	F2
Kadzherom	56	L2
Kaédi	84	C5
Kaesŏng	66	D5
Kafanchan	86	F3
Kaffrine	84	A2
Kafiau	70	(2)C3
Kåfjord	34	N1
Kafr el Sheikh	82	F1
Kafue	90	D3
Kaga	66	K5
Kaga Bandoro	88	B2
Kagoshima	66	G3
Kahemba	88	B5
Kahnūj	79	G3
Kahraman Maraş	76	G5
Kahurangi Point	96	C5
Kaiama	86	E3
Kai Besar	70	(2)D4
Kaifeng	64	E4
Kaihu	96	D2
Kaihua	64	F5
Kai Kecil	70	(2)D4
Kaikohe	96	D2
Kaikoura	96	D6
Kaili	64	D5
Kailua	110	(2)D2
Kailua Kona	110	(2)E4
Kaimana	70	(2)D3
Kaina	34	M7
Kainji Reservoir	86	E2
Kaipara Harbour	96	D3
Kairouan	84	H1
Kaiserslautern	38	C7
Kaišiadorys	36	P3
Kaitaia	96	D2
Kaiyuan	68	C2
Kajaani	34	P4
Kakamega	88	E3
Kakata	86	B3
Kakhovs'ke Vodoskhovyshche	56	F5
Kākināda	72	D5
Kaktovik	110	(1)J1
Kalabagh	72	B2
Kalabahi	70	(2)B4
Kalabakan	70	(1)F2
Kalach	56	H4
Kalachinsk	56	P3
Kalach-na-Donu	56	H5
Kaladar	106	E2
Ka Lae	110	(2)F5
Kalahari Desert	90	C4
Kalajoki	34	M4
Kalakan	62	K5
Kalam	72	B1
Kalamata	54	E7
Kalamazoo	106	C2
Kalampaka	54	D5
Kalaotoa	70	(2)B4
Kalapana	110	(2)G4
Kalaupapa	110	(2)E2
Kalavryta	54	E6
Kale	54	L7
Kalecik	76	E3
Kaledupa	70	(2)B4
Kalemie	88	D5
Kalemyo	72	F4
Kalevala	34	R4
Kalewa	72	F4
Kalgoorlie	94	D6
Kalianda	70	(1)D4
Kalibo	68	G4
Kalima	88	D4
Kalimantan	70	(1)E2
Kaliningrad	36	K3
Kaliningradskij Zaliv	36	J3
Kalispell	104	D1
Kalisz	36	H6
Kalixälven	34	M3
Kalkan	54	M8
Kalkarindji	94	F3
Kalkaska	106	C2
Kallavesi	34	P5
Kallsjön	34	G5
Kalmar	34	J8
Kalmykiya	76	M1
Kalmykovo	56	K5
Kalocsa	52	F3
Kalol	72	B4
Kalpakio	54	C5
Kalpeni	72	B6
Kaltag	110	(1)F3
Kaluga	56	G4
Kalyan	72	B5
Kalymnos	54	J7
Kalymnos	54	J8
Kama	32	K1
Kama	88	D4
Kamaishi	66	L4
Kamande	88	D4
Kamango	60	U6
Kambarka	56	K3
Kambo Ho	66	E3
Kamchatka	62	U6
Kamchatskiy Zaliv	62	U5
Kamenica	54	E2
Kamenka, *Russia*	56	H1
Kamenka, *Russia*	56	H4
Kamen'-na-Obi	60	Q7
Kamen'-Rybolov	66	F1
Kamensk-Shakhtinskiy	56	H5
Kamensk-Ural'skiy	56	M3
Kamenz	36	D6
Kamet	72	C2
Kamiiso	66	L3

Name	Page	Ref
Kamina	88	C5
Kamituga	88	D4
Kamiyaku	66	F8
Kamloops	100	G6
Kamoenai	66	L2
Kampala	88	E3
Kampen	40	H2
Kampong Cham	68	D4
Kam"yanets'-Podil's'kyy	56	E5
Kamyanets	34	M10
Kamyshin	56	J4
Kamyzyak	56	J5
Kanab	110	D1
Kananga	88	C5
Kanazawa	66	J5
Kanbalu	72	G4
Kanchipuram	72	C6
Kandahār	74	J3
Kandalaksha	34	S3
Kandalakshskiy Zaliv	56	F1
Kandi	86	E2
Kandira	54	N3
Kandy	72	D7
Kane	106	E2
Kaneohe	110	(2)D2
Kang	90	C4
Kangaatsiaq	100	W3
Kangal	76	G4
Kangān, Iran	79	E3
Kangān, Iran	79	G4
Kangaroo Island	94	G7
Kangchenjunga	72	E3
Kangding	64	C4
Kangeq	100	Y4
Kangerluarsoruseq	100	W4
Kangersuatsiaq	100	W2
Kangetet	88	F3
Kangiqsualujjuaq	100	T5
Kangmar	72	E3
Kangnŭng	66	E5
Kango	86	G4
Kangping	64	G2
Kaniama	88	C5
Kanji Reservoir	80	D4
Kanjiža	52	H3
Kankaanpää	34	M6
Kankakee	106	C2
Kankan	86	C2
Kankossa	84	C5
Kannapolis	108	E2
Kano	86	F2
Kanoya	66	F8
Kanpur	72	D3
Kansas	108	A2
Kansas	108	B2
Kansas City, Kans., US	108	C2
Kansas City, Mo., US	108	C2
Kansk	60	T6
Kanta	88	F2
Kantchari	86	E2
Kantemirovka	56	G5
Kanye	90	C4
Kao-Hsiung	64	G6
Kaolack	84	B6
Kaoma	90	C2
Kapanga	88	C5
Kap Arkona	36	C3
Kapchagay	60	P9
Kap Cort Adelaer = Kangeq	100	Y4
Kap Farvel = Uummannarsuaq	100	Y5
Kapfenberg	48	L3
Kapidağı Yarimadası	54	K4
Kapiri Mposhi	90	D2
Kapit	70	(1)E2
Kapiti Island	96	E6
Kaplice	48	K2
Kapoeta	88	E3
Kaposvár	52	E3
Kappel	38	C6
Kappeln	38	E2
Kappl	48	F3
Kapuas	66	E3
Kapuskasing	102	K2
Kapuvár	52	E2
Kara	60	M4
Kara, Russia	60	M4
Kara, Togo	86	E3
Kara Ada	54	K8
Kara-Balta	60	N9
Karabekaul	74	H2
Karabogaz-Gol	74	F1
Karabutak	56	M5
Karacaköy	54	L4
Karacal Tepe	54	L3
Karacal Tepe	54	Q8
Karachayevo-Cherkesiya	76	J2
Karachayevsk	76	J2
Karachi	74	J5
Karaganda	60	N8
Karaginskiy Zaliv	62	V5
Karaj	74	F2
Karak	78	C5
Kara-Kala	74	G2
Kara-Köl	60	N9
Karakol	60	P9
Karakoram	58	L6
Karaksar	62	K6
Karam	62	H5
Karaman	76	E5
Karamay	60	R8
Karamea	96	D5
Karamea Bight	96	C5
Karamürsel	54	M4
Karaoy	60	N8
Kara-Say	60	P9
Karasburg	90	B5
Kara Sea = Karskoye More	60	L3
Karasuk	76	D3
Karasuk	60	P7
Karasuk	60	P7
Karatal	60	P8
Karataş	76	F5
Karatobe	56	K5
Karaton	56	K5
Karatsu	66	E7
Karazhal	56	P5
Karbalā'	74	D3
Karcag	52	H2
Karditsa	54	D5
Kärdla	34	M7
Kareliya	34	R4
Karepino	56	L2
Karesuando	34	M2
Kargalinskaya	76	M2
Kargasok	60	Q6
Kargat	60	P6
Kargil	72	C2
Kargopol'	56	G2
Kariba	90	D3
Kariba Dam	90	D3
Karibib	90	B4
Karimata	70	(1)D3
Karimnagar	72	C5
Karkaralinsk	60	P8
Karkinits'ka Zatoka	56	F5
Karlik Shan	64	A2
Karlovac	52	C4
Karlovasi	54	J7
Karlovo	54	G2
Karlovy Vary	38	H6
Karlshamn	36	D1
Karlskoga	34	H7
Karlskrona	34	H8
Karlsruhe	38	D8
Karlstad, Norway	34	G7
Karlstad, US	106	A1
Karlstadt	38	E7
Karmala	72	C5
Karmi'el	78	C4
Karmøy	34	C7
Karnafuli Reservoir	72	F4
Karnal	72	C3
Karnische Alpen	48	H4
Karnobat	54	J2
Karodi	74	J4
Karpathos	54	K9
Karpathos	54	K9
Karpenisi	54	D6
Karpogory	56	H2
Karrabük	76	E3
Karratha	94	C4
Kars	76	K3
Karsakpay	56	N5
Karsava	34	P8
Karshi	74	J2
Karskoye More	60	L3
Karslyaka	54	K6
Karstula	34	N5
Kartaly	56	M4
Kartayel'	56	K2
Kartuzy	36	H3
Karufa	70	(2)D3
Karumba	94	H3
Karur	72	C6
Karvina	36	H8
Karwar	72	B6
Karystos	54	G6
Kasai	88	B4
Kasaji	90	C2
Kasama	90	E2
Kasansay	60	N9
Kasba Lake	100	L4
Kasempa	90	D2
Kasenga	90	D2
Kāshān	74	F3
Kashi	74	L2
Kashima	64	L3
Kashiwazaki	66	K5
Kāshmar	74	G2
Kashmor	74	J4
Kasimov	56	H4
Kasli	56	M3
Kasongo	88	D4
Kasos	54	K9
Kaspi	76	L3
Kaspiysk	76	M2
Kassala	82	G4
Kassandreia	54	F4
Kassel	38	E5
Kasserine	84	G1
Kastamonu	76	E3
Kastelli	54	F9
Kastoria	54	D4
Kasulu	88	E4
Kasumkent	76	N3
Kasur	72	B2
Kata	62	G5
Katchall	72	F7
Katerini	54	E4
Katete	90	E2
Katha	72	G4
Katherine	94	F2
Kathiawar	74	K5
Kathmandu	72	E3
Kati	86	C2
Katihar	72	E3
Katiola	86	C3
Kato Nevrokopi	54	F3
Katonga	88	E3
Katoomba	94	K6
Katowice	36	J7
Katrineholm	34	J7
Katsina	86	F2
Katsina-Ala	86	F3
Kattakurgan	74	J2
Kattavia	54	K9
Kattegat	34	F8
Katun'	60	R7
Katwijkaan Zee	40	G2
Kauai	110	(2)B1
Kaufbeuren	48	F3
Kauhajoki	34	M5
Kaunas	36	N3
Kauno	36	P3
Kaunus	32	G2
Kaura Namoda	86	F2
Kavadarci	54	D3
Kavajë	54	B3
Kavala	54	G4
Kavār	79	E2
Kavaratti	72	B6
Kavarna	52	R6
Kawagoe	66	K6
Kawakawa	96	E2
Kawambwa	88	D5
Kawasaki	66	K6
Kawau Island	96	E3
Kaweka	96	F4
Kawhia	96	E4
Kawkareik	68	B3
Kawthaung	68	B4
Kaya	86	D2
Kayak	60	U3
Kaycee	104	E2
Kayenta	110	D1
Kayes	86	B2
Kaymaz	54	P5
Kaynar	60	P8
Kayseri	76	F4
Kazachinskoye	62	E5
Kazach'ye	62	P2
Kazakdar'ya	60	K9
Kazakhstan	60	L8
Kazan'	56	J3
Kazan	62	M4
Kazanlŭk	54	H2
Kazan-rettō	72	E3
Kazbek	76	L2
Kāzerūn	79	D2
Kazincbarcika	52	H1
Kazungula	90	D3
Kea	54	G7
Kearney	102	G3
Keban Baraji	76	H4
Kébémèr	84	B5
Kebkabiya	82	D5
Kebnekajse	34	K3
K'ebrī Dehar	88	G2
K'ech'a Terara	88	F2
Keçiborlu	54	N7
Kecskemet	52	G3
Kédainiai	36	N2
Kedgwick	106	G1
Kédougou	86	B2
Kędzierzyn-Koźle	36	H7
Keele	110	(1)M3
Keene	106	F2
Keetmanshoop	90	B5
Keewatin	106	B1
Kefallonia	54	C6
Kefamenanu	70	(2)B4
Keflavik	34	(1)B2
Kegen'	60	P9
Keg River	100	H5
Kehl	48	C2
Keila	34	N7
Keitele	34	N5
Kékes	52	H2
Kelai Thiladhunmathee Atoll	72	B7
Kelheim	48	G2
Kelibia	50	F12
Kelkit	76	G3
Kelmė	36	M2
Kélo	86	H3
Kelowna	100	H7
Kelso	104	B1
Keluang	70	(1)C2
Kem'	56	F2
Kemalpaşa	54	K6
Kemasik	70	(1)C2
Kemer, Turkey	54	M8
Kemer, Turkey	54	N8
Kemerovo	60	R6
Kemi	34	N4
Kemijärvi	34	P3
Kemijärvi	34	P3
Kemijoki	34	P3
Kemmerer	104	D3
Kemmuna	50	J12
Kemnath	38	G7
Kemp's Bay	108	F5
Kempten	48	F3
Kendal	42	K7
Kendall	108	E4
Kendari	70	(2)B3
Kendawangan	70	(1)E3
Kendégué	86	H2
Kendujhargarh	72	E4
Kenedy	108	B4
Kenema	86	B3
Keneurgench	74	G1
Kenge	88	B4
Kengtung	68	B2
Kenhardt	90	C5
Kénitra	84	D2
Kenmore	42	C10
Kennett	108	D2
Kennewick	104	C1
Keno Hill	110	(1)K3
Kenora	102	H2
Kenosha	106	C2
Kentau	60	M9
Kentucky	102	J4
Kentwood	108	C3
Kenya	80	G5
Keokuk	106	B2
Kępno	36	H6
Kepulauan Anambas	70	(1)D2
Kepulauan Aru	70	(2)E4
Kepulauan Babar	70	(2)D2
Kepulauan Balabalangan	70	(1)F3
Kepulauan Banggai	70	(2)B3
Kepulauan Barat Daya	70	(2)C4
Kepulauan Batu	70	(1)B3
Kepulauan Bonerate	70	(2)A4
Kepulauan Kai	70	(2)D4
Kepulauan Kangean	70	(1)F4
Kepulauan Karimunjawa	70	(1)D4
Kepulauan Karkaralong	70	(2)B2
Kepulauan Laut Kecil	70	(1)F3
Kepulauan Leti	70	(2)C4
Kepulauan Lingga	70	(1)C2
Kepulauan Lucipara	70	(2)C4
Kepulauan Mentawai	70	(1)B3
Kepulauan Nanusa	70	(2)B2
Kepulauan Natuna	70	(1)D2
Kepulauan Riau	70	(1)C2
Kepulauan Sabalana	70	(1)F4
Kepulauan Sangir	70	(2)C2
Kepulauan Solor	70	(2)B4
Kepulauan Sula	70	(2)B3
Kepulauan Talaud	70	(2)C2
Kepulauan Tanimbar	70	(2)D4
Kepulauan Tengah	70	(1)F4
Kepulauan Togian	70	(2)B3
Kepulauan Tukangbesi	70	(2)B4
Kepulauan Watubela	70	(2)D3

Name	Pg	Ref
Kerch ●	76	G1
Kerchevskiy ●	56	L3
Kerempe Burnu ⊠	54	R2
Keren ●	82	G4
Kericho ●	88	F4
Kerio ⟋	88	F3
Kerikeri ●	96	E2
Kerki ●	74	J2
Kerkrade ●	40	J4
Kerkyra ●	54	B5
Kerkyra ⊠	54	B5
Kerma ●	82	F4
Kermadec Islands ⊠	92	H8
Kermadec Trench ⊚	92	J9
Kermān ●	79	G1
Kermānshāh ●	74	E3
Kermānshāhān ●	79	F1
Keros ⊠	54	H8
Kerpen ●	40	J4
Kerrville ●	108	B3
Kerulen ⟋	62	J7
Keryneia ●	76	E6
Keşan ●	54	J4
Kesennuma ●	66	L4
Keşiş Dağları ▲	74	C2
Keszthely ●	52	E3
Keta ●	86	E3
Ketapang ●	70	(1)D3
Ketchikan ●	110	(1)L4
Kétou ●	86	E3
Kętrzyn ●	36	L3
Kettering ●	42	M9
Kettle Falls ●	102	C2
Kewanee ●	106	C2
Keweenaw Peninsula ⊠	106	C1
Key Largo ●	108	E4
Keystone Lake ⟋	108	B2
Key West ●	108	E5
Kezhma ●	62	G5
Kežmarok ●	36	K8
Khabarovsk ●	62	P7
Khadyzhensk ●	76	H1
Khakasiya ●	60	R7
Khairwāra ●	72	B4
Khalīg el Suweis ⊠	82	F2
Khalīj Surt ●	82	C1
Khalūf ●	74	G5
Khamis Mushay ●	74	D6
Khamkkeut ●	68	C3
Khampa ●	62	L4
Khamrà ●	62	J4
Khān al Baghdād ●	76	K7
Khandagayty ●	60	S7
Khandwa ●	72	C4
Khanewal ●	72	B2
Khannya ⟋	60	X4
Khanpur ●	72	B3
Khān Shaykhūn ●	78	D1
Khantau ●	60	N9
Khantayka ●	62	D3
Khanty-Mansiysk ●	56	N2
Khān Yūnis ●	78	B5
Khapalu ●	72	C1
Kharabali ●	56	J5
Kharagpur ●	72	E4
Kharampur ●	62	B4
Kharan ●	74	J4
Khargon ●	72	C4
Kharkiv ●	56	G5
Kharlu ●	34	R6
Kharmanli ●	54	H3
Kharnmam ●	72	D5
Kharovsk ●	56	H3
Khartoum = El Khartum ■	82	F4
Khasavyurt ●	76	M2
Khāsh ●	74	H4
Khashgort ●	56	N1
Kham el Girba ●	82	G4
Khashuri ●	76	K3
Khaskovo ●	54	H3
Khatanga ●	62	G2
Khātūnābād ●	79	F1
Khatyrka ⟋	62	X4
Khavda ●	74	J5
Khawr Fakkān ●	79	G4
Khaydarken ●	74	K2
Khayelitsha ●	90	B6
Khemis Miliana ●	84	F1
Khemisset ●	84	D2
Khenchela ●	84	G1
Kherāmeh ●	79	E2
Kherson ●	56	F5
Kheta ●	60	T3
Kheta ⟋	60	T3
Kheygiyakha ⟋	56	P2
Khilok ●	62	J6
Khirbat Isrīyah ●	78	E1
Khīyāv ●	76	M4
Khmel'nyts'kyy ●	56	E5
Khodā Afarīn ●	76	M4
Kholmsk ●	62	Q7
Khonj ●	79	E3
Khon Kaen ●	68	C3
Khonuu ●	62	Q3
Khoper ⟋	56	H4
Khor ●	62	P7
Khor ⟋	62	P7
Khoreyver ●	56	L1
Khorinsk ●	62	H6
Khorramābād ●	74	E3
Khorramshahr ●	79	C1
Khorugh ●	74	K2
Khoseda Khard ●	56	L1
Khouribga ●	84	D2
Khrebet Cherskogo ⛰	62	P3
Khrebet Dzhagdy ⛰	62	N6
Khrebet Dzhugdzhur ⛰	62	N5
Khrebet Khamar Daban ⛰	62	G6
Khrebet Kolymskiy ⛰	58	U3
Khrebet Kopet Dag ⛰	74	G2
Khrebet Suntar Khayata ⛰	62	P4
Khrebet Tarbagatay ⛰	60	Q8
Khroma ⟋	62	Q2
Khudoseya ⟋	62	C3
Khudzhakh ●	62	R4
Khujand ●	74	J1
Khulna ●	72	E4
Khurayş ●	79	B4
Khushab ●	72	B2
Khust ●	52	L1
Khuzdar ●	74	J4
Khvormūj ●	79	D2
Khvoy ●	76	L4
Khyber Pass ⊠	74	K3
Kibaya ●	88	F4
Kibombo ●	88	D4
Kibondo ●	88	E4
Kibre Mengist ●	88	F2
Kičevo ●	54	C3
Kichmengskiy Gorodok ●	56	J3
Kicking Horse Pass ⊠	100	H6
Kidal ●	84	F5
Kidderminster ●	42	K9
Kidira ●	86	B2
Kiel ●	38	F2
Kielce ●	36	K7
Kieler Bucht ⊠	38	F2
Kiev = Kyyiv ■	56	F4
Kiffa ●	84	C5
Kigali ●	88	E4
Kigoma ●	88	D4
Kihnu ●	34	M7
Kıkıköy ●	54	L3
Kikinda ●	52	H4
Kikori ⟋	70	(2)F4
Kikwit ●	88	B5
Kilchu ●	66	E3
Kilifi ●	88	F4
Kilindoni ●	88	F5
Kilingi-Nõmme ●	34	N7
Kilis ●	76	G5
Kiliya ●	52	S4
Kilkenny ●	42	E9
Kilkis ●	54	E4
Killarney, Canada ●	106	D1
Killarney, Republic of Ireland ●	42	C9
Kilmarnock ●	42	H6
Kil'mez ●	56	K3
Kilosa ●	88	F5
Kilrush ●	42	C9
Kilttan ⊠	72	B6
Kilwa ●	88	D5
Kilwa Masoko ●	88	F5
Kimberley ⊡	90	C5
Kimberley Plateau ●	94	E3
Kimch'aek ●	66	E3
Kimolos ⊠	54	G8
Kimongo ●	86	G5
Kimry ●	56	G3
Kincardine ●	106	D2
Kinder ●	108	C3
Kindia ●	86	B2
Kindu ●	88	D4
Kineshma ●	56	H3
Kingaroy ●	94	K5
King City ●	104	B3
King George Islands ⊠	100	R5
King Island, Australia ⊠	94	H7
King Island, Canada ⊠	62 A	A3
Kingman ●	110	D1
Kingri ●	74	J3
Kingscote ●	94	G7
Kingsland ●	108	E3
King's Lynn ●	42	N9
King Sound ⊠	94	D3
Kings Peak ▲	104	D2
Kingsport ●	108	E2
Kingston, Canada ●	106	E2
Kingston, Jamaica ■	112	J5
Kingston, US ●	106	F2
Kingston-upon-Hull ●	42	M8
Kingston upon Thames ●	40	B3
Kingstown ●	116	E1
Kingsville ●	108	B4
Kingville ●	112	E3
King William Island ⊠	100	M3
King William's Town ●	90	D6
Kinik ●	54	K5
Kinka-san ⊠	66	L4
Kinna ●	34	G8
Kinsale ●	42	D10
Kinshasa ■	88	B4
Kinsley ●	108	B2
Kinston ●	106	E3
Kintampo ●	86	D3
Kintyre ⊠	42	G6
Kinyeti ▲	88	E3
Kinzig ⟋	38	E6
Kipini ●	88	F4
Kipnuk ●	110	(1)E3
Kirchheim ●	48	E2
Kirchheimbolanden ●	40	L5
Kircudbright ●	42	H7
Kirenga ⟋	62	H5
Kirensk ●	62	H5
Kiribati Ⓐ	92	J6
Kırıkhan ●	76	G5
Kırıkkale ●	76	E4
Kirillov ●	56	G3
Kirinyaga ▲	88	F4
Kirishi ●	56	F3
Kiritimati ⊠	92	L5
Kırkağaç ●	54	K5
Kirkcaldy ●	42	J5
Kirkjubæjarklaustur ●	34	(1)E3
Kirkland Lake ●	106	D1
Kırklareli ●	54	K3
Kirkūk ●	76	L6
Kirkwall ●	42	K3
Kirov, Kyrgyzstan ●	60	N9
Kirov, Russia ●	56	F4
Kirov, Russia ●	56	J3
Kirovohrad ●	56	F5
Kiroyo-Chepetsk ●	56	K3
Kirs ●	56	K3
Kirsanov ●	56	H4
Kırşehir ●	76	F4
Kiruna ●	34	L3
Kiryū ●	66	K5
Kisangani ●	88	D3
Kisbér ●	52	E2
Kiselevsk ●	60	R7
Kishanganj ●	72	E3
Kishi ●	86	E3
Kishiwada ●	66	H6
Kishtwar ●	72	C2
Kisii ●	88	E4
Kiska Island ⊠	110	(3)B1
Kiskőrös ●	52	G3
Kiskunfélegyháza ●	52	G3
Kiskunhalas ●	52	G3
Kiskunmajsa ●	52	G3
Kislovodsk ●	76	K2
Kismaayo ●	88	G4
Kissidougou ●	86	B3
Kisumu ●	88	E4
Kisvárda ●	52	K1
Kita ●	86	C2
Kitakami ●	66	L4
Kita-Kyūshū ⊠	64	H4
Kita-Kyūshū ●	66	F7
Kitami ●	66	M2
Kitchener ●	106	D2
Kitgum ●	88	E3
Kitimat ●	100	F5
Kittilä ●	34	N3
Kitunda ●	88	E5
Kitwe ●	90	D2
Kitzingen ●	38	F7
Kiuruvesi ●	34	P5
Kivijärvi ●	34	N5
Kivik ●	36	D2
Kiya ⟋	62	D5
Kıyıköy ●	76	C3
Kizel ●	56	L3
Kizilağaç ●	54	R8
Kızılırmak ⟋	76	F3
Kızılkaya ●	54	N7
Kizil'skoye ●	56	L4
Kızıltepe ●	76	J5
Kizlyar ●	76	M2
Kizlyarskiy Zaliv ⊠	76	M1
Kladanj ●	52	F5
Kladno ●	36	D7
Klagenfurt ●	48	K4
Klaipėda ●	34	L9
Klamath ●	104	B2
Klamath ⟋	104	B2
Klamath Falls ●	104	B2
Klarälven ⟋	34	G6
Klatovy ●	38	J7
Klaus ●	48	K3
Klerksdorp ●	90	D5
Kleve ●	38	J4
Klin ●	56	G3
Klingenthal ●	38	H6
Klinovec ▲	38	H6
Klintsy ●	56	F4
Ključ ●	48	M6
Klobuck ●	36	H7
Kłodzko ●	36	F7
Kløfta ●	34	F6
Klosterneuburg ●	48	M2
Klosters ●	48	L4
Kluane ●	100	D4
Kluane Lake ⟋	110	(1)J3
Kluczbork ●	36	H7
Klyuchevskaya Sopka ▲	62	U5
Klyuchi ●	62	U5
Knezha ●	52	M6
Knin ●	52	D5
Knittelfeld ●	52	B2
Knjaževac ●	52	K6
Knokke-Heist ●	40	F3
Knoxville ●	106	D3
Knysna ●	90	C6
Koba ●	70	(1)D3
Kōbe ●	66	H6
Kobe ●	70	(2)C2
København ●	34	G9
Koblenz ●	38	C6
Kobo ●	72	G3
Kobroör ⊠	70	(2)E4
Kobryn ●	36	P5
Kobuk ●	110	(1)F2
Kobuk ⟋	110	(1)F2
Kočani ●	54	E3
Koçarli ●	54	K7
Kočevje ●	52	B4
Ko Chang ⊠	68	C4
Kochechum ⟋	62	F3
Kōchi ●	66	G7
Kochi ●	72	C7
Kochkor ●	60	P9
Kochki ●	60	Q7
Kochubey ●	76	M1
Kodiak ●	110	(1)G4
Kodiak Island ⊠	110	(1)G4
Kodino ●	56	G2
Kodinsk ●	62	F5
Kodomari-misaki ⊠	66	L3
Kodyma ●	52	S1
Köflach ●	52	C2
Kōfu ●	66	K6
Køge ●	36	B2
Køge Bugt ⊠	36	B2
Kohat ●	72	B2
Kohima ●	72	F3
Koh-i-Qaisir ▲	74	H3
Koh-i-Sangan ▲	74	J3
Kohtla-Järve ●	34	P7
Koidu ●	86	B3
Koitere ⟋	34	R5
Kokenau ●	70	(2)E3
Kokkola ●	34	M5
Kokomo ●	108	D1
Kokpekty ●	60	Q8
Kokshetau ●	56	N4
Kokstad ●	90	D6
Kolaka ●	70	(2)B3
Kolar ●	72	C6
Kolari ●	34	M3
Kolašin ●	52	G7
Kolda ●	86	B2
Kolding ●	34	E9
Kole ●	88	C4
Kolhapur ●	72	B5
Koln ●	38	C6
Kolin ●	36	E7
Kollam ●	72	C7
Kolno ●	36	L4
Koło ●	36	H5
Kołobrzeg ●	36	E3
Kologriv ●	56	H3
Kolomna ●	56	G3
Kolomyya ●	52	N1
Kolonedale ●	70	(2)B3
Kolosovka ●	56	P3
Kolpashevo ●	60	Q6

Name	Page	Grid
Kolpos Agiou Orous	54	F4
Kolpos Kassandras	54	F4
Kolpos Murampelou	54	H9
Kolskijzaliv	34	S2
Kolskiy Poluostrov	56	G1
Kolumadulu Atoll	72	B8
Koluton	56	N4
Kolva	56	L2
Kolwezi	90	D2
Kolyma	62	R4
Kolymskaya Nizmennost'	62	S3
Kolymskaye	62	T3
Komandorskiye Ostrova	62	V5
Komárno	52	F2
Komárom	52	F2
Komatsu	66	J5
Komi	56	K2
Komló	52	F3
Kom Ombo	82	F3
Komotini	54	H3
Komsa	60	R5
Komsomol'skiy	56	J5
Komsomol'sk-na-Amure	62	P6
Konárka	72	E5
Konda	56	N3
Kondagaon	72	D5
Kondinskoye	56	N3
Kondoa	88	F4
Kondopoga	56	F2
Kondrat'yeva	60	V5
Kondūz	74	J2
Kong Frederik VI Kyst	100	Y4
Kongi	60	R9
Kongola	90	C3
Kongolo	88	D5
Kongsberg	34	E7
Kongur Shan	60	N10
Königsberg = Kaliningrad	36	K3
Königswinter	38	C6
Königs-Wusterhausen	38	J4
Konin	36	H5
Konispol	54	C5
Konitsa	54	C4
Köniz	48	C4
Konjic	52	E6
Konosha	56	H2
Konotop	56	F4
Konstanz	48	E3
Konstinbrod	52	L7
Kontagora	86	F2
Kon Tum	68	D4
Konya	76	E5
Konz	38	B7
Kootenai	104	C1
Kootenay Lake	102	C2
Kópasker	34	(1)E1
Kópavogur	34	(1)C2
Koper	48	J5
Kopeysk	56	M3
Köping	34	J7
Koplik	52	G7
Koprivnica	52	D3
Korba, *India*	72	D4
Korba, *Tunisia*	50	E12
Korbach	38	D5
Korçë	54	C4
Korčula	52	D7
Korea Bay	66	B4
Korea Strait	66	E6
Korhogo	86	C3
Korinthiakos Kolpos	54	E6
Korinthos	54	E7
Kõriyama	66	L5
Korkino	56	M4
Korkuteli	76	D5
Korla	60	R9
Korliki	62	C4
Körmend	52	D2
Kornat	52	C6
Koroba	70	(2)F4
Köroğlu Dağları	54	Q4
Köroğlu Tepesi	54	P4
Korogwe	88	F5
Koronowo	36	G4
Korosten'	56	E4
Korsakov	62	Q7
Korsør	38	G1
Kortrijk	40	F4
Korumburra	94	J7
Koryakskiy Khrebet	62	V4
Koryazhma	60	H5
Kos	54	K8
Kos	54	K8
Kosa	56	L3
Ko Samui	68	C5
Kościerzyna	36	H3
Kosciusko	108	D3
Kosh Agach	60	R8
Koshoba	74	F1
Košice	36	L9
Koslan	56	J2
Kosŏng	66	E4
Kosovo	52	H7
Kosovska Mitrovica	54	C2
Kosrae	92	G5
Kostajnica	48	M5
Kostenets	54	F2
Kosti	82	F5
Kostino	62	D3
Kostomuksha	34	R4
Kostroma	56	H3
Kostrzyn	36	D5
Kos'yu	56	L1
Koszalin	36	F3
Kõszeg	52	D2
Kota	72	C3
Kotaagung	70	(1)C4
Kotabaru	70	(1)F3
Kota Belud	70	(1)F1
Kota Bharu	70	(1)C1
Kotabumi	70	(1)C3
Kota Kinabalu	70	(1)F1
Kotamubagu	70	(2)B2
Kotapinang	70	(1)B2
Kotel'nich	56	J3
Kotel'nikovo	56	H5
Köthen	38	G5
Kotido	88	E3
Kotka	34	P6
Kotlas	56	J2
Kotlik	110	(1)E3
Kotor Varoš	52	E5
Kotov'sk	56	E5
Kottagudem	72	D5
Kotto	88	C2
Kotuy	62	G3
Kotzebue	110	(1)E2
Kotzebue Sound	110	(1)D2
Kouango	86	H3
Koudougou	86	D2
Koufey	86	G2
Koulamoutou	86	G5
Koum	86	G3
Koumra	86	H3
Koundâra	86	B2
Koupéla	84	C6
Kourou	116	G2
Koutiala	86	C2
Kouvola	56	E2
Kovdor	34	R3
Kovel'	56	D4
Kovin	52	H5
Kovrov	56	H3
Kowanyama	94	H3
Köyceğiz	54	L8
Koygorodok	56	K2
Koykuk	110	(1)E3
Koynas	56	J2
Koyukuk	110	(1)F2
Kuçadasi	54	K7
Kuchevo	52	J5
Kozan	76	F5
Kozani	54	D4
Kozheynikovo	60	W3
Kozhikode	72	C6
Kozienice	36	L6
Kozloduy	52	L6
Kõzu-shima	66	K6
Kpalimé	86	E3
Kraai	90	D6
Krabi	68	B5
Kragujevac	52	H5
Kraków	36	J7
Kraljevica	48	K5
Kraljevo	52	H6
Kralovice	36	C8
Kramators'k	56	G5
Kramfors	34	J5
Kranj	52	B3
Krapina	50	K2
Krapinske Toplice	48	L4
Krasino	60	J3
Kräslava	34	P9
Kraśnik	36	M7
Krasnoarmeysk	56	N4
Krasnoborsk	56	J2
Krasnodar	56	G5
Krasnohrad	56	G5
Krasnokamensk	62	K6
Krasnosel'kup	62	C3
Krasnotur'insk	56	M3
Krasnoufimsk	56	L3
Krasnovishersk	56	L2
Krasnoyarsk	62	E5
Krasnoyarskoye Vodokhranilishche	60	S6
Krasnoznamensk	36	M3
Krasnystaw	36	N7
Krasnyy Chikoy	62	H6
Krasnyy Kut	56	J4
Krasnyy Yar	56	J5
Kratovo	54	E2
Kraynovka	76	M2
Krefeld	40	J3
Kremenchuk	56	F5
Kremmling	104	E2
Krems	48	L2
Kremsmünster	48	K2
Krestovka	56	K1
Krestyakh	62	K4
Kretinga	36	L2
Kribi	86	F4
Krichim	54	G2
Krishna	72	C5
Krishnagiri	72	C6
Kristiansand	34	E7
Kristianstad	34	H8
Kristiansund	34	D5
Kristinehamn	34	H7
Kristinestad	34	L5
Kriti	54	H10
Kriva Palanka	54	E2
Križevci	52	D3
Krk	48	K5
Krk	48	K5
Kroměříž	36	G8
Kronach	38	G6
Krŏng Kaôh Kŏng	68	C4
Kronotskiy Zaliv	62	U6
Kroonstad	90	D5
Kroper	50	H3
Kropotkin	56	H5
Krosno	36	L8
Krško	48	L5
Krugë	54	B3
Krui	70	(1)C4
Krumbach	48	F2
Krung Thep	68	C4
Kruså	38	E2
Kruševac	52	J6
Krychaw	56	F4
Krym'	76	E1
Krymsk	76	H1
Krynica	36	L8
Krytiko Pelagos	54	G9
Kryve Ozero	52	T2
Kryvyy Rih	56	F5
Krzna	36	N5
Ksar el Boukhari	46	N9
Ksen'yevka	62	K6
Ksour Essaf	84	H1
Kuala Kerai	70	(1)C1
Kuala Lipis	70	(1)C2
Kuala Lumpur	70	(1)C2
Kuala Terengganu	70	(1)C1
Kuandian	66	C2
Kuantan	70	(1)C2
Kuçadasi	54	K7
Kučevo	52	J5
Kuching	70	(1)E2
Kucovë	54	B4
Kudat	70	(1)F1
Kudus	70	(1)E4
Kudymkar	56	K3
Kufstein	48	H3
Kugmallit Bay	100	E2
Kühbonān	79	G1
Kühdasht	76	M7
Kūh-e Alījuq	79	D1
Kūh-e Bābā	74	J3
Kūh-e Būl	79	E1
Kūh-e Dīnār	79	D1
Kūh-e Fūrgun	79	G3
Kūh-e Hazārān	79	G2
Kūh-e Hormoz	79	F3
Kūh-e Kalat	79	G3
Kūh-e Kūhrān	79	H3
Kūh-e Lāleh Zār	79	G2
Kūh-e Masāhūn	79	F1
Kūh-e Safidār	79	E2
Kūh-e Sahand	76	M5
Kühestak	79	G3
Kūh-e Taftān	74	H4
Kūhhā-ye Bashākerd	79	G3
Kūhhā-ye Zāgros	79	D1
Kuhmo	34	Q4
Kühpāyeh	79	G1
Kuito	90	B2
Kuji	66	L3
Kukës	52	H7
Kukhtuy	62	Q4
Kukinaga	66	F8
Kula	52	K6
Kulagino	56	K5
Kulandy	60	K8
Kuldīga	34	L8
Kulgera	94	F5
Kulmbach	38	G6
Külob	74	J2
Kul'sary	56	K5
Kultsjön	34	H4
Kulu	76	E4
Kulunda	60	P7
Kulynigol	62	C4
Kuma	56	N3
Kumamoto	66	F7
Kumanovo	52	J7
Kumara, *New Zealand*	96	C6
Kumara, *Russia*	62	M6
Kumasi	86	D3
Kumba	86	F4
Kumbakonam	72	C6
Kumeny	56	K3
Kumertau	56	L4
Kumla	34	H7
Kumluca	54	N8
Kummerower See	38	H3
Kumo	86	G3
Kumta	72	B6
Kumukh	76	M2
Kunene	90	A3
Kungrad	60	K9
Kungu	88	B3
Kungur	56	L3
Kunhing	68	B2
Kunlun Shan	72	D1
Kunming	64	C6
Kunsan	66	D6
Kunszetmarton	36	K11
Kununurra	94	E3
Künzelsau	38	E7
Kuolayarvi	34	Q3
Kuopio	56	E2
Kupang	94	B2
Kupino	60	P7
Kupreanof Point	110	(1)F4
Kup"yans'k	56	G5
Kuqa	60	Q9
Kür	76	M3
Kura	74	E2
Kuragino	62	E6
Kurashiki	66	G6
Kurasia	72	D4
Kurchum	60	Q8
Kürdämir	76	N3
Kurduvadi	72	C5
Kürdzhali	54	H3
Kure	66	G6
Kure Island	92	J3
Kuressaare	34	M7
Kureyka	62	D3
Kureyka	62	E3
Kurgal'dzhinskiy	60	N7
Kurgan	56	N3
Kurikka	34	M5
Kuril Islands = Kuril'skiye Ostrova	62	S7
Kuril'skiye Ostrova	62	S7
Kuril Trench	58	V5
Kuripapango	96	F4
Kurmuk	82	F5
Kurnool	72	C5
Kuroiso	66	K5
Kurow	96	C7
Kuršėnai	36	M1
Kursk	56	G4
Kuršumlija	52	J6
Kurşunlu	76	E3
Kuruman	90	C5
Kurume	66	F7
Kurumkan	62	J6
Kushikino	66	F8
Kushimoto	66	H7
Kushir	66	H6
Kushiro	66	N2
Kushmurun	56	M4
Kushum	56	K4
Kuskokwim Bay	110	(1)E4
Kuskokwim Mountains	110	(1)F3
Kussharo-ko	66	N2
Kustanay	56	M4
Kütahya	76	C4
K'ut'aisi	76	K2
Kutan	76	M1
Kutchan	66	L2
Kutina	52	D4
Kutno	36	J5
Kutu	86	H5
Kutum	82	D5
Kuujjua	100	J2
Kuujjuaq	100	T5
Kuujjuarapik	100	R5

Kuusamo . 56 E1
Kuvango . 90 B2
Kuwait . Ⓐ 79 B2
Kuwait = Al Kuwayt . 79 C2
Kuya . 56 H1
Kuybyshev . 60 P6
Kuygan . 60 N8
Kuytun . 60 R9
Kuyumba . 62 F4
Kuznetsk . 56 J4
Kuzomen' . 56 G1
Kvaløya, *Norway* . 34 M1
Kvaløya, *Norway* . 34 J2
Kvalynsk . 60 H7
Kwale . 88 F4
Kwangju . 66 D6
Kwango . 88 B5
Kwazulu Natal . 90 E5
Kwekwe . 90 D3
Kwidzyn . 34 K10
Kwilu . 86 H5
Kyakhta . 62 H6
Kyancutta . 94 G6
Kyaukse . 72 G4
Kyeburn . 96 C7
Kyeintali . 72 F5
Kyjov . 48 N2
Kyklades . 54 G7
Kyle of Lochalsh . 42 G4
Kyll . 40 J4
Kyllini . 54 D7
Kymi . 54 G6
Kyŏngju . 66 E6
Kyōto . 66 H6
Kyparissia . 54 D7
Kyperissiakos Kolpos . 54 C7
Kyra Panagia . 54 G5
Kyren . 62 G6
Kyrgyzstan . Ⓐ 60 N9
Kyritz . 38 H4
Kyrta . 56 L2
Kyshtovka . 60 P6
Kystatyam . 62 L3
Kytalyktakh . 62 N3
Kythira . 54 E8
Kythira . 54 F8
Kythnos . 54 G7
Kyūshū . 66 F7
Kyūshū-sanchi . 66 F7
Kyustendil . 54 E2
Kyusyur . 62 M2
Kyyiv . 56 F4
Kyzyl . 60 S7
Kzyl-Dzhar . 56 N5
Kzyl-Orda . 56 N6
Kzyltu . 60 N7

L

Laascaanood . 88 H2
Laatzen . 38 E4
Laba . 86 F2
La Banda . 118 J4
La Bañeza . 46 E2
La Baule . 44 C6
Labbezenga . 84 F5
Labe . 36 E7
Labé . 86 B2
Labin . 48 K5
Labinsk . 76 J1
Laboulaye . 118 J5
Labrador . 100 U6
Labrador City . 100 T6
Labrador Sea . 100 V4
Lábrea . 116 E5
Labrieville . 106 G1
Labuha . 70 (2)C3
Labuhanbajo . 70 (2)A4
Labytnangi . 60 M4
Laç . 52 G8
Lac à l'Eau Claire . 100 R5
Lacanau . 44 D8
La Carolina . 46 G6
Lac Bienville . 100 S5
Lac Brochet . 100 L5
Laccadive Islands . 72 B6
Lac d'Annecy . 48 B5
Lac de Bizerte . 50 D11
Lac Débo . 84 E5
Lac de Kossou . 86 C3
Lac de Lagdo . 86 G3
Lac de Manantali . 86 C2
Lac de Mbakaou . 86 G3
Lac de Neuchâtel . 48 B4
Lac de Retenue de la Lufira . 88 D6
Lac de St-Croix . 48 B7
Lac des Bois . 100 G3
Lac de Sélingue . 86 C2
Lac Do . 84 E5

Lac du Bourget . 48 A5
Lacédónia . 50 K7
Lacepede Bay . 94 G7
Lac Evans . 100 R6
Lac Faguibine . 84 E5
Lac Fitri . 82 C5
La Charité-sur-Loire . 44 J6
La Chaux-de-Fonds . 48 B3
La Chorrera . 116 C4
Lac Ichkeul . 50 D11
La Ciotat . 44 L10
Lac La Biche . 100 J6
Lac La Martre . 100 H4
Lac Léman = Lake Geneva . 48 B4
Lac Mai-Ndombe . 88 B4
Lac-Mégantic . 106 F1
Lac Minto . 100 R5
Lac Nzilo . 88 D6
Lac Onanguë . 86 F5
Láconi . 50 D9
Laconia . 106 F2
Lac Payne . 100 S5
La Crosse . 106 B2
La Cruz . 102 E7
Lac St-Jean . 106 F1
Lac St. Joseph . 100 N6
Lac Seul . 100 N6
Lac Tumba . 88 B4
Lacul Brateș . 52 Q4
Lacul Razim . 52 R5
Lacul Sinoie . 52 R5
Lac Upemba . 88 D5
La Dorada . 116 C2
Ladozhskoye Ozero . 56 F2
Ladysmith, *South Africa* . 90 D5
Ladysmith, *US* . 106 B1
Ladyzhenka . 56 N4
La Esmeralda . 116 D3
Læsø . 34 F8
Lafayette, *Ind., US* . 106 C2
Lafayette, *La., US* . 108 C3
Lafia . 86 F3
Lafiagi . 86 F3
La Flèche . 44 E6
Lafnitz . 48 M3
Laft . 79 F3
Lagan . 34 G8
Lagan' . 56 J5
Lage . 40 L3
Lågen . 34 E6
Lage's . 104 D2
Laghouat . 84 F2
Lagkadas . 54 F4
Lagoa dos Patos . 118 L5
Lagoa Mirim . 118 L5
Lago Argentino . 118 G9
Lago de Cahora Bassa . 90 E3
Lago del Coghinas . 50 C8
Lago del Flumendosa . 50 D9
Lago de Maracaibo . 116 C2
Lago de Nicaragua . 112 G6
Lago de Poopó . 116 D7
Lago di Caine . 48 D5
Lago di Como . 48 E4
Lago di Garda . 48 F5
Lago di Lecco . 48 E5
Lago di Lugano . 48 E5
Lago d'Iseo . 48 E5
Lago di Verano . 50 K7
Lago Maggiore . 48 D5
Lago Omodeo . 50 C8
Lago Rogaguado . 116 D6
Lagos, *Nigeria* . 86 E3
Lagos, *Portugal* . 46 B7
Lago Titicaca . 116 D7
Lago Trasimeno . 50 G5
La Goulette . 50 E12
La Grand-Combe . 44 K9
La Grande . 104 C1
La Gran Sabana . 116 E2
Laguna . 118 M4
Laguna de Caratasca . 112 H5
Laguna Madre . 108 B4
Laguna Mar Chiquita . 114 E7
Lagunillas . 116 E7
La Habana . 112 H4
Lahad Datu . 68 F5
Lahat . 70 (1)C3
La Haye-du-Puits . 40 A5
Lähïjän . 74 F2
Lahn . 40 L4
Lahnstein . 40 K4
Lahore . 72 B2
Lahr . 48 C2
Lahti . 34 N6
Laï . 88 B2

Laiagam . 70 (2)F4
Lai Chau . 68 C2
L'Aigle . 40 C6
Laihia . 34 M5
Laingsburg . 90 C6
Laiwu . 64 F3
Laiyuan . 64 E3
Lajanurpekhi . 76 K2
Lajes . 118 L4
Lajosmizse . 36 J10
La Junta . 104 F3
Lake Abbe . 88 G1
Lake Ontario . 106 E2
Lake Abitibi . 106 E1
Lake Albert, *Dem. Rep. of Congo / Uganda* . 88 D3
Lake Albert, *US* . 104 B2
Lake Almanor . 104 B2
Lake Amadeus . 94 F4
Lake Andes . 104 G2
Lake Argyle . 94 E3
Lake Athabasca . 100 K5
Lake Austin . 94 C5
Lake Balkhash = Ozero Balkhash . 58 L5
Lake Bangweulu . 90 E3
Lake Barlee . 94 C5
Lake Benmore . 96 C7
Lake Blanche . 94 H5
Lake Buchanan . 110 G2
Lake Callabonna . 94 H5
Lake Carey . 94 D5
Lake Carnegie . 94 D5
Lake Chad . 82 B5
Lake Charles . 108 C3
Lake Chelan . 104 B1
Lake Chilwa . 90 F3
Lake City . 108 E3
Lake Claire . 100 J5
Lake Coleridge . 96 C6
Lake Constance . 48 E3
Lake Crowley . 104 C3
Lake C. W. McConaughy . 104 F2
Lake Diefenbaker . 100 K6
Lake Disappointment . 94 D4
Lake District . 42 J7
Lake Dojran . 54 E3
Lake Dora . 94 D4
Lake Dundas . 94 B6
Lake Edward . 88 D4
Lake Elwall . 104 D1
Lake Erie . 106 D2
Lake Eyasi . 88 E4
Lake Eyre . 92 D8
Lake Eyre Basin . 94 G5
Lake Eyre North . 94 G5
Lake Eyre South . 94 G5
Lake Francis Case . 104 G2
Lake Frome . 94 H6
Lake Gairdner . 94 G6
Lake Geneva . 48 B4
Lake Gordon . 94 H8
Lake Grace . 94 C6
Lake Harbour . 100 T4
Lake Hauroko . 96 A7
Lake Havasu . 110 C2
Lake Havasu City . 110 D2
Lake Hopkins . 94 E4
Lake Hudson . 108 B2
Lake Huron . 106 D1
Lake Jackson . 108 B4
Lake Kariba . 90 D3
Lake Kemp . 108 B2
Lake Kerkinitis . 52 L8
Lake Kivu . 88 D4
Lake Kyoga . 88 E3
Lake Ladoga = Ladozhskoye Ozero . 56 F2
Lakeland . 108 E4
Lake Lefroy . 94 D6
Lake Louis . 100 H6
Lake Macdonald . 94 E4
Lake Mackay . 94 E4
Lake Macleod . 94 B4
Lake Manapouri . 96 A7
Lake Manitoba . 100 M6
Lake Manyara . 88 F4
Lake Mburo . 94 F5
Lake McDonald . 104 D1
Lake McMillan . 110 F2
Lake Mead . 104 D3
Lake Melville . 100 U6
Lake Michigan . 106 C2
Lake Moore . 94 C5
Lake Murray . 70 (2)F4
Lake Mweru . 88 D5
Lake Mweru Wantipa . 88 E5
Lake Nasser . 82 F3
Lake Natron . 88 F4

Lake Neale . 94 E4
Lake Nipigon . 100 P6/7
Lake Nipissing . 106 E1
Lake Nyasa . 90 E2
Lake Oahe . 104 F2
Lake of the Woods . 106 B1
Lake Ohau . 96 B7
Lake Ohrid . 54 C4
Lake Okeechobee . 108 E4
Lake Onega = Onezhskoye Ozero . 32 H1
Lake Ontario . 106 E2
Lake O' The Cherokees . 106 B3
Lake O' The Pines . 108 C3
Lake Paringa . 96 B6
Lake Peipus . 34 P7
Lake Placid . 108 E4
Lakeport . 104 B3
Lake Poteriteri . 96 A8
Lake Powell . 104 D3
Lake Prespa . 54 C4
Lake Providence . 108 C3
Lake Pskov . 34 P7
Lake Pukaki . 96 C7
Lake Rotorua . 96 F4
Lake Rukwa . 88 E5
Lake St. Lucia . 90 E5
Lake Sakakawea . 104 F1
Lake Scutari . 52 G7
Lake Simcoe . 106 E2
Lake Superior . 106 C1
Lake Tahoe . 104 B3
Lake Tanganyika . 88 D5
Lake Taupo . 96 E4
Lake Te Anau . 96 A7
Lake Tekapo . 96 C6
Lake Tekapo . 96 C6
Lake Texoma . 108 B3
Lake Torrens . 94 G6
Lake Travis . 110 G2
Lake Tschida . 104 F1
Lake Turkana . 88 F3
Lake Victoria . 88 E4
Lakeview . 104 B2
Lake Volta . 86 D3
Lake Waikare . 96 E3
Lake Waikaremoana . 96 F4
Lake Wakatipu . 96 B7
Lake Wanaka . 96 B7
Lake White . 94 E4
Lake Wills . 94 E4
Lake Winnipeg . 100 M6
Lake Winnipegosis . 100 L6
Lakewood . 104 C3
Lake Woods . 94 F3
Lake Xau . 90 C4
Lake Yamma Yamma . 94 H5
Lakhdaria . 46 P9
Lakhimpur . 72 D3
Lakhpat . 72 A4
Lakin . 108 A2
Lakki . 72 B2
Lakonikos Kolpos . 54 E8
Lakota . 104 G1
Lalín . 46 B2
La Línea . 46 E8
Lalitpur . 72 C4
Lal-Lo . 68 G3
La Loche . 100 K5
La Louvière . 40 G4
La Maddalena . 50 D7
Lamar, *Colo., US* . 110 F1
Lamar, *Mo., US* . 108 C2
Lamard . 79 F3
La Marsa . 50 E12
Lambaréné . 86 G5
Lambay Island . 42 G8
Lam Chi . 68 C3
Lamesa . 110 F2
Lamia . 54 E6
Lamone . 48 G6
Lampang . 68 B3
Lampasas . 110 G2
Lampedusa . 84 H1
Lamu . 88 G4
Lanai . 110 (2)D3
Lanai City . 110 (2)E3
Lancang . 68 B2
Lancaster, *UK* . 42 K7
Lancaster, *Mo., US* . 106 C2
Lancaster, *N.H., US* . 106 F2
Lancaster, *Oh., US* . 106 D3
Lancaster, *Pa., US* . 106 E2
Lancaster, *S.C., US* . 108 E3
Lancaster Sound . 100 Q2
Lanciano . 50 J6
Landau, *Germany* . 40 L5
Landau, *Germany* . 48 H2

Name	Page	Ref
Landeck	48	F3
Lander	104	E2
Landerneau	44	A5
Landsberg	48	F2
Land's End	42	F11
Landshut	48	H2
Landskrona	36	B2
Landstuhl	40	K5
Land Wursten	38	D3
La'nga Co	72	D2
Langarüd	76	N5
Langdon	104	G1
Langeland	38	F2
Langen	40	L5
Langenau	48	F2
Langenhagen	38	E4
Langeoog	38	C3
Langfang	64	F3
Langjökull	34	(1)C2
Langkawi	68	B5
Langkon	68	F5
Langon	44	E9
Langøya	34	H2
Langreo	46	E1
Langres	48	A3
Langsa	68	B6
Langtry	110	F3
Langvatnet	34	G3
Länkäran	76	N4
Lannion	44	B5
L'Anse	106	C1
Lansing	106	D2
Lanxi	64	H1
Lanya	88	E2
Lanzarote	84	C3
Lanzhou	64	C3
Laoag	68	G3
Lao Cai	68	C2
Laohekou	64	E4
Laon	40	F5
La Oroya	116	B6
Laos	68	C3
Laotougou	66	G2
Lapa	118	M4
La Palma	84	B3
La Palma	112	J7
La Paragua	116	E2
La Paz, Argentina	118	K5
La Paz, Bolivia	116	D7
La Paz, Mexico	112	B4
La Pedrera	116	D4
La Perla	110	F3
La Pérouse Strait	64	L1
La Pesca	108	B5
La Pine	104	B2
Lapithos	78	A1
La Plant	104	F1
La Plata	118	K5
Lappajärvi	34	M5
Lappeenranta	34	Q6
Lappland	34	M2
Laptev Sea = More Laptevykh	62	L1
Lapua	34	M5
Łapy	36	M5
La Quiaca	118	H3
L'Aquila	50	H6
Lār	79	F3
Larache	84	D1
Laramie	104	E2
Laramie Range	104	E2
Larantuka	70	(2)B4
Larat	70	(2)D4
Larba	46	P8
Laredo, Spain	46	G1
Laredo, US	110	G3
Largo	108	E4
L'Ariana	50	E12
La Rioja	118	H4
Larisa	54	E5
Larkana	74	J4
Larnaka	78	A2
Larne	42	G7
La Rochelle	44	D7
La Roche-sur-Yon	44	D7
La Roda	46	H5
La Romana	112	L5
La Ronge	100	K5
Lar'yak	60	Q5
La Sarre	106	E1
Las Cabezas de San Juan	46	E7
Las Cruces	110	E2
La Serena	118	G4
La Seu d'Urgell	46	M2
La Seyne-sur-Mer	44	L10
Lashio	68	B2
Lashkar Gāh	74	H3
Łask	36	J6
Las Lomitas	118	J3
La Solana	46	G6
Las Palmas	84	B3
La Spézia	48	E6
Las Plumas	118	H7
Last Chance	104	F3
Lastoursville	86	G5
Lastovo	52	D7
Las Varas	102	E7
Las Varillas	118	J5
Las Vegas, Nev., US	104	C3
Las Vegas, N.Mex., US	110	E1
La Teste	44	D9
Latina	50	G7
Latisana	48	J5
La Toma	118	H5
La Tuque	106	F1
Latur	72	C5
Latvia	34	M8
Lauchhammer	38	J5
Lauenburg	38	F3
Lauf	38	G7
Lau Group	92	J7
Launceston, Australia	94	J8
Launceston, UK	42	H11
La Union	46	K7
Laupheim	48	E2
Laura	94	H3
Laurel	108	D3
Lauria	50	K8
Laurinburg	108	F3
Lausanne	48	B4
Laut, Indonesia	70	(1)F3
Laut, Malaysia	70	(1)D2
Laut Banda	70	(2)C3
Lauter	40	K5
Lauterbach	38	E6
Laut Flores	70	(2)A4
Laut Jawa	70	(1)E4
Laut Maluku	70	(2)C2
Laut Sawu	70	(2)B4
Laut Seram	70	(2)C3
Lava	36	L3
Laylā	82	J3
Laysan Island	92	J3
Layton	104	D2
Lazarev	62	Q6
Lázaro Cárdenas	112	D5
Lazdijai	36	N3
Lazo	62	P3
Leadville	104	E3
Leamington	106	D2
Leavenworth, Kans., US	106	A3
Leavenworth, Wash., US	104	B1
Lebach	40	J5
Lebanon	78	C3
Lebanon, Mo., US	106	B3
Lebanon, N.H., US	106	F2
Lebanon, Pa., US	106	E2
Lebanon, Tenn., US	106	C3
Lebel-sur-Quévillon	106	E1
Lębork	36	G3
Lebrija	46	D8
Lebu	118	G6
Lecce	50	N8
Lecco	48	E5
Lech	48	F3
Leck	38	D2
Le Creusot	44	K7
Łęczna	36	M6
Łęczyca	36	J5
Ledmozero	34	R4
Lee	42	D10
Leech Lake	106	B1
Leeds	42	L8
Leek	40	A1
Leer	40	K1
Leesburg	108	E4
Leeston	96	D6
Leesville	108	C3
Leeuwarden	40	H1
Leeward Islands	112	M5
Lefkada	54	C6
Lefkada	54	C6
Lefkimmi	54	C5
Lefkonikon	78	A1
Lefkosia	54	R9
Legaspi	68	G4
Legionowo	36	K5
Legnago	48	G5
Legnica	36	F6
Leh	72	C2
Le Havre	40	C5
Lehrte	38	F4
Leiah	72	B2
Leibnitz	48	L4
Leicester	40	A2
Leiden	40	G2
Leie	40	F4
Leigh Creek	94	G6
Leighton Buzzard	40	B3
Leine	38	E4
Leinster	94	D5
Leipzig	38	H5
Leiria	46	B5
Leitrim	42	D8
Leiyang	64	E5
Lek	40	G3
Lelystad	40	H2
Le Mans	44	F6
Le Mars	106	A2
Lemberg	54	Q10
Lemesos	54	Q10
Lemgo	40	L2
Lemieux Islands	100	U4
Lemmer	40	H2
Lemmon	104	F1
Le Muret	44	E9
Lena	46	E1
Lena	62	L4
Lendinara	48	G5
Lengerich	40	K2
Lengshuijiang	64	E5
Lengshuitan	64	E5
Leninsk-Kuznetskiy	60	R7
Leninskoye	56	J3
Lenmalu	70	(2)D3
Lenne	40	K3
Lennestadt	40	L3
Lens	40	E4
Lensk	62	K4
Lenti	48	M4
Lentini	50	J11
Léo	86	D2
Leoben	48	L3
León, Mexico	112	D4
León, Nicaragua	112	G6
León, Spain	46	E2
Leonberg	48	E2
Leonforte	50	J11
Leonidi	54	E7
Leonora	94	D5
Le Perthus	44	H11
Lepsy	60	P8
Le Puy	44	J8
Léré	86	G3
Lérici	48	E6
Lerik	76	N4
Lerma	46	G2
Leros	54	J7
Lerwick	42	L1
Lešak	52	H6
Les Andelys	40	D5
Lesatima	88	F4
Lesbos = Lesvos	54	J5
Les Escaldes	44	G11
Les Escoumins	100	T7
Leshan	64	C5
Les Herbiers	44	D7
Leshukonskoye	56	J2
Leskovac	52	J7
Lesosibirsk	60	S6
Lesotho	90	D5
Lesozavodsk	66	G1
Les Sables-d'Olonne	44	D7
Les Sept Îles	44	B5
Lesser Antilles	112	L6
Lesser Slave Lake	100	J5
Lesvos	54	H5
Leszno	36	F6
Letaba	90	E4
Letchworth	40	B3
Letenye	48	M4
Lethbridge	104	D1
Lethem	116	F3
Leticia	116	D4
Letpadan	68	B3
Le Tréport	40	D4
Letterkenny	42	E7
Leutkirch	48	F3
Leuven	40	G4
Leuze	40	F4
Levadeia	54	E6
Lévanzo	50	G10
Levashi	76	M2
Levaya Khetta	56	P2
Leverkusen	40	J3
Levice	36	H9
Levico Terme	48	G4
Levin	96	E5
Lévis	106	F1
Levitha	54	J7
Levoča	36	K9
Levski	52	N6
Lewes	40	C4
Lewis	42	F3
Lewis and Clark Lake	104	G2
Lewis Range	100	J7
Lewiston, Id., US	104	C1
Lewiston, Me., US	106	F2
Lewistown, Mont., US	104	E1
Lewistown, Pa., US	106	E2
Lexington, Ky., US	106	D3
Lexington, Nebr., US	104	G2
Lexington, Va., US	106	E3
Lexington Park	108	F2
Leyte	68	G4
Lezhë	52	G8
Lhari	72	F2
Lhasa	72	F3
Lhazà	72	E3
Lhokseumawe	68	B5
Lian Xian	68	E2
Lianyuan	68	E1
Lianyungang	64	F4
Liaocheng	64	F3
Liao He	66	B3
Liaoyang	66	B3
Liaoyuan	66	C2
Liard	100	F5
Liard River	100	F5
Libby	104	C1
Libenge	88	B3
Liberal	108	A2
Liberec	36	E7
Liberia	86	B3
Liberia	112	G6
Liberty	108	C1
Libjo	68	H4
Libourne	44	E9
Libreville	82	C2
Libya	82	C2
Libyan Desert	82	D2
Libyan Plateau	82	D2
Licata	50	H11
Lich	38	D6
Lichinga	90	F2
Lichtenfels	38	G6
Lida	34	N10
Lidköping	34	G7
Lido di Ostia	50	G7
Lidzbark Warmiński	36	K3
Liebenwalde	38	J4
Liechtenstein	48	E3
Liège	40	H4
Lieksa	34	R5
Lienz	48	H4
Liepāja	36	L1
Lier	40	G3
Liezen	48	K3
Lifford	42	E7
Lignières	44	H7
Ligueil	44	F6
Ligurian Sea	48	D7
Lihue	110	B2
Lijiang	68	C1
Likasi	88	D6
Lilienfeld	48	L2
Lille	40	F4
Lillebonne	40	C5
Lillehammer	34	F6
Lillerto	48	G3
Lilongwe	90	E2
Liloy	68	G5
Lima, Peru	116	B6
Lima, Mont., US	104	D2
Lima, Oh., US	106	D2
Limanowa	36	K8
Limassol = Lemesos	54	Q10
Limbaži	34	N8
Limburg	40	L4
Limeira	118	M3
Limerick	42	D9
Limingen	34	G4
Limni Kastorias	54	C4
Limni Kerkinitis	54	E3

Name	Page	Grid
Limni Koronia	54	F4
Limni Trichonida	54	D6
Limni Vegoritis	54	D4
Limni Volvi	54	F4
Limnos	54	H5
Limoges	44	G8
Limon	104	F3
Limón	112	H7
Limoux	44	H10
Limpopo	90	D4
Limpopo	90	D4
Linares, Chile	118	G6
Linares, Mexico	110	G4
Linares, Spain	46	G6
Lincang	68	C2
Linchuan	64	F5
Lincoln, UK	40	B1
Lincoln, Ill., US	106	C2
Lincoln, Me., US	106	G1
Lincoln, Nebr., US.	104	G2
Lincoln, N.H., US	106	F2
Lindenow Fjord	100	Y4
Lindesnes	34	D8
Lindi	88	D3
Lindi	88	F6
Lindos	54	L8
Line Islands	92	L5
Linfen	64	E3
Lingen	40	K2
Lingga	70	(1)C3
Lingshui	68	D3
Linguère	86	A1
Lingyuan	64	F2
Linhal	64	G5
Linhares	116	J7
Linhe	64	D2
Linjiang	66	D3
Linköping	34	H7
Linkou	66	F1
Linosa	50	G13
Lins	118	M3
Linton	104	F1
Linxia	64	C3
Lin Xian	64	E3
Linyi	64	F3
Linz	48	K2
Liobomil'	36	P6
Lipari	50	J10
Lipari	50	J10
Lipcani	52	P1
Lipetsk	56	G4
Lipin Bor	56	G2
Lipno	36	J5
Lipova	52	J3
Lippe	40	L3
Lippstadt	40	L3
Lipsoi	54	J7
Liptovský-Mikuláš	36	J8
Lipu	68	E2
Liqeni i Fierzës	52	H7
Liqeni Komanit	52	G7
Lira	88	E3
Liri	50	H7
Lisala	88	C3
Lisboa	46	A6
Lisbon = Lisboa	46	A6
Lisburn	42	G7
Liscannor Bay	42	C9
Lishi	64	E3
Lishui	64	F5
Lisieux	40	C5
Liski	56	G4
L'Isle-sur-la-Sorgue	44	L10
Lisse	40	G2
Lištica	50	M5
Listowel	42	C9
Listvyanka	62	H6
Litang	64	C5
Litani	116	G3
Litava	36	F8
Litchfield, Ill., US	106	C3
Litchfield, Minn., US	106	B1
Lithgow	94	K6
Lithuania	34	L9
Litke	62	Q6
Litomerice	38	K6
Litomyši	36	F8
Litovel	36	G8
Litovko	62	P7
Little Abaco	108	F4
Little Andaman	72	F6
Little Barrier Island	96	E3
Little Current	106	D1
Little Desert	94	H7
Little Falls	106	B1
Littlefield	110	F2
Little Inagua	112	K4
Little Karoo	90	C6
Little Minch	42	E4
Little Nicobar	72	F7
Little Ouse	40	C2
Little Rock	108	C3
Littleton	104	E3
Litvinov	38	J6
Liupanshui	64	C5
Liuzhou	64	D6
Live Oak	108	E3
Liverpool	42	K8
Liverpool Bay	100	F2
Livingston, UK	42	J6
Livingston, US	104	D1
Livingstone	90	D3
Livingstonia	90	E2
Livno	52	E6
Livny	56	G4
Livonia	106	D2
Livorno	48	F7
Liwale	88	F5
Lizard Point	42	G12
Ljubljana	48	K4
Ljugarn	34	K8
Ljungan	34	J5
Ljungby	34	G8
Ljusdal	34	J6
Ljusnan	56	C2
Llandovery	42	J9
Llandudno	42	J8
Llanelli	42	H10
Llanes	46	F1
Llanos	116	C2
Lleida	46	L3
Lli	60	P9
Lloret de Mar	46	N3
Llucmajor	46	N5
Loano	48	D6
Lobatse	90	D5
Löbau	38	K5
Lobito	90	A2
Locarno	48	D4
Lochboisdale	42	E4
Lochinver	42	G3
Loch Lomond	42	G5
Loch Lomond	42	H5
Lochmaddy	42	E4
Loch Ness	42	H4
Lockhart	108	B4
Lock Haven	106	E2
Lockport	106	E2
Locri	50	L10
Lodève	44	J10
Lodeynoye	56	F2
Lodge Grass	104	E1
Lodi, Italy.	48	E5
Lodi, US	104	B3
Lodja	88	C4
Lodwar	88	F3
Łódź	36	J6
Loei	68	C3
Lofoten	34	G3
Logan, Ia., US	106	A2
Logan, N.Mex, US	110	F1
Logan, Ut., US	104	D2
Logansport	106	C2
Logatec	48	K5
Logroño	46	H2
Lohiniva	34	N3
Lohr	38	E7
Loikaw	68	B3
Loir	44	F6
Loire	44	D6
Loja, Ecuador	116	B4
Loja, Spain.	46	F7
Lokan tekojärvi	34	P3
Lokeren	40	F3
Lokichar.	88	F3
Lokichokio	88	F3
Lokoja	86	F3
Lokosovo	56	P2
Loks Land	100	U4
Lolland	38	G2
Lollondo	88	F4
Lolo	104	D1
Lom	52	L6
Lomami	88	C4
Lomas	116	C7
Lomas de Zamora	118	K5
Lombadina	94	D3
Lomblen	70	(2)B4
Lombok	70	(1)F4
Lomé	86	E3
Lomela	88	C4
Lomela	88	C4
Lommel	40	H3
Lomonosovka	56	N4
Lompoc	110	B2
Łomża	36	M4
London, Canada	106	D2
London, UK	40	B3
London, US	108	E2
Londonderry	42	E6
Londrina	118	L3
Long Bay	112	J2
Long Beach	110	C2
Long Branch	106	F2
Long Eaton	40	A2
Longford	42	E8
Long Island, Canada	100	Q5
Long Island, US	106	F2
Long Lake	104	F1
Longmont	104	E2
Long Prairie	106	B1
Long Range Mountains	100	V6
Longueuil	106	F1
Longview, Tex., US	108	C3
Longview, Wash., US	104	B1
Longwy	40	H5
Long Xuyên	68	D4
Longyan	68	F1
Löningen	40	K2
Lönsdalen	34	H3
Lons-le-Saunier	44	A4
Lookout Pass	104	C1
Loop Head	42	B9
Lopez	68	G4
Lop Nur	60	S9
Lopphavet	34	L1
Loptyuga	56	J2
Lora del Rio	46	E7
Lorain	106	D2
Loralai	72	A2
Lorca	46	J7
Lordegãn	79	D1
Lord Howe Island	94	L6
Lordsburg	110	E2
Loreto	112	B3
Lorient	44	B6
Lörrach	48	C3
Los Alamos	110	E1
Los Angeles, Chile	118	G6
Los Angeles, US.	110	C2
Los Banos	104	B3
Los Blancos	118	J3
Losheim	40	J5
Lošinj	48	K6
Los Mochis	112	C3
Lospalos	70	(2)C4
Los Telares	118	J4
Los Teques	116	D1
Lost Trail Pass	104	D1
Los'va	56	M2
Los Vientos	118	H3
Lotta	34	Q2
Lotte	40	K2
Louang Namtha	68	C2
Louangphrabang	68	C3
Loubomo	86	G5
Loudéac	44	C5
Louga	86	A1
Loughborough	40	A2
Lough Conn	42	C7
Lough Corrib	42	C8
Lough Derg	42	D8
Lough Foyle	42	E6
Lough Leane	42	C9
Lough Mask	42	C8
Lough Neagh	42	F7
Lough Ree	42	E8
Louhans	44	L7
Louisa	106	D3
Louisiade Archipelago	94	K2
Louisiana	108	C3
Louis Trichardt	90	D4
Louisville, Ga., US.	108	E3
Louisville, Ky., US.	108	D2
Louisville, Miss., US	108	D3
Loukhi	34	S3
Loulé	46	C7
Louny	38	J6
Loup	104	G2
Lourdes	44	E10
Louth, Australia	94	J6
Louth, UK.	40	C1
Loutra Aidipsou	54	F6
Louviers	40	D5
Lovech	52	M6
Lovell	104	E2
Lovelock	104	C2
Lovosice	38	K6
Lovran	48	K5
Lôvua	90	C2
Lowa	88	D4
Lowell	106	F2
Lower Hutt	96	E5
Lower Lake	104	B2
Lower Lough Erne.	42	E7
Lower Post.	100	F5
Lowestoft.	40	D2
Lowville	106	F2
Loxstedt	38	D3
Loyalty Islands	92	G8
Loyno	56	K3
Loznica	52	G5
L-Travemünde.	38	F3
Luama	88	D4
Luampa	90	C3
Lu'an	64	F4
Luanda	88	A5
Luangwa	90	E2
Luangwa	90	E3
Luanping	64	F2
Luanshya	90	D2
Luarca	46	D1
Luau	90	C2
Lubaczów.	36	N7
Lubań	36	E6
Lubango	90	A2
Lubāns	34	P8
Lubao	88	D5
Lubartów	36	M6
Lübbecke	40	L2
Lübben	38	J5
Lübbenau	38	J5
Lubbock.	110	F2
Lübeck	38	F3
Lubefu	88	C4
Lubero	88	D4
Lubilash	88	C5
Lubin	36	F6
Lublin	36	M6
Lubliniec	36	H7
Lubny	56	F4
Luboń	36	F5
Lubsko	38	D6
Lubudi	88	D5
Lubuklinggau	70	(1)C3
Lubumbashi	88	D6
Lubutu	88	D4
Lucala	88	B5
Lucca	48	F7
Luce Bay	42	H7
Lucedale	108	D3
Lucena, Philippines	68	G4
Lucena, Spain.	46	F7
Lučenec	36	J9
Lucera	50	K7
Lucero	110	E2
Lucira	90	A2
Luckenwalde	38	J4
Lucknow	72	D3
Luçon	44	D7
Lucusse	90	C2
Ludden	104	G1
Lüdenscheid	40	K3
Lüderitz	90	B5
Ludhiana	72	C2
Ludington.	106	C2
Ludlow	110	C2
Ludogori	52	P6
Luduș	52	M3
Ludvika	34	H6
Ludwigsburg.	48	E2
Ludwigsfelde	38	J4
Ludwigshafen	40	L5
Ludwigslust	38	G3
Ludza	34	P8
Luebo	88	C5
Luena	90	B2
Lufeng	68	F2
Lufira	88	D6
Lufkin	108	C3
Luga	34	Q7
Luga	56	E3
Lugano	48	D4
Lugela	90	F3
Lugenda	90	F2
Luggate	96	B7
Lugo	48	G6
Lugoj	52	J4
Lugovoy	60	N9
Lugu	72	D2
Luhans'k	56	G5
Luhuo	64	C4
Lui	56	E2
Luilaka	88	B4
Luino	48	D4
Luis Moya	110	F4
Luiza	88	C5
Lukavac	52	F5
Lukovit	52	M6

Name	Page	Ref
Łuków	36	M6
Lukulu	90	C2
Lukumburu	88	F5
Lukuni	88	B5
Luleå	34	M4
Lüleburgaz	54	K3
Lulua	88	D5
Lumbala Kaquengue	90	C2
Lumberton	108	F3
Lumbrales	46	D4
Lumimba	90	E2
Lumsden	96	B7
Lund	36	C2
Lundazi	90	E2
Lundy	42	H10
Lüneburg	38	F3
Lüneburger Heide	38	F4
Lunel	44	K10
Lünen	40	K3
Lunéville	48	B2
Lungau	48	J3
Luntai	60	Q9
Luohe	64	E4
Luoyang	64	E4
Luozi	88	A4
Lupeni	52	L4
Lūrā Shīrīn	76	L5
Lure	48	B3
Luremo	88	B5
Lurgan	42	F7
Lurio	90	F2
Lusaka	90	D3
Lusambo	88	C5
Lushnjë	54	B4
Lushui	64	B5
Lüshun	64	G3
Lusk	104	F2
Lutembo	90	C2
Lutherstadt Wittenberg	38	H5
Luton	40	B3
Luts'k	56	E4
Lutto	34	P2
Lützow-Holmbukta	120	(2)J3
Luverne	106	A2
Luvua	88	D5
Luwuk	70	(2)B3
Luxembourg	40	H5
Luxembourg	40	J5
Luxeuil-les-Bains	48	B3
Luxor	82	F2
Luza	56	J2
Luza	56	J2
Luzern	48	D3
Luzhou	64	D5
Luzilândia	116	J4
Luznice	48	K1
Luzon	68	G3
Luzon Strait	68	G2
Luzy	44	J7
L'viv	36	N8
Lyady	34	Q7
Lyapin	56	M2
Lycksele	56	C2
Lydenburg	90	E5
Lyme Bay	42	K11
Lymington	40	A4
Lynchburg	106	E3
Lynn	106	F2
Lynn Lake	100	L5
Lynx Lake	100	K4
Lyon	44	K8
Lys	40	E4
Lys'va	56	L3
Lysychans'k	56	G5
Lyttelton	96	D6

M

Name	Page	Ref
Maalosmadulu Atoll	72	B7
Ma'ān	78	C6
Maardu	34	N7
Ma'arrat an Nu'mān	76	G6
Maas	40	J3
Maasin	68	G4
Maastricht	40	H4
Mabalane	90	E4
Mabanza-Ngungu	86	G6
Mabein	68	B2
Mablethorpe	40	C1
Macapá	116	G3
Macas	116	B4
Macassar Strait	92	B6
Macau	68	E2
Macau	68	E2
Macaúba	116	K5
Macaúba	116	G6
Macclesfield	42	K8
Macdonnell Ranges	94	F4
Macedonia	54	C4

Name	Page	Ref
Maceió	116	K5
Macerata	48	J7
Machakos	88	F4
Machala	116	B4
Macheng	64	F4
Machilipatnam	72	D5
Machiques	116	C1
Macia	90	E4
Măcin	52	R4
Mack	110	E1
Mackay	94	J4
Mackay Lake	100	J4
Mackenzie	100	G4
Mackenzie Bay	100	D3
Mackenzie Mountains	100	E3
Mackinaw City	106	D1
Macmillan	100	E4
Macmillan Pass	100	F4
Macomb	106	B2
Macomer	50	C8
Macon, Ga., US	108	E3
Macon, Mo., US	108	C2
Mâcon	44	K7
Macuje	116	C3
Mădabā	78	C5
Madagascar	90	H3
Madan	52	M8
Madaoua	86	F2
Madeira	84	B2
Madeira	116	E5
Maden	76	H4
Madera	110	E3
Madikeri	72	C6
Madison	106	C2
Madison, Ind., US	106	C3
Madison, Minn., US	106	A1
Madison, S.D., US	104	G2
Madisonville	106	C3
Madiun	70	(1)E4
Mado Gashi	88	F3
Madoi	64	B4
Madona	34	P8
Madras = Chennai, India	72	D6
Madras, US	104	B2
Madre de Dios	116	C6
Madrid, Philippines	68	H5
Madrid, Spain	46	G4
Madridejos	46	G5
Madura	70	(1)E4
Madurai	72	C6
Maebashi	66	K5
Mae Hong Son	68	B3
Mae Nam Mun	68	C3
Mae Sariang	68	B3
Maevatanana	90	H3
Mafeteng	90	D5
Maffighofen	48	J2
Mafia Island	88	G5
Mafra	118	M4
Mafraq	78	D4
Magadan	62	S5
Magadi	88	F4
Magdagachi	62	M6
Magdalena	116	C2
Magdalena, Bolivia	116	E6
Magdalena, Mexico	110	D2
Magdalena, US	110	E2
Magdeburg	38	G7
Magdelaine Cays	94	K3
Magelang	70	(1)E4
Magenta	48	D5
Magerøya	34	N1
Maglaj	52	F5
Máglie	50	N8
Magnitogorsk	56	L4
Magnolia	108	C3
Mago	62	P6
Magog	106	F1
Magu	88	E4
Magwe	68	A2
Mahābād	76	L5
Mahagi	88	E3
Mahajamba	90	H3
Mahajanga	90	H3
Mahalapye	90	D4
Mahān	79	G1
Mahanadi	72	D4
Mahanoro	90	H3
Mahasamund	72	D4
Mahavavy	90	H3
Mahbubnagar	72	D5
Mahdah	79	G4
Mahé Island	90	(2)C1
Mahenge	88	F5
Mahesāna	72	B4
Mahia Peninsula	96	F4
Mahilyow	56	F4
Mahnomen	106	A1

Name	Page	Ref
Mahón	46	Q5
Mahuva	74	K5
Maicao	116	C1
Maidenhead	40	B3
Maidstone	40	C3
Maiduguri	86	G2
Mai Gudo	88	F2
Maimédy	38	B6
Main	38	E7
Mainburg	48	G2
Main-Donau-Kanal	38	G7
Maine	106	G1
Mainé Soroa	86	G2
Maingkwan	68	B1
Mainland, Orkney Is., UK	42	J2
Mainland, Shetland Is., UK	42	L1
Maintirano	90	G3
Mainz	38	D6
Maio	86	(1)B1
Majene	70	(2)A3
Majicana	118	H4
Majuro	92	H5
Makale	70	(2)A3
Makamba	88	D4
Makanza	88	B3
Makarora	96	B7
Makarov	62	Q7
Makarska	52	E6
Makar'yev	56	H3
Makassa	70	(2)A4
Makat	56	K5
Makeni	86	B3
Makgadikgadi	90	C4
Makhachkala	76	M2
Makhorovka	60	M7
Makindu	88	F4
Makinsk	56	P4
Makiyivka	56	G5
Makkah	82	G3
Makó	52	H3
Makokou	86	G4
Makongolosi	88	E5
Makorako	96	F4
Makoua	86	H4
Maków Mazowiecka	36	L5
Makran	74	G4
Makronisi	54	G7
Mākū	76	L4
Makumbako	88	E5
Makurazaki	66	F8
Makurdi	86	F3
Makūyeh	79	E2
Makuyuni	88	F4
Malabar Coast	72	B6
Malabo	86	F4
Malack	36	F9
Malacky	48	M2
Malad City	104	D2
Maladzyechna	56	E4
Málaga	46	F8
Malaimbandy	90	H4
Malaita	92	H3
Malakal	88	E2
Malakula	92	H3
Malamala	70	(2)B3
Malang	70	(1)E4
Malanje	88	B5
Malanville	86	E2
Malaryta	36	P6
Malatya	76	H4
Malaut	72	B2
Mālavi	76	M7
Malawi	90	E2
Malawi	90	E2
Malaya Baranikha	62	V3
Malaya Vishera	56	F3
Malaybalay	68	H5
Malāyer	74	E3
Malay Peninsula	68	C6
Malay Reef	94	J3
Malaysia	70	(1)C2
Malbork	36	J3
Malchin, Germany	38	H3
Malchin, Mongolia	60	S8
Malden Island	92	L6
Maldives	72	B8
Maldonado	118	L5
Malé	48	F4
Male	72	B8
Male Atoll	72	B8
Malegaon	72	B4
Malé Karpaty	48	N2
Malesherbes	44	H5
Maleta	62	H6
Malheur	104	C2
Malheur Lake	104	C2
Mali	84	E5
Mali	84	E5
Malindi	88	G4
Malin Head	42	E6

Name	Page	Ref
Malkara	54	J4
Malko Tŭrnovo	52	Q8
Mallaig	42	G4
Mallawi	82	F2
Mallorca	46	P5
Mallow	42	D9
Malmédy	40	J4
Malmesbury	90	B6
Malmö	36	C2
Malmyzh	56	K3
Malone	106	F2
Måløy	34	C6
Malozemel'skaya Tundra	56	K1
Målselv	34	K2
Malta	50	J13
Malta	104	E1
Malta Channel	50	J12
Maltahöhe	90	B4
Malvern	106	B4
Malý Dunaj	48	N2
Malyy Uzen'	56	J5
Mama	62	J5
Mamadysh	56	K3
Mambasa	88	D3
Mamburao	68	G4
Mamelodi	90	D5
Mammoth Hot Springs	104	D2
Mamonovo	36	J3
Mamoré	116	D6
Mamou	86	B2
Mamoudzou	90	H2
Mamuju	70	(2)A3
Ma'mūl	74	G6
Mamuno	90	C4
Man	86	C3
Mana	110	(2)A1
Manacapuru	116	E4
Manacor	46	P5
Manado	70	(2)B2
Managua	112	G6
Manakara	90	H4
Manali	72	C2
Manambolo	90	H4
Mananara Avaratra	90	H3
Mananjary	90	H4
Manantenina	90	H4
Manassas	106	E3
Manaus	116	E4
Manavgat	54	P8
Manbij	76	G5
Manchester, UK	42	K8
Manchester, Ia., US	106	B2
Manchester, Ky., US	106	D3
Manchester, Tenn., US	106	C3
Manchester, Vt., US	106	F2
Mand	74	H4
Mandabe	90	G4
Mandal	34	D7
Mandalay	68	B2
Mandalgovĭ	64	E1
Mandan	104	F1
Mandera	88	G3
Mandi	72	C2
Mandi Burewala	72	B2
Mandimba	90	F2
Manding	84	D6
Mandla	72	D4
Mandø	38	D1
Mandsaur	72	C4
Mandurah	94	C6
Mandúria	50	M8
Mandvi	72	A4
Manfredonia	50	K7
Manga	116	J6
Mangaia	92	K8
Mangalia	52	R6
Mangalore	72	B6
Mangareva	92	N8
Mangatupopo	96	E4
Mangaweka	96	F4
Manggar	70	(1)D3
Mangit	74	H1
Mangnai	60	S10
Mango	86	E2
Mangoky	90	G4
Mangole	70	(2)C3
Mangonui	96	D2
Mangrove Cay	108	F5
Manhad	72	B5
Manhattan	108	B2
Manhuaçu	116	J8
Mania	90	H3
Maniamba	90	F2
Manicoré	116	E5
Manicouagan	100	T6
Manihiki	92	K7

151

Name	Page	Ref
Maniitsoq	100	W3
Manila	68	G4
Manisa	54	K6
Manistee	106	C2
Manistique	106	C1
Manitoba	100	M6
Manitou	104	G1
Manitoulin Island	106	D1
Manitouwadge	106	C1
Manitowoc	106	C2
Maniwaki	106	E1
Manizales	116	B2
Manja	90	G4
Manjimup	94	C6
Mankato	106	B2
Manley Hot Springs	100	A4
Manlleu	46	N3
Manna	70	(1)C3
Mannheim	40	L5
Manning, Canada	100	H5
Manning, US.	108	E3
Manokwari	70	(2)D3
Manono	88	D5
Manosque	44	L10
Manouane	106	F1
Manouane Lake.	100	S6
Manp'o.	66	D3
Manra	92	J6
Manresa	46	M3
Mansa	90	D2
Mansel Island	100	Q4
Mansfield, UK	40	A1
Mansfield, La., US.	108	C3
Mansfield, Oh., US	106	D2
Manta	116	A4
Manteo	108	F2
Mantes-la-Jolie	40	D5
Mántova	48	F4
Manturovo	56	H3
Manú	116	C6
Manuelzinho	116	G5
Manújān	79	G3
Manukan	68	G5
Manukau	96	E3
Manukau Harbour	96	E3
Manyberries	104	D1
Manyinga	90	C2
Manyoni	88	E5
Manzanares	46	G5
Manzanillo	112	J4
Manzhouli	62	K7
Manzini	90	E5
Mao	82	C5
Maoming	68	E2
Mapam Yumco	72	D2
Mapi	70	(2)E4
Mapinhane	90	F4
Maple Creek	102	E2
Mapuera	116	E4
Maputo	90	E5
Maqueda	46	F4
Maquela do Zombo	88	B5
Maquinchao	118	H7
Maquoketa	106	B2
Maraba	116	H5
Maracaibo	116	C1
Maracay	116	D1
Marādah	82	C2
Maradi	86	F2
Marāgheh	76	M5
Maralal	88	F3
Marand	76	L4
Maranhão.	116	H5
Marañón.	116	B4
Mărăşeşti	52	Q4
Marathon, Canada.	106	C1
Marathon, US	110	F2
Marbella	46	F8
Marble Bar	94	D4
Marburg	40	L4
Marcal	48	N3
Marcali	48	N4
March	40	C2
Marche	40	H4
Marchena	46	E7
Mardan	72	B2
Mar del Plata	118	K6
Mardin	76	J5
Maré	92	G8
Mareeba	94	J3
Marettimo	50	F11
Marfa.	110	F2
Margate	40	D3
Margherita di Savoia	50	L7
Marghita	52	K2
Margilan	74	K1
Marguerite Bay	120	(2)KK3
María Elena	118	H3
Marianas Trench	92	E4
Marianna	108	D3
Márianská Lázně.	38	H7
Mariazell	48	L3
Mar'ib	82	J4
Maribo	38	G2
Maribor	48	L4
Maridi	88	D2
Marie Byrd Land	120	(2)F F2
Marie Galante	112	M5
Mariehamn	34	K6
Marienberg	38	J6
Mariental	90	B4
Marietta	108	E2
Marietta, Oh., US	106	D3
Marietta, Okla., US	108	B3
Mariinsk	60	R6
Marijampolė	36	N3
Marília	118	M3
Marín	46	B2
Marinette	106	C1
Maringá	118	L3
Marion	50	G7
Marion, Ill., US	106	C3
Marion, Ind., US	106	C2
Marion, Oh., US	106	D2
Mariscal Estigarribia	118	J3
Maritime Alps	48	C6
Marittimo	48	F7
Mariupol'	56	G5
Marīvān	76	M6
Mariy El	56	J3
Marjayoûn	78	C3
Marka	88	G3
Markam	64	B5
Markaryd	36	C1
Marked Tree	108	C2
Marken	40	H2
Markermeer	40	H2
Market Harborough	40	B2
Markham	106	E2
Marki	36	L5
Markit	60	P10
Markkleeberg	38	H5
Markovo.	62	W4
Marktoberdorf	48	F3
Marktredwitz	38	H7
Marla	94	F5
Marle	40	F5
Marmande	44	F9
Marmara Adası	54	K4
Marmara Denizi.	54	L4
Marmaris	54	L8
Marmolada	48	G4
Marne	40	F5
Maroansetra	90	H3
Marolambo	90	H4
Maroni	116	G3
Marotiri	92	M8
Maroua	86	G2
Marquesas Islands	92	M6
Marquette	106	C1
Marradi	48	G6
Marrakech	84	D2
Marra Plateau	82	D5
Marree	94	G5
Marrupa	90	F2
Marsa Alam	82	F2
Marsabit	88	F3
Marsala	50	G11
Marsberg	40	L3
Marseille	44	L10
Marseille-en-Beauvaisis	40	D5
Marshall, Ill., US	108	D2
Marshall, Tex., US.	108	C3
Marshall Islands	92	G4
Marshalltown	106	B2
Marsh Harbour	108	F4
Marsh Island	108	C4
Martapura, Indonesia.	70	(1)C3
Martapura, Indonesia.	70	(1)E3
Martigny	48	C4
Martigues	44	L10
Martin, Slovakia	36	H8
Martin, US.	104	F2
Martina Franca	50	M8
Martinborough	96	E5
Martinique	112	M6
Martinsburg	106	E3
Martinsville, Ind., US	106	C3
Martinsville, Va., US	106	E3
Marton	96	E5
Martos	46	G7
Maruchak	74	H2
Mårvatn	34	E6
Mary	74	H2
Maryborough	94	K5
Maryland	106	E3
Marysville, Canada	106	G1
Marysville, Calif., US	110	B1
Marysville, Kans., US.	108	B2
Maryville	106	B2
Masai Steppe	88	F4
Masaka	88	E4
Masalembu Besar	70	(1)E4
Masalli	76	N4
Masamba	70	(2)B3
Masan	66	E6
Masasi	88	F6
Masbate	68	G4
Masbate	68	G4
Mascara.	84	F1
Maseru	90	D5
Mashhad	74	G2
Masi-Manimba	88	B4
Masindi	88	E3
Maşīrah	74	G5
Masjed Soleymān	74	E3
Maskanah.	76	H5
Mason	108	B3
Mason Bay	96	A8
Mason City	106	B2
Masqaţ	79	H5
Massa	48	F6
Massachusetts	106	F2
Massachusetts Bay	106	G2
Massafra	50	M8
Massa Marittima	50	E5
Massawa	82	G4
Massena	106	F2
Masset	100	E6
Massif Central	44	H8
Massif de Guéra	82	C5
Massif de l'Aïr	84	G5
Massif des Écrins	48	B5
Massif du Chaillu	86	G5
Massif du Tsaratanana	90	H2
Massif Ennedi	82	D4
Massillon	106	D2
Massinga	90	F4
Masteksay	56	K5
Masterton	96	E5
Mastung	74	J4
Masty	34	N10
Masuda	66	F6
Masuguru	90	F2
Masvingo	90	E4
Maşyāf	78	D1
Matadi	88	A5
Matagami	106	E1
Matagorda Island	108	B4
Matakana Island	96	F3
Matakawau	96	E3
Matale	72	D7
Matam	86	B1
Matamoros, Mexico.	110	F3
Matamoros, Mexico.	110	G3
Matane	106	G1
Matanzas	102	K7
Matara	72	D7
Mataram	70	(1)F4
Mataranka	94	F3
Mataró	46	N3
Mataura	96	B8
Matawai	96	F4
Matehuala	110	F4
Matera	50	L8
Mátészalka	52	K2
Mateur	50	D11
Matheson	106	D1
Mathraki	54	B5
Mathura	72	C3
Mati	68	H5
Matlock	40	A1
Matmata	84	G2
Mato Grosso	116	F6
Mato Grosso	116	F6
Mato Grosso do Sul	116	F7
Matosinhos.	46	B3
Matrah	79	H5
Matrei	48	H4
Matrûh	82	E1
Matsiatra	90	H4
Matsu	64	G5
Matsue	66	G6
Matsumae	66	L3
Matsumoto	66	J5
Matsusaka	66	J6
Matsuyama	66	G7
Mattawa	106	E1
Matterhorn	48	C5
Matthews Ridge	116	E2
Mattighofen	38	J8
Mattoon	106	C3
Maturín	116	E2
Maubeuge	40	F4
Maui	110	(2)F3
Maullín	118	G7
Maun	48	K6
Maun	90	C3
Mauna Kea	110	(2)F4
Mauna Loa	110	(2)F4
Mauritania	84	C5
Mauritius	90	(1)B2
Mauron	44	C5
Mauthen.	48	H4
Mavinga	90	C3
Mawlaik	68	A2
Max	104	F1
Maya	62	P5
Maya	70	(1)D3
Mayaguana	112	K4
Mayagüez	112	L5
Mayamba	88	B4
Maych'ew	82	G5
Maydh	88	H1
Mayenne	44	E5
Mayenne	44	E5
Mayer	110	D2
Maykamys	60	P8
Maykop	76	J1
Mayly-Say.	74	K1
Maymecha	62	G3
Mayn	62	W4
Mayo	100	D4
Mayor Island.	96	F3
Mayotte	90	H2
Mayrhofen	48	G3
Mayskiy	62	M6
Mayumba	86	G5
Mayya	62	N4
Mazagão	116	G4
Mazagran	44	K4
Mazama	104	B1
Mazamet	44	H10
Mazar	60	P10
Mazara del Vallo	50	G11
Mazār-e Sharīf	74	J2
Mazatlán	112	C4
Mažeikiai	36	M1
Mazocahui	110	D3
Mazomora	88	F5
Mazra	78	C5
Mazyr	56	E4
Mazzarino	50	J11
Mbabane	90	E5
Mbala	88	E5
Mbale	88	E3
Mbalmayo	86	G4
Mbamba Bay	90	E2
Mbandaka	88	B3
Mbanga	86	F4
M'banza Congo	88	A5
Mbarara	88	E4
Mbeya	88	E5
Mbomou	88	C3
Mbour	86	A2
Mbuji-Mayi	88	C5
Mbuyuni	88	F5
McAlester	108	B3
McBride	100	G6
McCamey	110	F2
McCammon	104	D2
McClintock	100	N5
McClintock Channel	100	L2
McComb	108	C3
McCook	104	F2
McDermitt	104	C2
McGehee	108	C3
McGrath	110	(1)F3
McKinlay	94	H4
McKinney	108	B3
McLaughlin	104	F1
McLennan	100	H5
McMinnville	106	C3
McPherson	108	B2
McRae	108	E3
Meadow Lake	100	K6
Meadville	106	D2
Meander River	100	H5
Meaux	40	E6
Mecca = Makkah	82	G3
Mechelen	40	G3
Mechernich	40	J4
Mecidiye	54	J4
Mecklenburger Bucht.	38	G2
Mecula.	90	F2
Meda	46	C4
Medak	72	C5
Medan	70	(1)B2
Médéa	46	N8
Medellín	116	B2
Medenine	84	H2

Name	Page	Grid
Medford	104	B2
Medgidia	52	R5
Mediaş	52	M3
Medicine Bow	104	E2
Medicine Hat	100	J7
Medicine Lodge	108	B2
Medina = Al Madīnah	82	G3
Medinaceli	46	H3
Medina de Campo	46	F3
Medina Sidonia	46	E8
Mediterranean Sea	32	E4
Mednogorsk	56	L4
Medveditsa	56	H4
Medvezh'yegorsk	56	F2
Meeker	104	E2
Meerane	38	H6
Meerut	72	C3
Mega	70	(2)D3
Megalopoli	54	E7
Meganisi	54	C6
Megara	54	F6
Megisti	54	M8
Mehrān	76	M7
Mehriz	74	F3
Meiktila	68	B2
Meiningen	38	F6
Meißen	38	J5
Meizhou	68	F2
Mejez El Bab	50	D12
Mékambo	86	G4
Mek'elē	82	G5
Meknès	84	D2
Mekong	68	D4
Melaka	70	(1)C2
Melanesia	92	F5
Melbourne, Australia	94	H7
Melbourne, US	108	E4
Melchor de Mencos	112	G5
Meldrum Bay	106	D1
Meleuz	56	L4
Mélfi	82	C5
Melfi	50	K8
Melfort	100	L6
Melide	46	B2
Melilla	46	H9
Melita	104	F1
Melitopol'	56	G5
Melk	48	L2
Melkosopochnik	60	N8
Mělník	38	K6
Melo	118	L5
Melton Mowbray	40	B2
Melun	44	H5
Melut	82	F5
Melvern Lake	108	B2
Melville	100	L6
Melville Island, Australia	94	F2
Melville Island Canada	98	N2
Melville Peninsula	100	P3
Memberamo	70	(2)E3
Memboro	70	(2)A4
Memmert	40	J1
Memmingen	48	F3
Mempawah	70	(1)D2
Memphis, Mo., US	106	B2
Memphis, Tenn., US	106	C3
Mena	108	C3
Menai Strait	42	H8
Ménaka	84	F5
Mendawai	70	(1)E3
Mende	44	J9
Menden	40	K3
Mendī	38	F2
Mendoza	118	H5
Menemen	54	K6
Menen	40	F4
Menfi	50	G11
Menggala	70	(1)D3
Meniet	84	F4
Menkere	62	L3
Menominee	106	C1
Menomonee Falls	106	C2
Menongue	90	B2
Menorca	46	Q4
Mentok	70	(1)D3
Menyuan	64	C3
Menzel Bourguiba	50	D11
Menzel Bouzelfa	50	E12
Menzel Temime	50	E12
Menzies	94	D5
Meppel	40	J2
Meppen	40	K2
Meran Merano	48	G4
Merauke	70	(2)F4
Mercato Saraceno	48	H7
Merced	104	B3
Mercedes, Argentina	118	H5
Mercedes, Argentina	118	K4
Mercedes, US	108	B4
Mercedes, Uruguay	118	K5
Mercury Islands	96	E3
Mergenevo	56	K5
Mergui	68	B4
Mergui Archipelago	68	B4
Mérida, Mexico	112	G4
Mérida, Spain	46	D6
Mérida, Venezuela	112	K7
Meridian	108	D3
Merinha Grande	46	B5
Meriruma	116	G3
Merke	60	N9
Merkys	34	N9
Merowe	82	F4
Merredin	94	C6
Merrill	106	C1
Merriman	104	F2
Merritt	100	G6
Merseburg	38	H5
Mers el Kébir	46	K9
Mersey	42	J8
Mersin = Icel	54	S8
Mêrsrags	34	M8
Merthyr Tydfil	42	J10
Méru	40	E5
Meru	88	F3
Merzifon	76	F3
Merzig	40	J5
Mesa	110	D2
Mesa de Yambi	116	C3
Mesagne	50	M8
Meschede	40	L3
Mesoária Plain	78	A1
Mesolongi	54	D6
Mesopotamia	76	K6
Messaad	84	F2
Messina, Italy	50	K10
Messina, South Africa	90	D4
Messini	54	E7
Messiniakos Kolpos	54	D8
Mestre	48	H5
Meta	116	C2
Metairie	108	C4
Metaline Falls	104	C1
Metán	118	J4
Metangula	90	E2
Metema	82	G5
Meteor Depth	114	J9
Metković	52	E6
Metlika	48	L5
Metsovo	54	D5
Mettet	40	G4
Mettlach	40	J5
Metz	40	J5
Metzingen	48	E2
Meulaboh	68	B6
Meuse	40	G4
Mexia	108	B3
Mexicali	110	C2
Mexican Hat	110	E1
Mexico	110	B3
Mexico	112	D4
México	112	E5
Meymaneh	74	H2
Mezdra	52	L6
Mezen'	56	H1
Mezenskaya Guba	56	H1
Mezhdurechensk	60	R7
Mezóberény	52	J3
Mezőkövesd	52	H2
Mezőtúr	52	H2
Mfuwe	90	E2
Miajadas	46	E5
Miami, Fla., US	108	E4
Miami, Okla., US	108	C2
Miandowāb	76	M5
Miandrivazo	90	H3
Mīāneh	76	M5
Miangyang	76	E4
Mianning	64	C4
Mianwali	72	B2
Mianyang	64	C4
Miaodao Qundao	64	G3
Miao'ergou	60	Q8
Miass	56	M4
Miastko	36	G4
Michalovce	36	L9
Michigan	106	C1
Michipicoten Island	106	C1
Michurinsk	56	H4
Micronesia	92	F4
Mid-Atlantic Ridge	114	G1
Middelburg, Netherlands	40	F3
Middelburg, South Africa	90	D6
Middelfart	38	E1
Middelkerke	40	E3
Middle America Trench	98	L8
Middle Andaman	68	A4
Middlebury	106	F2
Middle Lake	104	C2
Middlesboro	106	D3
Middlesbrough	42	L7
Middletown, N.Y., US	106	F2
Middletown, Oh., US	106	D3
Midland, Canada	106	E2
Midland, Mich., US	106	D2
Midland, Tex., US	110	F2
Midway Islands	92	J3
Midwest City	108	B2
Midzor	52	K6
Miechów	36	K7
Mielan	44	F10
Mielec	36	L7
Miembwe	88	F5
Mien	36	D1
Miercurea-Ciuc	52	N3
Mieres	46	E1
Miesbach	48	G3
Mʼěso	88	G2
Miging	72	F3
Miguel Auza	110	F4
Mikhaylovka	56	H4
Mikhaylovskiy	60	P7
Mikino	62	U4
Mikkeli	34	P6
Mikulov	48	M2
Mikun'	56	K2
Mikuni-sammyaku	66	K5
Mikura-jima	66	K7
Mila	84	G1
Milaca	106	B1
Miladhunmadulu Atoll	72	B3
Milan = Milano, Italy	48	E5
Milan, US	108	D2
Milano	48	E5
Milas	54	K7
Milazzo	50	K10
Mildura	94	H7
Miles	94	K5
Miles City	104	E1
Milford, Del., US	106	E3
Milford, Ut., US	104	D3
Milford Haven	42	G10
Milford Sound	96	A7
Miliana	46	N8
Milicz	36	G6
Milk	100	J7
Mil'kovo	62	T6
Millau	44	J9
Millbank	104	G1
Milledgeville	108	E3
Miller	104	G2
Millerovo	56	H5
Millington	106	C3
Millinocket	106	G1
Miloro	88	E5
Milos	54	G8
Milton, New Zealand	96	B8
Milton, US	108	D3
Milton Keynes	40	B2
Miluo	64	G5
Milwaukee	106	C2
Mily	60	L8
Mimizan-Plage	44	D9
Mīnāb	79	G3
Mina Jebel Ali	79	F4
Minas	118	K5
Mīnāʼ Saʻūd	79	C2
Minas Gerais	116	H7
Minas Novas	116	J7
Minatitlán	112	F5
Minbu	68	A2
Minchinmávida	118	G7
Mincivan	76	M4
Mindanao	68	G5
Mindelheim	48	F2
Mindelo	86	(1)B1
Minden	40	L2
Mindoro	68	G4
Mindoro Strait	68	G4
Minehead	42	J10
Mineola	108	B3
Mineral'nyye Vody	76	K1
Minerva Reefs	92	J8
Minfeng	60	Q10
Minga	88	D6
Mingäçevir	76	M3
Mingäçevir Su Anbarı	76	M3
Mingulay	42	D5
Minicoy	72	B6
Minilya Roadhouse	94	B4
Minna	86	F3
Minneapolis	106	B2
Minnesota	106	A1
Minnesota	106	A2
Miño	46	C2
Minot	104	F1
Minsk	56	E4
Minturn	104	E3
Minusinsk	60	S7
Min Xian	64	C4
Min'yar	56	L3
Miquelon	106	E1
Miraflores	116	C3
Miramas	44	K10
Mirambeau	44	E8
Miranda	116	F8
Miranda de Ebro	46	H2
Miranda do Douro	46	D3
Mirandela	46	C3
Mirbāt	74	F6
Mirjāveh	74	H4
Mirnyy	62	J4
Mirow	38	H3
Mirpur Khas	72	A3
Mirtoö Pelagos	54	F7
Mirzapur	72	D3
Miskolc	52	H1
Misoöl	70	(2)D3
Mişrātah	82	C1
Missinaibi	100	Q6
Missinipe	100	L5
Mission	104	F2
Mississippi	108	C3
Mississippi	108	D2
Mississippi River Delta	108	D4
Missoula	104	D1
Missouri	104	F1
Missouri	106	B3
Missouri City	108	B4
Mistassibi	100	S7
Mistelbach	48	M2
Mitchell	104	G2
Mithankot	74	K4
Mithaylov	56	G4
Mithymna	54	J5
Mito	66	L5
Mits'iwa	74	C6
Mittellandkanal	40	K2
Mittersill	48	H3
Mittweida	38	H6
Mitú	116	C3
Mitzic	86	G4
Miyake-jima	66	K6
Miyako	66	L4
Miyakonojō	66	F8
Miyazaki	66	F8
Miyoshi	66	G6
Mīzan Teferī	88	F2
Mizdah	84	H2
Mizen Head	42	B10
Mizhhir''ya	52	L1
Mizil	52	P4
Mizpe Ramon	78	B6
Mjölby	34	H7
Mjøsa	34	F6
Mkuze	90	E5
Mladá Boleslav	36	D7
Mladenovac	52	H5
Mława	36	K4
Mljet	52	E7
Mmabatho	90	D5
Moa	94	H2
Moanda	86	G5
Moapa	104	D3
Moba	88	D5
Mobaye	88	C3
Mobayi-Mbongo	88	C3
Moberly	106	B3
Mobile	108	D3
Moçambique	90	G3
Môc Châu	68	C2
Mochudi	90	D4
Mocímboa da Praia	90	G2
Mocuba	90	F3
Modane	48	B5
Módena	48	F6
Modesto	104	B3
Módica	50	J12
Mödling	48	M2
Modowi	70	(2)D3
Modriča	52	F5
Moenkopi	110	D1
Moers	40	J3
Moffat	42	J6
Moffat Peak	96	B7
Mogadishu = Muqdisho	88	H3
Mogilno	36	G5
Mogocha	62	K6
Mogochin	60	Q6
Mogok	68	B2
Mohács	52	F4
Mohammadia	46	L9

Index

Name	Page	Grid
Mohe	62	L6
Mohembo	90	C3
Mohoro	88	F5
Mohyliv-Podil's'kyy	52	Q1
Moi	34	D7
Moincêr	72	D2
Moineşti	52	P3
Mo i Rana	34	H3
Moissac	44	G9
Mojave	110	C1
Mojave Desert	110	C2
Mokau	96	E4
Mokohinau Island	96	E2
Mokolo	86	G2
Mokoreta	96	B8
Mokp'o	66	D6
Mol	40	H3
Mola di Bari	50	M7
Molat	48	K6
Molde	34	D5
Moldova	52	P2
Moldova	52	R2
Moldova Nouă	52	J5
Molepolole	90	C4
Molfetta	50	L7
Molina de Aragón	46	J4
Molina de Segura	46	J6
Moline	106	B2
Möll	48	J4
Mollendo	116	C7
Molokai	110	(2)D2
Molopo	90	C5
Molsheim	48	C2
Moma	90	F3
Mombasa	88	G4
Momchilgrad	52	N8
Møn	38	H2
Monach Islands	42	E4
Monaco	48	C7
Monaco	48	C7
Monahans	110	F2
Mona Passage	112	L5
Monbetsu, Japan	66	M1
Monbetsu, Japan	66	M2
Moncalieri	48	C5
Monchegorsk	34	S3
Mönchengladbach	40	J3
Monclova	110	F3
Moncton	100	U7
Mondovi	48	C6
Mondragone	50	H7
Mondy	62	G6
Monfalcone	48	J5
Monforte	46	C5
Monforte de Lemos	46	C2
Monfredónia	50	K7
Monga	88	C3
Mongkung	68	B2
Mongo	82	C5
Mongolia	64	G2
Mongonu	86	G2
Mongora	72	B2
Mongu	90	C3
Mong Yai	68	B2
Mong Yu	68	B2
Monkoto	88	C4
Monmouth	106	B2
Mono	86	E3
Mono Lake	104	C3
Monopoli	50	M8
Monor	36	J10
Monowai	96	A7
Monreal del Campo	46	J4
Monreale	50	H10
Monroe, La., US	108	C3
Monroe, Mich., US	106	D2
Monroe, N.C., US	108	E3
Monroe, Wash., US	104	B1
Monroe City	108	C2
Monrovia	86	B3
Mons	40	F4
Monschau	40	J4
Monsélice	48	G5
Montabaur	40	K4
Montague Island	114	J9
Montalbán	46	K4
Montana	52	L6
Montana	104	E1
Montargis	44	H6
Montauban	44	G10
Montauk	106	F2
Mont aux Sources	90	D5
Montbard	48	K6
Montbéliard	48	B3
Montblanc	46	M3
Mont Blanc	48	B5
Montbrison	44	K8
Mont Cameroun	86	F4
Montceau-les-Mines	44	K7
Mont-de-Marsan	44	E10
Montdidier	40	E5
Monte Alegre	116	G4
Monte Azul	116	J7
Montebello	106	F1
Montebello Islands	94	B4
Montebelluna	48	H5
Monte Calvo	50	K7
Monte Cinto	50	C6
Montecristo	50	E6
Monte Etna	50	J11
Montefiascone	50	G6
Montego Bay	112	J5
Montélimar	44	K9
Monte Limbara	50	D8
Monte Lindo	118	K4
Montemorelos	108	B4
Monte Namuli	90	F3
Montenegro	52	F7
Monte Perdino	46	L2
Monte Pollino	50	L9
Montepuez	90	F2
Montepulciano	50	F5
Monte Quemado	118	J4
Montereau-faut-Yonne	44	H5
Monterey	106	E3
Monterey Bay	104	B3
Montería	116	B2
Montero	116	E7
Monte Rosa	48	C5
Monterotondo	50	G6
Monterrey	110	F3
Monte Sant'Angelo	50	K7
Montes Claros	116	J7
Montesilvano Marina	50	J6
Montevarchi	48	G7
Montevideo, US	106	A1
Montevideo, Uruguay	118	K5
Monte Viso	48	C6
Monte Vista	110	E1
Montgomery	108	D3
Monthey	48	B4
Monticello	104	E3
Montijo	46	D6
Montilla	46	F7
Mont Joli	106	G1
Mont-Laurier	106	E1
Montluçon	44	H7
Montmagny	106	F1
Montmedy	40	H5
Mont Mézenc	44	K9
Montone	48	G6
Montoro	46	F6
Mont Pelat	44	M9
Montpelier, Id., US	104	D2
Montpelier, Vt., US	106	F2
Montpellier	44	J10
Montréal	106	F1
Montreul	40	D4
Montreux	48	B4
Montrose, UK	42	K5
Montrose, US	104	E3
Monts Bagzane	84	G5
Mont Serkout	84	G4
Montserrat	112	M5
Monts Nimba	86	C3
Monts Otish	100	S6
Mont Tahat	84	G4
Monywa	68	A2
Monza	48	C5
Monzón	46	L3
Moonie	94	K5
Moorcroft	104	F2
Moorhead	106	A1
Moosburg	48	G1
Moose Jaw	100	K6
Moose Lake	100	M6
Moosomin	100	L6
Moosonee	100	Q6
Mopti	84	E6
Moqor	74	J3
Mór	52	F2
Mora	34	H6
Móra	46	B6
Moradabad	72	C3
Morafenobe	90	G3
Morag	36	J4
Moramanga	90	H3
Moran	104	D2
Morane	92	N8
Moratuwa	72	D7
Morava	36	G8
Moravské Budějovice	48	L1
Morawhanna	116	F2
Moray Firth	42	J4
Morbach	40	K5
Morbi	72	B4
Mordoviya	56	H4
Moreau	104	F1
Morecambe	42	K7
Moree	94	J5
Morehead	106	D3
More Laptevykh	62	L1
Morelia	112	D5
Morella	46	K4
Moresby Island	110	(1)L5
Moreton Island	94	K5
Morez	44	M7
Morgan	94	G6
Morgan City	108	C4
Morgantown	106	D3
Morges	48	B4
Mori	66	L2
Morioka	66	L4
Morkoka	62	J4
Morlaix	44	B5
Mornington Island	94	G3
Morocco	80	C2
Morogoro	88	F5
Moro Gulf	68	G5
Morombe	90	G4
Mörön	62	G7
Morondava	90	G4
Morón de la Frontera	46	E7
Moroni	90	G2
Moron Us He	72	F2
Morotai	70	(2)C2
Moroto	88	E3
Morpeth	42	L6
Morris	104	G1
Morristown	108	E2
Mors	34	E8
Morshansk	56	H4
Mortain	40	B6
Morteros	118	J5
Morvern	42	G5
Morwell	94	J7
Mosbach	38	E7
Moscow = Moskva	56	G3
Mosel	40	K4
Moselle	40	G6
Moses Lake	104	C1
Mosgiel	96	C7
Moshi	88	F4
Mosjøen	34	G4
Moskenesøy	34	F3
Moskva	56	G3
Mosonmagyaróvár	48	N3
Mosquero	110	F1
Moss	34	F7
Mossburn	96	B7
Mosselbaai	90	C6
Mossoró	116	K5
Most	38	J6
Mostaganem	46	L9
Mostar	52	E6
Mostoles	46	G4
Møsvatn	34	E7
Mot'a	82	G5
Motala	34	H7
Motherwell	42	J6
Motihari	72	D3
Motilla del Palancar	46	J5
Motiti Island	96	F3
Motril	46	G8
Motru	52	K5
Motu One	92	L7
Motygino	60	S6
Mouchard	48	A4
Moudjéria	84	C5
Moudros	54	H5
Mouila	86	G5
Moulins	44	J7
Moulmein	68	B3
Moultrie	108	E3
Moundou	82	C6
Mount Adam	118	J9
Mount Adams	104	B1
Mountain Grove	106	B3
Mountain Home	106	B3
Mountain Nile = Bahr el Jebel	88	E2
Mount Alba	96	B7
Mount Aloysius	94	E5
Mount Anglem	96	A8
Mount Apo	68	H5
Mount Ararat	76	L4
Mount Arrowsmith	96	C6
Mount Aspiring	96	B7
Mount Assiniboine	100	H6
Mount Augustus	94	C4
Mount Baco	68	G3
Mount Baker	104	B1
Mount Bartle Frere	94	J3
Mount Bogong	94	J7
Mount Brewster	96	B7
Mount Bruce	94	C4
Mount Cameroun	80	D5
Mount Carmel	104	D3
Mount Columbia	100	H6
Mount Cook	96	C6
Mount Cook	96	C6
Mount Donald	96	A7
Mount Douglas	94	J4
Mount Egmont	96	E4
Mount Elbert	104	E3
Mount Elgon	88	E3
Mount Essendon	94	D4
Mount Evelyn	94	F2
Mount Everest	72	E3
Mount Fairweather	100	D5
Mount Gambier	94	H7
Mount Garnet	94	J3
Mount Hermôn	78	C3
Mount Hood	104	B1
Mount Hutt	96	C6
Mount Huxley	96	B7
Mount Isa	94	G4
Mount Jackson	120	(2)MM2
Mount Karisimbi	88	D4
Mount Kendall	96	D5
Mount Kenya = Kirinyaga	88	F4
Mount Kilimanjaro	88	F4
Mount Kirkpatrick	120	(2)AA1
Mount Kosciuszko	94	J7
Mount Liebig	94	F4
Mount Lloyd George	100	G5
Mount Logan	100	C4
Mount Magnet	94	C5
Mount Maunganui	96	F3
Mount McKinley	110	(1)G3
Mount Meharry	94	C4
Mount Menzies	120	(2)L2
Mount Minto	120	(2)Y2
Mount Mulanje	90	F3
Mount Murchison	96	C6
Mount Nyiru	88	F3
Mount Olympus	104	B1
Mount Ord	94	E3
Mount Ossa	94	J8
Mount Owen	94	D5
Mount Paget	118	P9
Mount Pleasant, Ia., US	106	B2
Mount Pleasant, Mich., US	106	D2
Mount Pleasant, S.C., US	108	F3
Mount Pleasant, Tex., US	108	B3
Mount Pleasant, Ut., US	104	D3
Mount Pulog	68	G3
Mount Rainier	104	B1
Mount Ratz	100	E5
Mount Richmond	96	D5
Mount Roberts	94	K5
Mount Robson	100	H6
Mount Roosevelt	100	F5
Mount Roraima	116	E2
Mount Ross	96	E5
Mount Shasta	104	B2
Mount Somers	96	C6
Mount Stanley	88	D3
Mount Tahat	80	D3
Mount Travers	96	D6
Mount Tuun	66	D3
Mount Usborne	118	K9
Mount Vernon, Al., US	108	D3
Mount Vernon, Ill., US	106	C3
Mount Vernon, Oh., US	106	D2
Mount Vernon, Wash., US	104	B1
Mount Victoria, Myanmar	68	A2
Mount Victoria, Papua New Guinea	92	E6
Mount Waddington	100	F6
Mount Washington	100	S8
Mount Whitney	104	C3
Mount Wilson	104	E3
Mount Woodroffe	94	F5
Mount Ziel	94	F4
Moura	46	C6
Mousa	42	L2
Moussoro	82	C5
Moutamba	86	G5
Mouth of the Shannon	96	B9
Mouths of the Amazon	114	G3
Mouths of the Danube	52	S4
Mouths of the Ganges	72	E4
Mouths of the Indus	74	J5
Mouths of the Irrawaddy	68	A3
Mouths of the Krishna	72	D5
Mouths of the Mekong	68	B4
Mouths of the Niger	86	F4
Moûtiers	48	B5
Moutong	70	(2)B2
Moyale	88	F3

Name	Page	Grid
Moyen Atlas	84	D2
Moyenvic	40	J6
Moyeroo	60	U4
Moyynty	60	N8
Mozambique	90	E3
Mozambique Channel	90	F4
Mozdok	76	L2
Mozhga	56	K3
Mozirje	48	K4
Mpanda	88	E5
Mpika	90	E2
Mporokoso	88	E5
Mpumalanga	90	D5
Mragowo	36	L4
Mrkonjić-Grad	48	N6
M'Sila	84	F1
Mtsensk	56	G4
Mtwara	88	G6
Muang Khammouan	68	C3
Muang Không	68	D4
Muang Khôngxédôn	68	D3
Muang Khoua	68	C2
Muang Pakxan	68	C3
Muang Phin	68	D3
Muang Sing	68	C2
Muang Xai	68	C2
Muar	70	(1)C2
Muarabungo	70	(1)C3
Muarawahau	70	(1)F2
Mubarek	60	M10
Mubende	88	E3
Mubrani	70	(2)D3
Muck	42	F5
Muckadilla	94	J5
Muconda	88	C6
Mucur	54	S5
Mudanjiang	66	E1
Mudanya	54	L4
Muddy Gap	104	E2
Mudurnu	54	P4
Mufulira	90	D2
Mughshin	74	F6
Muğla	54	L7
Mugodzhary	56	L5
Mühldorf	48	H2
Mühlhausen	38	F5
Muhos	34	N4
Muhu	34	M7
Muhulu	88	D4
Mukacheve	36	M9
Mukdahan	68	C3
Mukry	74	J2
Mukuku	90	D2
Mulaku Atoll	72	B8
Mulde	38	H5
Muleshoe	110	F2
Mulgrave Island	94	H2
Mulhacén	46	G7
Mülheim	40	J3
Mulhouse	48	C3
Muling	66	G1
Mull	42	G5
Mullaittivu	72	D7
Mullewa	94	C5
Müllheim	48	C3
Mullingar	42	E8
Mulobezi	90	D3
Multan	74	K3
Mumbai	72	B5
Mumbwa	90	D2
Muna	70	(2)B4
Münchberg	38	G6
München	48	G2
Münden	38	E5
Mundo Novo	116	J6
Mungbere	88	D3
Munger	72	E3
Munich = München	48	G2
Munster, France	48	C2
Munster, Germany	38	F4
Münster, Germany	40	K3
Munte	70	(2)A2
Muojärvi	34	Q4
Muonio	34	M3
Muqdisho	88	H3
Mur	48	L4
Muradiye	76	K4
Murang'a	88	F4
Murashi	56	J3
Murat	76	K4
Muratlı	54	K3
Murchison	96	D5
Murcia	46	J7
Murdo	104	F2
Mureş	52	J3
Muret	44	G10
Murfreesboro, N.C., US	108	F2
Murfreesboro, Tenn., US	108	D2
Murghob	74	K2
Muriaé	116	J8
Müritz	38	H3
Muriwai	96	F4
Murmansk	34	S2
Murnau	48	G3
Murom	56	H3
Muroran	66	L2
Muros	46	A2
Muroto	66	H7
Murphy	108	E2
Murray	94	H6
Murray	106	C3
Murray Bridge	94	G7
Murray River Basin	94	H6
Murska Sobota	48	M4
Murter	48	L7
Murtosa	46	B4
Murud	72	B5
Murupara	96	F4
Mururoa	92	M8
Murwara	72	D4
Murzūq	84	H3
Mürzzuschlag	48	L3
Muş	76	J4
Müsa	36	N1
Musala	54	F2
Musandam Peninsula	79	G3
Musayīd	79	D4
Muscat = Masqat	79	H5
Musgrave Ranges	94	E5
Mushin	86	E3
Muskegon	106	C2
Muskogee	108	B2
Musoma	88	E4
Mustafakemalpaşa	54	L4
Mut, Egypt	82	E2
Mut, Turkey	54	R8
Mutare	90	E3
Mutarnee	94	J3
Mutnyy Materik	56	L1
Mutoray	60	U5
Mutsamudu	90	G2
Mutsu	66	L3
Mutsu-wan	66	L3
Muttaburra	94	H4
Muyezerskiy	56	R5
Muyinga	88	E4
Muynak	60	K9
Muzaffarnagar	72	C3
Muzaffarpur	72	E3
Muzillac	44	C6
Múzquiz	110	F3
Muztagata	60	N10
Mwali	90	G2
Mwanza	88	E4
Mweka	88	C4
Mwenda	88	D6
Mwene-Ditu	88	C5
Mwenezi	90	E4
Mwenezi	90	E4
Mwinilunga	90	C2
Myanmar	68	B2
Myingyan	68	B2
Myitkyina	68	B1
Myjava	48	N1
Myjava	48	N2
Mykolayiv	36	N8
Mykonos	54	H7
Mymensingh	72	F4
Mynbulak	60	L9
Myndagayy	60	N4
Myôjin	66	K4
Myonggan	66	E3
Myrdalsjökull	34	(1)D3
Myrina	54	H5
Myrtle Beach	108	F3
Mys Alevina	62	S5
Mys Aniva	64	L1
Mys Buorkhaya	62	N2
Mys Dezhneva	62	Z3
Mys Elizavety	62	Q6
Mys Enkan	62	P5
Mys Govena	62	V5
Mys Kanin Nos	56	H1
Mys Kekurskij	34	S2
Mys Kril'on	64	L1
Myślenice	36	J8
Myślibórz	36	D5
Mys Lopatka, Russia	62	T6
Mys Lopatka, Russia	62	S2
Mys Navarin	62	X4
Mys Olyutorskiy	62	W5
Mysore	72	C6
Mys Peschanyy	60	J3
Mys Povorotnyy	66	G2
Mys Prubiynyy	56	F5
Mys Shelagskiy	62	V2
Mys Sivuchiy	62	U5
Mys Terpeniya	62	Q7
Mys Tolstoy	62	T5
Mys Yuzhnyy	62	T5
Mys Zhelaniya	60	M2
My Tho	68	D4
Mytilini	54	J5
Mývatn	34	(1)E2
Mže	38	H7
Mzimba	90	E2
Mzuzu	90	E2

N

Name	Page	Grid
Naalehu	110	(2)F4
Naas	42	F8
Nabas	68	G4
Naberezhnyye Chelny	56	K5
Nabeul	50	E12
Nabīd	79	G2
Nabire	70	(2)E3
Nablus	78	C4
Nacala	90	G2
Náchod	36	F7
Nacogdoches	108	C3
Nadiad	72	B4
Nador	84	E2
Nadvirna	52	M1
Nadym	56	P1
Nadym	56	P2
Næstved	38	G1
Nafpaktos	54	D6
Nafplio	54	E7
Nagano	66	K5
Nagaoka	66	K5
Nagaon	72	F3
Nagarzê	72	F3
Nagasaki	66	E7
Nagaur	72	B3
Nagercoil	72	C7
Nago	64	H5
Nagold	38	D8
Nagorsk	56	K3
Nagoya	66	J6
Nagpur	72	C4
Nagqu	72	F2
Nagyatád	48	N4
Nagykálló	52	J2
Nagykanizsa	48	N4
Nagykáta	36	J10
Nagykörös	52	G2
Naha	64	H5
Nahanni	100	G4
Nahanni Butte	100	G4
Nahr en Nile = Nile	82	F2
Naiman Qi	64	G2
Nain	100	U5
Nairn	42	F4
Nairobi	88	F4
Naivasha	88	F4
Naizishan	66	D2
Najafābād	74	F3
Nájera	46	H2
Najibabad	72	C3
Najin	66	F2
Najrān	82	H4
Nakamura	66	G7
Nakatsu	66	F7
Nakhl	78	A7
Nakhodka, Russia	60	P4
Nakhodka, Russia	66	G2
Nakhon Ratchasima	68	C3
Nakhon Sawan	68	C3
Nakhon Si Thammarat	68	B5
Nakina	100	P6
Naknek	110	(1)F4
Nakonde	88	E5
Nakskov	38	G2
Nakten	34	H5
Nakuru	88	F4
Nal'chik	76	K2
Nallihan	54	P4
Nālūt	84	H2
Namagan	60	N9
Namakzar-e Shadad	79	G1
Namanga	88	F4
Namapa	90	F2
Namasagali	88	E3
Nam Can	68	C5
Nam Co	72	F2
Namdalen	34	G4
Nam Dinh	68	D2
Namib Desert	90	A4
Namibe	90	A3
Namibia	90	B4
Namlea	70	(2)C3
Namo	70	(2)A3
Nampa	104	C2
Nam Ping	68	B3
Namp'o	66	C4
Nampula	90	F3
Namsos	34	F4
Namtsy	62	M4
Namur	40	G4
Namwala	90	D3
Namwŏn	66	D6
Nan	68	C3
Nanaimo	104	B1
Nanao	66	J5
Nanchang	64	F5
Nanchong	64	D4
Nancy	48	B2
Nanda Devi	72	C2
Nänded	72	C5
Nandurbar	72	B4
Nangalala	94	G2
Nangapinoh	70	(1)E3
Nangatayap	70	(1)E3
Nangis	44	J5
Nangong	64	F3
Nang Xian	72	F3
Nanjing	64	F4
Nankoku	66	G7
Nannine	94	C5
Nanning	68	D2
Nanortalik	100	X4
Nanpan	68	D2
Nanping	64	F5
Nansei-shotō	64	H5
Nantes	44	D6
Nanton	102	D1
Nantong	64	G4
Nanumea	92	H6
Nanuque	116	J7
Nanyang	64	E4
Napa	104	B3
Napalkovo	60	N3
Napamute	110	(1)F3
Napas	62	C4
Napasoq	100	W3
Napier	96	F4
Naples = Napoli	50	J8
Naples	108	E4
Napo	116	C4
Napoli	50	J8
Naqb Ashtar	78	C6
Nara, Japan	66	H6
Nara, Mali	84	D5
Narathiwat	68	C5
Nardò	50	N8
Nares Strait	98	J2
Narev	36	N5
Narew	36	L5
Narmada	72	C4
Narnaul	72	C3
Narni	50	G6
Narok	88	F4
Närpes	34	L5
Narrabri	94	J6
Narrandera	94	J6
Narsimhapur	72	C4
Nart	64	F2
Narva	34	P7
Narva	34	Q7
Narva Bay	34	P7
Narvik	34	J2
Nar'yan Mar	56	K1
Naryn	62	F6
Näsåud	52	M2
Nashua	106	D2
Nashville	108	D2
Našice	52	F4
Nasik	72	B4
Nasir	88	E2
Nassarawa	86	F3
Nässjö	34	H8
Nastapoka Islands	100	R5
Nasugbu	68	G4
Naswá	79	G5
Nata	90	D4
Natal	116	K5
Natara	62	L3
Natashquan	100	U6
Natchez	108	C3
Natchitoches	108	C3
National Park	96	E4
Natitingou	86	E2
Natuna Besar	70	(1)D2
Naujoji Akmenė	36	M1
Naumburg	38	G5
Na'ūr	78	C6
Nauru	92	G6
Nauta	116	C4
Nautonwa	72	D3

Name		Page	Grid
Navahermosa	●	46	F5
Navahrudak	●	34	N10
Navajo Reservoir	✈	104	E3
Navalmoral de la Mata	●	46	E5
Navalvillar de Pela	●	46	E5
Navapolatsk	●	56	E3
Navlya	●	56	F4
Navoi	●	60	M9
Navojoa	●	102	E6
Navrongo	●	86	D2
Navsari	●	72	B4
Nawabshah	●	74	J4
Näwah	●	74	J3
Naxçivan	●	76	L4
Naxos	●	54	H7
Naxos	▦	54	H7
Nayakhan	●	62	T4
Näy Band, *Iran*	●	74	G3
Näy Band, *Iran*	●	79	E3
Nayoro	●	66	M1
Naypyidaw	■	68	B3
Nazaré	●	46	A5
Nazareth	●	78	C4
Nazarovo	●	60	S6
Nazca	●	116	C6
Nazca Ridge	▨	118	E3
Naze	●	64	H5
Nazilli	●	54	L7
Nazino	●	60	P6
Nazran'	▢	76	L2
Nazrēt	●	88	F2
Nazwá	●	74	G5
Nazyvayevsk	●	56	P3
Ndélé	●	88	C2
Ndjamena	■	82	B5
Ndjolé	●	86	G5
Ndola	●	90	D2
Neale Junction	●	94	E5
Neapoli	●	54	F8
Nea Zichni	●	54	F4
Nebbi	●	88	E3
Nebitdag	●	74	F2
Nebo	●	94	J4
Nebraska	●	104	G2
Neckar	▨	38	D7
Neckar	▨	38	D8
Neckarsulm	●	38	E7
Necker Island	▦	92	K3
Necochea	●	118	K6
Nédély	●	82	C4
Needles	●	110	D2
Nefedovo	●	56	P3
Nefta	●	84	G2
Neftçala	●	76	N4
Neftekamsk	●	56	K3
Neftekumsk	●	76	L1
Nefteyugansk	●	56	P2
Nefza	●	50	D12
Negage	●	88	B5
Negär	●	79	G2
Negēlē	●	88	F2
Negele	●	88	F2
Negev	▨	78	B6
Negomane	●	90	F2
Negombo	●	72	C7
Negotin	●	52	K5
Negotino	●	54	E3
Négrine	●	84	G2
Negro, *Argentina*	▨	118	J7
Negro, *Brazil*	▨	116	E4
Negros	●	68	G5
Negru Vodă	●	52	R6
Nehbandān	●	74	G3
Nehe	●	62	M7
Nehoiu	●	52	P4
Neijiang	●	64	C5
Nei Monggol	▨	64	E2
Neiva	●	116	B3
Neixiang	●	64	E4
Nejanilini Lake	✈	100	M5
Nek'emtē	●	88	F2
Nelidovo	●	56	F3
Neligh	●	104	G2
Nellore	●	72	C6
Nel'ma	●	62	P7
Nelson	▨	100	N5
Nelson, *Canada*	●	104	C1
Nelson, *New Zealand*	●	96	D5
Nelspruit	▢	90	E5
Néma	●	84	D5
Něman	▨	34	N10
Neman	●	36	M2
Nemours	●	44	H5
Nemperola	●	70	(2)B5
Nemunas	▨	36	P3
Nemuro	●	66	N2
Nen	●	62	L7
Nenagh	●	42	D9
Nenana	●	110	(1)H3
Nene	▨	40	B2
Nenjiang	●	62	M7
Neosho	●	106	B3
Nepa	●	62	H5
Nepal	▣	72	D3
Nepalganj	●	72	D3
Nepean	●	106	E1
Nepomuk	●	38	J7
Ner	▨	36	H5
Nera	▨	50	G6
Neratovice	●	38	K6
Neris	▨	36	P2
Nerja	●	46	G8
Neryungri	●	62	L5
Nesebŭr	●	52	Q7
Ness City	●	108	B2
Netanya	●	78	B4
Netherlands	▣	40	H2
Netherlands Antilles	▦	112	L6
Nettilling Lake	✈	100	S3
Neubrandenburg	●	38	J3
Neuburg	●	38	G8
Neuchâtel	●	48	B3
Neuenhagen	●	38	J4
Neufchâteau, *Belgium*	●	40	H5
Neufchâteau, *France*	●	44	L5
Neufchâtel-en-Bray	●	40	D5
Neuhof	●	38	E6
Neumarkt	●	38	G7
Neumünster	●	38	F2
Neunkirchen, *Austria*	●	48	M3
Neunkirchen, *Germany*	●	38	C7
Neuquén	●	118	H6
Neuruppin	●	38	H4
Neusiedler	✈	36	F10
Neusiedler See	●	48	M3
Neuss	●	40	J3
Neustadt, *Germany*	●	38	F2
Neustadt, *Germany*	●	38	F7
Neustadt, *Germany*	●	38	G6
Neustadt, *Germany*	●	38	G8
Neustadt, *Germany*	●	38	H7
Neustadt, *Germany*	●	40	L5
Neustrelitz	●	38	J3
Neu-Ulm	●	38	F8
Neuwerk	●	38	D3
Neuwied	●	40	K4
Nevada	●	104	C3
Nevada	●	106	B3
Nevado Auzangate	▲	116	C6
Nevado de Colima	▲	112	D5
Nevado de Cumbal	▲	116	B3
Nevado de Huascaran	▲	116	B5
Nevado de Illampu	▲	116	D7
Nevado Sajama	▲	116	D7
Nevados de Cachi	▲	118	H4
Never	●	62	L6
Nevers	●	44	J7
Nevesinje	●	52	F6
Nevėžis	▨	34	M9
Nevinnomyssk	●	76	J1
Nevşehir	●	54	S6
Newala	●	88	F6
New Albany, *Ind., US*	●	106	C3
New Albany, *Miss., US*	●	108	D3
New Amsterdam	●	116	F2
Newark, *N.J., US*	●	106	F2
Newark, *Oh., US*	●	106	D3
Newark-on-Trent	●	40	B1
New Bedford	●	106	F2
Newberg	●	104	B1
New Bern	●	108	F2
Newberry	●	108	E3
New Braunfels	●	108	B4
New Britain	▦	92	F6
New Brunswick	▨	100	T7
Newburgh	●	106	F2
Newbury	●	40	A3
New Bussa	●	86	E3
Newcastle, *Australia*	●	94	K6
Newcastle, *US*	●	104	F2
Newcastle-under-Lyme	●	42	K8
Newcastle upon Tyne	●	42	L6
Newcastle Waters	●	94	F3
New Delhi	●	72	C3
New England	●	104	F1
Newe Zohars	●	78	C5
Newfoundland	▨	100	V5
Newfoundland and Labrador	▨	100	V7
New Georgia Island	▦	92	F6
New Glasgow	●	100	U7
New Guinea	▦	58	S10
New Hampshire	▣	106	F2
New Hampton	●	106	B2
New Hanover	▦	92	F6
Newhaven	●	40	C4
New Haven	●	106	F2
New Iberia	●	108	C3
New Ireland	▦	92	F6
New Jersey	▣	106	F2
New Liskeard	●	106	E1
New London	●	106	F2
Newman	●	94	C4
New Meadows	●	104	C2
New Mexico	▣	110	E2
Newnan	●	108	E3
New Orleans	●	108	D4
New Plymouth	●	96	E4
Newport, *Eng., UK*	●	40	A4
Newport, *Wales, UK*	●	42	K10
Newport, *Ark., US*	●	108	C2
Newport, *Oreg., US*	●	104	B2
Newport, *R .I., US*	●	106	F2
Newport, *Vt., US*	●	106	F2
Newport, *Wash., US*	●	104	C1
New Providence	▦	108	F5
Newquay	●	42	G11
Newry	●	42	F7
New Siberia Islands =			
Novosibirskiye Ostrova	▦	62	P1
New Smyrna Beach	●	108	E4
New South Wales	▨	94	H6
Newton, *Ia., US*	●	106	B2
Newton, *Kans., US*	●	108	B2
Newtownards	●	42	G7
New Ulm	●	106	B2
New York	●	106	E2
New York	▨	106	E2
New Zealand	▣	96	B5
Neya	●	56	H3
Neyrīz	●	79	F2
Neyshābūr	●	74	G2
Ngabang	●	70	(1)D2
Ngalu	●	70	(2)B5
Ngaoundéré	●	86	G3
Ngara	●	88	E4
Ngawihi	●	96	E5
Ngo	●	86	H5
Ngoura	●	82	C5
Ngozi	●	88	D4
Nguigmi	●	86	G2
Nguru	●	86	G2
Nha Trang	●	68	D4
Nhulunbuy	●	94	G2
Niafounké	●	84	E5
Niagara Falls	●	106	E2
Niamey	■	86	E2
Niangara	●	88	D3
Nia-Nia	●	88	D3
Nias	▦	70	(1)B2
Nicaragua	▣	112	G6
Nicastro	●	50	L10
Nice	●	48	C7
Nicholls Town	●	108	F4
Nicobar Islands	▦	68	A5
Nicosia = Lefkosia	■	54	R9
Nida	●	36	K7
Nidym	●	62	F4
Nidzica	●	36	K4
Niebüll	●	38	D2
Niedere Tauern	▲	48	J3
Niefang	●	86	G4
Nienburg	●	38	E4
Niesky	●	38	K5
Nieuw Amsterdam	●	116	F2
Nieuw Nickerie	●	116	F2
Nieuwpoort	●	40	E3
Niğde	●	54	S7
Niger	▣	84	G5
Niger	▨	86	E2
Nigeria	▣	86	F2
Nigoring Hu	●	64	B3
Niigata	●	66	K5
Niihau	▦	110	(2)A2
Nii-jima	▦	66	K6
Nijar	●	46	H8
Nijmegen	●	40	H3
Nikolayevsk-na-Amure	●	62	Q6
Nikol'sk	●	56	J3
Nikopol'	●	56	F5
Nik Pey	●	76	N5
Nikšić	●	52	F7
Nilande Atoll	▦	72	B8
Nile	▨	82	F3
Niles	●	106	C2
Nimach	●	72	B4
Nîmes	●	44	K10
Nimule	●	88	E3
Nin	●	48	L6
Nine Degree Channel	▭	72	B7
9 de Julio	●	118	J6
Ning'an	●	66	E1
Ningbo	●	64	G5
Ningde	●	64	F5
Ninghai	●	64	G5
Ninh Hoa	●	68	D4
Ninohoe	●	66	L3
Niobrara	▨	104	F2
Niobrara	●	104	G2
Nioro	●	84	D5
Nioro du Sahel	●	86	C1
Niort	●	44	E7
Nipigon	●	106	C1
Niquelândia	●	116	H6
Nirmal	●	72	C5
Niš	●	52	J6
Nisa	●	46	C5
Niscemi	●	50	J11
Nishinoomote	●	66	F8
Nisyros	▦	54	K8
Niterói	●	118	N3
Nitra	●	36	H9
Nitra	▨	36	H9
Nitsa	▨	56	M3
Niue	●	92	K7
Nivelles	●	40	G4
Nizamabad	●	72	C5
Nizhnekamsk	●	56	K3
Nizhnekamskoye			
Vodokhranilishche	✈	56	K3
Nizhneudinsk	●	62	F5
Nizhnevartovsk	●	56	Q2
Nizhneyansk	●	62	P2
Nizhniy Lomov	●	56	H4
Nizhniy Novgorod	●	56	H3
Nizhniy Tagil	●	56	M3
Nizhnyaya Tunguska	▨	62	H4
Nizhyn	●	56	F4
Nizip	●	76	G5
Nizza Monferrato	●	48	D6
Njazidja	▦	90	G2
Njombe	●	88	E5
Njombe	●	88	E5
Nkambe	●	86	G3
Nkhotakota	●	90	E2
Nkongsamba	●	86	F4
Noatak	●	110	(1)F2
Nobeoka	●	66	F7
Noci	●	50	M8
Nogales, *Mexico*	●	110	D2
Nogales, *US*	●	110	D2
Nogat	▨	36	J3
Nogent-le-Rotrou	●	44	F5
Noginsk	●	56	G3
Noginskiy	●	60	S5
Nogliki	●	62	Q6
Noheji	●	66	L3
Noia	●	46	B2
Noire	●	68	C2
Nojima-zaki	▦	66	K6
Nok Kundi	●	74	H4
Nola, *Central African*			
Republic	●	88	B3
Nola, *Italy*	●	50	J8
Nolinsk	●	56	J3
Noma-misaki	▭	66	F8
Nome	●	110	(1)D3
Nomoi Islands	▦	92	F5
Nomo-saki	▭	66	E7
Nong'an	●	66	C1
Nong Khai	●	68	C3
Noord-Beveland	▦	40	F3
Noord-Oost-Polder	▨	40	H2
Noordwijk aan Zee	●	40	G2
Norak	●	74	J2
Noranda	●	106	E1
Nordaustlandet	▦	120	(1)L1
Norden	●	38	C3
Nordenham	●	38	D3
Norderney	●	38	C3
Norderstedt	●	38	F3
Nordfriesische Inseln	▦	38	D2
Nordhausen	●	38	F5
Nordhorn	●	40	K2
Nordkapp	▭	34	N1
Nordkinn	●	34	P1
Nordkinnhalvøya	▦	34	P1
Nordkvaløya	▦	34	J1
Nordli	●	34	G4
Nördlingen	●	38	F8
Nord-Ostsee-Kanal	▨	38	E2
Nordstrand	▦	38	D2
Nordvik	●	60	W3
Nore	●	42	E9
Norfolk, *Nebr., US*	●	104	G2
Norfolk, *Va., US*	●	106	E4
Norfolk Island	▦	92	G8
Noril'sk	●	60	R4
Norman	●	108	B2
Normanton	●	94	H3
Norman Wells	●	100	F3
Nørre Åby	●	38	E1

Name		Page	Grid
Nørre Alslev	●	38	G2
Norristown	●	106	E2
Norrköping	●	34	J7
Norrtälje	●	34	K7
Norseman	●	94	D6
Norsk	●	62	N6
Northallerton	●	42	L7
Northam	●	94	C6
North America	✕	92	P2
Northampton	●	40	B2
North Andaman	🖼	68	A4
North Battleford	●	100	K6
North Bay	●	106	E1
North Cape	⊵	96	D2
North Carolina	▣	108	F2
North Channel	◰	42	G6
North Charleston	●	108	F3
North Dakota	▣	104	F1
Northeast Providence Channel	◰	108	F4
Northeim	●	38	F5
Northern Cape	▣	90	C5
Northern Ireland	▣	42	E7
Northern Mariana Islands	🖼	92	E4
Northern Territory	▣	94	F4
North Foreland	⊵	40	D3
North Horr	●	88	F3
North Iberia	●	112	F2
North Island	🖼	96	D3
North Korea	▲	66	C4
North Little Rock	●	108	C3
North Platte	●	102	F3
North Platte	●	104	F2
North Ronaldsay	●	42	K2
North Sea	◰	42	N4
North Stradbroke Island	●	94	K5
North Taranaki Bight	◰	96	D4
North Uist	🖼	42	E4
Northumberland Strait	◰	100	U7
North Vancouver	●	104	B1
North West	▣	90	C5
North West Basin	◉	94	C4
North West Cape	⊵	94	B4
North West Christmas Island Ridge	◉	92	K4
North West Highlands	◪	42	G4
Northwest Territories	●	100	G4
Norton	●	108	B2
Norton Sound	◰	110	(1)E3
Norway	▲	34	F5
Norwegian Sea	◰	34	B4
Norwich, *UK*	●	40	D2
Norwich, *US*	●	106	F2
Nos	●	56	H1
Nos Emine	⊵	52	Q7
Nosevaya	●	56	K1
Noshiro	●	66	K3
Nos Kaliakra	⊵	52	R6
Noşratābād	●	74	G4
Nosy Barren	🖼	90	G3
Nosy Bé	🖼	90	H2
Nosy Boraha	🖼	90	J3
Nosy Mitsio	🖼	90	H2
Nosy Radama	🖼	90	H2
Nosy-Varika	●	90	H4
Notec	◿	36	G4
Notia Pindos	◰	54	D5
Notios Evvoikos Kolpos	◰	54	F6
Notre Dame Bay	◰	100	V7
Notsé	●	86	E3
Nottingham	●	40	A2
Nottingham Island	🖼	100	R4
Nouâdhibou	●	84	B4
Nouakchott	■	84	B5
Nouméa	▣	92	G8
Nouvelle Calédonie	🖼	92	G8
Nova Gorica	●	48	J5
Nova Gradiška	●	52	E4
Nova Iguaçu	●	118	N3
Nova Mambone	●	90	F4
Nova Pazova	●	52	H5
Novara	●	48	D5
Nova Scotia	●	100	T8
Novaya Igirma	●	62	G5
Novaya Karymkary	●	56	N2
Novaya Kasanka	●	56	J5
Novaya Lyalya	●	56	M3
Novaya Zemlya	◉	60	J3
Nova Zagora	●	52	P7
Novelda	●	46	K6
Nové Mĕsto	●	36	F8
Nové Mesto	●	36	G9
Nové Zámky	●	36	H10
Novgorod	●	56	F3
Novi Bečej	●	52	H4
Novi Iskŭr	●	52	L7
Novi Ligure	●	48	D6
Novi Marof	●	48	M4
Novi Pazar, *Bulgaria*	●	52	Q6
Novi Pazar, *Serbia*	●	52	H6
Novi Sad	●	52	G4
Novi Vinodolski	●	48	K5
Novoaleksandrovsk	●	56	H5
Novoalekseyevka	●	56	L4
Novoanninsky	●	56	H4
Novocheboksarsk	●	56	J3
Novocherkassk	●	56	H5
Novodvinsk	●	56	H2
Novo Hamburgo	●	118	L4
Novohrad-Volyns'kyy	●	56	E4
Novokazalinsk	●	56	M5
Novokutznetsk	●	60	R7
Novokuybyshevsk	●	56	J4
Novo Mesto	●	48	L5
Novomikhaylovskiy	●	76	H1
Novomoskovsk	●	56	G4
Novonazimovo	●	62	E5
Novorossiysk	●	76	G1
Novorybnoye	●	62	H2
Novoselivka	●	52	S2
Novosergiyevka	●	56	K4
Novosibirsk	●	60	Q6
Novosibirskiye Ostrova	🖼	62	P1
Novosil'	●	56	G4
Novotroitsk	●	56	L4
Novouzensk	●	56	J4
Novozybkov	●	56	F4
Nový Bor	●	38	K6
Nový Jičin	●	36	H8
Novyy Port	●	60	N4
Novyy Uoyan	●	62	J5
Novyy Urengoy	●	60	P4
Novyy Uzen'	●	60	J9
Nowa Ruda	●	36	F7
Nowata	●	108	B2
Nowogard	●	36	E4
Nowo Warpno	●	38	K3
Nowra	●	94	K6
Now Shahr	●	74	F2
Nowy Dwór Mazowiecki	●	36	K5
Nowy Sącz	●	36	K8
Nowy Targ	●	36	K8
Nowy Tomyśl	●	36	F5
Noyabr'sk	●	60	P5
Noyon	●	40	E5
Nsombo	●	90	D2
Ntem	◿	86	G4
Ntwetwe Pan	◿	90	C4
Nu	◿	72	G2
Nuasjärvi	◿	34	Q4
Nubian Desert	◉	82	F3
Nudo Coropuna	▲	116	C7
Nueltin Lake	◿	100	M4
Nueva Rosita	●	110	F3
Nueva San Salvador	●	112	G6
Nuevo Casas Grandes	●	110	E2
Nuevo Laredo	●	110	G3
Nugget Point	⊵	96	B8
Nuhaka	●	96	F4
Nuku'alofa	●	92	J8
Nuku Hiva	🖼	92	M6
Nukumanu Islands	🖼	92	F6
Nukunonu	●	92	J6
Nukus	●	60	K9
Nullagine	●	94	D4
Nullarbor Plain	◉	94	E6
Numan	●	86	G3
Numazu	●	66	K6
Numbulwar	●	94	G2
Numfor	🖼	70	(2)E3
Numto	●	56	P2
Nunarsuit	⊵	100	X4
Nunavut	●	100	M3
Nuneaton	●	40	A2
Nunivak Island	🖼	110	(1)D3
Nunligram	●	62	Y3
Núoro	●	50	D8
Nuqui	●	116	B2
Nura	◿	56	P4
Nurābād	●	79	D1
Nurata	●	74	J1
Nurmes	●	34	Q5
Nürnberg	●	38	G7
Nürtingen	●	38	E7
Nurzec	◿	36	M5
Nushki	●	74	J4
Nutak	●	100	U5
Nuuk	▣	100	W4
Nuussuaq	⊵	100	W2
Nyagan'	●	56	N2
Nyahururu	●	88	F3
Nyala	●	82	D5
Nyalam	●	72	E3
Nyamlell	●	88	D2
Nyamtumbo	●	88	F6
Nyandoma	●	56	H2
Nyantakara	●	88	E4
Nyborg	●	38	F1
Nybro	●	34	H8
Nyda	●	60	N4
Nyima	●	72	E2
Nyingchi	●	72	F3
Nyírbátor	●	52	K2
Nyíregyháza	●	36	L10
Nykarleby	●	34	M5
Nykøbing	●	38	G2
Nyköping	●	34	J7
Nylstroom	●	90	D4
Nymburk	●	36	E7
Nynäshamn	●	34	J7
Nyngan	●	94	J6
Nyon	●	48	B4
Nysa	◿	36	D6
Nysa	◿	36	G7
Nyukhcha	●	56	J2
Nyunzu	●	88	D5
Nyurba	●	62	K4
Nyuya	●	62	K4
Nzega	●	88	E4
Nzérékoré	●	86	C3
N'zeto	●	88	A5
Nzwami	🖼	90	G2

O

Name		Page	Grid
Oahu	🖼	110	(2)D2
Oahu	🖼	92	L3
Oakdale	●	108	C3
Oakham	●	40	B2
Oak Lake	◿	104	F1
Oakland	●	104	B3
Oak Lawn	●	106	C2
Oakley	●	108	A2
Oak Ridge	●	106	D3
Oamaru	●	96	C7
Oaxaca	●	112	E5
Ob'	◿	56	N2
Obama	●	66	H6
Oban	●	42	G5
O Barco	●	46	D2
Oberdrauburg	●	48	H4
Oberhausen	●	40	J3
Oberkirch	●	38	D8
Oberlin	●	108	A2
Oberndorf	●	48	H3
Oberstdorf	●	48	F3
Oberursel	●	38	D6
Obervellach	●	36	C11
Oberwart	●	48	M3
Obi	🖼	70	(2)C3
Óbidos	●	116	F4
Obigarm	●	74	K2
Obihiro	●	66	M2
Obluch'ye	●	62	N7
Obninsk	●	56	G3
Obo, *Central African Republic*	●	88	D2
Obo, *China*	●	64	C3
Oborniki	●	36	F5
Obouya	●	86	H5
Oboyan'	●	56	G4
Obskaya Guba	◰	60	N4
Obuasi	●	86	D3
Ob'yachevo	●	56	J2
Ocala	●	108	E4
Ocaña, *Colombia*	●	116	C2
Ocaña, *Spain*	●	46	G5
Ocean City	●	106	C3
Ocean Falls	●	100	F6
Oceanside	●	110	C2
Och'amch'ire	●	76	J2
Ochsenfurt	●	38	E7
Oconto	●	106	C2
Oda	●	86	D3
Ōda	●	66	G6
Ōdate	●	66	L3
Odda	●	34	D6
Odemira	●	46	B7
Ödemiş	●	54	L6
Odense	●	38	F1
Oder = Odra	◿	36	F6
Oderzo	●	48	H5
Odesa	●	56	F5
Odessa = Odesa, *Ukraine*	●	56	F5
Odessa, *US*	●	110	F2
Odienné	●	86	C3
Odorheiu Secuiesc	●	52	N3
Odra	◿	36	F6
Odžaci	●	52	G4
Oeiras	●	116	J5
Oelrichs	●	104	F2
Oelsnitz	●	38	H6
Oeno	🖼	92	N8
Oestwu	●	118	H7
Ofaqim	●	78	B5
Offenbach	●	38	D6
Offenburg	●	48	C2
Ōgaki	●	66	J6
Ogasawara-shotō	🖼	58	T7
Ogbomosho	●	86	E3
Ogden	●	104	D2
Ogdensburg	●	100	R8
Ogilvie Mountains	◪	100	C4
Oglio	◿	48	E5
Ogosta	◿	52	L6
Ogre	●	34	N8
Ogre	◿	34	N8
O Grove	●	46	B2
Ogulin	●	48	L5
Ohai	●	96	A7
Ohio	◿	106	C3
Ohio	▣	106	D2
Ohre	◿	38	J6
Ohrid	●	54	C3
Ohura	●	96	E4
Oiapoque	●	116	G3
Oil City	●	106	E2
Oise	◿	40	E5
Ōita	●	66	F7
Ojinaga	●	110	F3
Ojos del Salado	▲	118	H4
Oka	◿	62	G6
Okaba	●	70	(2)E4
Okahandja	●	90	B4
Okanagan Lake	◿	102	C2
Okano	◿	86	G4
Okanogan	◿	104	C1
Okara	●	72	B2
Okarem	●	74	F2
Okato	●	96	D4
Okavango Delta	◉	90	C3
Okaya	●	66	K5
Okayama	●	66	G6
Okene	●	86	F3
Oker	◿	38	F4
Okha, *India*	●	74	J5
Okha, *Russia*	●	62	Q6
Okhansk	●	56	L3
Okhotsk	●	62	Q5
Okhtyrka	●	56	F4
Okinawa	●	64	H5
Okinawa	🖼	64	H5
Oki-shotō	🖼	66	G5
Okitipupa	●	86	E3
Oklahoma	▣	108	B2
Oklahoma City	▣	108	B2
Okoppe	●	66	M1
Okoyo	●	86	H5
Okranger	●	34	E5
Oksino	●	56	K1
Oktinden	▲	34	H4
Oktyabr'sk	●	56	L5
Oktyabr'skiy	●	56	K4
Okurchan	●	62	S5
Okushiri-tō	🖼	66	K2
Olancha	●	104	C3
Öland	🖼	34	J8
Olanga	◿	34	Q3
Olathe	●	108	C2
Olava	◿	38	J7
Olavarría	●	118	J6
Oława	●	36	G7
Ólbia	●	50	D8
Olching	●	48	G2
Old Crow	●	110	(1)K2
Oldenburg, *Germany*	●	38	D3
Oldenburg, *Germany*	●	38	F2
Oldenzaal	●	40	J2
Oldham	●	42	L8
Old Head of Kinsale	⊵	42	D10
Olean	●	106	E2
Olekma	◿	62	L5
Olekminsk	●	62	L4
Oleksandriya	●	56	F5
Olenegorsk	●	34	S2
Olenek	●	62	J3
Olenëk	◿	62	L2
Olenëkskiy Zaliv	◰	62	L2
Olhão	●	46	C7
Olib	🖼	48	K6
Olinda	●	116	L5
Oliva	●	46	K6
Olivet	●	104	G2
Olivia	●	106	B2
Olmos	●	116	B5
Olney	●	108	B3
Olochi	●	62	K6
Olonets	●	56	F2
Olongapo	●	68	G4
Oloron-Ste-Marie	●	44	E10
Olot	●	46	N2
Olovyannaya	●	62	K6
Olpe	●	40	K3

Name	Page	Grid
Olsztyn	36	K4
Olt	52	M4
Olten	48	C3
Oltenița	52	P5
Oltu	76	K3
Oluan-pi	68	G2
Olvera	46	E8
Olympia	104	B1
Olympos	54	E4
Olympus	54	Q10
Olyutorskiy	62	W4
Olyutorskiy Zaliv	62	V4
Om'	60	N6
Oma	72	D2
Omae-saki	66	K6
Omagh	42	E7
Omaha	104	G2
Omak	104	C1
Omakau	96	B7
Oman	74	G5
Omapere	96	D2
Omarama	96	B7
Omaruru	90	B4
Omba	72	E2
Ombrone	50	F6
Omdurman = Umm Durman	82	F4
Omegna	48	D5
Omeo	94	J7
Om Hajer	82	G5
Omīdeyeh	79	C1
Omis	48	M7
Ommen	40	J2
Omolon	62	T3
Omoloy	62	N3
Omo Wenz	88	F2
Omsk	60	N6
Omsukchan	62	S4
Ōmū	66	M1
Omulew	36	L4
Omuta	66	F7
Onda	46	K5
Ondangwa	90	B3
Ondjiva	90	B3
Ondo	86	E3
Ondörhaan	64	E1
One and a Half Degree Channel	72	B8
Onega	56	G2
O'Neill	104	G2
Oneonta	106	F2
Onești	52	P3
Onezhskoye Ozero	56	F2
Ongjin	66	C5
Ongole	72	D5
Onguday	60	R7
Oni	76	K2
Onilahy	90	G4
Onitsha	86	F3
Ono	66	J6
Onon	62	J7
Onon	62	J7
Onslow Bay	112	J2
Onsong	66	E2
Ontario	100	N6
Ontinyent	46	K6
Ontonagon	106	C1
Onyx	110	C1
Oodnadatta	94	G5
Oologah Lake	108	B2
Oostburg	40	F3
Oostelijk-Flevoland	40	H2
Oostende	40	L3
Oosterhout	40	G3
Oosterschelde	40	F3
Ootsa Lake	100	F6
Opala	88	C4
Oparino	56	J3
Opava	36	G8
Opelika	108	D3
Opelousas	108	C3
Opheim	104	E1
Opochka	56	E3
Opoczno	36	K6
Opole	36	G7
Opornyy	60	J8
Opotiki	96	F4
Opp	108	D3
Opunake	96	D4
Opuwo	90	A3
Oradea	52	J2
Orahovac	52	H7
Orai	72	C3
Oran	46	K9
Orán	118	C3
Orange	90	C5
Orange, Australia	94	J6
Orange, France	44	K9
Orange, US	108	C3
Orangeburg	108	E3
Orangeville	106	D2
Orango	86	A2
Oranienburg	38	J4
Orapa	90	D4
Orăștie	52	L4
Oravița	52	J4
Orbetello	50	F6
Orco	48	C5
Ordes	46	B1
Ordes Santa Comba	46	B1
Ordu	76	G3
Ordway	104	F3
Öreälven	34	K4
Örebro	34	H7
Oregon	104	B2
Oregon	106	A3
Orekhovo-Zuyevo	56	G3
Orel	56	G4
Orem	104	D2
Orenburg	56	L4
Orestiada	54	J3
Orford Ness	40	D2
Orhei	52	R2
Orihuela	46	K6
Orillia	106	E2
Orinoco	116	D2
Orinoco Delta = Delta del Orinoco	116	E2
Orissaare	34	M7
Oristano	50	C9
Orivesi	34	Q5
Orkla	34	F5
Orkney Islands	42	K3
Orlando	108	E4
Orléans	44	G6
Orlik	62	F6
Orly	40	E6
Ormara	74	H4
Ormoc	68	G4
Ormos Almyrou	54	G9
Ormos Mesara	54	G9
Ornans	44	M6
Örnö	34	K7
Örnsköldsvik	34	K5
Orocué	116	C3
Orofino	104	C1
Oromocto	106	G1
Orona	92	J6
Oroqen Zizhiqi	62	L6
Orosei	50	D8
Oroshaza	52	H3
Orotukan	62	S4
Oroville	104	B3
Ororoo	94	G6
Orsay	44	H5
Orsha	56	F4
Orsk	56	L4
Orșova	52	K5
Ørsta	34	D5
Ortaklar	54	K7
Orthez	44	E10
Ortigueira	46	C1
Ortisei	48	G4
Ortles	48	F4
Ortona	50	A1
Ortonville	106	A1
Orümiyeh	76	L5
Oruro	116	D7
Orvieto	50	G6
Orville	44	L6
Ōsaka	66	H6
Osăm	52	M6
Osceola	106	B2
Oschatz	38	J5
Oschersleben	38	G4
Osh	60	N9
Oshamambe	66	L2
Oshawa	106	E2
Oshkosh, Nebr., US	104	F2
Oshkosh, Wis., US	106	C2
Oshogbo	86	E3
Osijek	52	F4
Ósimo	48	J7
Oskaloosa	106	B2
Oskarshamn	34	J8
Oslo	34	F7
Oslofjorden	34	F7
Osmancık	76	F3
Osmaniye	76	G5
Osnabrück	40	L2
Osor	48	K6
Osorno	118	G7
Osprey Reef	94	J2
Oss	40	H3
Osseo	106	B2
Ossora	62	U5
Ostashkov	56	F3
Oste	38	E3
Osterburg	38	G4
Österdalen	34	F6
Osterholz-Scharmbeck	38	D3
Osterode	38	F5
Östersund	34	H5
Ostfriesische Inseln	38	C3
Ostiglia	48	G5
Ostrava	36	H8
Ostróda	36	K4
Ostrołęka	36	L4
Ostrov, Czech Republic	38	H6
Ostrov, Russia	56	E3
Ostrova Medvezh'i	62	T2
Ostrov Atlasova	62	S6
Ostrova Vrangelya	98	V4
Ostrov Ayon	62	V2
Ostrov Belyy	60	N3
Ostrov Beringa	62	V6
Ostrov Bol'shevik	62	V2
Ostrov Bol'shoy Begichev	62	J2
Ostrov Bol'shoy Lyakhovskiy	62	Q2
Ostrov Bol'shoy Shantar	62	P6
Ostrov Chechen'	76	M2
Ostrov Iturup	66	P1
Ostrov Kil'din	34	T2
Ostrov Kolguyev	60	H4
Ostrov Komsomolets	60	T1
Ostrov Kotel'nyy	62	P1
Ostrov Kunashir	66	P1
Ostrov Mednyy	62	V6
Ostrov Mezhdusharskiy	60	H3
Ostrov Novaya Sibir'	62	S2
Ostrov Ogurchinskiy	74	F2
Ostrov Oktyabr'skoy	62	S2
Ostrov Onekotan	62	S7
Ostrov Paramushir	62	T6
Ostrov Rasshua	62	S7
Ostrov Shiashkotan	62	S7
Ostrov Shumshu	62	T6
Ostrov Simushir	62	S7
Ostrov Urup	62	S7
Ostrov Ushakova	60	Q1
Ostrov Vaygach	60	K3
Ostrov Vise	60	P2
Ostrov Vosrozhdeniya	60	K9
Ostrov Vrangelya	62	W2
Ostrowiec Świętokrzyski	36	L7
Ostrów Mazowiecka	36	L5
Ostrów Wielkopolski	36	G6
Ostuni	50	M8
Osum	54	C4
Ōsumi-shotō	66	F8
Osuna	46	E7
Oswego	106	E2
Oświęcim	36	J7
Otago Peninsula	96	C7
Otaki	96	E5
Otaru	66	L2
Otelu Roșu	52	K4
Othonoi	54	B5
Oti	86	E3
Otjiwarongo	90	B4
Otočac	48	L6
Otog Qi	64	D3
Otoineppu	66	M1
Otorohanga	96	E4
Otranto	50	N8
Otrøy	34	D5
Ōtsu	66	H6
Otta	34	E6
Ottawa	106	E1
Ottawa, Canada	106	E1
Ottawa, Ill., US	106	C2
Ottawa, Kans., US	108	B2
Ottawa Islands	100	Q5
Otterøy	34	F4
Ottobrunn	48	G2
Ottumwa	106	B2
Otukpo	86	F3
Ouachita Mountains	108	C3
Ouâdâne	84	C4
Ouadda	84	C2
Ouagadougou	86	D2
Oualàta	84	D5
Ouargla	84	G2
Ouarzazate	84	D2
Oudenaarde	40	F4
Oudenbosch	40	G3
Oudtshoorn	90	C6
Oued Medjerda	50	D12
Oued Meliane	50	D12
Oued Tiélat	46	K9
Oued Zem	84	D2
Ouésso	86	H4
Ouezzane	84	D2
Oujda	84	E2
Oulainen	34	N4
Oulu	34	N4
Oulujärvi	34	P4
Oulujoki	34	P4
Oulx	48	B5
Oum-Chalouba	82	D4
Oum-Hadjer	82	C5
Ounarjoki	34	N3
Our	40	J4
Ouray	104	E3
Ourense	46	C2
Ouricurí	116	J5
Ourthe	40	H4
Oustreham	40	B5
Outjo	90	B4
Outokumpu	34	Q5
Outer Hebrides	42	D4
Out Skerries	42	M1
Ouyen	94	H7
Ovacik	54	R8
Ovada	48	D6
Ovalle	118	G5
Ovareli	76	L3
Overflakkee	40	G3
Overlander Roadhouse	94	B5
Overland Park	108	C2
Overton	104	D3
Övertorneå	34	M3
Ovidiopol	52	T3
Oviedo	46	E1
Owaka	96	B8
Owando	86	H5
Owase	66	J6
Owatonna	106	B2
Owensboro	106	C3
Owens Lake	104	C3
Owen Sound	106	D2
Owerri	86	F3
Owo	86	F3
Owosso	106	D2
Owyhee	104	C2
Owyhee	104	C2
Oxford, New Zealand	96	D6
Oxford, UK	40	A3
Oxnard	110	C2
Oyama	66	K5
Oyapock	116	G3
Oyem	86	G4
Oyen	102	D1
Oyonnax	48	A4
Ózd	36	K9
Ozernovskiy	62	T6
Ozero Alakol'	60	Q8
Ozero Aralsor	56	J5
Ozero Aydarkul'	60	M9
Ozero Balkhash	60	N8
Ozero Baykal	62	H6
Ozero Beloye	56	G2
Ozero Chany	60	P7
Ozero Chernoye	56	N3
Ozero Il'men'	56	F3
Ozero-Imandra	34	R2
Ozero Inder	60	J8
Ozero Janis'jarvi	34	R5
Ozero Kamennoje	34	R4
Ozero Kanozero	34	T3
Ozero Karaginskiy	62	U5
Ozero Khanka	66	G1
Ozero Kolvitskoye	34	S3
Ozero Kovdozero	34	S3
Ozero Kulundinskoye	60	P7
Ozero Kushmurun	56	N4
Ozero Lama	62	D2
Ozero Leksozero	34	R5
Ozero Lovozero	34	T2
Ozero Morzhovets	34	H1
Ozero Njuk	34	R4
Ozero Ozhogino	62	R3
Ozero Pirenga	34	R3
Ozero Pyaozero	34	R3
Ozero Saltaim	56	P3
Ozero Sarpa	56	J5
Ozero Segozeroskoye	56	F2
Ozero Seletyteniz	56	N7
Ozero Sredneye Kuyto	34	R4
Ozero Taymyr	60	U3
Ozero Teletskoye	60	R7
Ozero Tengiz	56	N4
Ozero Topozero	34	R4
Ozero Umbozero	34	T3
Ozero Vygozero	56	G2
Ozero Yalpug	52	R4
Ozero Zaysan	60	Q8
Ozero Zhaltyr	56	K5
Ozero Zhamanakkol'	56	M5
Ozersk	36	M3

Index

Name	Page	Grid
Ozhogina	62	R3
Ozhogino	62	R3
Ozieri	50	C8
Ozinki	56	J4
Ozona	110	F2
Ozurget'i	76	J3

P

Name	Page	Grid
Paamiut	100	X4
Paar	38	G8
Paarl	90	B6
Pabbay	42	E4
Pabianice	36	J6
Pabna	72	E4
Pacasmayo	116	B5
Pachino	50	K12
Pachuca	112	E4
Pacific Ocean	92	M3
Pacitan	70	(1)E4
Packwood	104	B1
Padalere	70	(2)B3
Padang	70	(1)C3
Padangpanjang	70	(1)C3
Padangsidempuan	70	(1)B2
Paderborn	38	D5
Pádova	48	G5
Padre Island	108	B4
Padrón	46	B2
Paducah, Ky., US	106	C3
Paducah, Tex., US	110	F2
Padum	72	C2
Paekdu San	66	D3
Paeroa	96	E3
Pafos	54	Q10
Pag	48	K6
Pag	48	L6
Pagadian	68	G5
Pagai Selatan	70	(1)B3
Pagai Utara	70	(1)B3
Pagalu = Annobón	86	F5
Pagan	92	E4
Pagatan	70	(1)F3
Page, Ariz., US	110	D1
Page, Okla., US	108	C3
Pagosa Springs	104	E3
Pagri	72	E3
Pahiatua	96	E5
Paia	110	(2)E3
Paide	34	N7
Päijänne	34	N6
Painan	70	(1)C3
Painesville	106	D2
Paisley	42	H6
Paita	116	A5
Pakaraima Mountains	116	E2
Pakch'ŏn	66	C4
Paki	86	F2
Pakistan	74	J4
Pakokku	68	A2
Pakotai	96	D2
Pakrac	48	N5
Paks	52	F3
Pakxé	68	D3
Pala	82	B6
Palafrugell	46	P3
Palagónia	50	J11
Palagruža	50	L6
Palamós	46	P3
Palana	62	U5
Palanga	36	L2
Palangkaraya	70	(1)E3
Palanpur	72	B4
Palantak	74	H4
Palatka, Russia	62	S4
Palatka, US	108	E4
Palau	50	D7
Palau	92	D5
Palau	92	D5
Palawan	68	F5
Palazzolo Arcéide	50	J11
Palembang	70	(1)C3
Palencia	46	F2
Paleokastritsa	54	B5
Palermo	50	H10
Palestine	108	B3
Palestrina	50	G7
Paletwa	68	A2
Palghat	72	C6
Pali	72	B3
Palikir	92	F5
Palimbang	68	G5
Palk Strait	72	C7
Palma	46	N5
Palma del Rio	46	E7
Palma di Montechiaro	50	H11
Palmanova	48	J5
Palmares	116	K5
Palmarola	50	G8
Palmas	116	H6
Palmas	118	L4
Palm Bay	108	E4
Palmdale	110	C2
Palmerston	96	C7
Palmerston Island	92	K7
Palmerston North	96	E5
Palm Harbor	108	E4
Palmi	50	K10
Palmira	116	B3
Palmyra Island	92	K5
Palojärvi	34	M2
Palopo	70	(2)B3
Palu, Indonesia	70	(2)A3
Palu, Turkey	76	J4
Paluostrov Taymyr	60	R3
Palyavaam	62	W3
Pama	86	E2
Pamhagen	48	M3
Pamiers	44	G10
Pamlico Sound	108	F2
Pampa	110	F1
Pampas	118	J6
Pamplona, Colombia	112	K7
Pamplona, Spain	46	J2
Pana	106	C3
Panagyurishte	52	M7
Panaji	72	B5
Panama	112	H7
Panama	116	B2
Panama Canal = Canal de Panamá	112	J7
Panama City	108	D3
Panara	48	G6
Panaria	50	K10
Panarik	70	(1)D2
Panay	68	G4
Pančevo	52	H5
Panciu	52	Q4
Pandharpur	72	C5
Panevėžys	36	P2
Pangin	72	F3
Pangkajene	70	(2)A3
Pangkalpinang	70	(1)D3
Pangnirtung	100	T3
Panguitch	104	D3
Pangutaran Group	68	G5
Panhandle	110	F1
Panipat	72	C3
Panjáb	74	J3
Panjgur	74	H4
Pankshin	86	F3
Pantanal	116	F7
Pantar	70	(2)B4
Pantelleria	84	H1
Páola	50	L9
Paoua	88	B2
Pápa	52	E2
Papa	110	(2)F4
Papakura	96	E3
Papantla	112	E4
Paparoa	96	E3
Papa Stour	42	L1
Papa Westray	42	K2
Papenburg	38	C3
Papey	34	(1)F2
Papua	70	(2)E3
Papua New Guinea	92	E6
Papun	86	B3
Pará	116	G5
Para	116	H4
Parabel'	60	Q6
Paracatu	116	H7
Paracel Islands	68	E3
Paracín	52	J6
Pará de Minas	116	J7
Paragould	108	C2
Paragua, Bolivia	116	E6
Paragua, Venezuela	116	E2
Paraguay	114	F6
Paraguay	118	J3
Paraíba	116	K5
Parakou	86	E3
Paralimni	78	A1
Paramaribo	116	F2
Paraná	116	H6
Paraná	116	H6
Paraná	118	J5
Paraná	118	K4
Paraná	118	L3
Paranaguá	118	M4
Paranaíba	116	G7
Paranaíba	116	G7
Paranavaí	118	L3
Paranestio	54	G3
Paraparaumu	96	E5
Paray-le Monial	44	K7
Parbhani	72	C5
Parchim	38	G3
Pardo	116	J7
Pardubice	36	E7
Pareh	76	L4
Parepare	70	(2)A3
Parga	54	C5
Parigi	70	(2)B3
Parika	116	F2
Parintins	116	F4
Paris, France	44	H5
Paris, Tenn., US	108	D2
Paris, Tex., US	108	B3
Parkersburg	106	D3
Park Rapids	106	A1
Parla	46	G4
Parma	48	F6
Parma, Italy	48	F6
Parma, US	106	D2
Parnaíba	116	J4
Parnassus	96	D6
Pärnu	34	N7
Pärnu	34	N7
Paros	54	H7
Paros	54	H7
Parry Bay	100	Q3
Parry Islands	100	L1
Parry Sound	106	D2
Parsons	108	B2
Parthenay	44	E7
Partinico	50	H10
Partizansk	66	G2
Paru	116	G4
Parvatipuram	72	D5
Paryang	72	D2
Pasadena, Calif., US	110	C2
Pasadena, Tex., US	108	B4
Paşalimani Adası	54	K4
Pasawng	68	B3
Paşcani	52	P2
Pasco	104	C1
Pasewalk	38	K3
Pasig	68	G4
Pasinler	76	J3
Pasłek	36	J3
Pasłek	36	J3
Pasleka	34	L9
Pašman	48	L7
Pasni	74	H4
Paso de Hachado	118	G6
Paso de Indios	118	H7
Paso de la Cumbre	118	H6
Paso de San Francisco	118	H4
Paso Rio Mayo	118	G8
Paso Robles	110	B1
Passau	38	J8
Passo Fundo	118	L4
Passos	116	H8
Pastavy	34	P9
Pasto	116	B3
Pastos Bons	116	J5
Pásztó	52	G2
Patagonia	118	G8
Patan, India	72	B4
Patan, Nepal	72	E3
Patea	96	E4
Pate Island	88	G4
Paterna	46	K5
Paterno	50	J11
Paterson	106	F2
Pathankot	72	C2
Pathein	68	A3
Pathfinder Reservoir	104	E2
Patia	116	B3
Patiala	72	C2
Patmos	54	J7
Patna	72	E3
Patnos	76	K4
Patos de Minas	116	H7
Patra	54	D6
Patraikis Kolpos	54	D6
Patreksfjörður	34	(1)B2
Pattani	68	C5
Pattaya	68	C4
Patti	50	J10
Paturau River	96	D5
Pau	46	K1
Pauini	116	D5
Pauini	116	D5
Paulatuk	110	(1)N2
Paulo Afonso	116	K5
Paul's Valley	108	B3
Pãveh	76	M6
Pavia	48	E5
Pãvilosta	34	L8
Pavlikeni	52	N6
Pavlodar	60	P7
Pavlohrad	56	G5
Pavlovsk	56	H4
Pavlovskaya	56	G5
Pavullo nel Frignano	48	F6
Paxoi	54	C5
Paxson	110	(1)H3
Payerne	48	B4
Payette	104	C2
Paynes Find	94	C5
Paysandú	118	K5
Payson	110	D2
Payturma	60	S3
Pazar	76	J3
Pazardzhik	52	M7
Pazin	48	J5
Peace	100	H5
Peace River	100	H5
Peach Springs	110	D1
Pearsall	108	B4
Pebane	90	F3
Pebas	116	C5
Peć	52	H7
Pecan Island	108	C4
Pechora	56	K1
Pechora	56	L1
Pechorskoye More	60	J4
Pechory	34	P8
Pecos	110	F2
Pecos	110	F2
Pécs	52	F3
Pedja	34	P7
Pedra Azul	116	J7
Pedra Lume	86	(1)B1
Pedreiras	116	J4
Pedro Afonso	116	H5
Pedro Juan Caballero	118	K3
Pedro Luro	118	J6
Peel Sound	100	M2
Peene	38	J3
Peenemünde	38	J2
Pegasus Bay	96	D6
Pegnitz	38	G7
Pegu	68	B3
Pegunungan Barisan	70	(1)B2
Pegunungan Iban	70	(1)F2
Pegunungan Maoke	70	(2)E3
Pegunungan Meratus	70	(1)F3
Pegunungan Schwaner	70	(1)E3
Pegunungan Van Rees	70	(2)E3
Pehuajó	118	J6
Peine	38	F4
Peißenberg	48	G3
Peixe	116	H6
Pekalongan	70	(1)D4
Pekanbaru	70	(1)C2
Peking = Beijing	64	F3
Peleduy	62	J5
Peleng	70	(2)B3
Pelhřimov	36	E8
Peljesac	50	M6
Pello	34	N3
Pellworm	38	D2
Pelly Bay	100	P3
Peloponnisos	54	D7
Pelotas	118	L5
Pelym	56	M2
Pemangkat	70	(1)D2
Pematangsiantar	70	(1)B2
Pemba	90	G2
Pemba Island	88	F5
Pembina	104	G1
Pembine	106	C1
Pembroke, Canada	106	E1
Pembroke, UK	42	H10
Pembroke, US	108	E3
Peñafiel	46	F3
Peñaranda de Bracamonte	46	E4
Peñarroya-Pueblonuevo	46	E6
Pendleton	104	C1
Pendolo	70	(1)G3
Pend Oreille Lake	104	C1
Pen Hills	106	E2
Peniche	46	A5
Peninsula de Azuero	112	H7
Peninsula de Guajira	112	K6
Peninsula Valdés	118	J7
Péninsule de Gaspé	100	T7
Péninsule d'Ungava	100	R4
Penmarch	44	A6
Penne	50	H6
Pennines	42	K7
Pennsylvania	106	E2
Penrith	42	K7
Pensacola	108	G2
Penticton	104	C1
Penza	56	J4
Penzance	42	G11
Penzhina	62	V4
Penzhinskaya Guba	62	U4
Penzhinskiy Khrebet	62	V4

Peoria, *Ariz., US*	◉	110	D2
Peoria, *Ill., US*	◉	106	C2
Percival Lakes	✦	94	D4
Peregrebnoye	◉	56	N2
Pereira	◉	116	B3
Pergamino	◉	118	J5
Périgueux	◉	44	F8
Peristera	🝙	54	G5
Perito Moreno	◉	118	G8
Perleberg	◉	38	G3
Perm'	◉	56	L3
Përmet	◉	54	C4
Pernambuco	▨	116	K5
Pernik	◉	52	L7
Péronne	◉	40	E5
Perpignan	◉	44	H11
Perrine	◉	108	E4
Perry, *Fla., US*	◉	108	E3
Perry, *Ga., US*	◉	108	E3
Persepolis	✳	79	E2
Persian Gulf	◉	79	C2
Perth, *Australia*	◫	94	C6
Perth, *UK*	◉	42	J5
Pertuis Breton	⊃	44	D7
Peru	◉	106	C2
Peru	Ⓐ	116	C6
Peru-Chile Trench	◍	114	D5
Perúgia	◉	50	F5
Pervomays'k	◉	56	F5
Pervoural'sk	◉	56	L3
Pésaro	◉	48	H7
Pescara	◉	50	J6
Péscia	◉	48	F7
Peshawar	◉	72	B2
Peshkopi	◉	54	C3
Peshtera	◉	54	G2
Peski Karakumy	◍	74	G2
Peski Kzyylkum	◍	60	L9
Peski Priaral'skiye Karakumy	◍	60	L8
Pesnica	◉	48	L4
Pessac	◉	44	E9
Petah Tiqwa	◉	78	B4
Petalioi	🝙	54	G7
Petaluma	◉	104	B3
Pétange	◉	40	H5
Petare	◉	112	L6
Petauke	◉	90	E2
Peterborough, *Canada*	◉	106	E2
Peterborough, *UK*	◉	42	M9
Peterhead	◉	42	L4
Peter I Øy	🝙	120	(2)JJ3
Petersburg	◉	106	E3
Petersfield	◉	40	B3
Petershagen	◉	38	D4
Petilia	◉	50	L9
Petit Mécatina	∕	100	U6
Peto	◉	112	G4
Petre Bay	⊃	96	(1)B1
Petrich	◉	54	F3
Petrila	◉	52	L4
Petrinja	◉	48	M5
Petrolina	◉	116	J5
Petropavlovka	◉	62	H6
Petropavlovsk	◉	56	N4
Petropavlovsk-Kamchatskiy	◉	62	T6
Petrópolis	◉	118	N3
Petroşani	◉	52	L4
Petrovac	◉	52	J5
Petrovsk-Zabaykal'skiy	◉	62	H6
Petrozavodsk	◻	56	F2
Petrun	◉	56	M1
Petukhovo	◉	56	N3
Pevek	◉	62	W3
Pezinok	◉	36	G9
Pfaffenhofen	◉	38	G8
Pfarrkirchen	◉	38	H8
Pflach	◉	48	F3
Pforzheim	◉	38	D8
Pfunds	◉	48	F4
Pfungstadt	◉	38	D7
Phalaborwa	◉	90	E4
Phalodi	◉	72	B3
Phan Rang	◉	68	D4
Phan Thiêt	◉	68	D4
Phatthalung	◉	68	C5
Phet Buri	◉	68	B4
Phichit	◉	68	C3
Philadelphia, *Miss., US*	◉	108	D3
Philadelphia, *Pa., US*	◉	108	F2
Philippeville	◉	40	G4
Philippines	Ⓐ	68	G5
Philippine Trench	◍	58	R8
Philips	◉	100	K7
Phillipsburg	◉	104	G3
Phitsanulok	◉	68	C3
Phnum Penh	◉	68	C4
Phoenix	◻	110	D2
Phoenix Islands	🝙	92	J6
Phôngsali	◉	68	C2
Phuket	◉	68	B5
Piacenza	◉	48	E5
Piádena	◉	48	F5
Pianosa	🝙	50	E6
Piatra-Neamţ	◉	52	P3
Piauí	▨	116	J5
Piazza Armerina	◉	50	J11
Pibor Post	◉	88	E2
Picacho del Centinela	▲	110	F3
Picayune	◉	108	D3
Pichilemu	◉	118	G5
Pico	🝙	84	(1)B2
Pico Almanzor	▲	46	E4
Pico Cristóbal Colón	▲	112	K6
Pico da Bandeira	▲	118	N3
Pico da Neblina	▲	116	D3
Pico de Itambé	▲	118	N2
Pico de Teide	▲	84	B3
Pico Duarte	▲	112	K5
Picos	◉	116	J5
Picton, *New Zealand*	◉	96	D5
Picton, *US*	◉	106	E2
Piedras Negras	◉	110	F3
Pieksämäki	◉	34	P5
Pielinen	∕	34	Q5
Pierre	◻	104	F2
Pierrelatte	◉	44	K9
Piers do Rio	◉	116	H7
Piešťany	◉	36	G9
Pietermaritzburg	◻	90	E5
Pietersburg	◻	90	D4
Pietrasanta	◉	48	F6
Piet Retief	◉	90	E5
Pieve di Cadore	◉	48	H4
Pihlájavesi	✦	34	P6
Pik Aborigen	▲	62	R4
Piketberg	◉	90	B6
Pik Kommunizma	▲	74	K2
Pik Pobedy	▲	60	P9
Piła	◉	36	F4
Pilaya	∕	118	H3
Pilcomayo	∕	116	E8
Pilibhit	◉	72	C3
Pilica	∕	36	J7
Pimba	◉	94	G6
Pimenta Bueno	◉	116	E6
Pinamalayan	◉	68	G4
Pinamar	◉	118	K6
Pinang	🝙	68	B5
Pınarbası	◉	76	G4
Pinar del Río	◉	112	H4
Pınarhisar	◉	54	K3
Pínczów	◉	36	K7
Pindaré Mirim	◉	116	H4
Pine Bluff	◉	106	B4
Pine Bluffs	◉	104	F2
Pine City	◉	106	B1
Pine Creek	◉	94	F2
Pine Creek Reservoir	∕	106	A4
Pinega	∕	56	H2
Pineios	∕	54	E5
Pine Island Bay	⊃	120	(2)GG3
Pineland	◉	108	C3
Pinerolo	◉	48	C6
Pineville, *Ky., US*	◉	106	D3
Pineville, *La., US*	◉	108	C3
Pingdingshan	◉	64	E4
Pingguo	◉	68	D2
Pingle	◉	68	E2
Pingliang	◉	64	D3
Ping'tung	◉	68	G2
Pingxiang, *China*	◉	68	D2
Pingxiang, *China*	◉	68	E1
Pinhel	◉	46	C4
Pini	🝙	70	(1)B2
Pinka	∕	48	M3
Pink Mountain	◉	100	G5
Pinneberg	◉	38	E3
Pinsk	◉	56	E4
Pioche	◉	104	D3
Piombino	◉	50	E6
Pioneer	◉	110	D2
Pioneer Mountains	▰	104	D1
Pionerskii	◉	36	K3
Pionerskiy	◉	56	M2
Piotrków Trybunalski	◉	36	J6
Piove di Sacco	◉	48	H5
Piperi	🝙	54	G5
Pipestone	◉	106	A2
Pipiriki	◉	96	E4
Piqua	◉	106	D2
Piracicaba	◉	118	M3
Pireas	◉	54	F7
Pirin	▲	54	F3
Piripiri	◉	116	J4
Pirmasens	◉	38	C7
Pirna	◉	38	J6
Pirot	◉	52	K6
Piru	◉	70	(2)C3
Pisa	∕	36	L4
Pisa	◉	48	F7
Pisco	◉	116	B6
Písek	◉	36	D8
Píshīn	◉	74	H4
Pishin	◉	74	J3
Piska	∕	36	L4
Pisticci	◉	50	L8
Pistóia	◉	48	F7
Pisz	◉	36	L4
Pitcairn Islands	🝙	92	P8
Piteå	◉	34	L4
Piteälven	∕	56	C1
Piteşti	◉	52	M5
Pithara	◉	94	C6
Pithiviers	◉	44	H5
Pitkyaranta	◉	56	F2
Pitlochry	◉	42	J5
Pitlyar	◉	56	N1
Pitt Island	🝙	96	(1)B2
Pittsburg	◉	108	C2
Pittsburgh	◉	106	D2
Pitt Strait	≋	96	(1)B2
Piura	◉	116	A5
Pivka	◉	48	K5
Placer	◉	68	G4
Placerville	◉	110	B1
Plaiamonas	◉	54	E5
Plains	◉	110	F2
Plainview	◉	110	F2
Planalto Central	◍	116	H6
Planalto da Borborema	◍	116	K5
Planalto do Mato Grosso	◍	116	G6
Plankinton	◉	104	G2
Plano	◉	108	B3
Plasencia	◉	46	D5
Plast	◉	56	M4
Plateau Batéké	◍	86	G5
Plateau du Djado	◍	84	H4
Plateau du Limousin	◍	44	F8
Plateau du Tademaït	◍	84	F3
Plateau of Tibet = Xizang Gaoyuan	◍	72	D2
Plateaux Batéké	◍	88	A4
Platinum	◉	110	(1)E4
Plato	◉	112	K7
Plato Ustyurt	◍	60	J9
Platte	∕	108	B1
Platteville	◉	106	B2
Plattling	◉	38	H8
Plattsburgh	◉	106	F2
Plattsmouth	◉	108	B1
Plau	◉	38	H3
Plauen	◉	38	H6
Plavnik	🝙	48	K6
Plavsk	◉	56	G4
Playas	◉	116	A4
Plày Cu	◉	68	D4
Pleasanton	◉	110	G3
Pleiße	∕	38	H5
Plentywood	◉	104	F1
Plesetsk	◉	56	H2
Pleven	◉	52	M6
Pljevlja	◉	52	G6
Płock	◉	36	J5
Pločno	▲	52	E6
Ploieşti	◉	52	P5
Plomari	◉	54	J6
Plön	◉	38	F2
Płońsk	◉	36	L5
Plovdiv	◉	52	M7
Plumtree	◉	90	D4
Plungė	◉	36	L2
Plymouth, *UK*	◉	42	H11
Plymouth, *US*	◉	106	C2
Plyussa	∕	34	Q7
Plyussa	◉	56	E3
Plzeň	◉	36	C8
Po	∕	48	E5
Pocahontas	◉	112	F1
Pocatello	◉	104	D2
Pochet	◉	62	F5
Pochinok	◉	56	F4
Pocking	◉	38	J2
Pocomoke City	◉	106	E3
Podgorica	◻	52	G7
Podkamennaya Tunguska	∕	62	F4
Podol'sk	◉	56	G3
Podravska Slatina	◉	52	E4
Poel	🝙	38	G2
Pofadder	◉	90	B5
Poggibonsi	◉	48	G7
Pogradec	◉	54	C4
P'ohang	◉	66	E5
Pohnpei	🝙	92	F5
Pohokura	▲	96	F4
Pohořelice	◉	48	M2
Point Arena	⊃	102	B4
Point Barrow	⊃	110	(1)F1
Point Conception	⊃	110	B2
Point Culver	⊃	94	D6
Point d'Entrecasteaux	⊃	94	B6
Pointe-Noire	◉	86	G5
Point Hope	◉	110	(1)D2
Point Hope	⊃	110	(1)D2
Point Pedro	⊃	72	D7
Point Sur	⊃	104	B3
Poitiers	◉	44	F7
Pokaran	◉	72	B3
Pokhara	◉	72	D3
Poko	◉	88	D3
Pokrovsk	◉	62	M4
Pola de Siero	◉	46	E1
Poland	Ⓐ	36	G6
Polar Bluff	◉	112	F1
Polatlı	◉	54	Q5
Polatsk	◉	56	E3
Police	◉	38	K3
Polichnitos	◉	54	J5
Poligny	◉	44	L7
Poligus	◉	60	S5
Polillo Islands	🝙	68	G4
Polis	◉	54	Q9
Polistena	◉	50	L10
Pollachi	◉	72	C6
Pollença	◉	46	P5
Polohy	◉	56	G5
Polomoloc	◉	68	H5
Polonnaruwa	◉	72	D7
Poltava	◉	56	F5
Poltavka	◉	66	F1
Põltsana	◉	34	N7
Poluostrov Shmidta	◍	62	Q6
Poluostrov Yamal	◍	60	M3
Poluy	∕	60	M4
Põlva	◉	34	P7
Polyaigos	🝙	54	G8
Polyarnye Zori	◉	34	S3
Polyarnyy	◉	62	X3
Polykastro	◉	54	E4
Polynesia	🝙	92	J6
Pombal	◉	46	B5
Pomeranian Bay	⊃	36	D3
Pomeroy	◉	104	C1
Pomorie	◉	52	Q7
Pompano Beach	◉	108	E4
Pompei	◉	50	J8
Ponca City	◉	108	B2
Ponce	◉	112	L5
Pondicherry	◉	72	C6
Pond Inlet	◉	100	R2
Ponferrada	◉	46	D2
Poniatowa	◉	36	M6
Ponoy	∕	56	H1
Pons	◉	44	E8
Ponta Delgada	◻	84	(1)B2
Ponta do Podrão	⊃	88	G6
Ponta do Sol	◉	86	(1)B1
Ponta Grossa	◉	118	L4
Ponta Khehuene	⊃	90	E5
Pont-à-Mousson	◉	44	M5
Ponta Porã	◉	118	K3
Pontarlier	◉	44	M7
Pontassieve	◉	48	G7
Ponta Zavora	⊃	90	F4
Pont-d'Aln	◉	44	L7
Ponteareas	◉	46	B2
Ponte da Barca	◉	46	B3
Pontedera	◉	48	F7
Ponte de Sor	◉	46	C5
Pontevedra	◉	46	B2
Pontiac	◉	106	C2
Pontianak	◉	70	(1)D3
Pontivy	◉	44	C5
Pontoise	◉	40	E5
Pontorson	◉	44	D5
Pontrémoli	◉	48	E6
Ponza	🝙	50	G8
Poogau	∕	48	J3
Poole	◉	42	L11
Poole Bay	⊃	42	L11
Pooncarie	◉	94	H6
Poopó	◉	116	D7
Poopó Challapata	∕	118	H2
Popayán	◉	112	J8
Poperinge	◉	40	E4
Popigay	◉	60	W3
Poplar Bluff	◉	106	B3
Poplarville	◉	108	D3
Popocatépetl	▲	112	E5
Popokabaka	◉	86	H6
Popovača	◉	48	M5

Name	Page	Grid
Popovo	52	P6
Poprad	36	K8
Poprad	36	K8
Porangatu	116	H6
Porbandar	74	J5
Porcupine	110	(1)K2
Pordenone	48	H5
Poreč	48	J5
Poret	50	H3
Pori	34	L6
Porirua	96	E5
Porlamar	112	M6
Poronaysk	62	Q7
Poros	54	F7
Porosozero	56	F2
Porozina	48	K5
Porpoise Bay	120	(2)T3
Porriño	46	B2
Porsangen	34	N1
Porsgrunn	34	E7
Portadown	42	F7
Portage	106	C2
Portage la Prairie	104	G1
Port Alberni	104	B1
Port Albert	94	J7
Portalegre	46	C5
Portales	110	F2
Port Arthur, *Australia*	94	J8
Port Arthur, *US*	108	C4
Port Augusta	94	G6
Port-au-Prince	112	K5
Port Austin	106	D2
Port Burwell	100	U4
Port Charlotte	108	E4
Port Douglas	94	J3
Portel, *Brazil*	116	G4
Portel, *Portugal*	46	C6
Port Elizabeth	90	D6
Port Ellen	42	F6
Porterville	110	C1
Port Fitzroy	96	E3
Port-Gentil	86	F5
Port Harcourt	86	F4
Port Hardy	100	F6
Port Hawkesbury	100	U7
Port Hedland	94	C4
Port Hope Simpson	100	V6
Port Huron	106	D2
Pórtici	50	J8
Portimão	46	B7
Port Jefferson	106	F2
Portland, *Australia*	94	H7
Portland, *Me., US*	106	D2
Portland, *Oreg., US*	104	B1
Portland Island	96	F4
Port Laoise	42	E8
Port Lavaca	108	B4
Port Lincoln	94	G6
Port Loko	86	B3
Port Louis	90	(1)B2
Port Macquarie	94	K6
Port-Menier	100	U7
Port Moresby	94	J1
Port Nolloth	90	B5
Porto, *Corsica*	50	C6
Porto, *Portugal*	46	B3
Porto Alegre	118	L5
Porto Amboim	90	A2
Portocheli	54	F7
Porto do Son	46	A2
Pôrto Esperidião	116	F7
Portoferraio	50	E6
Pôrto Franco	116	H5
Port of Spain	116	E1
Pôrto Grande	116	G3
Portogruaro	48	H5
Porto Inglês	86	(1)B1
Portomaggiore	48	G6
Pôrto Murtinho	118	K3
Pôrto Nacional	116	H6
Porto-Novo	86	E3
Port Orford	104	B2
Porto San Giórgio	50	H5
Porto Santana	116	G3
Porto Santo	84	B2
Porto Seguro	116	K7
Porto Tolle	48	H6
Porto Tórres	50	C8
Porto-Vecchio	50	D7
Pôrto Velho	116	E5
Portoviejo	116	A4
Port Pire	94	G6
Portree	42	F4
Port Renfrew	104	B1
Port Said = Bûr Sa'îd	82	F1
Port St. Johns	90	D6
Port Shepstone	90	E6

Name	Page	Grid
Portsmouth, *UK*	40	A4
Portsmouth, *N.H., US*	106	F2
Portsmouth, *Oh., US*	106	D3
Portsmouth, *Va., US*	106	E3
Port Sudan = Bur Sudan	82	G4
Port Sulphur	108	D4
Port Talbot	42	J10
Portugal	46	B5
Portugalete	46	G1
Port-Vendres	44	J11
Port-Vila	92	G7
Posadas	118	K4
Poschiavo	48	F4
Poshekhon'ye	56	G3
Poso	70	(2)B3
Posŏng	66	D6
Posse	116	H6
Pößneck	38	G6
Post	110	F2
Postmasburg	90	C5
Postojna	48	K5
Posušje	52	E6
Potapovo	60	R4
Poteau	108	C2
Potenza	50	K8
P'ot'i	76	J2
Potiskum	86	G2
Potlatch	104	C1
Potosí	116	D7
Potsdam, *Germany*	38	J4
Potsdam, *US*	106	F2
Pottuvil	72	D7
Poughkeepsie	106	F2
Pourerere	96	F5
Pouto	96	E3
Póvoa de Varzim	46	B3
Povorino	56	H4
Powder	104	E1
Powder River	104	E2
Powell River	100	G7
Poyang Hu	64	F5
Požarevac	52	J5
Poza Rica	112	E4
Požega	52	H6
Poznań	36	F5
Pozoblanco	46	F6
Prabumulih	70	(1)C3
Prachatice	36	D8
Prachuap Khiri Khan	68	B4
Prado	116	K7
Præstø	38	H1
Prague = Praha	36	D7
Praha	36	D7
Praia	86	(1)B2
Prainha	116	G4
Prairie du Chien	106	B2
Prapat	70	(1)B2
Praslin Island	90	(2)B1
Pratas = Dongsha Qundao	68	F2
Prato	48	G7
Pratt	104	G3
Prattville	108	D3
Praya	70	(1)F4
Preetz	38	F2
Preiļi	34	P8
Premnitz	38	H4
Premuda	48	K6
Prentice	106	B1
Prenzlau	36	C4
Preobrazhenka	62	H4
Preparis North Channel	68	A3
Preparis South Channel	68	A4
Přerov	36	G8
Presa de la Boquilla	112	E3
Presa de las Adjuntas	110	G4
Presa Obregón	110	E3
Prescott	104	D4
Preševo	52	J7
Presho	104	G2
Presidencia Roque Sáenz Peña	118	J4
Presidente Prudente	118	L3
Presidio	110	F3
Preslav	52	P6
Presnogorkovka	56	N4
Prešov	36	L9
Presque Isle	106	G1
Přeštice	38	J7
Preston, *UK*	42	K8
Preston, *Minn., US*	106	B2
Preston, *Mo., US*	106	B3
Pretoria (Tshwane)	90	D5
Preveza	54	C6
Prey Veng	62	K6
Pribilof Islands	110	(1)D4
Priboj	52	G6
Příbram	36	D8

Name	Page	Grid
Price	104	D3
Prichard	108	D3
Priego de Córdoba	46	F7
Priekule	34	L8
Prienai	36	N3
Prieska	90	C5
Priest Lake	104	C1
Prievidza	36	H9
Prijedor	52	D5
Prijepolje	52	G6
Prikaspiyskaya Nizmennost'	56	K5
Prilep	54	D3
Primorsk	34	Q6
Primorsko Akhtarsk	56	G5
Prince Albert	100	K6
Prince Albert Peninsula	100	H2
Prince Albert Sound	100	H2
Prince Charles Island	100	R3
Prince Edward Island	80	G10
Prince Edward Island	100	U7
Prince George	100	G6
Prince of Wales Island, *Australia*	94	H2
Prince of Wales Island, *Canada*	100	L2
Prince of Wales Island, *US*	100	E5
Prince of Wales Strait	100	H2
Prince Patrick Island	98	Q2
Prince Regent Inlet	100	N2
Prince Rupert	100	E6
Princess Charlotte Bay	94	H2
Princeton, *Canada*	104	B1
Princeton, *Ill., US*	106	C2
Princeton, *Ky., US*	106	C3
Princeton, *Mo., US*	106	B2
Prince William Sound	100	B4
Príncipe	86	F4
Prineville	104	B2
Priozersk	34	R6
Priština	52	J7
Pritzwalk	38	H3
Privas	44	K9
Privolzhskaya Vozvyshennost	56	H4
Prizren	52	H4
Probolinggo	70	(1)E4
Proddatur	72	C6
Progreso	112	G4
Prokhladnyy	76	L2
Prokop'yevsk	60	R7
Prokuplje	52	J6
Proletarsk	56	H5
Proliv Longa	62	X2
Proliv Vil'kitskogo	60	U2
Prophet	100	G5
Propriano	50	C7
Prorer Wiek	38	J2
Proserpine	94	J4
Prosna	36	G6
Prosperidad	68	H5
Prostojov	36	G8
Proti	54	D7
Provadiya	52	Q6
Prøven = Kangersuatsiaq	100	W2
Providence	106	F2
Providence Island	90	(2)B2
Provideniya	62	Z4
Provins	44	J5
Provincetown	106	F2
Provo	104	D2
Provost	100	D2
Prudhoe Bay	110	(1)H1
Prudnik	36	G7
Prüm	40	J4
Pruszków	36	K5
Prut	52	R4
Pružany	56	P5
Prvić	52	K6
Pryluky	56	F4
Prypyats'	32	G2
Przasnysz	36	K4
Przemyśl	36	M8
Przeworsk	36	M7
Psara	54	H6
Psebay	76	J1
Pskov	34	E3
Ptolemaída	54	D4
Ptuj	48	L4
Pucallpa	116	C5
Pucheng	64	F5
Puch'ŏn	66	D5
Púchov	36	H8
Pucioasa	36	N3
Puck	36	H1
Pudasjärvi	34	P4
Pudozh	56	G2
Puebla	112	E5
Pueblo	104	F3

Name	Page	Grid
Puelches	118	H6
Puelén	118	H6
Puente-Genil	46	F7
Puerto Acosta	116	D7
Puerto Aisén	118	G8
Puerto Alegre	116	E6
Puerto Angel	112	E5
Puerto Ayacucho	112	L7
Puerto Barrios	112	G5
Puerto Berrío	116	C2
Puerto Cabezas	112	H6
Puerto Carreño	112	L7
Puerto del Rosario	84	C3
Puerto de Navacerrada	46	G4
Puerto Guarini	116	F8
Puerto Heath	116	D6
Puerto Inírida	116	D3
Puerto Leguizamo	116	C4
Puerto Libertad	110	D3
Puerto Limón	116	B3
Puertollano	46	F6
Puerto Maldonado	116	D6
Puerto Montt	118	G7
Puerto Nuevo	112	K7
Puerto Peñasco	110	D2
Puerto Princesa	68	F5
Puerto Real	46	D8
Puerto Rico	112	L5
Puerto Rico	116	D6
Puerto Rico Trench	114	E1
Puerto Santa Cruz	118	H9
Puerto Suárez	116	F7
Pukapuka	92	N7
Pukatawagen	100	L5
Pukch'ŏng	66	E3
Puké	52	G7
Pula	48	J6
Pulaski	106	C2
Puławy	36	M6
Pullman	104	C1
Pułtusk	34	L10
Pulu	60	D9
Pülümür	76	H4
Puncak Jaya	70	(2)E3
Puncak Mandala	70	(2)F3
Pune	72	B5
Punia	88	D4
Puno	116	C7
Punta Albina	90	A3
Punta Alice	50	M9
Punta Angamos	118	G3
Punta Arena	104	B3
Punta Arenas	118	G9
Punta Ballena	118	G4
Punta Dungeness	118	H9
Punta Eugenia	112	A3
Punta Galera	118	G6
Punta Gallinas	112	K6
Punta Gorda	108	E4
Punta La Marmora	50	D8
Punta Lavapié	118	G6
Punta Lengua de Vaca	118	G5
Punta Mala	116	B2
Punta Mariato	112	H7
Punta Medanosa	118	H8
Punta Negra	116	A5
Punta Norte, *Argentina*	118	J7
Punta Norte, *Argentina*	118	K6
Punta Pariñas	116	A5
Punta Rasa	118	J7
Puntarenas	112	H6
Punta San Gabriel	110	D3
Punta San Telmo	112	D5
Punta Sarga	84	B4
Pupónga	96	D5
Puqi	64	E5
Puri	72	E5
Purmerend	40	G2
Purpe	62	B4
Purukcahu	70	(1)E3
Purus	116	E5
Puruvesi	34	Q6
Pusan	66	E6
Pushkin	56	F3
Püspökladany	36	L10
Putao	68	B1
Putaruru	96	E3
Putian	64	F5
Putna	52	P4
Putrajaya	70	C2
Puttalami	72	C7
Putten	40	G3
Puttgarden	38	G2
Putumayo	116	C4
Puuwai	110	(2)A2
Puy de Dôme	44	H8
Puy de Sancy	44	H8
Puysegur Point	96	A8

Index

Name	Page	Ref
Pweto	88	D5
Pwllheli	42	H9
Pyal'ma	56	G2
Pyatigorsk	76	K1
Pyè	68	B3
Pyhäjärvi	34	M6
Pylos	54	D8
Pyŏktong	66	C3
P'yŏnggang	66	D4
P'yŏngyang	66	C4
Pyramid Island	96	(1)B2
Pyramid Lake	104	C2/3
Pyrenees	44	E11
Pyrgos	54	D7
Pyrzyce	36	D4
Pyshchug	56	J3
Pytalovo	34	P8

Q

Name	Page	Ref
Qadīmah	74	C5
Qādub	74	F7
Qagan Nur	64	F2
Qal'aikhum	74	K2
Qalamat Nadqān	79	D5
Qalāt	74	J3
Qal'at Bīshah	74	D5
Qal'eh-ye Now	74	H3
Qamdo	64	B4
Qamīnis	82	C1
Qaraaoun	76	F7
Qardho	88	H2
Qartaba	78	C2
Qasr Farafra	82	E2
Qaţanā	78	D3
Qatar	79	D4
Qaţrāna	78	D5
Qattâra Depression	82	E2
Qāyen	74	G3
Qazangöldag	76	M4
Qazax	76	L3
Qazimämmäd	76	N3
Qazvīn	74	E2
Qena	82	F2
Qeqertarsuatsiaat	100	W4
Qeqertarsuatsiaq	100	V2
Qeqertarsuup Tunua	100	V3
Qeshm	79	F3
Qeshm	79	G3
Qeys	79	E3
Qezel Owzan	76	N5
Qeži'ot	78	B6
Qianshanlaoba	60	Q8
Qiaowan	64	B2
Qidukou	72	G2
Qiemo	60	R10
Qijiang	64	D5
Qijiaojing	60	S9
Qila Saifullah	74	J3
Qilian	64	C3
Qilian Shan	64	B3
Qingdao	64	G3
Qinghai Hu	64	B3
Qinghai Nanshan	64	B3
Qingjiang	64	F4
Qingshuihe	64	E3
Qingyang	64	D3
Qingyuan, China	64	E6
Qingyuan, China	64	G2
Qinhuangdao	64	F3
Qinzhou	68	D2
Qionghai	68	E3
Qiqian	62	L6
Qiqihar	62	L7
Qīr	79	E2
Qira	60	Q10
Qiryat Ata	78	C4
Qiryat Motzkin	78	C4
Qiryat Shemona	78	C3
Qishn	74	F6
Qolleh-ye Damāvand	74	F2
Qom	74	F2
Qornet es Saouda	78	D2
Qorveh	76	M6
Qotūr	76	L4
Quang Ngai'	68	D3
Quangolodougou	86	C3
Quang Tri	68	D3
Quanzhou	68	F2
Quaqtaq	100	T4
Quarto Sant'Elena	50	D9
Quba	76	N3
Quchan	74	G2
Québec	106	F1
Quedlinburg	38	G5
Queen Charlotte	100	E6
Queen Charlotte Islands	100	E6
Queen Charlotte Sound	100	E6
Queen Charlotte Strait	100	F6
Queen Elizabeth Islands	98	M2
Queen Maud Gulf	100	L3
Queensland	94	G4
Queenstown, Australia	94	J8
Queenstown, New Zealand	96	B7
Queenstown, South Africa	90	D6
Queets	104	B1
Quelimane	90	F3
Quemado	110	E2
Querétaro	112	D4
Quesnel	100	G6
Quetta	74	J3
Quezaltenango	112	F6
Quezon	68	F5
Quezon City	68	G4
Qufu	64	F3
Quibala	90	A2
Quibdó	112	J7
Quijotoa	110	D2
Quilmes	118	K5
Quilpie	94	H5
Quimbele	88	B5
Quimili	118	J4
Quimper	44	A5
Quimperlé	44	B6
Quincy	106	B3
Qui Nhon	68	D4
Quionga	88	G6
Quirindi	94	K6
Quito	116	B4
Qujing	68	C1
Qumar He	72	F1
Qumaryan	72	F1
Qurayyat	74	G5
Qurghonteppa	74	J2
Qurlurtuuq	100	H3
Qus	82	F2
Quseir	82	F2
Quzhou	64	F5

R

Name	Page	Ref
Raab	48	L3
Raahe	34	N4
Raalte	40	J2
Raasay	42	G4
Raas Caseyr	88	J1
Raas Xaafuun	88	J1
Rab	48	K6
Rab	48	K6
Rāba	52	E2
Raba	70	(2)A4
Rabak	82	F5
Rabat	50	J13
Rabat	84	D2
Rabca	48	N3
Rābigh	74	C5
Rabka	36	K8
Rach Gia	68	D5
Racine	106	C2
Räckeve	52	F2
Rădăuți	52	N2
Radbuza	38	H7
Radeberg	38	J5
Radebeul	38	J5
Radhanpur	72	B4
Radnevo	52	N7
Radom	36	L6
Radomir	52	K7
Radomsko	36	J6
Radoviš	54	E3
Radstadt	36	C10
Raduznny	60	P5
Radviliškis	36	N2
Rae-Edzo	100	H4
Raevavae	92	M8
Rafaela	118	J4
Rafah	78	B5
Rafaï	88	C3
Rafhā	74	D4
Rafsanjān	79	G1
Raglan	96	E3
Ragusa	50	J12
Raha	70	(2)B3
Rahad el Berdi	82	D5
Rahimyar Khan	74	K4
Raichur	72	C5
Raiganj	72	E3
Raigarh	72	D4
Rainach	48	L4
Rainbow Lake	100	H5
Rainier	104	B1
Rainy Lake	106	B1
Rainy River	106	B1
Raipur	72	D4
Rai Valley	96	D5
Rajahmundry	72	D5
Raja-Joosseppi	34	Q2
Rajapalaiyam	72	C7
Rajgarh	72	C3
Rajkot	74	K5
Rajnandgaon	72	D4
Rajshahi	72	E4
Rakhiv	52	M1
Rakovica	48	L6
Rakovnik	36	C7
Rakovski	52	M7
Rakvere	34	P7
Raleigh	108	F2
Ralik Chain	92	G5
Ram	78	C7
Rama	112	H6
Ramallah	78	C5
Rambouillet	44	G5
Rameswaram	72	C7
Rāmhormoz	79	C1
Ramla	78	B5
Ramlat Rabyānah	82	C3
Râmnicu Sărat	52	Q4
Râmnicu Vâlcea	52	M4
Rampur, India	72	C2
Rampur, India	72	C3
Ramree Island	68	A3
Ramsgate	42	P10
Ramtha	78	D4
Ranau	70	(1)F1
Rancagua	118	G5
Ranchi	72	E4
Randazzo	50	J11
Randers	34	F8
Randijaure	34	K3
Randolph	104	G2
Rânes	40	B6
Rangamati	72	F4
Rangiora	96	D6
Rangoon = Yangon	68	B3
Rankin	110	F2
Rankin Inlet	100	N4
Ranong	68	B5
Ransiki	70	(2)D3
Rānya	76	L5
Rapa	92	M8
Rapalla	50	D4
Rapallo	48	E6
Rapar	74	K5
Raperswil	48	D3
Rapid City	104	F2
Rapid River	106	C1
Rapla	34	N7
Rapur	74	J5
Raroia	92	N7
Rarotonga	92	K8
Râs Abu Shagara	82	G3
Ra's al Hadd	74	G5
Ra's al Hazrah	79	D4
Ra's al Hilāl	82	D1
Ra's al Khajī	79	C2
Ra's al Khaymah	79	F4
Ra's al Kūh	79	G4
Ra's al Muraysah	82	E1
Ra's al 'Udayd	79	D4
Ra's az Zawr	79	C3
Râs Banâs	82	G3
Ras Beddouza	84	C1
Ras Bir	82	H5
Ras Dashen Terara	82	G5
Ra's-e Barkan	79	C2
Raseiniai	34	M9
Râs el Nafas	78	B7
Ra's Fartak	82	F6
Râs Ghârib	82	F2
Rasht	74	H4
Râsk	74	H4
Raška	52	H6
Ras Kasar	82	G4
Ra's Madrakah	74	G6
Râs Nouâdhibou	84	B4
Rason Lake	94	D5
Rass Jebel	50	E11
Rass Mostefa	50	F12
Rassokha	62	H2
Rast	52	L6
Ras Tannūrah	79	D3
Rastatt	40	L6
Rastede	38	D3
Ratak Chain	92	H4
Ratangarh	72	K4
Rat Buri	68	B4
Rath	72	C3
Rathenow	38	H4
Rathlin Island	42	F6
Ratlam	72	C4
Ratnagiri	74	K6
Raton	104	F3
Ratta	62	C4
Ratten	48	D4
Ratzeburg	38	F3
Raudhatain	79	B1
Raukumara Range	96	F4
Rauma	34	L6
Rausu	66	N1
Rāut	52	R2
Ravalli	104	D1
Ravānsar	76	M6
Rāvar	79	G1
Ravenna	48	H6
Ravensburg	48	E3
Ravensthorpe	94	D6
Ravnina	74	H2
Rāwah	76	J6
Rawaki	92	J6
Rawalpindi	74	K3
Rawa Mazowiecka	36	K6
Rawāndiz	76	L5
Rawicz	36	F6
Rawlinna	94	E6
Rawlins	104	E2
Rawson	118	J7
Rawu	72	G3
Raychikhinsk	62	M7
Raymond	104	B1
Raymondville	110	G3
Rayong	68	C4
Razdol'noye	66	F2
Razgrad	52	P6
Razlog	52	L8
Reading, UK	42	M10
Reading, US	106	E2
Realicó	118	J6
Rebbenesøya	34	J1
Rebun-tō	64	L1
Rechytsa	56	F4
Recife	116	L5
Recklinghausen	40	K3
Recknitz	38	H3
Reconquista	118	K4
Recreo	118	H4
Red, Canada/US	104	G1
Red, US	108	B3
Reda	36	H3
Red Bluff	110	B1
Red Cloud	108	B1
Red Deer	100	J6
Redding	104	B2
Redditch	40	A2
Redfield	104	G2
Red Lake	100	N6
Red Lakes	102	H3
Red Lodge	104	E1
Red Oak	106	A2
Redon	44	C6
Redondela	46	B2
Red River = Song Hông	68	C2
Red Sea	82	G3
Redwater	100	J6
Red Wing	106	B2
Redwood City	106	B3
Redwood Falls	106	A2
Reed City	106	C2
Reedsport	104	B2
Reefton	96	C6
Rega	36	E4
Regen	38	H7
Regen	38	J8
Regensburg	38	H7
Regenstauf	38	H7
Réggio di Calabria	50	K10
Réggio nell'Emilia	48	F6
Reghin	52	M3
Regina	102	F1
Rehau	38	H6
Rehoboth	90	B4
Rehovot	78	B5
Reichenbach	38	H3
Reigate	42	M10
Reims	40	G5
Reinach Bad	36	C3
Reindeer Lake	100	L5
Reinosa	46	F1
Reisi	52	J11
Reliance	100	K4
Relizane	84	F1
Remada	84	H2
Remagen	40	K4
Rembang	70	(1)E4
Remeshk	79	H3
Remiremont	40	M6
Remscheid	40	K3
Rena	34	F6
Rendina	54	F4
Rendsburg	38	E2
Rengat	70	(1)C3
Reni	52	R4
Renmark	94	H6

Place	Page	Ref
Rennes	44	D5
Reno	48	G6
Reno	104	C3
Rentería	46	J1
Renton	104	B1
Renukut	72	D4
Reo	70	(2)B4
Replot	34	L5
Reprêsa de Balbina	116	F4
Represa de Samuel	116	E5
Represa de Sao Simao	116	G7
Represa Ilha Solteira	116	G7
Represa Tucuruí	116	H4
Republic	104	C1
Repulse Bay	94	J4
Requena	116	C5
Reşadiye	76	G3
Resen	52	J8
Réservoir Cabonga	106	E1
Réservoir Caniapiscau	100	T6
Réservoir de La Grande 2	100	R6
Réservoir de La Grande 3	100	R6
Réservoir de La Grande 4	100	S6
Réservoir Gouin	106	F1
Réservoir Manicouagan	100	T6
Réservoir Opinaca	100	R6
Réservoir Pipmuacan	106	G1
Reshteh-ye Kühhā-ye Alborz	74	F2
Resistencia	118	K4
Reşiţa	52	J4
Resolute	100	N2
Resolution Island, Canada	100	U4
Resolution Island, New Zealand	96	A7
Resovo	54	K3
Rethel	40	G5
Rethymno	54	G9
Réunion	90	(1)B2
Reus	46	M3
Reutlingen	38	E8
Revda	56	L3
Revillagigedo Island	110	(1)L4
Revin	40	G5
Revivim	78	B5
Revúca	36	K9
Rewa	72	D4
Rexburg	104	D2
Reykjanes	34	(1)B3
Reykjavík	34	(1)C2
Reynosa	108	B4
Rezat	38	F7
Rezé	44	D6
Rēzekne	34	P8
Rezina	52	R2
Rezovo	52	R8
Rheda-Wiedenbrück	38	D5
Rhein = Rhine	48	C2
Rheinbach	40	K4
Rheine	40	K2
Rheinfelden	48	C3
Rhin = Rhine	48	C2
Rhine	48	C2
Rhinelander	106	C1
Rho	48	E5
Rhode Island	106	F2
Rhodes = Rodos	54	L8
Rhondda	42	J10
Rhône	44	K9
Rhyl	42	J8
Ribadeo	46	C1
Ribas do Rio Pardo	118	L3
Ribe	34	E9
Ribeauville	44	N5
Ribeirão Prêto	118	M3
Ribeiria = Santa Eugenia	46	A2
Ribera	50	H11
Riberalta	116	D6
Ribnica	50	J3
Rîbniţa	52	S2
Ribnitz-Damgarten	38	H2
Ričany	38	K6
Riccione	48	H7
Richardson Mountains	110	(1)K2
Richfield	104	D3
Richland	104	C1
Richlands	106	D3
Richmond, Australia	94	H4
Richmond, New Zealand	96	D5
Richmond, Ind., US	106	D3
Richmond, Va., US	106	E3
Ridgecrest	110	C1
Ridgway	106	E2
Ried	48	J2
Riesa	38	J5
Rieti	50	G6
Rifle	104	E3
Rīga	34	N8
Riggins	104	C1
Rigolet	100	V6
Rijeka	48	K5
Riley	104	C2
Rimava	36	J9
Rimavská Sobota	36	K9
Rimini	48	H6
Rimouski	106	G1
Rineia	54	H7
Ringe	38	F1
Ringkøbing	34	E8
Ringkøbing Fjord	34	D9
Ringsted	38	G1
Ringvassøya	34	J1
Rinteln	38	E4
Rio Branco	116	D5
Rio Colorado	118	J6
Rio Cuarto	118	J5
Rio de Janeiro	118	N3
Rio de Janeiro	118	N3
Rio de la Plata	110	K6
Rio Gallegos	118	H9
Rio Grande	110	E2
Rio Grande, Argentina	118	H9
Rio Grande, Mexico	110	F4
Rio Grande	118	L5
Rio Grande City	108	B4
Rio Grande do Norte	116	K5
Rio Grande do Sul	118	L4
Riohacha	112	K6
Rio Largartos	112	G4
Riom	44	J8
Rio Mulatos	116	D7
Rionero	50	K8
Rionero in Vulture	52	C9
Rio Tigre	116	B4
Rio Verde	116	G7
Rio Verde de Mato Grosso	116	G7
Ripley, Oh., US	106	D3
Ripley, Tenn., US	106	C3
Ripley, W.Va., US	106	D3
Ripoll	46	N2
Ripon	42	L7
Rishiri-tō	62	Q7
Rishon le Ẕiyyon	78	B5
Ritchie's Archipelago	68	A4
Ritzville	104	C1
Rivadavia	118	G4
Riva del Garda	48	F5
Rivarolo	48	C5
Rivas	112	G6
Rivera, Argentina	118	J6
Rivera, Uruguay	118	K5
Riversdale	90	C6
Riversdale Beach	96	E5
Riverton, Canada	100	M6
Riverton, New Zealand	96	A8
Rivesaltes	44	H11
Rivière-du-Loup	106	G1
Rivne	56	E4
Rivoli	48	C5
Riwoqê	72	G2
Riyadh = Ar Riyāḍ	79	B4
Rize	76	J3
Rizhao	64	F3
Roanne	44	K7
Roanoke	106	D3
Roanoke Rapids	108	F2
Robe	94	G6
Robertsfors	34	L4
Robertval	106	F1
Roboré	116	F7
Robstown	108	B4
Roccastrada	50	F6
Rochefort, Belgium	40	H4
Rochefort, France	44	E8
Rochelle	106	C2
Rocher River	100	J4
Rochester, UK	40	C3
Rochester, Minn., US	106	B2
Rochester, N.H., US	106	F2
Rochester, N.Y., US	106	E2
Rockall	32	C2
Rockefeller Plateau	120	(2)EE2
Rockford	106	C2
Rockhampton	94	K4
Rock Hill	106	D4
Rock Island	106	B2
Rocklake	104	G1
Rockport	104	B1
Rock Rapids	104	A2
Rock Springs	104	E2
Rocksprings	104	F3
Rocky Mount	106	E3
Rocky Mountains	100	F5
Rødby Havn	38	G2
Roddickton	100	V6
Rodez	44	H9
Rodi Gargánico	50	K7
Roding	38	H7
Rodney	106	D2
Rodopi Planina	52	M7
Rodos	54	L8
Rodos	54	L8
Roebourne	94	C4
Roermond	40	J3
Roeselare	40	F4
Roes Welcome Sound	100	P4
Rogers City	106	D1
Rogerson	104	D2
Rogliano	50	D6
Rogue	104	B2
Rohrbach	48	K2
Rohtak	72	C3
Roi Et	68	C3
Roja	34	M8
Rokiškis	34	N9
Rokycany	36	C8
Rolla	106	B3
Rolleston	96	D6
Rolvsøya	34	M1
Roma	70	(2)C4
Roma, Australia	94	J5
Roma, Italy	50	G7
Roman	52	P3
Romania	52	L4
Romans-sur-Isère	44	L8
Rombas	40	J5
Rome = Roma	50	G7
Rome, Ga., US	108	D3
Rome, N.Y., US	106	E2
Romney	106	E3
Romny	56	F4
Rømø	38	D1
Romorantin-Lanthenay	44	G6
Rona	42	G2
Ronan	102	D2
Roncesvalles	46	J2
Ronda	46	E8
Rondônia	116	E6
Rondônia	116	E6
Rondonópolis	116	G7
Rondu	74	L2
Rongcheng	64	G3
Rønne	36	D2
Ronneby	34	H8
Ronne Entrance	120	(2)JJ3
Ronne Ice Shelf	120	(2)MM2
Ronse	40	F4
Roosendaal	40	G3
Roper Bar	94	F2
Roraima	116	E3
Røros	34	F5
Rosário	116	J4
Rosario, Argentina	118	J5
Rosario, Mexico	102	D3
Rosario, Mexico	102	E7
Rosario, Paraguay	118	K3
Rosário Oeste	116	F6
Rosarito	102	C6
Rosarno	50	K10
Roscommon	42	D8
Roseau	112	M5
Roseburg	104	B2
Roseires Reservoir	82	F5
Rose Island	92	K7
Rosenberg	110	G3
Rosenheim	48	H3
Roses	46	P2
Rosetown	100	K6
Rosica	52	N6
Rosignano Solvay	48	F7
Roşiori de Vede	52	N5
Roskilde	34	G9
Roslavl'	56	F4
Rossano	50	L9
Ross Ice Shelf	120	(2)Z1
Ross Lake	104	B1
Roßlau	38	H5
Rosso	84	B5
Rossosh'	56	G4
Ross River	100	C4
Ross Sea	120	(2)AA2
Rossvatnet	34	G4
Røst	34	G3
Rostāq	79	E3
Rosthern	100	K6
Rostock	38	H2
Rostov	56	G3
Rostov-na-Donu	56	G5
Rostrenen	44	B5
Roswell	110	F2
Rota	92	E4
Rotarua	96	F4
Rota	70	(2)B5
Rotenburg, Germany	38	E3
Rotenburg, Germany	38	E5
Roth	38	G7
Rothenburg	38	F7
Roto	94	J6
Rott	48	H2
Rotterdam	44	K2
Rottnen	36	E1
Rottumeroog	40	J1
Rottumerplaat	40	J1
Rottweil	48	D2
Rotuma	92	H7
Roubaix	40	F4
Rouen	40	D5
Rouiba	46	P8
Round Mountain	94	K6
Round Rock	108	B3
Roundup	104	E1
Rousay	42	J2
Rouyn	106	E1
Rovaniemi	34	N3
Rovereto	48	G5
Rovigo	48	G5
Rovinj	48	J5
Rovuma	88	F6
Rowley Island	100	R3
Rowley Shoals	94	C3
Roxas	68	G4
Roxburgh	96	B7
Royal Leamington Spa	40	A2
Royal Tunbridge Wells	40	C3
Royan	44	D8
Roye	40	E5
Royston	40	C2
Rozdil'na	52	T3
Rožňava	36	K9
Rrëshen	54	B3
Rtishchevo	56	H4
Ruacana	90	A3
Ruahine Range	96	E5
Ruapehu	96	E4
Ruapuke Island	96	B8
Ruarkela	72	D4
Ruatahuna	96	F4
Ruatoria	96	G3
Ruawai	96	D3
Rub' al Khālī	74	E6
Rubi	88	C3
Rubtsovsk	60	Q7
Ruby	110	(1)F3
Rudan	79	G3
Ruda Śląska	36	H7
Rudbar	74	H3
Rüdersdorf	38	J4
Rudkøbing	38	F2
Rudnaya Pristan'	66	H2
Rudnyy	56	M4
Rudolstadt	38	G6
Rüdsar	76	P5
Rue	40	D4
Ruffec	44	F7
Rufiji	88	F5
Rugby, UK	40	A2
Rugby, US	102	G2
Rügen	36	C3
Ruhnu	34	M8
Ruhr	40	L3
Rum	42	F5
Ruma	52	G4
Rumāh	79	B4
Rumaylah	79	B1
Rumbek	88	D2
Rum Cay	112	K4
Rumigny	40	G5
Rumoi	66	L2
Runanaga	96	C6
Rundu	90	B3
Ruoqiang	60	R10
Rupa	64	C2
Rupat	70	(1)C2
Rupert	100	R6
Rupert	104	D2
Rurutu	92	L8
Ruse	52	N6
Rushon	72	G3
Rushville, Ind., US	106	B2
Rushville, Nebr., US	104	F2
Russell	104	G3
Russellville, Ark., US	108	C2
Russellville, Ky., US	108	D2
Rüsselsheim	38	D7
Russia	34	L9
Russia	58	M3
Rust'avi	76	L3
Ruston	108	C3
Rutana	88	D4
Rute	46	F7

Ruteng . . . 70 (2)B4
Rutland . . . 106 F2
Rutog . . . 72 C2
Ruvo di Puglia . . . 50 L7
Ruvuma . . . 88 F6
Ruzayevka . . . 56 H4
Ružomberok . . . 36 J8
Rwanda . . . 88 D4
R-Warnemünde . . . 38 H2
Ryazan' . . . 56 G4
Ryazhsk . . . 56 H4
Rybinsk . . . 56 G3
Rybinskoye Vodokhranilishche . . . 56 G3
Rybnik . . . 36 H7
Rychnov . . . 36 F7
Ryde . . . 40 A4
Rye Patch Reservoir . . . 104 C2
Ryki . . . 36 L6
Ryl'sk . . . 56 F4
Ryn-Peski . . . 56 J5
Ryōtsu . . . 66 K4
Rypin . . . 36 J4
Ryukyu Islands = Nansei-shotō . . . 64 H5
Rzeszów . . . 36 M7
Rzhev . . . 56 F3

S

Sa'ādatābād, Iran . . . 79 E1
Sa'ādatābād, Iran . . . 79 F2
Saale . . . 38 G6
Saalfeld . . . 38 G6
Saalfelden . . . 48 H3
Saanen . . . 50 B2
Saar . . . 40 J5
Saarbrücken . . . 40 J5
Saarburg . . . 40 J5
Saaremaa . . . 34 L7
Saarlouis . . . 40 J5
Saatli . . . 76 N4
Saatly . . . 74 E2
Saba . . . 112 M5
Sab' Ābār . . . 78 E3
Šabac . . . 52 G5
Sabadell . . . 46 N3
Sabah . . . 70 (1)F1
Sabang . . . 68 B5
Sabhā . . . 84 H3
Sabiñánigo . . . 46 K2
Sabinas . . . 110 F3
Sabinas Hidalgo . . . 110 F3
Sabine . . . 108 B3
Sabine Lake . . . 108 C3
Sabinov . . . 36 L8
Sabkhet el Bardawîl . . . 78 A5
Sable Island . . . 100 V8
Sablé-sur-Sarthe . . . 44 E6
Sabôr . . . 46 D3
Sabun . . . 60 Q5
Sabzevār . . . 74 G2
Săcele . . . 52 N4
Sachanga . . . 90 B2
Sachs Harbour . . . 100 G2
Säckingen . . . 48 C3
Sacramento . . . 104 B3
Sacramento . . . 104 B3
Şad'ah . . . 74 D6
Sadiqabad . . . 74 K4
Sadiya . . . 72 G3
Sado . . . 46 B6
Sadoga-shima . . . 66 K4
Sadon . . . 76 K2
Sado-shima . . . 64 K3
Sa Dragonera . . . 46 N5
Säffle . . . 34 G7
Safford . . . 110 E2
Safi, Jordan . . . 78 C5
Safi, Morocco . . . 84 D2
Safonovo, Russia . . . 56 F3
Safonovo, Russia . . . 56 J1
Safranbolu . . . 54 Q3
Saga, China . . . 72 E3
Saga, Japan . . . 66 F7
Sagami-nada . . . 66 K6
Sagar . . . 72 C4
Sagastyr . . . 60 Z3
Sage . . . 104 D2
Saginaw . . . 106 D2
Sagiz . . . 56 K5
Sagiz . . . 56 K5
Saguache . . . 104 E3
Sagua la Grande . . . 112 H4
Sagunt . . . 46 K5
Sahāb . . . 78 D5
Sahagún . . . 46 E2
Sahara . . . 80 C3
Saharah el Gharbîya . . . 82 E2

Saharanpur . . . 72 C3
Saharsa . . . 72 E3
Şahbuz . . . 76 L4
Sahel . . . 80 C4
Sahiwal . . . 74 K3
Sahuaripa . . . 110 E3
Šahy . . . 52 F1
Saida, Algeria . . . 84 F2
Saida, Lebanon . . . 78 C3
Sa'idābād . . . 79 F2
Saidpur . . . 72 E3
Saigo . . . 66 G5
Saigon = Hô Chi Minh . . . 68 D4
Saiha . . . 72 F4
Saihan Toroi . . . 64 C2
Saiki . . . 66 F7
Saimaa . . . 34 P6
Saimbeyli . . . 76 G4
Sā'in . . . 79 F1
Saindak . . . 74 H4
St. Albans . . . 40 B3
St. Andrä . . . 48 K4
St. Andrews . . . 42 K5
St. Anthony . . . 100 V6
St. Arnaud . . . 96 D5
St. Augustin . . . 40 K4
St. Augustine . . . 108 E4
St. Austell . . . 42 H11
St-Avold . . . 40 J5
St. Barthélémy . . . 112 M5
St-Brieuc . . . 44 C5
St. Catharines . . . 102 L3
St-Chamond . . . 44 K8
St-Claude . . . 44 L7
St. Cloud . . . 106 B1
St. David's . . . 42 G10
St-Denis, France . . . 40 E6
St-Denis, Réunion . . . 90 (1)B2
St-Dié . . . 48 B2
St-Dizier . . . 44 K5
Ste-Anne-de-Beaupré . . . 106 F1
Ste-Menehould . . . 40 G5
Saintes . . . 44 E8
Stes-Maries-de-la-Mer. . . 44 K10
St-Étienne . . . 44 K8
St-Étienne-du-Rouvray . . . 40 D5
St-Félicien . . . 106 F1
St-Florentin . . . 44 J5
St-Flour . . . 44 J8
St. Francis . . . 104 F3
St. Gallen . . . 48 E3
St-Gaudens . . . 44 F10
St. George, Australia . . . 94 J5
St. George, US . . . 104 D3
St. Georgen . . . 48 D2
St. Georges . . . 106 F1
St. George's . . . 112 M6
St. George's Channel . . . 42 F10
St-Germain-en-Laye . . . 40 E6
St-Girons . . . 44 G11
St. Helena . . . 80 C7
St. Helena Bay . . . 90 B6
St. Helens, UK . . . 42 K8
St. Helens, US . . . 104 B1
St. Helier . . . 44 C4
St-Hubert . . . 40 H4
St. Ignace . . . 106 D1
St. Ives . . . 42 G11
St-Jean-d'Angely . . . 44 E8
St-Jean-de-Luz . . . 44 D10
St-Jean-de-Maurienne . . . 48 B5
St-Jean-sur-Richelieu . . . 106 F1
St. John . . . 100 T7
St. John's . . . 100 W7
St. Johnsbury . . . 106 F2
St. Joseph . . . 106 B3
St-Jovité . . . 106 F1
St. Kilda . . . 42 D4
St. Kitts-Nevis . . . 112 M5
St. Laurent . . . 116 G2
St-Laurent-en-Grandvaux . . . 48 A4
St. Lawrence . . . 106 G1
St. Lawrence Island . . . 110 (1)C3
St-Léonard . . . 106 G1
St-Lô . . . 40 A5
St. Louis, Senegal. . . 84 B5
St. Louis, US . . . 106 B3
St. Lucia . . . 112 M6
St. Maarten . . . 112 M5
St-Malo . . . 44 D5
St. Marys . . . 106 D2
St. Matthew Island . . . 110 (1)C3
St-Mihiel . . . 40 H6
St. Moritz . . . 48 E4
St-Nazaire . . . 44 C6
St-Nicolas-de-Port . . . 48 B2
St. Niklaas . . . 40 G3

St-Omer . . . 40 E4
St-Palais . . . 44 D10
St-Pamphile . . . 106 G1
St-Paul . . . 48 B6
St. Paul . . . 104 G2
St. Paul . . . 106 B2
St. Peter . . . 106 B2
St. Peter Ording . . . 38 D2
St. Peter-Port . . . 44 C4
St. Petersburg = Sankt-Peterburg . . . 56 F3
St. Petersburg . . . 108 E4
St-Pierre-et-Miquelon . . . 100 V7
St. Pierre Island . . . 90 (2)A2
St-Pol-de-Léon . . . 44 A5
St-Pol-sur-Ternoise . . . 40 E4
St. Pölten . . . 48 L2
St-Quentin . . . 40 F5
St-Raphaël . . . 48 B7
St. Siméon . . . 106 G1
St. Stephen . . . 106 G1
St. Thomas . . . 106 D2
St-Tropez . . . 48 B7
St. Truiden . . . 40 H4
St-Valéry-sur-Somme . . . 40 D4
St. Veit . . . 48 K4
St. Veit an der Glan . . . 52 B3
St. Vincent and the Grenadines . . . 112 M6
St-Vincent-les-Forts . . . 48 B6
St-Vith . . . 40 J4
Sajama . . . 92 E4
Sajószentpéter . . . 36 K9
Sākākah . . . 74 D4
Sakaraha . . . 90 G4
Sakarya . . . 54 N4
Sakarya . . . 54 N4
Sakata . . . 66 K4
Sakchu . . . 66 C3
Sakha . . . 62 N3
Sakhalin . . . 62 Q6
Sakhalinskiy Zaliv . . . 62 Q6
Sakhon Nakhon . . . 68 C3
Şaki . . . 76 M3
Sakishima-shotō . . . 64 H6
Sakskøbing . . . 38 G2
Sal . . . 56 H5
Sal . . . 86 (1)B1
Sala . . . 34 J7
Šal'a . . . 36 G9
Salacgriva . . . 34 N8
Sala Consilina . . . 50 K8
Saladillo . . . 118 K6
Salado . . . 118 J4
Salālah . . . 74 F6
Salamanca, Mexico . . . 112 D4
Salamanca, Spain . . . 46 E4
Salamanca, US . . . 106 E2
Salamina . . . 54 F7
Salamīyah . . . 78 E1
Salar de Uyuni . . . 118 H3
Salawati . . . 70 (2)D3
Salayar . . . 70 (2)B4
Salbris . . . 44 H6
Saldus . . . 34 M8
Sale . . . 94 J7
Salekhard . . . 60 M4
Salem, India . . . 72 C6
Salem, US . . . 106 C3
Salerno . . . 50 J8
Salgótarján . . . 36 J9
Salida . . . 104 E3
Salihli . . . 54 L6
Salihorsk . . . 56 E4
Salima . . . 90 E5
Salina . . . 50 J10
Salina, Kans., US . . . 104 G3
Salina, Ut., US . . . 104 D3
Salinas, Brazil . . . 116 J7
Salinas, Ecuador . . . 116 A4
Salinas, Mexico . . . 110 F4
Salinas, US . . . 110 B1
Salinas Grandes . . . 118 J4
Salinópolis . . . 116 H4
Salisbury, UK . . . 40 A3
Salisbury, Md., US . . . 106 E3
Salisbury, N.C., US . . . 106 D3
Salisbury Island . . . 100 R4
Salkhad . . . 78 D4
Salla . . . 34 Q3
Salluit . . . 100 R4
Salmās . . . 76 L5
Salmon . . . 104 C1/D1
Salmon . . . 104 D1
Salmon Arm . . . 100 H6
Salmon River Mountains . . . 104 C1
Salo . . . 34 M6

Salon-de-Provence . . . 44 L10
Salonta . . . 52 J3
Sal'sk . . . 56 H5
Salsomaggiore Terme . . . 48 E6
Salt . . . 78 C4
Salta . . . 118 H3
Saltee Islands . . . 42 F9
Saltillo . . . 110 F3
Salt Lake City . . . 104 D2
Salto . . . 118 K5
Salton Sea . . . 110 C2
Saluda . . . 108 E3
Salûm . . . 82 E1
Saluzzo . . . 48 C6
Salvador . . . 116 K6
Salvadore . . . 114 H5
Salween . . . 68 B2
Salyan . . . 76 N4
Salyersville . . . 106 D3
Salym . . . 56 P3
Salzach . . . 48 H2
Salzburg . . . 48 J3
Salzgitter . . . 38 F4
Salzwedel . . . 38 G4
Samaipata . . . 116 E7
Samar . . . 76 H4
Samara . . . 56 K4
Samarinda . . . 70 (1)F3
Samarkand . . . 74 J2
Sāmarrā' . . . 76 K6
Şamaxı . . . 76 N3
Sambalpur . . . 72 D4
Sambas . . . 70 (1)D2
Sambava . . . 90 J2
Sambhal . . . 72 C3
Sambir . . . 36 N8
Sambre . . . 40 F4
Same . . . 88 F4
Sami . . . 54 C6
Sämkir . . . 76 M3
Samoa . . . 92 J7
Samobor . . . 48 L5
Samoded . . . 56 H2
Samokov . . . 52 L7
Šamorín . . . 36 G9
Samos . . . 54 J7
Samos . . . 54 J7
Samothraki . . . 54 H4
Samothraki . . . 54 H4
Sam Rayburn Reservoir . . . 108 C3
Samsang . . . 72 D2
Samsø . . . 34 F9
Samsun . . . 76 G3
Samtredia . . . 76 K2
Samut Songkhram . . . 68 B4
San . . . 36 L7
San . . . 86 D2
San'ā . . . 82 H4
Sanaga . . . 86 G4
San Ambrosio . . . 118 F4
Sanana . . . 70 (2)C3
Sanana . . . 70 (2)C3
Sanandaj . . . 76 M6
San Angelo . . . 110 F2
San Antonia Abad . . . 46 M6
San Antonio, Chile . . . 118 G5
San Antonio, US . . . 112 E3
San Antonio de los Cobres . . . 118 H3
San Antonio-Oeste . . . 118 H7
Sanāw . . . 74 F6
San Benedetto del Tronto . . . 50 H6
San Bernardino . . . 110 C2
San Bernardo . . . 118 G6
San Borja . . . 116 D6
San Carlos, Chile . . . 118 G6
San Carlos, Philippines . . . 68 G3
San Carlos, Venezuela . . . 116 D3
San Carlos de Bolivár . . . 118 J6
San Carlos del Zulia . . . 116 C2
San Carlos Lake . . . 110 D2
San Cataldo . . . 50 H11
Sanchahe . . . 66 C1
Sanchakou . . . 60 P10
Sanchor . . . 72 B4
Sanchursk . . . 56 J3
San Clemente Island . . . 110 C2
San Cristóbal . . . 92 G7
San Cristóbal, Argentina . . . 118 J5
San Cristóbal, Venezuela . . . 116 C2
San Cristóbal de las Casas . . . 112 F5
Sancti Spíritus . . . 112 J4
Sandakan . . . 70 (1)F1
Sandane . . . 34 D6
Sandanski . . . 54 F3
Sanday . . . 42 K2
Sandefjord . . . 34 F7
Sanders . . . 110 E1
Sanderson . . . 110 F2

Name	Page	Grid
Sandfire Roadhouse	94	D3
San Diego	110	C2
Sandıklı	54	N6
Sandnes	34	C7
Sandnessjøen	34	G4
Sandoa	88	C5
Sandomierz	36	L7
San Donà di Piave	48	H5
Sandoway	72	F5
Sandpoint	104	C1
Sandray	42	E5
Sandviken	34	J6
Sandy	104	D2
Sandy Cape	94	K4
Sandy Island	94	D2
Sandy Lake	100	N6
Sandy Lake	100	N6
Sandy Springs	108	E3
San Felipe	102	D5
San Félix	118	E4
San Fernando, Chile	118	G5
San Fernando, Mexico	108	B5
San Fernando, Philippines	68	G3
San Fernando, Spain	46	D8
San Fernando de Apure	116	D2
Sanford, Fla., US	108	E4
Sanford, N.C., US	108	F2
San Francis	108	A2
San Francisco, Argentina	118	J5
San Francisco, US	104	B3
Sangamner	72	B5
Sangān	74	H3
Sangar	62	M4
Sangāreddi	72	C5
Sàngeorz-Bäi	52	M2
Sangerhausen	38	G5
Sangha	86	H4
Sanghar	74	J4
San Gimignano	48	G7
San Giovanni in Fiore	50	L9
San Giovanni Valdarno	48	G7
Sangir	70	(2)C2
Sangkhla Buri	68	B3
Sangkulirang	70	(1)F2
Sangli	72	B5
Sangmélima	86	G4
Sangre de Cristo Range	110	E1
Sangsang	72	E3
Sangue	116	F6
Sangüesa	46	J2
Sanjō	66	K5
San Joaquin Valley	104	B3
San Jose	104	B3
San Jose	112	H7
San Jose de Buenavista	68	G4
San Jose de Chiquitos	116	E7
San José de Jáchal	118	H5
San José del Cabo	112	C4
San José de Ocuné	116	C3
San Juan	112	H4
San Juan, Argentina	118	H5
San Juan, Costa Rica	112	H6
San Juan, Puerto Rico	112	L5
San Juan, US	110	E1
San Juan Bautista	118	K4
San Juan de los Cayos	116	D1
San Juan de los Morros	116	D2
San Juan Mountains	104	E3
San Julián	118	H8
Sankt-Peterburg	56	F3
Sankuru	88	C4
Sanlıurfa	76	H5
San Lorenzo	110	D3
Sanlúcar de Barrameda	46	D8
San Lucas	112	C4
San Luis	118	H5
San Luis Obispo	110	B1
San Luis Potosí	112	D4
San Luis Rio Colorado	110	D2
San Marcos	108	B4
San Marino	48	H7
San Marino	48	H7
San Martín	116	E6
Sanmenxia	64	E4
San Miguel	112	G6
San Miguel	116	E7
San Miguel de Tucumán	118	H4
San Miguel Island	110	B2
San Miniato	48	F7
San Nicolas de los Arroyos	118	J5
San Nicolás de los Garzas	108	A4
San Nicolas Island	110	C2
Sânnicolau Mare	52	H3
Sanok	36	M8
San Pablo, Philippines	68	G4
San Pablo	68	G4
San-Pédro	86	C4
San Pedro, Argentina	118	J3
San Pedro, Bolivia	116	E7
San Pedro de las Colonias	110	F3
San Pedro Sula	112	G5
San Pellegrino Terme	48	E5
San Pietro	50	C9
Sanqaçal	76	N3
San Rafael	118	H5
San Remo	48	C7
San Roque	46	E8
San Salvador	108	G5
San Salvador	112	G6
San Salvador de Jujuy	118	H3
Sansar	72	C4
San Sebastián = Donostia	46	J1
San Sebastian de los Reyes	46	G4
Sansepolcro	48	H7
San Sèvero	50	K7
Sanski Most	48	M6
San Stéfano	50	H8
Santa Ana, Bolivia	116	D7
Santa Ana, El Salvador	112	G6
Santa Ana, Mexico	110	D2
Santa Ana, US	110	C2
Santa Bárbara	102	E6
Santa Barbara	110	C2
Santa Barbara Island	110	C2
Santa Catalina	118	H4
Santa Catalina Island	110	C2
Santa Catarina	118	L4
Santa Clara, Columbia	116	D4
Santa Clara, Cuba	102	K7
Santa Clarita	110	C2
Santa Comba Dão	46	B4
Santa Cruz	118	G9
Santa Cruz, Bolivia	116	E7
Santa Cruz, US	110	B1
Santa Cruz de Tenerife	84	B3
Santa Cruz do Sul	118	B2
Santa Cruz Islands	92	G7
Santa Eugenia	46	A2
Santa Fe	118	E3
Santa Fé	118	J5
Sant'Agata di Militello	50	J10
Santa Isabel	92	F6
Santa Isabel	118	H6
Santa la Grande	102	K7
Santa Margarita	84	(1)B2
Santa Maria, Brazil	118	L4
Santa Maria, US	110	B2
Santa Maria das Barreiras	116	H5
Santa Marta	112	K6
Santana do Livramento	118	K5
Santander	46	G1
Sant'Antioco	50	C9
Santa Pola	46	K6
Santarém, Brazil	116	G4
Santarém, Spain	46	B5
Santa Rosa, Argentina	118	J6
Santa Rosa, R.G.S., Brazil	118	L4
Santa Rosa, Acre, Brazil	116	C5
Santa Rosa, Calif., US	104	B3
Santa Rosa, N.Mex., US	110	F2
Santa Rosa Island	110	B2
Santa Vitória do Palmar	118	L5
Sant Boi	46	N3
Sant Carlos de la Ràpita	46	L4
Sant Celoni	46	N3
Sant Feliu de Guixols	46	P3
Santiago	118	G5
Santiago, Brazil	118	L4
Santiago, Dominican Republic	112	K5
Santiago, Philippines	68	G3
Santiago, Spain	46	B2
Santiago de Cuba	112	J5
Santiago del Estero	118	J4
Santo André	118	M3
Santo Antão	86	(1)A1
Santo Antônio de Jesus	116	K6
Santo Antônio do Içá	116	D4
Santo Domingo	112	L5
Santo Domingo de los Colorados	116	B4
Santoña	46	G1
Santos	118	M3
San Vicente	68	G3
San Vincenzo	48	E5
Sanya	68	D3
Sao Bernardo do Campo	116	E4
São Borja	118	K4
São Carlos	118	M3
São Félix, M.G., Brazil	116	G6
São Félix, Pará, Brazil	116	G5
São Filipe	86	(1)B2
São Francisco	116	J6
São João de Madeira	46	B4
São Jorge	84	(1)B2
São José do Rio Prêto	118	L3
São Luís	116	J4
São Miguel	84	(1)B2
Saône	44	K7
São Nicolau	86	(1)B1
São Paulo	118	L3
São Paulo	118	M3
São Paulo de Olivenca	116	D4
São Raimundo Nonato	116	J5
São Tiago	86	(1)B1
São Tomé	86	F4
São Tomé	86	F4
São Tomé and Principe	86	F4
São Vicente	86	(1)A1
São Vicente	118	M3
Saparua	70	(2)C3
Sapele	86	F3
Sapes	54	H4
Sapientza	54	D8
Sa Pobla	46	P5
Sapporo	66	L2
Sapri	50	K8
Sapudi	70	(1)E4
Sapulpa	108	B2
Saqqez	76	M5
Sarāb	76	M5
Sara Buri	68	C4
Sarajevo	52	F6
Sarakhs	74	H2
Saraktash	56	L4
Saramati	72	G3
Saran	60	N8
Saranac Lake	106	F2
Sarandë	54	C5
Sarangani Islands	70	(2)C1
Saranpul	56	M2
Saransk	56	J4
Sarapul	56	K3
Sarapul'skoye	62	P7
Sarasota	108	E4
Sarata	52	S3
Saratoga	104	C2
Saratoga Springs	106	F2
Saratov	56	J4
Saravan	74	H4
Sarawak	70	(1)E3
Saray	54	K3
Sarayköy	54	L7
Sarayönü	54	Q6
Sarbāz	74	H4
Sarbīsheh	74	G3
Sárbogárd	52	F3
Sar Dasht	76	L5
Sardegna	50	E8
Sardinia = Sardegna	50	E8
Sardis Lake	108	B3
Sar-e Pol	74	J2
Sargodha	74	K3
Sarh	86	H3
Sārī	74	F2
Saria	54	K9
Sarıkamış	76	K3
Sarıkaya	54	Q6
Sarikei	70	(1)E2
Sarina	94	J4
Sariñena	46	K3
Sarīr Tibesti	82	C3
Sariwŏn	66	C4
Sark	44	C4
Sarkad	52	J3
Sarkand	60	P8
Sarkikaraağaç	54	P6
Sarkışla	54	G4
Şarköy	54	K4
Sarmi	70	(2)E3
Särna	34	G6
Sarny	56	E4
Sarolangun	70	(1)C3
Saronno	48	E5
Saros Körfezi	54	J4
Sárospatak	36	L9
Sarre	44	M5
Sarrebourg	44	N5
Sarreguemines	44	N4
Sarria	46	C2
Sartène	50	C7
Sartyn'ya	56	M2
Saruhanlı	54	K6
Sārūr	76	L4
Sárvár	48	M3
Sarvestān	79	E2
Sarviz	52	F2
Sarykamyshskoye Ozero	60	K9
Saryozek	60	P9
Saryshagan	60	N8
Sarysu	60	M8
Sary-Tash	74	K2
Sarzana	48	E6
Sasaram	72	D4
Sasebo	66	E7
Saskatchewan	100	K6
Saskatchewan	100	L6
Saskatoon	100	K6
Saskylakh	60	W3
Sassandra	86	C4
Sassari	50	C8
Sassnitz	38	J2
Sassuolo	48	F6
Satadougou	86	B2
Satara	72	B5
Satna	72	D4
Sátoraljaújhely	36	L9
Satti	72	C2
Sättna	34	J5
Satu Mare	52	K2
Satun	70	(1)B1
Sauce	118	K5
Saudi Arabia	74	D4
Sauk Center	106	B1
Saulgau	48	E2
Saulieu	44	K6
Sault Ste. Marie, Canada	106	D1
Sault Ste. Marie, US	106	D1
Saumlakki	70	(2)D4
Saumur	44	E6
Saunders Island	114	J9
Saurimo	88	C5
Sauðarkrókur	34	(1)D2
Sava	48	L5
Savaii	92	J7
Savalou	86	E3
Savannah	98	K6
Savannah, Ga., US	108	E3
Savannah, Tenn., US	108	D2
Savannakhet	68	C3
Savastepe	54	K5
Savè	86	E3
Save	90	E4
Säveh	74	F2
Saverne	44	C8
Savigliano	48	C6
Savona	48	D6
Savonlinna	34	Q6
Savu	70	(2)B5
Sawahlunto	70	(1)C3
Sawai Madhopur	72	C3
Sawqirah	74	G6
Sayanogorsk	60	S7
Sayansk	62	G6
Sayhūt	74	F6
Säylac	82	H5
Saynshand	64	E2
Sayram Hu	60	Q9
Say'ün	74	E6
Say-Utes	60	J9
Sazan	54	B4
Sazin	74	K2
Scafell Pike	42	J7
Scalea	50	K9
Scarborough	42	M7
Scarp	42	F3
Schaalsee	38	F3
Schaffhausen	48	D3
Schagen	40	G2
Scharbeutz	38	F2
Schärding	48	J2
Scharhörn	38	D3
Scheeßel	38	E3
Schefferville	100	T6
Scheibbs	48	L3
Schelde	40	F3
Schenectady	106	F2
Scheveningen	40	G2
Schiedam	40	G3
Schiermonnikoog	40	H1
Schio	48	G5
Schiza	54	D8
Schkeuditz	38	H5
Schlei	38	E2
Schleiden	40	J4
Schleswig	38	E2
Schlieben	38	J5
Schlüchtern	38	E6
Schneeberg	38	G6
Schneeberg	38	H6
Schönebeck	38	G4
Schongau	48	F3
Schöningen	38	F4
Schouwen	40	F3
Schramberg	48	D2
Schreiber	106	C1
Schrems	48	L2
Schull	42	C10
Schwabach	38	G7
Schwäbische Alb	48	E2
Schwäbisch-Gmünd	48	E2

Name		Page	Grid
Schwäbisch-Hall	●	38	E7
Schwalmstadt	●	38	E6
Schwandorf	●	38	H7
Schwarzenbek	●	38	F3
Schwarzenberg	●	38	H6
Schwarzwald	▨	48	D3
Schwaz	●	48	G3
Schwechat	●	36	F9
Schwedt	●	36	D4
Schweich	●	40	J5
Schweinfurt	●	38	F6
Schwenningen	●	48	D2
Schwerin	●	38	G3
Schweriner See	◪	38	G3
Schwetzingen	●	38	D7
Schwyz	●	48	D3
Sciacca	●	50	H11
Scicli	●	50	J12
Scobey	●	104	E1
Scotia Ridge	▨	118	K9
Scotia Sea	▭	120	(2)A4
Scotland	●	42	H5
Scott City	●	104	F3
Scott Inlet	▱	100	T2
Scott Island	▨	120	(2)Z3
Scott Reef	●	94	D2
Scottsbluff	●	104	F2
Scottsboro	●	106	C4
Scotty's Junction	●	110	C1
Scranton	●	106	E2
Scunthorpe	●	42	M8
Seal	◿	100	M5
Sea of Azov	▭	56	G5
Sea of Galilee	◪	78	C4
Sea of Marmara =			
Marmara Denizi	▭	54	L4
Sea of Okhotsk	▭	62	Q5
Sea of the Hebrides	▱	42	E4
Searchlight	●	110	D1
Searcy	●	106	B3
Seaside	●	104	B1
Seattle	●	104	B1
Sebeş	●	52	L4
Sebkha Azzel Matti	◿	84	F3
Sebkha de Timimoun	◿	84	E3
Sebkha de Tindouf	◿	84	D3
Sebkha Mekerrhane	◿	84	F3
Sebkha Oum el Drouss Telli	◿	84	C4
Sebkhet de Chemchâm	◿	84	C4
Sebnitz	●	38	K6
Sebring	●	108	E4
Secchia	◿	48	F6
Sechura	●	116	A5
Secretary Island	▨	96	A7
Secunderabad	●	72	C5
Sécure	◿	116	D7
Sedalia	●	106	B3
Sedan	●	40	G5
Sedano	●	46	G2
Sede Boqer	●	78	B6
Sedeh	●	74	G3
Sederot	●	78	B5
Sédico	●	48	H4
Sedom	●	78	C5
Seeheim	●	90	B5
Seelow	●	38	K4
Seesen	●	38	F5
Seevetal	●	38	E3
Séez	●	48	B5
Seferihisar	●	54	J6
Segamat	●	70	(1)C2
Segezha	●	56	F2
Seghnān	●	74	K2
Ségou	●	86	C2
Segovia	●	46	F4
Segré	●	44	E6
Séguédine	●	84	H4
Seguin	●	108	B4
Segura	◿	46	H6
Sehithwa	●	90	C4
Sehnde	●	38	E4
Seiland	▨	34	M1
Seiling	●	108	B2
Seinäjoki	●	34	M5
Seine	◿	44	F4
Sekondi	●	86	D3
Selassi	●	70	(2)D3
Selat Bangka	▱	70	(1)D3
Selat Berhala	▱	70	(1)C3
Selat Dampir	▱	70	(2)D3
Selat Karimata	▱	70	(1)C3
Selat Makassar	▱	70	(1)F3
Selat Mentawai	▱	70	(1)B3
Selat Sunda	▱	70	(1)D4
Selawik	●	110	(1)F2
Selb	●	38	H6
Selby	●	104	G1
Selçuk	●	54	K7
Selebi-Phikwe	●	90	D4
Sélestat	●	48	C2
Selfoss	●	34	(1)C3
Seligman	●	110	D1
Seljord	●	34	E7
Selkirk	●	102	G1
Selkirk Mountains	▱	102	C1
Sells	●	110	D2
Selm	●	40	K3
Selmer	●	106	C3
Selpele	●	70	(2)D3
Selvas	▨	116	C5
Selwyn Lake	●	100	L5
Selwyn Mountains	▱	110	(1)L3
Semanit	◿	54	B4
Semarang	●	70	(1)E4
Sematan	●	70	(1)D2
Sembé	●	86	G4
Seminoe Reservoir	◿	104	E2
Seminole, Okla., US	●	104	G3
Seminole, Tex., US	●	110	F2
Semiozernoye	●	60	L7
Semipalatinsk	●	60	Q7
Semiyarka	●	60	P7
Semois	◿	40	H5
Semporna	●	70	(1)F2
Sena Madureira	●	116	D5
Senanga	●	90	C3
Senatobia	●	108	D3
Sendai	●	66	L4
Senec	●	48	N2
Seneca	●	108	E3
Senegal	[A]	86	A2
Sénégal	◿	86	B1
Senftenberg	●	38	J5
Senhor do Bonfim	●	116	J6
Senica	●	36	G9
Senigallia	●	48	J7
Senja	▨	34	J2
Senlis	●	40	E5
Sennar	●	74	B7
Senneterre	●	106	E1
Sens	●	44	J5
Senta	●	52	H4
Seoni	●	72	C4
Seoul = Sôul	●	66	D5
Separation Point	▱	96	D5
Sept-Îles	●	100	T6
Seraing	●	40	H4
Serakhs	●	74	H2
Seram	●	70	(2)D3
Serang	●	70	(1)D4
Serbia = Srbija	●	52	H6
Serbia	[A]	52	H6
Serdobsk	●	56	H4
Serebryansk	●	60	Q8
Sered'	●	52	E1
Sereflikoçhisar	●	54	R6
Seregno	●	48	E5
Serein	◿	44	J6
Seremban	●	70	(1)C2
Serenje	●	90	E2
Sergelen	●	64	E1
Sergeyevka	●	56	N4
Sergipe	[a]	116	K6
Sergiyev Posad	●	56	G3
Seria	●	70	(1)E2
Serifos	▨	54	G7
Serik	●	54	P8
Seringapatam Reef	▨	94	D2
Sermata	●	70	(2)C4
Seronga	●	90	C3
Serov	●	56	M3
Serowe	●	90	D4
Serpa	●	46	C7
Serpukhov	●	56	G4
Serra Acari	▰	116	F3
Serra Curupira	▰	116	E3
Serra da Chela	▰	90	A3
Serra da Espinhaço	▰	116	J7
Serra da Ibiapaba	▰	116	J4
Serra da Mantiqueira	▰	118	M3
Serra de Maracaju	▰	118	K3
Serra do Cachimbo	▰	116	F5
Serra do Caiapó	▰	116	G7
Serra do Roncador	▰	116	G6
Serra dos Carajás	▰	116	G5
Serra dos Dois Irmãos	▰	116	J5
Serra dos Parecis	▰	116	E6
Serra do Tiracambu	▰	116	H4
Serra Estrondo	▰	116	H5
Serra Formosa	▰	116	F6
Serra Geral de Goiás	▰	116	H6
Serra Geral do Paraná	▰	116	H7
Serra Lombarda	▰	116	G3
Serra Pacaraima	▰	116	E3
Serra Parima	▰	116	E3
Serra Tumucumaque	▰	116	F3
Serre da Estrela	▰	46	C4
Serres, France	●	44	L9
Serres, Greece	●	54	F3
Serrinha	●	116	K6
Sertã	●	46	B5
Serui	●	70	(2)E3
Servia	●	54	D4
Sêrxü	●	64	B4
Sese Islands	▨	88	E4
Sesfontein	●	90	A3
Sesheke	●	90	C3
Sessa Aurunca	●	50	H7
Sestri Levante	●	48	E6
Sestroretsk	●	34	Q6
Sestrunj	▨	48	K6
Sesvete	●	48	M5
Setana	●	66	K2
Sète	●	44	J10
Sete Lagoas	●	116	J7
Setesdal	◿	34	D7
Sétif	●	84	G1
Settat	●	84	D2
Setúbal	●	46	B6
Sôul	●	92	C2
Seurre	●	44	L7
Sevana Lich	◿	76	L3
Sevastopol'	●	76	E1
Seven Lakes	●	110	E1
Sevenoaks	●	40	C3
Severn, Canada	◿	100	P5
Severn, UK	◿	42	K10
Severnaya Dvina	◿	56	H2
Severnaya Osetiya	◿	76	L2
Severnaya Zemlya	▨	60	U1
Severn Estuary	▱	42	J10
Severnoye	●	56	K4
Severnyy	●	60	L4
Severobaykal'sk	●	62	H5
Severodvinsk	●	56	G2
Severomorsk	●	34	S2
Severoural'sk	●	56	M2
Severo-Yeniseyskiy	●	60	S5
Sevier Lake	◿	104	D3
Sevilla	●	46	E7
Sevlievo	●	52	N7
Seward Peninsula	▱	110	(1)E2
Seyakha	●	60	N3
Seychelles	[A]	90	(2)B2
Seychelles Islands	▨	80	J6
Seydişehir	●	54	P7
Seydisfjöður	●	34	(1)G2
Seyhan	◿	76	F5
Seymchan	●	62	S4
Seymour, Ind., US	●	108	D2
Seymour, Tex., US	●	108	B3
Sézanne	●	44	J5
Sezze	●	50	H7
Sfakia	●	54	G9
Sfântu Gheorghe	●	52	N4
Sfax	●	84	H2
s-Gravenhage	●	40	G2
Sha'am	●	79	G3
Shabunda	●	88	D4
Shabwah	●	74	E6
Shache	●	60	P10
Shādegān	●	79	C1
Shadehill Reservoir	◿	104	F1
Shagamu	●	86	E3
Shagonar	●	60	S7
Shag Rocks	▨	118	N9
Shahbā	●	78	D4
Shahdāb	●	79	G1
Shahdol	●	72	D4
Shah Fuladi	▲	74	J3
Shahjahanpur	●	72	C3
Shahrak	●	74	H3
Shahr-e Bābāk	●	79	F1
Shahreza	●	74	F3
Shahrtuz	●	74	J2
Shakhrisabz	●	74	J2
Shakhtërsk	●	62	Q7
Shakhty	●	56	H5
Shakhun'ya	●	56	J3
Shaki	●	86	E3
Shakotan-misaki	▱	66	L2
Shama	◿	88	E5
Shamattawa	●	100	N5
Shamrock	●	110	F1
Shand	●	74	H3
Shandong Bandao	▱	64	G3
Shangani	◿	90	D3
Shangdu	●	64	E2
Shanghai	●	64	G4
Shangqui	●	64	F4
Shangrao	●	64	F5
Shangzhi	●	64	H1
Shangzhou	●	64	D4
Shantarskiye Ostrova	▨	62	P5
Shantou	●	64	F6
Shanwei	●	68	F2
Shanyin	●	64	E3
Shaoguan	●	64	E6
Shaoxing	●	64	G5
Shaoyang	●	64	E5
Shapkina	◿	56	K1
Shaqrā'	●	79	A4
Sharga	●	60	T8
Sharjah = Ash Shāriqah	●	79	F4
Shark Bay	▱	92	B8
Shark Reef	▨	94	J2
Sharm el Sheikh	●	82	F2
Sharūrah	●	74	E6
Shashe	◿	90	D4
Shashi	●	64	E4
Shasta Lake	◿	104	B2
Shats'k	●	36	N6
Shatsk	●	56	H4
Shaubak	●	78	C6
Shawano	●	106	C2
Shcherbakove	●	62	U3
Shchigry	●	56	G4
Shchuch'ye	●	60	L6
Shchuchyn	●	34	N10
Sheberghān	●	74	J2
Sheboygan	●	106	C2
Sheffield, New Zealand	●	96	D6
Sheffield, UK	●	42	L8
Sheffield, Al., US	●	106	C4
Sheffield, Tex., US	●	110	F2
Shegmas	●	56	J2
Shelburne	●	100	T8
Shelby	●	104	D1
Shelbyville	●	106	C3
Shelikof Strait	▱	110	(1)F4
Shenandoah	●	106	A2
Shendam	●	86	F3
Shendi	●	82	F4
Shenkursk	●	56	H2
Shenyang	●	66	B3
Shenzhen	●	64	E6
Shepetivka	●	56	E4
Shepparton	●	94	J7
Sherbro Island	▨	86	B3
Sherbrooke	●	106	F1
Sheridan	●	104	E2
Sherkaly	●	56	N2
Sherlovaya Gora	●	62	K6
Sherman	●	108	B3
s-Hertogenbosch	●	40	H3
Shetland Islands	▨	42	M1
Shetpe	●	60	J9
Sheyenne	◿	104	G1
Sheykh Sho'eyb	▨	79	E3
Shiant Islands	▨	42	F4
Shibata	●	66	K5
Shibetsu, Japan	●	66	M1
Shibetsu, Japan	●	66	N2
Shibotsu-jima	▨	66	P2
Shiderty	◿	60	N7
Shihezi	●	60	R9
Shijiazhuang	●	64	E3
Shikarpur	●	72	J4
Shikoku	▨	66	G7
Shikoku-sanchi	▰	66	G7
Shikotan-tō	▨	66	P2
Shikotsu-ko	◿	66	L2
Shiliguri	●	72	E3
Shilka	●	62	K6
Shilka	◿	62	K6
Shillong	●	72	F3
Shilovo	●	56	H4
Shimabara	●	66	F7
Shimla	●	72	C2
Shimoga	●	72	C6
Shimo-Koshiki-jima	▨	66	E8
Shimoni	●	88	F4
Shimonoseki	●	66	F7
Shinās	●	79	G4
Shindand	●	74	H3
Shingū	●	66	H7
Shinjō	●	66	L4
Shinyanga	●	88	E4
Shiono-misaki	▱	66	H7
Shiprock	●	104	E3
Shiquan	●	64	D4
Shirakawa	●	66	L5
Shīrāz	●	79	E2
Shire	◿	90	E3
Shiretoko-misaki	▱	66	N1
Shiriya-zaki	▱	66	L3
Shir Kūh	▲	79	F3
Shivpuri	●	72	C3
Shiyan	●	64	E4
Shizuishan	●	64	D3

Name	Page	Grid
Shizuoka	66	K6
Shkodër	52	G7
Shomishko	60	K8
Shorap	74	J4
Shoreham	40	B4
Shoshone, *Calif., US*	104	C3
Shoshone, *Id., US*	104	D2
Shoshoni	104	E2
Shostka	56	F4
Show Low	110	E2
Shoyna	56	H1
Shreveport	108	C3
Shrewsbury	42	K9
Shuangliao	66	B2
Shuangyashan	62	N7
Shubarkuduk	60	K8
Shulan	66	D1
Shumagin Islands	110	(1)E5
Shumen	52	P6
Shumikha	56	M3
Shuqrah	74	E7
Shurchi	74	J2
Shūr Gaz	79	H2
Shurinda	62	J5
Shuryshkary	56	N1
Shuya	56	H3
Shuyang	64	F4
Shwebo	68	B2
Shymkent	60	M9
Sialkot	74	K3
Siatista	54	D4
Šiauliai	36	N2
Sibay	56	L4
Šibenik	52	C6
Siberia = Sibir	58	N3
Siberut	70	(1)B3
Sibi	74	J4
Sibigo	70	(1)B2
Sibir	58	N3
Sibiu	52	M4
Sibolga	70	(1)B2
Sibu	70	(1)E2
Sibuco	68	G5
Sibut	88	B2
Sicilia	50	G11
Sicilian Channel	50	F11
Sicily = Sicilia	50	G11
Šid	52	G4
Siddipet	72	C5
Siderno	50	L10
Sidi Barrani	82	E1
Sidi Bel Abbès	84	E1
Sidi Kacem	84	D2
Sidirokastro	54	F3
Sidney	104	F2
Sidoan	70	(2)B2
Sidorovsk	60	Q4
Sieburg	40	K4
Siedlce	36	M5
Sieg	40	K4
Siegen	40	L4
Siemiatycze	36	M5
Siĕmréab	68	C4
Siena	48	G7
Sierpc	36	J5
Sierra Blanca	110	E2
Sierra Colorada	118	H7
Sierra de Calalasteo	118	H4
Sierra de Córdoba	118	H5
Sierra de Gata	46	D4
Sierra de Gúdar	46	K4
Sierra del Nevado	118	H6
Sierra de Perija	112	K7
Sierra Grande	118	H7
Sierra Leone	86	B3
Sierra Madre	112	F5
Sierra Madre del Sur	112	E5
Sierra Madre Occidental	102	E6
Sierra Madre Oriental	110	F3
Sierra Morena	46	E6
Sierra Nevada, *Spain*	46	G7
Sierra Nevada, *US*	110	B1
Sierra Vizcaino	102	D6
Sierre	48	C4
Sifnos	54	G8
Sig	46	K9
Sigean	44	H10
Sighetu Marmației	52	L2
Sighişoara	52	M3
Siglufjörður	34	(1)D1
Sigmaringen	48	E2
Signal Mountain	106	C3
Siguiri	86	C2
Sihanoukville	68	C4
Siilinjärvi	34	P5
Siirt	76	J5
Sikar	72	C3
Sikasso	86	C2
Sikea	54	F4
Sikeston	106	C3
Sikhote Alin	86	H1
Sikinos	54	G8
Siklós	52	F4
Siktyakh	62	L3
Sil	46	C2
Šilalė	36	M2
Silandro	48	F4
Silba	48	K6
Silchar	72	F4
Šile	54	M3
Silhouette Island	90	(2)B1
Siliana	50	D12
Silifke	76	E5
Siling Co	72	E2
Silistra	52	Q5
Silivri	54	L3
Siljan	34	H6
Sillamäe	34	P7
Silsbee	108	C3
Šilutė	36	L2
Silvan	76	J4
Silver Bay	106	B1
Silver City	110	E2
Silver Lake	104	B2
Silver Plains	94	H2
Simanggang	70	(1)E2
Simao	64	C6
Simav	76	C4
Simcoe	106	D2
Simeonovgrad	52	N7
Simeria	52	N12
Simeulué	70	(1)A2
Simferopol'	76	F1
Şimleu Silvaniei	52	K2
Simmerath	40	J4
Simojärvi	34	P3
Simpang	70	(1)C3
Simpson Desert	94	G4
Sinabang	70	(1)B2
Sinai	82	F2
Sinaia	52	N4
Sinak	76	K5
Sinalunga	50	F5
Sinanju	66	C4
Sincelejo	116	B2
Sinclair's Bay	42	J3
Sindangbarang	70	(1)D4
Sindelfingen	38	E8
Sines	46	B7
Singa	82	F5
Singapore	70	(1)C2
Singapore	70	(1)C2
Singaraja	70	(1)E4
Singen	48	D3
Singerei	52	R2
Singida	88	E4
Singkawang	70	(1)D2
Singkep	70	(1)C3
Singkilbaru	70	(1)B2
Singleton	94	K6
Siniscóla	50	D8
Sinj	52	D6
Sinjär	76	J5
Sinkat	82	G4
Sinni	50	L8
Sinop	76	F2
Sinsheim	38	D7
Sinton	108	B4
Sinŭiju	66	C3
Sinyaya	52	L4
Sió	52	F3
Siófok	52	F3
Sioux City	106	A2
Sioux Falls	106	A2
Sioux Lookout	102	H2
Siping	66	C2
Sipiwesk	100	M5
Sipura	70	(1)B3
Sira	34	D7
Siracusa	50	K11
Sir Banī 'Yās	79	E4
Sir Edward Pellew Group	94	G3
Siret	52	P2
Siret	52	Q4
Sīrgān	74	H4
Široki	36	L11
Şiri Kit Dam	68	B3
Sirk	79	G3
Sirohi	72	B4
Sirsa	72	C3
Sirsi	72	B6
Sisak	52	D4
Sisian	76	L4
Sisimiut	100	W3
Sisöphön	68	C4
Sisseton	104	G1
Sistema Central	46	E4
Sistema Iberico	46	H3
Sisteron	48	A6
Sitapur	72	D3
Sitasjaure	34	J3
Siteia	54	J9
Sitges	46	M3
Sithonia	54	F4
Sitka	100	D5
Sittard	40	H4
Sittwe	72	F4
Sivand	79	E1
Sivas	76	G4
Siverek	76	H5
Sivrihisar	54	P5
Siwa	82	E1
Siyäzän	76	N3
Sjælland	34	F9
Sjenica	52	H6
Sjenica Jezero	52	G6
Sjöbo	36	C2
Skädderviken	36	B1
Skaerbaek	38	D1
Skagen	34	F8
Skagerrak	34	D8
Skantzoura	54	G5
Skardu	74	L2
Skaulo	34	L3
Skawina	36	J8
Skegness	40	C2
Skellefteå	34	L4
Ski	34	F7
Skiathos	54	F5
Skidal'	36	P4
Skien	34	E7
Skikda	84	G1
Skipton	42	L8
Skjern	34	E9
Škofja Loka	48	K4
Skopelos	54	F5
Skopje	52	J7
Skövde	34	G7
Skovorodino	62	L6
Skowhegan	106	G2
Skuodas	34	L8
Skye	42	F4
Skyros	54	G6
Skyros	54	G6
Slagelse	38	G1
Slaney	42	F9
Slano	52	E7
Slantsy	34	Q7
Slaný	38	K6
Slatina	52	M5
Slave	98	N3
Slave Lake	100	J5
Slavonska Požega	52	E4
Slavonski Brod	52	F4
Slavyanka	66	F2
Slavyansk-na-Kubani	76	H1
Sławno	36	F3
Sleaford	40	B2
Sleeper Islands	100	Q5
Slidell	108	D3
Sligo	42	D7
Sligo Bay	42	D7
Sliven	52	P7
Slobozia, *Moldova*	52	S3
Slobozia, *Romania*	52	Q5
Slonim	34	N10
Slough	40	B3
Slovakia	36	H9
Slovenia	48	K4
Slovenj Gradec	48	L4
Slovenska Bistrica	48	L4
Slov"yans'k	56	G5
Słubice	36	D5
Slunj	48	L5
Słupca	36	G5
Słupsk	36	G3
Slutsk	56	E4
Slyudyanka	62	G6
Smålandsfarvandet	38	G1
Smallwood Reservoir	100	U6
Smargon'	34	P9
Smederevo	52	H5
Smila	56	F5
Smirnykh	62	Q7
Smiths Falls	106	E2
Smokey Hills	108	B2
Smoky	100	H5
Smøla	34	D5
Smolensk	56	F4
Smolyan	54	G3
Smooth Rock Falls	106	D1
Smyrna	108	E3
Snæfell	34	(1)F2
Snake	104	C1
Snake River Plain	104	D2
Snåsavatnet	34	F4
Sneek	40	H1
Snezhnogorsk	60	R4
Snežnik	48	K5
Snina	36	M9
Snøhetta	34	E5
Snøtinden	34	G3
Snowdon	42	H8
Snowdrift	100	J4
Snowville	104	D2
Snyder	110	F2
Soalala	90	H3
Soanierana-Ivongo	90	H3
Soa-Siu	70	(2)C2
Sobral	116	J4
Sochaczew	36	K5
Sochaux	48	B3
Sochi	76	H2
Socorro	110	E2
Socotra = Suquṭrā	74	F7
Socuéllamos	46	H5
Sodankylä	34	P3
Söderhamn	34	J6
Södertälje	34	J7
Sodo	88	F2
Soe	70	(2)B4
Soest	40	L3
Sofia = Sofiya	52	L7
Sofiya	52	L7
Sofiysk, *Russia*	62	N6
Sofiysk, *Russia*	62	P6
Soforog	34	R4
Sõfu-gan	64	L5
Sogamoso	116	C2
Sognefjorden	34	C6
Sogod	68	G4
Sog Xian	72	F2
Sohåg	82	F2
Soignies	40	G4
Soissons	40	F5
Sokch'o	66	E4
Söke	54	K7
Sokhumi	76	J2
Sokode	86	E3
Sokol	56	H3
Sokółka	34	M10
Sokolo	86	C2
Sokolov	38	H6
Sokołów Podlaski	36	M5
Sokoto	86	F2
Sokoto	86	F2
Sokyryany	52	Q1
Solander Island	96	A8
Solapur	72	C5
Sölden	48	F4
Solenzara	50	D7
Solikamsk	56	L3
Sol'-Iletsk	56	L4
Soliman	50	E12
Solingen	40	K3
Sollefteå	34	J5
Soller	46	N5
Solna	34	J7
Solomon Islands	92	F6
Solothurn	48	C3
Solov'yevsk	62	K6
Šolta	52	D6
Sol'tsy	56	F3
Solway Firth	42	J7
Solwezi	90	D2
Sóma	54	K5
Somalia	88	H2
Sombor	52	G4
Sombrerete	110	F4
Somerset, *Australia*	94	H2
Somerset, *Ky., US*	106	C3
Somerset, *Pa., US*	106	E2
Somerset Island	100	N2
Someş	52	K2
Somme	40	E4
Sommen	34	H8
Sömmerda	38	G5
Sømna	34	F4
Sondags	90	D6
Sønderborg Ærø	38	E2
Sondershausen	38	F5
Sóndrio	48	E4
Songavatn	34	D7
Songea	88	F6
Song Hông	68	C2
Songhua	64	H1
Songhua Hu	66	D2
Songhua Jiang	66	D1

167

Songkan 64 D5
Songkhla 68 C5
Songnam 66 D5
Songnim 66 C4
Songo 90 E3
Songololo 86 G6
Songpan 64 C4
Sonid Yuoqi 64 E2
Sonid Zuoqi 64 E2
Son La 68 C2
Sonneberg 38 G6
Sono 116 H6
Sonora 110 B1
Sonora 110 D3
Sonoyta 110 D2
Sonsorol Islands 70 (2)D1
Sonthofen 48 F3
Sopot 34 K9
Sopron 48 M3
Sora 50 H7
Soracaba 118 M3
Sorel 106 F1
Sorgun 76 F4
Soria 46 H3
Sorø 38 G1
Soroca 52 R1
Sorochinsk 56 K4
Sorong 70 (2)D3
Soroti 88 E3
Sørøya 34 L1
Sorrento 50 J8
Sorsele 34 J4
Sorso 50 C8
Sort 46 M2
Sortavala 34 R6
Sørvagen 34 G3
Sosnogorsk 60 J5
Sosnovo 34 R6
Sosnowiec 36 J7
Sos'va 56 M3
Sos'vinskaya 56 M2
Soto la Marina 110 G4
Soubré 86 C3
Soufli 54 J3
Souilly 40 H5
Souk Ahras 50 B12
Sŏul 66 D5
Soulac-sur-Mer 44 D8
Soumussalmi 34 Q4
Soûr 78 C3
Soure 46 B5
Sour el Ghozlane 46 P8
Souris 102 F2
Souris 102 G2
Sousa 116 K5
Sousse 84 H1
South Africa 90 C6
South America 98 J9
Southampton, Canada 106 D2
Southampton, UK 40 A4
Southampton Island 100 Q4
South Andaman 72 F6
South Atlantic Ocean 118 P6
South Australia 94 F5
South Baymouth 106 D1
South Bend 106 C2
South Boston 106 E3
South Carolina 108 E3
South Charleston 108 E2
South China Sea 68 E4
South Dakota 104 F2
South Downs 40 B4
South East Cape 94 J8
South East Point 94 J7
Southend-on-Sea 40 C3
Southern Alps 96 B6
Southern Cross 94 C6
Southern Indian Lake 100 M5
South Georgia 118 P9
South Harris 42 F4
South Haven 106 C2
South Hill 106 E3
South Island 96 B6
South Korea 66 D5
South Lake Tahoe 104 B3
South Orkney Islands 120 (2)A3
South Pacific Ocean 118 P6
South Platte 104 F2
Southport 42 J8
South Ronaldsay 42 K3
South Sandwich Islands 120 (2)C4
South Sandwich Trench 114 H9
South Saskatchewan 102 D1
South Shetland Islands 120 (2)MM4
South Shields 42 L7
South Taranaki Bight 96 D4
South Uist 42 E4
South West Cape, Auckland Island 96 (2)A1

South West Cape, Australia 94 H8
Southwest Cape 96 A8
South West Pacific Basin 92 L9
Southwold 40 D2
Sovata 52 N3
Sovetsk, Russia 34 L9
Sovetsk, Russia 56 J3
Soweto 90 D5
Sōya-misaki 66 L1
Sozopol 52 Q7
Spa 40 H4
Spain 46 F5
Spalding 40 B2
Sparks 110 C1
Spartanburg 108 E3
Sparti 54 E7
Sparwood 104 D1
Spassk-Dal'niy 66 G1
Spearfish 104 F2
Spencer 106 A2
Spencer Gulf 94 G6
Spetses 54 F7
Spey 42 J4
Speyer 40 L5
Spiekeroog 38 C3
Spiez 48 C4
Spišská Nová Ves 36 K9
Spitsbergen 120 (1)P2
Spittal 48 J4
Split 52 D6
Spokane 104 C1
Spoleto 50 G6
Spooner 106 B1
Sprague 104 C1
Spratly Islands 68 E4
Spray 104 C2
Spree 38 K4
Spremberg 38 K5
Spring 108 B3
Springbok 90 B5
Springe 38 E4
Springer 110 F1
Springerville 110 E2
Springfield, Colo., US 110 F1
Springfield, Ill., US 106 C3
Springfield, Mass., US 106 F2
Springfield, Mo., US 106 B3
Springfield, Oh., US 106 D3
Springfield, Oreg., US 104 B2
Springfield, Vt., US 106 F2
Spring Hill 108 E4
Springs 90 D5
Springs Junction 96 D6
Springsure 94 J4
Springville, Al., US 108 D3
Springville, N.Y., US 106 E2
Squamish 104 B1
Squinzano 50 N8
Srbija 52 H6
Srbobran 52 G4
Sredenekolymsk 62 S3
Sredninny Khrebet 62 T6
Srednesibirskoye Ploskogor'ye 62 F3
Srednogorie 54 G2
Śrem 36 G5
Sretensk 62 K6
Sri Jayewardenepura Kotte 72 D7
Srikakulam 72 D5
Sri Lanka 72 D7
Srinagar 72 B2
Stack Skerry 42 H2
Stade 34 E10
Stadlandet 34 C5
Stadskanaal 40 J2
Stadtallendorf 38 E6
Stadthagen 38 E4
Staffa 42 F5
Staffelstein 38 F6
Stafford 42 K9
Staines 40 B3
Stainz 48 L4
Stakhanov 56 G5
Stalowa Wola 36 M7
Stambolijski 54 G2
Stamford, UK 40 B2
Stamford, US 106 F2
Standish 106 D2
Standon 106 D3
Stanke Dimitrov 54 F2
Stanley, Australia 94 J8
Stanley, Falkland Islands 118 K9
Stanley, US 104 F1
Stanovaya 62 T3
Stanovoy Nagor'ye 62 J5
Stanovoy Khrebet 62 L5
Staphorst 40 J2
Stapleton 104 F2

Starachowice 36 L6
Stara L'ubovňa 36 K8
Stara Pazova 52 H5
Stara Planina 54 F1
Staraya Russa 56 F3
Stara Zagora 52 N7
Starbuck Island 92 L6
Stargard Szczeciński 34 H10
Starkville 108 D3
Starnberg 48 G2
Starnberger See 48 G3
Start Point 44 B3
Staryy Oskol 56 G4
Staszów 36 L7
Statesboro 108 E3
Statesville 108 E2
Staunton 108 F2
Stavanger 34 C7
Stavoron 40 H2
Stavropol' 76 J1
Stavropol'skaya Vovyshennost' 56 H5
Steamboat Springs 104 E2
Steens Mountains 104 C2
Stefansson Island 100 L2
Stege 38 H1
Ştei 52 K3
Štein 38 G7
Steinach 48 G3
Steinfurt 40 K2
Steinkjer 34 F4
Stenay 40 H5
Stendal 38 G4
Steno Antikythiro 54 F9
Stephenville 108 B3
Sterling 104 F2
Sterling City 110 F2
Sterling Heights 106 D2
Sterlitamak 56 L4
Sternberk 36 G8
Stettiner Haff 34 G10
Stevenage 40 B3
Stevens Point 106 C2
Stevens Village 110 (1)H2
Stewart 100 F5
Stewart 110 (1)K3
Stewart Island 96 A8
Steyr 48 K2
Stillwater 108 B2
Stinnett 110 F1
Ştip 54 E3
Stirling 42 J5
Stjørdal 34 F5
Stockach 48 E3
Stockerau 48 M2
Stockholm 34 K7
Stockport 42 K8
Stockton, Calif., US 110 B1
Stockton, Kans., US 110 G1
Stockton-on-Tees 42 L7
Stoke-on-Trent 42 K8
Stokksnes 34 (1)F2
Stolac 52 F6
Stolberg 40 J4
Stolin 56 E4
Stollberg 38 H6
Stonehaven 42 K5
Stony Rapids 100 K5
Stör 38 E2
Stora Lulevatten 34 K3
Stord 34 C7
Store Bælt 38 F1
Støren 34 F5
Store Sotra 34 B6
Storlien 34 G5
Storm Bay 94 J8
Storm Lake 106 A2
Stornoway 42 F3
Storozhevsk 56 K2
Storozhynets' 52 N1
Storsjøen 34 F6
Storsjön, Sweden 34 G5
Storsjön, Sweden 34 J6
Storuman 34 J4
Storuman 34 J4
Stour 40 C2
Stowmarket 40 D2
Strabane 42 E7
Stradella 48 E5
Strait of Belle Isle 100 V6
Strait of Bonifacio 50 D7
Strait of Dover 40 D4
Strait of Georgia 104 B1
Strait of Gibraltar 46 E9
Strait of Hormuz 79 G3
Strait of Juan de Fuca 104 B1
Strait of Malacca 70 (1)C2

Straits of Florida 108 E5
Strakonice 38 J7
Stralsund 34 G9
Strand 90 B6
Stranda 34 D5
Strandavatn 34 D6
Stranraer 42 H7
Strasbourg 48 C2
Strasburg 110 F1
Strășeni 52 R2
Stratford, Canada 106 D2
Stratford, US 104 F3
Stratford-upon-Avon 40 A2
Strathroy 106 D2
Stratoni 54 F4
Stratton 106 F1
Straubing 48 H2
Straumnes 34 (1)B1
Strausberg 38 J4
Streaky Bay 94 F6
Streator 106 C2
Strehaia 52 L5
Strelka, Russia 62 E5
Strelka, Russia 62 S4
Strezhevoy 56 Q2
Strimonas 54 F4
Strofades 54 C7
Strómboli 50 K10
Strömsund 34 H5
Stronsay 42 K2
Stroud 42 K10
Struga 54 C3
Strugi-Krasnyye 34 Q7
Strumica 54 E3
Stryjama 52 M7
Stryy 36 N8
Stryy 36 N8
Strzegom 36 F7
Strzelce Opolskie 36 H7
Strzelin 36 G7
Sturgeon Bay 106 C2
Sturgeon Falls 106 E1
Sturgis, Ky., US 106 C3
Sturgis, S.D., US 104 F2
Sturkö 36 E1
Štúrova 36 H10
Sturt Stony Desert 94 G5
Stuttgart, Germany 48 E2
Stuttgart, US 108 C3
Stykkishólmur 34 (1)B2
Suai 70 (2)C4
Suakin 82 G4
Subcule 82 H5
Subi Besar 70 (1)D2
Sublette 110 F1
Subotica 52 G3
Suceava 52 P2
Suck 42 D8
Sucre 116 D7
Sudak 76 F1
Sudan 82 E5
Sudan 86 D2
Suday 56 H3
Sudbury, Canada 106 D1
Sudbury, UK 40 C2
Sudd 88 E2
Sudová Vyshnya 36 N8
Suez = El Suweis 82 F2
Suez Canal 82 F1
Suffolk 108 F2
Sugun 74 L2
Suhār 79 G4
Suhl 38 F6
Suide 64 E3
Suifenhe 66 F1
Suihua 62 M7
Suippes 40 G5
Suir 42 E9
Suixi 64 E6
Suizhong 64 G2
Suizhou 64 E4
Sukabumi 70 (1)D4
Sukadana 70 (1)D3
Sukhinichi 56 G4
Sukhona 56 H3
Sukkertoppen = Maniitsoq 100 W3
Sukkur 74 J4
Sula 56 K1
Sula 56 K1
Sula Sgeir 42 F2
Sulawesi 70 (2)A3
Sulejówek 36 L5
Sule Skerry 42 H2
Sulgachi 62 N4
Sulina 52 S4
Sulingen 40 L2
Sullana 116 A4
Sullivan 108 C2

Name	Sym	Page	Grid
Sulmona	◉	50	H6
Sulphur Springs	◉	108	B3
Sultanhanı	◉	54	R6
Sultanpur	◉	72	D3
Sulu Archipelago	◉	68	G5
Sulu Sea	≈	68	F5
Sulzbach	◉	40	K5
Sulzbach-Rosenberg	◉	38	G7
Sulzberger Bay	≈	120	(2)CC2
Sumatera	≋	70	(1)C2
Sumatra = Sumatera	≋	70	(1)C2
Sumba	≋	70	(2)A5
Sumbawa	≋	70	(2)A4
Sumbawabesar	◉	70	(2)A4
Sumbawanga	◉	88	E5
Sumbe	◉	90	A2
Şumen	◉	76	B2
Sumenep	◉	70	(1)E4
Sumisu-jima	≋	66	L8
Sumkino	◉	56	N3
Summer Lake	⚑	104	B2
Summerville	◉	108	E3
Summit	◉	100	B4
Šumperk	◉	36	G8
Sumqayıt	◉	76	N3
Sumter	◉	108	E3
Sumy	◉	56	F4
Sunbury	◉	106	E2
Sunch'ŏn	◉	66	D6
Sun City	◉	90	D5
Sundance	◉	104	F2
Sundarbans	◉	72	E4
Sunday Strait	≈	94	D3
Sunderland	◉	42	L7
Sundridge	◉	106	E1
Sundsvall	◉	34	J5
Sundsvallsbukten	≈	34	J5
Sungaipenuh	◉	70	(1)C3
Sungei Petani	◉	68	C5
Sunnyvale	◉	104	B3
Sun Prairie	◉	106	C2
Suntar	◉	62	K4
Suntsar	◉	74	H4
Sunwu	◉	62	M7
Sunyani	◉	86	D3
Suomussalmi	◉	56	E2
Suŏ-nada	≈	66	F7
Suonenjoki	◉	34	P5
Suordakh	◉	62	P3
Suoyarvi	◉	56	F2
Superior	◉	102	H2
Supetar	◉	52	D6
Süphan Dağı	▲	76	K4
Sūqash Shuyūkh	◉	79	B1
Suqian	◉	64	F4
Suquţrā	◉	74	F7
Şūr	◉	74	G5
Sura	◿	56	J4
Surab	◉	74	J4
Surabaya	◉	70	(1)E4
Şūrak	◉	79	H4
Surakarta	◉	70	(1)E4
Şurany	◉	52	F1
Surat	◉	72	B4
Surat Thani	◉	68	B5
Surdulica	◉	52	K7
Şūre	◿	40	H5
Surfers Paradise	◉	94	K5
Surgut	◉	60	N5
Surgutikha	◉	60	R5
Surigao	◉	68	H5
Surin	◉	68	C4
Suriname	Ⓐ	116	F3
Surkhet	◉	72	D3
Sūrmaq	◉	79	E1
Surovikino	◉	56	H5
Surskoye	◉	56	J4
Surt	◉	84	J2
Surtsey	≋	34	(1)C3
Susa	◉	48	C5
Şuşa	◉	76	M4
Sušac	◉	52	D7
Susak	≋	48	K6
Susanville	◉	104	B2
Suşehri	◉	76	H3
Sušice	◉	38	J7
Susitma	◿	110	(1)G3
Susuman	◉	62	R4
Susurluk	◉	54	L5
Sutherland	◉	90	C6
Sutlej	◿	72	B3
Suusamyr	◉	60	N9
Suva	◉	92	H7
Suvorov Island	≋	92	K7
Suwałki	◉	36	M3
Suwannaphum	◉	68	C3
Suweilih	◉	78	C4
Suweima	◉	78	C5
Suwŏn	◉	66	D5
Suzak	◉	56	N6
Suzhou, China	◉	64	F4
Suzhou, China	◉	64	G4
Suzuka	◉	66	J6
Suzu-misaki	≋	66	J5
Svalbard	≋	120	(1)Q2
Svalyaya	◉	52	L1
Svartenhuk Halvø	≋	100	V2
Svatove	◉	56	G5
Sveg	◉	34	H5
Svendborg	◉	34	F9
Šventoji	◿	34	N9
Sverdrup Islands	≋	120	(1)DD2
Svetac	◉	52	C6
Sveti Nikole	◉	54	D3
Svetlaya	◉	62	P7
Svetlogorsk	◉	36	K3
Svetlograd	◉	76	K1
Svetly, Russia	◉	36	K3
Svetly, Russia	◉	60	L7
Svidník	◉	36	L8
Svilengrad	◉	54	J3
Svishtov	◉	52	N6
Svitava	◿	36	F8
Svitovy	◉	36	F8
Svobodnyy	◉	62	M6
Svratka	◿	36	F8
Svyetlahorsk	◉	56	E4
Swain Reefs	≋	94	K4
Swains Island	≋	92	J7
Swakopmund	◉	90	A4
Swale	◿	42	K7
Swan	◉	114	C2
Swan Hill	◉	94	H7
Swan Islands	≋	112	H5
Swan River	◉	100	L6
Swansea, Australia	◉	94	J8
Swansea, UK	◉	42	J10
Swaziland	Ⓐ	90	E5
Sweden	Ⓐ	34	H6
Sweetwater	◉	110	F2
Swider	◿	36	L5
Świdnica	◉	36	F7
Świdnik	◉	36	M6
Świdwin	◉	36	E4
Świebodzin	◉	36	E5
Swift Current	◉	102	E1
Swindon	◉	40	A3
Świnoujście	◉	34	H10
Switzerland	Ⓐ	48	C4
Syalakh	◉	62	L3
Syamzha	◉	56	H2
Sydney, Australia	◉	94	K6
Sydney, Canada	◉	100	U7
Syke	◉	40	L2
Syktyvkar	◉	56	K2
Sylacauga	◉	108	D3
Sylhet	◉	72	F4
Sylt	≋	34	E9
Sylvania	◉	106	D2
Sym	◉	60	R5
Sym	◿	60	R5
Symi	◉	54	K8
Synya	◉	56	L1
Syracuse, Kans., US	◉	110	F1
Syracuse, N.Y., US	◉	106	E2
Syrdar'ya	◉	60	L8
Syrdar'ya	◿	74	J1
Syria	Ⓐ	74	C3
Syrian Desert = Bādiyat ash Shām	≋	78	D4
Syrna	≋	54	J8
Syros	≋	54	G7
Sytomino	◉	56	P2
Syzran'	◉	56	J4
Szamos	◿	52	K1
Szamotuły	◉	36	F5
Szarvas	◉	36	K11
Szczecin	◉	36	D4
Szczecinek	◉	36	F4
Szczytno	◉	36	K4
Szeged	◉	52	H3
Szeghalom	◉	52	J2
Székesfehérvár	◉	52	F2
Szekszárd	◉	52	F3
Szentendre	◉	52	G2
Szentes	◉	52	H3
Szerencs	◉	36	L9
Szigetvár	◉	52	E3
Szolnok	◉	52	H2
Szombathely	◉	52	D2
Szprotawa	◉	36	E6

T

Name	Sym	Page	Grid
Tab	◉	52	F3
Tabarka	◉	50	C12
Tabas	◉	74	G3
Taber	◉	104	D1
Table Cape	▱	96	G4
Tabong	◉	72	G3
Tábor	◉	36	D8
Tabor	◉	62	R2
Tabora	◉	88	E5
Tabou	◉	86	C4
Tabrīz	◉	76	M4
Tabuaeran	≋	92	K5
Tabūk	◉	74	C4
Tacheng	◉	60	Q8
Tachov	◉	38	H7
Tacloban	◉	68	H4
Tacna	◉	116	C7
Tacoma	◉	102	B2
Tacuarembó	◉	118	K5
Tacurong	◉	70	(2)B1
Tadjoura	◉	82	H5
Tadmur	◉	76	H6
Tadoussac	◉	106	G1
Taech'ŏn	◉	66	D5
Taegu	◉	66	E6
Taejŏn	◉	64	H3
Tafahi	≋	92	J7
Tafalla	◉	46	J2
Tafila	◉	78	C6
Tafi Viejo	◉	118	H4
Taganrog	◉	56	G5
Taganrogskiy Zaliv	▱	56	G5
Tagul	◉	62	F6
Tagum	◉	68	H5
Tagus	◿	46	B5
Taharoa	◉	96	E4
Tahiti	≋	92	M7
Tahoe Lake	⚑	100	K2
Tahoka	◉	110	F2
Tahoua	◉	86	F2
Tahrūd	◉	79	G2
Tai'an	◉	64	F3
Tai-chung	◉	64	G6
Taihape	◉	96	E4
Taihe	◉	64	E5
Taikeng	◉	64	E4
Tailem Bend	◉	94	G7
Tain	◉	42	H4
Tai-nan	◉	64	G6
Tai-Pei	◉	64	G6
Taiping	◉	70	(1)C1
Taipingchuan	◉	66	B1
T'ai-tung	◉	68	G2
Taivalkoski	◉	34	Q4
Taiwan	Ⓐ	68	G2
Taiwan Strait	▱	68	F2
Taiyuan	◉	64	E3
Taizhou	◉	64	F4
Ta'izz	◉	74	D7
Tajikistan	Ⓐ	74	J2
Tajima	◉	66	K5
Tajo	◿	32	D3
Tak	◉	68	B3
Takaka	◉	96	D5
Takamatsu	◉	66	H6
Takaoka	◉	66	J5
Takapuna	◉	96	E3
Takasaki	◉	66	K5
Takayama	◉	66	J5
Takefui	◉	66	J6
Takengon	◉	70	(1)B2
Takestān	◉	74	C2
Takht	◉	62	P6
Takhta-Bazar	◉	74	H2
Takhtabrod	◉	60	M7
Takhtakupyr	◉	60	K8
Takijuq Lake	⚑	100	J3
Takikawa	◉	66	L2
Takoradi	◉	86	D4
Taksimo	◉	62	J5
Takua Pa	◉	68	B5
Takum	◉	86	G3
Talak	◉	84	F5
Talara	◉	116	A4
Talas	◉	60	N9
Tal'at Mūsá	▲	76	G6
Talavera de la Reina	◉	46	F5
Talaya	◉	62	S4
Talbotton	◉	108	G6
Talca	◉	118	G6
Talcahuano	◉	118	G6
Taldykorgan	◉	60	P9
Tālesh	◉	74	(2)B3
Taliabu	≋	70	(2)B3
Talibon	◉	68	G4
Talitsa	◉	56	M3
Tall 'Afar	◉	76	K5
Tallahassee	◉	108	E4
Tallaimannar	◉	72	C7
Tall al Laḥm	◉	79	B1
Tallinn	■	34	N7
Tall Kalakh	◉	78	D2
Tallulah	◉	102	H5
Tall 'Uwaynāt	◉	76	K5
Tālmaciu	◉	52	M4
Tal'menka	◉	60	Q7
Talon	◉	62	R5
Tāloqān	◉	60	N10
Taloyoak	◉	100	N3
Talsi	◉	34	M8
Taltal	◉	118	G4
Tama	◉	106	B2
Tamale	◉	86	D3
Tamanrasset	◉	84	G4
Tamanthi	◉	72	G3
Tamási	◉	52	F3
Tamazunchale	◉	102	G7
Tambacounda	◉	86	B2
Tambey	◉	60	N3
Tambo	◉	94	J4
Tambov	◉	56	H4
Tambu	◉	70	(2)A3
Tambura	◉	88	D2
Tampa	◉	108	E4
Tampere	◉	34	M6
Tampico	◉	112	E3
Tamsagbulag	◉	64	F1
Tamsweg	◉	48	J3
Tamworth, Australia	◉	94	K6
Tamworth, UK	◉	40	A2
Tana, Kenya	◿	88	G4
Tana, Norway	◿	34	P2
Tanabe	◉	66	H7
Tanacross	◉	110	(1)J3
Tanafjorden	◉	34	Q1
Tanaga Island	≋	110	(3)C1
T'ana Häyk'	⚑	82	G5
Tanahgrogot	◉	70	(1)F3
Tanahjampea	≋	70	(2)A4
Tanahmerah	◉	70	(2)F4
Tanami Desert	≋	94	F3
Tanami Mine	◉	94	E4
Tánaro	◿	48	C6
Tandag	◉	68	H5
Tăndărei	◉	52	Q5
Tandil	◉	118	K6
Tanega-shima	≋	66	F8
Tanew	◿	36	M7
Tanezrouft	◉	84	E4
Tanga, Russia	◉	62	J6
Tanga, Tanzania	◉	88	F5
Tanger	◉	84	D1
Tangermünde	◉	38	G4
Tangmai	◉	64	F3
Tangra Yumco	◿	72	E2
Tanimbar	≋	92	D6
Tanjona Ankaboa	▱	90	G4
Tanjona Bobaomby	▱	90	H2
Tanjona Masoala	▱	90	J3
Tanjona Vilanandro	▱	90	G3
Tanjona Vohimena	▱	90	H5
Tanjung	◉	70	(1)F3
Tanjungbalai	◉	70	(1)B2
Tanjung Cangkuang	▱	70	(1)C4
Tanjung Datu	▱	70	(1)D2
Tanjung d'Urville	▱	70	(1)D2
Tanjung Libobo	▱	70	(2)C3
Tanjung Mengkalihat	▱	70	(1)F2
Tanjungpandan	◉	70	(1)D3
Tanjung Puting	▱	70	(1)E3
Tanjungredeb	◉	70	(1)F2
Tanjung Selatan	▱	70	(1)E3
Tanjungselor	◉	70	(1)F2
Tanjung Vals	▱	70	(2)E4
Tankovo	◉	60	R5
Tankse	◉	72	C2
Tanlovo	◉	56	P1
Tanney	◉	40	G5
Tanout	◉	86	F2
Tanta	◉	82	F1
Tan-Tan	◉	84	C3
Tanzania	Ⓐ	88	G1
Taonan	◉	64	G1
Taomasina	◉	90	H3
Taongi	≋	92	H3
Taormina	◉	50	K11
Taos	◉	110	E1
Taoudenni	◉	84	E4
Taourirt	◉	84	E2
T'ao-yuan	◉	68	G2
Tapa	◉	34	N7
Tapachula	◉	112	F6
Tapajós	◿	116	F4
Tapauá	◉	116	E5
Tapolca	◉	52	E3
Tappahannock	◉	108	F2
Tapsuy	◿	56	M2

Name	Page	Grid
Tapuaenuku	96	D6
Taquarí	116	F7
Tara	56	Q3
Tara	60	N6
Tarābulus	84	H2
Taracua	116	D3
Tarāghin	84	H3
Tarakan	68	F6
Taran	60	N3
Taranaki = Mount Egmont	96	E4
Tarancón	46	H5
Taranto	50	M8
Tarapoto	116	B5
Tarare	44	K8
Tarascon	44	K10
Tarauacá	116	C5
Tarauacá	116	C5
Tarawa	92	H5
Tarawera Lake	96	F4
Tarazona	46	J3
Tarbes	44	F10
Tarbet	42	F4
Tarcoola	94	F6
Taree	94	K6
Tarfaya	84	C3
Târgoviște	52	N5
Târgu Frumos	52	Q2
Târgu Jiu	52	L4
Târgu Lăpuș	52	L2
Târgu Mureș	52	M3
Târgu-Neamț	52	P2
Târgu Ocna	52	P3
Târgu Secuiesc	52	P3
Tarhunah	84	H2
Tarif	79	E4
Tarifa	46	E8
Tarija	118	J3
Tarim	60	Q9
Tarim	74	E6
Tarim Pendi	60	Q10
Tarin Kowt	74	J3
Tariskay Shan	60	Q9
Taritatu	70	(2)E3
Tarko Sale	108	B1
Tarko Sale	60	P5
Tarlac	68	G3
Tarn	44	H10
Tarna	36	K10
Tarnaby	34	H4
Tărnăveni	52	M3
Tarnogskiy Gorodok	56	H2
Tărnovo	54	K2
Tarnów	36	K7
Tarnowskie Góry	36	H7
Taro	48	E6
Taroom	94	J5
Taroudannt	84	D2
Tarquinia	50	F6
Tarragona	46	M3
Tarras	96	B7
Tàrrega	46	M3
Tarso Emissi	82	C3
Tarsus	76	F5
Tartagal	118	J3
Tartu	34	P7
Tartūs	78	C2
Tarutyne	52	S3
Tarvisio	48	J4
Tasbuget	56	N6
Tashigang	72	F3
Tashir	76	L3
Tashkent	60	M9
Tash-Kömür	60	N9
Tashtagol	60	R7
Tasiilaq	100	Z3
Tasikmalaya	70	(1)D4
Taskesken	60	Q8
Tasman Bay	96	D5
Tasmania	92	E10
Tasmania	94	H8
Tasman Mountains	96	D5
Tasman Sea	96	B3
Tășnad	52	K2
Taşova	76	G3
Tassili du Hoggar	84	F4
Tassili-n'-Ajjer	84	G3
Tasty	60	M9
Tata, Hungary	52	F2
Tata, Morocco	84	D3
Tatabánya	52	F2
Tatarbunary	52	S4
Tatariya	56	J3
Tatarsk	60	P6
Tatarskiy Proliv	62	P7
Tateyama	66	K6
Tathlina Lake	100	H4
Tatta	74	J5
Tatvan	76	K4
Tauá	116	J5
Tauberbischofsheim	38	E7
Tauern	48	J4
Taumarunui	96	E4
Taungdwingyi	68	B2
Taung-gyi	72	G4
Taungup	72	F5
Taunsa	72	B2
Taunton, UK	42	J10
Taunton, US	106	F2
Taunus	40	L4
Taunusstein	40	L4
Taupo	96	F4
Tauragė	36	M2
Tauranga	96	F3
Tauroa Point	96	D2
Tavda	56	N3
Tavda	56	N3
Tavira	46	C7
Tavoy	68	B4
Tavşanli	76	C4
Taw	42	J11
Tawas City	106	D2
Tawau	70	(1)F2
Tawitawi	70	(1)F1
Taxkorgan	60	P10
Tay	42	J5
Tayga	60	R6
Taylorville	108	D2
Taym	74	C4
Taymā'	82	G2
Taymura	62	F4
Taymylyr	62	L2
Tay Ninh	68	D4
Tayshet	62	F5
Taytay	62	L6
Tayyebād	74	H3
Taza	84	E2
Tazeh Kand	76	M4
Tazenakht	84	D2
Tāzirbū	82	D2
Tazovskiy	60	P4
Tazovskiy Poluostrov	60	N4
Tazungdam	68	B1
T'bilisi	76	L3
Tchamba	86	G3
Tchibanga	86	G5
Tchin Tabaradene	84	G5
Tczew	36	H3
Te Anau	96	A7
Te Araroa	96	G3
Te Aroha	96	E3
Te Awamutu	96	E4
Teberda	76	J2
Tébessa	84	G1
Tebingtinggi	70	(1)B2
Téboursouk	50	D12
Techa	56	M3
Techiman	86	D3
Tecuala	110	D4
Tecuci	52	Q4
Tedzhen	74	H2
Tees	42	L7
Tegal	70	(1)D4
Tegernsee	48	G3
Tegina	86	F2
Tegucigalpa	112	G6
Tegul'det	60	R6
Te Hapua	96	D2
Te Haroto	96	F4
Tehek Lake	100	H8
Teheran = Tehrān	74	F2
Tehrān	74	F2
Teignmouth	42	J11
Tejo = Tagus	46	B5
Te Kaha	96	F3
Tekirda	54	K4
Tekirdağ	76	B3
Teknaf	72	F4
Teku	70	(2)B3
Te Kuiti	96	E4
T'elavi	76	L3
Tel Aviv-Yafo	78	B4
Telegraph Creek	110	(1)L4
Telén	118	H6
Teles Pires	116	F5
Telford	42	K9
Telfs	48	G3
Teller	110	(1)D2
Telsen	118	H7
Telšiai	36	M2
Teltow	38	J4
Teluk Berau	70	(2)D3
Teluk Bone	70	(2)B3
Teluk Cenderawasih	70	(2)E3
Telukdalem	70	(1)B2
Teluk Kumai	70	(1)E3
Teluk Sampit	70	(1)E3
Teluk Sukadana	70	(1)D3
Teluk Tomini	70	(2)B2
Tema	86	D3
Tembenchi	60	T4
Temerin	52	G4
Temerloh	68	C6
Teminabuan	70	(2)D3
Temochic	110	E3
Tempe	110	D2
Témpio Pausária	50	D8
Temple	110	G2
Temryuk	76	G1
Temuco	118	G6
Tenali	72	D5
Tendaho	82	H5
Ten Degree Channel	72	F7
Tendrara	84	E2
Ténéré	84	G5
Ténéré du Tafassasset	84	G4
Tenerife	84	B3
Ténès	84	F1
Tenggarong	70	(1)F3
Tenke	90	D2
Tenkodogo	86	D2
Tennant Creek	94	F3
Tennessee	98	K6
Tennessee	102	J4
Tenojoki	34	P2
Tenteno	70	(2)B3
Tenterfield	94	K5
Teo	46	B2
Teófilo Otoni	116	J7
Tepehuanes	102	E6
Tepic	102	F7
Teplice	36	C7
Ter	46	N2
Terceira	84	(1)B2
Terek	76	L2
Teresina	116	J5
Tergnier	40	F5
Termez	74	J2
Términi Imerese	50	H11
Termirtau	60	N7
Térmoli	52	C8
Ternate	70	(2)C2
Terneuzen	40	F3
Ternitz	48	M3
Ternopil'	56	E5
Ternuka	96	C7
Terracina	50	H7
Terrassa	46	N3
Terre Haute	108	D2
Tersa	104	E1
Tersa	56	H4
Terschelling	40	H1
Teruel	46	J4
Tervel	76	B2
Tervola	34	N3
Teseney	82	G4
Teshekpuk Lake	110	(1)F1
Teshio	66	L1
Teslin	110	(1)L3
Teslin	110	(1)L3
Tessalit	84	F4
Têt	44	H11
Teterow	38	H3
Tétouan	84	D1
Tetovo	52	H8
Teuco	118	J3
Teulada	50	C10
Tevere	50	G6
Teverya	78	C4
Tevriz	56	P3
Te Waewae Bay	96	A8
Texarkana	108	C3
Texas	102	F5
Texel	40	G1
Teya	60	S5
Teykovo	56	H3
Thaba Putsoa	90	D5
Thabazimbi	90	D4
Thailand	68	C4
Thai Nguyên	68	D2
Thal	72	B2
Thale Luang	68	C5
Thamarît	74	F6
Thames	42	L10
Thamüd	74	E6
Thane	72	B5
Thanh Hoa	68	D3
Thanjavur	72	C6
Thar Desert	72	B3
Thargomindah	94	H5
Tharwāniyyah	79	E5
Thasos	54	G4
Thasos	54	G4
Thaton	68	B3
Thaya	36	E9
The Bahamas	108	F4
The Bluff	108	F4
The Dalles	104	B1
Thedford	104	F2
The Fens	40	B2
The Gambia	86	A2
The Granites	94	E4
Thelon	100	L4
The Minch	42	F3
The Naze	40	D3
Thenia	46	P8
Theniet el Had	46	N9
Theodore Roosevelt	116	E5
Theodore Roosevelt Lake	110	D2
The Pas	100	L6
Thermaikos Kolpos	54	E4
Thermopolis	104	E2
The Sisters	96	(1)B1
The Solent	40	A4
Thessalon	106	D1
Thessaloniki	54	E4
Thetford	42	N9
Thetford Mines	106	F1
The Twins	96	D5
The Wash	42	N9
The Weald	40	B3
The Whitsundays	94	J4
Thief River Falls	106	A1
Thiers	44	J8
Thiès	86	A2
Thika	88	F4
Thimphu	72	E3
Þingvallavatn	34	(1)C2
Thionville	40	J5
Thira	54	H8
Thira	54	H8
Thirasia	54	H8
Thiruvananthapuram	72	C7
Thisted	34	E8
Þistilfjöður	34	(1)F1
Thiva	54	F6
Thiviers	44	F8
Þjórsá	34	(1)D2
Tholen	40	G3
Thomasville	108	E3
Thompson	100	H6
Thompson	100	M5
Thompson Falls	104	C1
Thomson	108	E3
Thonon-les-Bains	48	B4
Þórisvatn	34	(1)D2
Þorlákshöfn	34	(1)C3
Þorshöfn	34	(1)F1
Thouars	44	E7
Thrakiko Pelagos	54	H4
Three Forks	104	D1
Three Kings Island	96	C2
Three Rivers	106	C2
Throckmorton	108	B3
Thuin	40	G4
Thun	48	C4
Thunder Bay	106	C1
Thuner See	48	C4
Thung Song	68	B5
Thüringer Wald	38	F6
Thurso	42	J3
Tiâb	79	G3
Tianjin	64	F3
Tianmen	64	E4
Tianqiaoling	66	E2
Tianshui	64	D4
Tianshuihai	74	L2
Tiaret	84	F1
Tibati	86	G3
Tibesti	82	C3
Tibet = Xizang	62	E2
Tibooburra	94	H5
Tiburón	112	B3
Tichît	84	D5
Tichla	84	C4
Ticino	48	D4
Ticul	112	G4
Tidjikdja	84	C5
Tieling	66	B2
Tielongtan	72	C1
Tielt	40	F3
Tienen	40	G4
Tien Shan	60	Q9
Tien Yen	68	D2
Tierra Amarilla	104	E3
Tiétar	46	E4
Tiflis = T'bilisi	80	H1

Name	Page	Grid
Tifton	108	E3
Tifu	70	(2)C3
Tighina	52	S3
Tignère	86	G3
Tigre	116	B4
Tigris	76	K6
Tijuana	102	C5
Tikanlik	60	R9
Tikhoretsk	56	H5
Tikhvin	56	F3
Tikrīt	76	K6
Tiksi	62	M2
Tilburg	40	H3
Tilichiki	62	V4
Tillabéri	86	E2
Tillamook	104	B1
Tilos	54	K8
Timanskiy Kryazh	56	K2
Timaru	96	C7
Timashevsk	56	G5
Timber Creek	94	F3
Timerloh	70	(1)C2
Timimoun	84	F3
Timișoara	52	J4
Timmins	106	D1
Timon	116	J5
Timor	70	(2)C4
Timor Sea	94	E2
Tinaca Point	92	C5
Tindivanam	72	C6
Tindouf	84	D3
Tineo	46	D1
Tinglev	38	E2
Tingo Maria	116	B5
Tingri	72	E3
Tingsryd	36	E1
Tiniroto	96	F4
Tinnsjø	34	E7
Tinogasta	118	H4
Tinos	54	H7
Tinos	54	H7
Tinsukia	72	G3
Ti'o	82	H5
Tipperary	42	D9
Tirana = Tiranë	54	B3
Tiranë	54	B3
Tirari Desert	94	G5
Tiraspol	52	S3
Tire	54	K6
Tiree	42	F5
Tirschenreuth	38	H7
Tirso	50	C9
Tiruchchirāppalli	72	C6
Tirunelveli	72	C7
Tirupati	72	C6
Tiruppur	72	C6
Tiruvannamalai	72	C6
Tisa	72	H4
Tišnov	36	F8
Tisza	36	M9
Tiszaföldvár	52	H3
Tiszafüred	52	H2
Tiszaújváros	36	L10
Tit-Ary	60	Z3
Titel	52	H4
Titova Korenica	48	L6
Titovo Velenje	50	K2
Titu	52	N5
Titusville	108	E4
Tivaouane	84	B6
Tiverton	42	J11
Tivoli	50	G7
Tiyās	78	E2
Tizi Ouzou	84	F1
Tiznit	84	D3
Tjeldøya	34	H2
Tjørkolm	34	D7
Tlemcen	84	E2
Tmassah	82	C2
Toad River	100	F5
Tobago	112	M6
Tobelo	70	(2)C2
Tobermory, UK	42	F5
Tobermory, US	106	D1
Tobi	70	(2)D2
Toblach	48	H4
Toboali	70	(1)D3
Tobol	56	M4
Tobol	56	M4
Tobol'sk	56	N3
Tobseda	56	K1
Tocantins	116	H5
Tocantins	116	H5
Tocee	48	D4
Tocopilla	118	G3
Todi	50	G6
Tofino	104	A1
Togo	86	E3
Toimin	50	H2
Toi-misaki	66	F8
Tōjō	66	G6
Tok	110	(1)J3
Tokar	82	G4
Tokat, Sudan	74	C6
Tokat, Turkey	74	C1
Tokelau	92	J6
Tokmak	60	P9
Tokoroa	96	E4
Toksun	60	R9
Tok-tō	64	J3
Toktogul	60	N9
Tokushima	66	H6
Tokuyama	66	F6
Tōkyō	66	K6
Tolaga Bay	96	G4
Tōlañaro	90	H4
Tolbo	60	S8
Toledo, Brazil	118	L3
Toledo, Spain	46	F5
Toledo, US	106	D2
Toliara	90	G4
Tolitoli	70	(2)B2
Tol'ka	60	Q5
Tol'ka	60	Q5
Tollense	38	J3
Tolmezzo	48	J4
Tolmin	48	J4
Tolna	52	F3
Tolosa	46	H1
Tol'yatti	56	J4
Tolybay	60	L7
Tom'	60	R6
Tomah	106	B2
Tomakomai	66	L2
Tomar	46	B5
Tomari	62	Q7
Tomaszów Lubelski	36	N7
Tomaszów Mazowiecki	36	K6
Tombouctou	84	E5
Tombua	90	A3
Tomé	118	G6
Tomelloso	46	H5
Tomini	70	(2)B2
Tommot	62	M5
Tomo	116	D2
Tompo	62	P4
Tom Price	94	C4
Tomra	72	E2
Tomsk	60	Q6
Tomtor	62	Q4
Tomu	70	(2)D3
Tonalá	112	F5
Tondano	70	(2)B2
Tønder	38	D2
Tonga	88	E2
Tonga	92	J7
Tonga Islands	92	J8
Tongareva	92	K6
Tonga Trench	92	J8
Tongbai	64	E4
Tongchuan	64	D4
Tongduch'ŏn	66	D5
Tongeren	40	H4
Tonghae	66	E5
Tonghua	66	C3
Tongliao	64	G2
Tongling	64	F4
Tongshan	64	F4
Tongshi	68	E1
Tongue	104	E1
Tongyu	64	G2
Tónichi	102	E6
Tonj	88	D2
Tonk	72	C3
Tonkābon	74	F2
Tônlé Sab	68	C2
Tonnay-Charente	44	E8
Tönning	38	D2
Tonopah	104	C3
Tooele	104	D2
Toora-Khem	60	T7
Toowoomba	94	K5
Topeka	102	G4
Topki	60	R6
Topliţa	52	N3
Topock	110	D2
Topol'čany	36	H9
Topolobampo	102	E6
Torbali	54	K6
Torbat-e Heydārīyeh	74	G2
Torbat-e Jām	74	H2
Tordesillas	46	F3
Torells	46	N2
Torgau	38	H5
Torgelow	36	C4
Torhout	40	F3
Torino	48	C5
Tori-shima	66	L8
Torneälven	34	L3
Torneträsk	34	K2
Tornio	34	N4
Toro	46	E3
Toronto	106	E2
Tororo	88	E3
Toros Dağları	76	E5
Torquay	42	J11
Torrance	110	C2
Torreblanca	46	L4
Torre de Moncorvo	46	C3
Torrejón de Ardoz	46	G4
Torrelavega	46	F1
Torremolinos	46	F8
Torrent	46	K5
Torreón	110	F3
Torres Strait	94	H2
Torres Vedras	46	A5
Torrevieja	46	K6
Torrington	104	F2
Tortol	50	D9
Tortona	48	D6
Tortosa	46	L4
Torūd	74	G2
Toruń	36	H4
Tory Island	42	D6
Torzhok	56	G3
Tosa-wan	66	G7
Tostedt	38	E3
Tosya	54	S3
Totaranui	96	D5
Tôtes	40	D5
Tot'ma	56	H3
Totora	116	D7
Tottori	66	H6
Touba, Côte D'Ivoire	86	C3
Touba, Senegal	86	A2
Tougan	86	D2
Touggourt	84	G2
Toul	44	L5
Toulépleu	86	C3
Toulon	44	L10
Toulouse	44	G10
Toummo	84	H4
Toungoo	68	B3
Tourcoing	40	F4
Tournai	40	F4
Tours	44	F4
Touws River	90	C6
Tovuz	76	L3
Towanda	106	E2
Towari	70	(2)B3
Towcester	40	B2
Towner	104	F1
Townsend	104	D1
Townshend Island	94	K4
Townsville	94	J3
Toxkan	60	P9
Toyama	66	K5
Toyohashi	66	J6
Toyooka	66	H6
Toyota	66	J6
Tozeur	84	G2
Trâblous	78	C2
Trabzon	76	H3
Tracy	106	A2
Trail	104	C1
Traiskirchen	48	M2
Trakai	34	N9
Tralee	42	C9
Tralee Bay	42	B9
Tramán Tepuí	116	E2
Tranås	34	H7
Trancoso	46	C4
Trang	68	B5
Trangan	70	(2)D4
Transantarctic Mountains	120	(2)B1
Trapani	50	G11
Trappes	40	E6
Traun	48	K2
Traunreut	48	H3
Traunsee	48	J3
Traversay Islands	114	H9
Traverse City	106	C2
Travnik	52	L4
Trbovlje	48	L4
Trébbia	48	E6
Třebíč	36	E8
Trebinje	52	F7
Trebišov	52	J1
Trebnje	48	L5
Trebon	48	K1
Tregosse Islets	94	K3
Trelew	118	H7
Trelleborg	34	G9
Tremonton	104	D2
Tremp	46	L2
Tremčín	36	H9
Trent	42	M8
Trento	48	G4
Trenton, Canada	106	E2
Trenton, US	106	F2
Trepassey	100	W7
Tres Arroyos	118	J6
Três Corações	116	H8
Tres Esquinas	116	B3
Tres Lagos	118	G8
Trespaderne	46	G2
Treuchtlingen	48	F2
Treviglio	48	E5
Treviso	48	H5
Triangle	90	E4
Tricase	50	N9
Trichur	72	C6
Trier	40	J5
Trieste	48	J5
Triglav	48	J4
Trikala	54	D5
Trikomon	78	A1
Trilj	48	M7
Trincomalee	72	D7
Trinidad	116	E1
Trinidad, Bolivia	116	E6
Trinidad, US	110	F1
Trinidad, Uruguay	118	K5
Trinidad and Tobago	116	E1
Trinity Islands	110	(1)G4
Trino	48	D5
Trion	108	D3
Tripoli, Greece	54	E7
Tripoli = Trâblous, Lebanon	78	C2
Tripoli = Tarābulus, Libya	84	H2
Trischen	38	D2
Tristan da Cunha	80	B9
Trivandrum = Thiruvananthapuram	72	C7
Trjavna	76	A2
Trnava	52	E1
Trogir	52	D6
Troina	50	J11
Troisdorf	38	C6
Trois Rivières	106	F1
Troitsk	56	M4
Troitsko-Pechorsk	56	L2
Trojan	54	G2
Trollhättan	34	G7
Trombetas	116	F4
Tromsø	34	K2
Trona	104	C3
Trondheim	34	F5
Trondheimsfjorden	34	E5
Troodos	76	E6
Trotuș	52	P3
Trout Lake, N.W.T., Canada	100	G4
Trout Lake, Ont., Canada	100	N6
Troy, Al., US	108	D3
Troy, N.Y., US	106	F2
Troyan	52	M7
Troyes	44	K5
Trstenik	52	J6
Trudovoye	66	G2
Trujillo, Peru	116	B5
Trujillo, Spain	46	E5
Truro, Canada	100	U7
Truro, UK	42	G11
Trusovo	60	J4
Truth or Consequences	110	E2
Trutnov	36	E7
Tryavana	54	H2
Trzcianka	36	F4
Trzebnica	36	G6
Tsetserleg	62	G7
Tshabong	90	C5
Tshane	90	C4
Tshikapa	88	C5
Tshuapa	88	C4
Tsiafajavona	90	H3
Tsimlyanskoy Vodokhranilishche	56	H5
Tsiroanomandidy	90	H3
Ts'khinvali	76	K2
Tsuchiura	66	L5
Tsugaru-kaikyō	66	L3
Tsumeb	90	B3
Tsumkwe	90	C3
Tsuruga	66	J6
Tsushima	66	E6
Tsuyama	66	H6
Tua	46	C3
Tual	70	(2)D4
Tuân Giao	68	C2

Name	Page	Ref
Tuapse	76	H1
Tubarão	118	M4
Tübingen	48	E2
Tubize	40	G4
Tubruq	82	D1
Tubuai	92	M8
Tubuai Islands	92	L8
Tucano	116	K6
Tuchola	36	G4
Tucson	110	D2
Tucumcari	110	F1
Tucupita	116	E2
Tucuruí	116	H4
Tudela	46	J2
Tuguegarao	68	G3
Tugur	62	P6
Tui	46	B2
Tuktoyaktuk	110	(1)L2
Tula, Mexico	110	G4
Tula, Russia	56	G4
Tulare	104	C3
Tulcea	52	R4
Tulkarm	78	B4
Tullamore	42	E8
Tulle	44	G8
Tulln	48	M2
Tuloma	34	S2
Tulsa	102	G4
Tulsequah	110	(1)L4
Tulun	62	G6
Tulung La	72	F3
Tulu Weiel	88	E2
Tumaco	116	B3
Tumän	74	H2
Tumen	66	E2
Tumereng	116	E2
Tumkur	72	C6
Tumut	94	J7
Tunca	54	J3
Tunceli	76	H4
Tunduru	90	F2
Tundzha	52	P8
Tungir	62	L5
Tungku	70	(1)F1
Tungsten	110	(1)M3
Tungusk	60	S5
Tunis	84	H1
Tunisia	84	E2
Tunja	116	C2
Tupelo	108	D3
Tupik	62	L6
Tupiza	118	H3
Tupper Lake	106	F2
Tuquan	64	G1
Tura, India	72	F3
Tura, Russia	62	G4
Turan	60	S7
Turangi	96	E4
Turayf	82	G1
Turbat	74	H4
Turbo	116	B2
Turda	52	L3
Turek	36	H5
Turgay	60	L8
Turgay	60	L8
Turgayskaya Stolovaya Strana	60	L7
Türgovishte	52	P6
Turgutlu	54	K6
Turhal	76	G3
Turin = Torino	48	C5
Turinsk	56	M3
Turiy Rog	66	F1
Turka	62	H6
Türkeli Adası	54	K4
Turkestan	60	M9
Turkey	76	D4
Turkmenbashi	74	F1
Turkmenistan	74	G2
Turks and Caicos Islands	112	K4
Turks Islands	112	K4
Turku	34	M6
Turma	62	N6
Turnhout	40	G3
Turnov	36	E7
Turnu Măgurele	52	M6
Turpan	60	R9
Turpan Pendi	60	S9
Turquino	114	D2
Turtas	56	N3
Turtkul'	74	H1
Turtle Island	94	K3
Turu	60	U5
Turugart Pass	60	P9
Turukhan	62	C3
Turukhansk	62	R4
Turukta	62	K4
Tuscaloosa	108	D3
Tuscola	108	D2
Tuticorin	72	C7
Tutonchany	62	E4
Tutrakan	52	P5
Tuttle Creek Reservoir	108	B2
Tuttlingen	48	D3
Tutuila	92	K7
Tuvalu	92	H6
Tuxpan, Mexico	102	E7
Tuxpan, Mexico	102	G7
Tuxtla Gutiérrez	112	F5
Tuyên Quang	68	D2
Tuy Hoa	68	D4
Tuymazy	56	K4
Tuz Gölü	76	E4
Tuz Khurmātū	76	L6
Tuzla	52	F5
Tver'	56	G3
Tweed	42	K6
Twentynine Palms	110	C2
Twilight Cove	94	E6
Twin Buttes Reservoir	110	F2
Twin Falls	104	D2
Twizel	96	C7
Two Harbors	106	B1
Tyachiv	52	L1
Tygda	62	M6
Tyler	102	G5
Tylkhoy	62	U4
Tym	60	Q6
Tynda	62	L5
Tyne	42	K6
Tynemouth	42	L6
Tynset	34	F5
Tyra	60	S7
Tyrifjorden	34	F6
Tyrnavos	54	E5
Tyrrhenian Sea	50	F8
Tyry	62	P4
Tysa	36	N9
Tyukyan	62	K4
Tyumen'	60	M6
Tyung	62	K3
Tyva	62	F6

U

Name	Page	Ref
Uaupés	116	D3
Ubá	116	J8
Ubaitaba	116	K6
Ubangi	88	B3
Ube	66	F7
Úbeda	46	G6
Uberaba	116	H7
Uberlândia	116	H7
Überlingen	48	E3
Ubon Ratchathani	68	C3
Ubrique	46	E8
Ucayali	116	B5
Uchami	60	T5
Ucharal	60	Q8
Uchiura-wan	66	L2
Uchkuduk	60	L9
Uckermark	38	J3
Ucluelet	104	A1
Uda, Russia	62	F5
Uda, Russia	62	N6
Udachnyy	62	J3
Udagamandalam	72	C6
Udaipur	72	B4
Uddevalla	34	F7
Uddjaure	34	J3
Uddjaure Storavan	34	K4
Udine	48	J4
Udmurtiya	56	K3
Udon Thani	68	C3
Udupi	72	B6
Uecker	38	J3
Ueckermünde	38	J3
Ueda	66	K5
Uele	88	C3
Uelen	62	AA3
Uel'kal	62	Y3
Uelzen	38	F4
Ufa	56	L3
Ufa	56	L4
Uganda	88	E3
Ugep	86	F3
Ugine	48	B5
Uglegorsk	62	Q7
Uglich	56	G3
Ugljan	48	L6
Ugol'nyye Kopi	62	X4
Ugulan	62	S4
Uh	52	K1
Uherské Hradiště	36	G8
Uherský Brod	36	G8
Uiju	66	C3
Uil	56	K5
Uil	56	K5
Uinta Mountains	104	D2
Uitenhage	90	D6
Újfehértó	52	J2
Ujiji	88	D4
Ujjain	72	C4
Ukerewe Island	88	E4
Ukhta	60	J5
Ukiah	104	B3
Ukkusissat	100	W2
Ukmergė	36	P2
Ukraine	32	G3
Ulaanbaatar	62	H7
Ulaangom	60	S8
Ulan	64	B3
Ulan Bator = Ulaanbaatar	64	D1
Ulan-Ude	62	H6
Ulchin	66	E5
Uldz	62	J7
Ulety	62	J6
Ulhasnagar	72	B5
Uliastay	60	T8
Ulindi	88	D4
Ullapool	42	G4
Ullŭng do	66	F5
Ulm	48	F2
Ulog	52	F6
Ulongue	90	E2
Ulsan	66	E6
Ulu	62	M4
Ulubat Gölü	54	L4
Ulugqat	74	K2
Ulukışla	76	F5
Ulungur Hu	60	R8
Ulunkhan	62	J5
Uluru	94	F5
Ulu-Yul	62	D5
Ulva	42	F5
Ulverston	42	J7
Ulya	62	Q5
Ul'yanovsk	56	J4
Ulytau	60	M8
Uman'	56	F5
Umarkot	74	J4
Umba	56	F1
Umeå	34	L5
Umeälven	34	J4
Umfolozi	90	E5
Ummal Arānib	84	H3
Umm al Jamājim	79	A3
Umm Durman	82	F4
Umm Keddada	82	E5
Umm Lajj	82	G3
Umm Qasr	79	B1
Umm Ruwaba	82	F5
Umnak Island	110	(1)E5
Umtata	90	D6
Umuarama	118	L3
Unalakleet	110	(1)E3
Unalaska Island	110	(1)E5
Unayzah	78	C6
Underberg	90	D5
Ungava Bay	100	T5
Ungheni	52	Q2
Ungwana Bay	88	G4
União da Vitória	118	L4
Unije	48	K6
Unimak Island	110	(1)D5
Unim Bāb	79	B1
Unini	116	E4
Union	106	B3
Union City	112	G1
Union Springs	108	D3
United Arab Emirates	74	F5
United Kingdom	42	G5
United States	98	M5
Unna	40	K3
Unraven	110	E1
Unst	42	M1
Unstrut	38	G5
Unzha	56	H3
Upernavik	100	W2
Upernavik Kujalleq	100	V2
Upington	90	C5
Upolu	92	J7
Upper Hutt	96	E5
Upper Klamath Lake	104	B2
Upper Lake	104	C2
Upper Lough Erne	42	E7
Upper Sandusky	106	D2
Uppsala	34	J7
Uqlat al 'Udhaybah	79	B2
Urad Houqi	64	D2
Urakawa	66	M2
Ural	56	K5
Ural Mountains = Ural'skiy Khrebet	32	L1
Ural'sk	56	K4
Ural'skiy Khrebet	32	L1
Urambo	88	E5
Uranium City	100	K5
Uraricoera	116	E3
Uray	56	M2
Urbana, Ill., US	106	C2
Urbana, Oh., US	106	D2
Urbania	48	H7
Urbino	48	H7
Urdzhar	60	Q8
Uren'	56	J3
Urengoy	60	P4
Urgench	74	H1
Urho	60	R8
Uritskiy	56	N4
Urla	54	J6
Urlaţi	52	P5
Uroševac	52	J7
Uro-teppa	74	J2
Urt	64	C2
Uruaçu	116	H6
Uruapan	112	D5
Urucurituba	116	F4
Uruguaiana	118	K4
Uruguay	118	K5
Uruguay	118	K5
Ürümqi	60	R9
Urus Martan	76	L2
Uryupino	62	L6
Uryupinsk	56	H4
Urzhum	56	K3
Urziceni	52	P5
Usa	60	L4
Uşak	76	C4
Usedom	38	J3
Useless Loop	94	B5
Usfān	74	C5
Ushtobe	60	P8
Usingen	38	D6
Usk	42	J10
Usman'	56	G4
Usol'ye Sibirskoye	62	G6
Ussel	44	H8
Ussuri	62	G1
Ussuriysk	62	J2
Usta	56	J3
Ust'-Alekseyevo	56	J2
Ust'-Barguzin	62	H6
Ust' Chaun	62	W3
Ústí	62	F8
Ústica	50	H10
Ust'-Ilimsk	62	G5
Ústí nad Labem	36	D7
Ust'-Ishim	60	N6
Ustka	36	F3
Ust'-Kamchatsk	62	U5
Ust'-Kamenogorsk	60	Q8
Ust'-Kamo	62	T5
Ust'-Karenga	62	K6
Ust'-Khayryuzovo	62	T5
Ust'-Kulom	56	K2
Ust'-Kut	62	G5
Ust'-Kuyga	62	P3
Ust'-Labinsk	76	H1
Ust'-Maya	62	N4
Ust'-Mukduyka	60	R4
Ust'-Muya	62	K5
Ust' Nem	56	K2
Ust'-Nera	62	Q4
Ust'-Nyukzha	62	L5
Ust'-Olenek	62	K2
Ust'-Omchug	62	R4
Ust' Ozernoye	62	D5
Ust' Penzhino	62	V4
Ust'-Pit	62	E5
Ustrem	52	N2
Ust'-Sopochnoye	62	T5
Ust' Tapsuy	56	M2
Ust'-Tarka	60	P6
Ust'-Tatta	62	N4
Ust'-Tsil'ma	60	J4
Ust' Un'ya	56	L2
Ust'-Urkima	62	L5
Ust' Usa	56	L1
Ust'-Uyskoye	56	L7
Usu	60	Q9
Usuki	66	F7
Utah	102	D4
Utah Lake	104	D2
Utata	62	G6
Utena	34	N9
Uthai	74	J4
Utica	106	E2
Utiel	46	J5
Utrecht	40	H2
Utsjoki	34	P2
Utsunomiya	66	K5

Name	Page	Grid
Uttaradit	68	C3
Utva	56	K4
Uummannaq Fjord	100	V2
Uummannarsuaq	100	Y5
Uusikaupunki	34	L6
Uvalde	112	E3
Uvargin	62	X3
Uvat	56	N3
Uvinza	88	E5
Uvira	88	D4
Uvs Nuur	60	S7
Uwajima	66	G7
Uy	56	M4
Uyar	60	S6
Uyuk	60	N9
Uyuni	118	H3
Uzbekistan	60	L9
Uzhhorod	52	K1
Užice	52	G6
Uzunköprü	52	P8

V

Name	Page	Grid
Vaal	90	D5
Vaasa	34	L5
Vác	52	G2
Vacaria	118	M4
Vachi	74	E1
Vadodara	72	B4
Vado Ligure	48	D6
Vadsø	34	Q1
Vaduz	48	E3
Værøy	34	G3
Vaganski Vhr	48	L6
Vagay	56	N3
Váh	36	H8
Vakh	56	Q2
Valbonnais	48	A6
Valcheta	118	H7
Valdagno	48	G5
Valday	56	F3
Val-de-Meuse	48	A2
Valdemoro	46	G4
Valdepeñas	46	G6
Valdez	100	B4
Valdivia	118	G6
Val-d'Or	106	E1
Valdosta	102	K5
Valdres	34	E6
Valea lui Mihai	52	K2
Valence	44	K9
Valencia, Spain	46	K5
Valencia, Venezuela	116	D1
Valencia de Alcántara	46	C5
Valenciennes	40	F4
Vălenii de Munte	52	P4
Valentia Island	42	B10
Valentine	104	F2
Valenza	48	D5
Valera	116	C2
Valga	56	E3
Val Horn	102	F5
Valjevo	52	G5
Valka	34	N8
Val'karay	62	X3
Valkeakoski	34	N6
Valkenswaard	40	H3
Valladolid, Mexico	112	G4
Valladolid, Spain	46	F3
Valleduppar	116	C1
Vallée de Azaouagh	84	F5
Vallée du Tilemsi	84	F5
Vallée-Jonction	106	F1
Vallejo	104	B3
Vallentuna	34	K7
Valletta	50	J13
Valley City	104	G1
Valley Falls	104	B2
Valley of the Kings	82	F2
Valli di Comacchio	48	H6
Vallorbe	48	B4
Valls	46	M3
Valmiera	34	N8
Valognes	40	A5
Val-Paradis	106	E1
Valparai	72	C6
Valparaíso, Chile	118	G5
Valparaíso, Mexico	110	F4
Valsad	72	B4
Val'tevo	56	H2
Valuyki	56	G4
Valverde del Camino	46	D7
Vammala	34	M6
Van	76	K4
Vanadzor	76	L3
Vanavara	62	G4
Van Buren	106	G1
Vancouver, Canada	104	B1
Vancouver, US	104	B1

Name	Page	Grid
Vancouver Island	100	F7
Vandalia	108	D2
Vanderbijlpark	90	D5
Vanderhoof	100	G6
Van Diemen Gulf	34	F2
Vänern	34	G7
Vangaindrano	90	H4
Van Horn	76	K4
Van Horn	110	F2
Vanimo	70	(2)F3
Vanino	62	Q7
Vankarem	62	Y3
Vanna	34	K1
Vännäs	34	K5
Vannes	44	C6
Vanrhynsdorp	90	B6
Vantaa	34	N6
Vanua Levu	92	H7
Vanuatu	92	G7
Van Wert	106	D2
Vanzevat	56	N2
Vanzhil'kynak	62	C4
Varämin	74	F2
Varanasi	72	D3
Varangerfjorden	34	R2
Varaždin	52	D3
Varazze	48	D6
Varberg	34	G8
Vardar	54	E3
Varde	34	E9
Vardenis	76	L3
Vardø	34	R1
Varel	38	D3
Varéna	36	P3
Varese	48	D5
Vârful Moldoveanu	52	M4
Vârfurile	52	K3
Varginha	118	M3
Varkaus	34	P5
Varna	76	B2
Värnamo	34	H8
Varnsdorf	38	K6
Várpalota	52	F2
Varto	76	J4
Varzi	48	E6
Varzy	44	J6
Vásárosnamény	52	K1
Vasilikos	78	A2
Vaslui	52	Q3
Västerås	34	J7
Västervik	34	J8
Vasto	50	J6
Vasvár	48	M3
Vatan	44	G6
Vathia	54	E8
Vatican City	50	F7
Vatnajökull	34	(1)E2
Vatomandry	90	H3
Vatra Dornei	52	N2
Vättern	34	H7
Vaughn	110	E2
Vawkavysk	36	P4
Växjö	34	H8
Vayuniya	72	D7
Vazhgort	56	J2
Vecht	40	J2
Vechta	40	L2
Vecsés	52	G2
Vedaranniyam	72	C6
Vedea	52	N6
Veendam	40	J1
Veenendaal	40	H2
Vega	34	F4
Vegreville	100	J6
Vejen	38	E1
Vejer de la Frontera	46	E8
Vejle	34	E9
Vel'	60	G5
Vela Luka	52	D7
Velenje	48	L4
Velika	54	D3
Vélez-Málaga	46	F8
Velika Gorica	48	M5
Velika Plana	52	J5
Velikaya	62	W4
Velikiye Luki	56	F3
Velikiy Ustyug	56	J2
Veliko Tŭrnovo	52	N6
Vélingara	86	B2
Velingrad	52	L7
Velita Kladuša	48	L5
Velké Meziříčí	36	F8
Velký Krtíš	36	J9
Velletri	50	G7
Vellinge	36	C2
Vellore	72	C6
Velopoula	54	F8

Name	Page	Grid
Vel'sk	56	H2
Velten	38	J4
Velva	104	F1
Venaria	48	C5
Vence	48	C7
Venda Nova	46	C3
Vendôme	44	G6
Venev	56	G4
Venézia	48	H5
Venezuela	116	D2
Vengurla	72	B5
Veniaminof Volcano	110	(1)F4
Venice = Venézia	48	H5
Venice	108	D4
Venlo	40	J3
Venray	40	H3
Venta	56	D3
Ventimiglia	48	C7
Ventotene	50	H8
Ventspils	34	L8
Vera, Argentina	118	J4
Vera, Spain	46	J7
Veracruz	112	E5
Veraval	72	B4
Verbania	48	D5
Vercelli	48	D5
Verdalsøra	34	F5
Verde	116	G8
Verden	38	E4
Verdun	40	H5
Vereeniging	90	D5
Vereshchagino	62	D4
Verín	46	C3
Verkhneimbatsk	62	D4
Verkhnetulomskoe Vodokhranilishche	34	R2
Verkhneural'sk	56	L4
Verkhniy Baskunchak	56	J5
Verkhnyaya Amga	62	M5
Verkhnyaya Toyma	56	J2
Verkhnyaya Tura	56	L3
Verkhovyna	52	M1
Verkhoyansk	62	N3
Verkhoyanskiy Khrebet	62	M3
Vermillion	104	G2
Vermont	102	M3
Vernal	104	E2
Verneuil	40	C6
Vernon, France	40	D5
Vernon, US	108	B3
Vero Beach	108	E4
Veroia	54	E4
Verona	48	F5
Versailles	40	E6
Verviers	40	H2
Veselí	48	N2
Vesijärvi	34	N6
Vesoul	38	B9
Vesterålen	34	G2
Vestfjorden	34	G2
Vestmannaeyjar	34	(1)C3
Vestvågøy	34	G2
Vesuvio	50	J8
Veszprém	52	E2
Vet	90	D5
Vetlanda	56	J3
Vetluga	56	J3
Veurne	40	E3
Vevey	48	B4
Vezirköprü	76	F3
Viana do Castelo	46	B3
Vianden	40	J5
Viangchan	68	C3
Viaréggio	48	F7
Viaréggio	50	E4
Viborg	34	E8
Vibraye	44	F5
Vic	46	N3
Vicenza	48	G5
Vichuga	56	H3
Vichy	44	J7
Vicksburg	108	C3
Victor Harbor	94	G7
Victoria	58	J10
Victoria	94	H7
Victoria, Argentina	118	J4
Victoria, Canada	104	B1
Victoria, Chile	118	G6
Victoria, Malta	50	J12
Victoria, Romania	52	M4
Victoria, Seychelles	90	(2)C1
Victoria, US	108	B4
Victoria de las Tunas	112	J4
Victoria Falls	90	D3
Victoria Island	100	J2
Victoria Land	120	(2)W2
Victoria Strait	100	M3
Victoriaville	106	F1

Name	Page	Grid
Victoria West	90	C6
Vidalia	102	K5
Vidamlja	36	N5
Videle	52	N5
Vidin	52	K6
Viedma	118	J7
Vienna = Wien	48	M2
Vienna	106	C3
Vienne	44	F7
Vienne	44	K8
Vientiane = Viangchan	68	C3
Vierzon	44	H6
Vieste	50	L7
Vietnam	68	D3
Viêt Tri	68	D2
Vigan	68	G3
Vigévano	48	D5
Vigia	116	H4
Vigo	46	B2
Viho Valentia	50	L10
Vijaywada	72	D5
Vik	34	(1)D3
Vikna	34	E4
Vila de Conde	46	B3
Vilafranca del Penedäs	46	M3
Vila Franca de Xira	46	A6
Vila Nova de Gaia	46	B3
Vilanova y la Geltrú	46	M3
Vila Real	46	C3
Vila-real	46	K5
Vilhelmina	34	J4
Vilhena	116	E6
Vilija	34	N9
Viljandi	34	N7
Vilkaviškis	36	N3
Villa Ahumada	112	C2
Villablino	46	D2
Villacarrillo	46	G6
Villach	48	J4
Villacidro	50	C9
Villa Constitución	102	D7
Villa de Cos	112	D4
Villafranca	48	F5
Villafranca de los Barros	46	D6
Villagarcia	46	B2
Villagrán	110	G4
Villahermosa	112	F5
Villa Huidobro	118	J5
Villalba	46	C1
Villaldama	110	F3
Villalpando	46	E3
Villamartín	46	E8
Villa Montes	118	J3
Villanueva	110	F4
Villanueva de Cordoba	46	F6
Villa Ocampo	110	E3
Villaputzu	50	D9
Villarrobledo	46	H5
Villa San Giovanni	50	K10
Villavelayo	46	H2
Villavicencio	116	C3
Villaviciosa	46	E1
Villedieu-les-Poêles	40	A6
Villefranche-de-Rouergue	44	H9
Villefranche-sur-Saône	44	K8
Villena	46	K6
Villeneuve-sur-Lot	44	F9
Villers-Bocage	40	B5
Villers-Cotterêts	40	H5
Villerupt	40	H5
Villeurbanne	44	K8
Villingen	48	D2
Vilnius	34	N9
Vilsbiburg	48	H2
Vilshofen	48	J2
Vilvoorde	40	G4
Viluyu	62	L4
Vilyuysk	62	L4
Vilyuyskoye Vodokhranilishche	62	J4
Vimoutiers	40	C6
Vimperk	48	J1
Viña del Mar	118	G5
Vinaròs	46	L4
Vincennes	108	D2
Vineland	106	F3
Vinh	68	D3
Vinkovci	52	F4
Vinnytsya	56	E5
Vinson Massif	120	(2)JJ2
Vinstri	34	E6
Viöl	56	N3
Vioolsdrift	90	B5
Vipava	48	J5
Vipiteno	48	G4
Vir	48	L6
Virac	68	G4
Viranşehir	76	H5

Index

Virawah	72	B4	Volta Redonda	116	J8	Waipukurau	96	F5	Waterville	106	G2

Virawah . . . 72 B4
Virden . . . 104 F1
Vire . . . 40 B6
Virginia . . . 102 L4
Virginia . . . 106 B1
Virginia Beach . . . 106 E3
Virgin Islands, *UK* . . . 114 E2
Virgin Islands, *US* . . . 114 E2
Virihaure . . . 34 J3
Viröchey . . . 68 D4
Virovitica . . . 52 E4
Virton . . . 40 H5
Virtsu . . . 34 M7
Virudunagar . . . 72 C7
Vis . . . 52 D6
Visalia . . . 104 C3
Visby . . . 34 K8
Viscount Melville Sound . . . 100 J2
Viseu, *Brazil* . . . 116 H4
Viseu, *Portugal* . . . 46 C4
Vişeu de Sus . . . 52 M2
Vishakhapatnam . . . 72 D5
Vishera . . . 60 K5
Vishnevka . . . 60 N7
Visoko . . . 52 F6
Visp . . . 48 C4
Visselhövede . . . 38 E4
Vistula = Wisła . . . 32 F2
Viterbo . . . 50 G6
Viti Levu . . . 92 H7
Vitim . . . 62 J5
Vitolište . . . 54 D3
Vitória . . . 118 N3
Vitória da Conquista . . . 116 J6
Vitoria-Gasteiz . . . 46 H2
Vitré . . . 44 D5
Vitry-le-François . . . 40 G6
Vitsyebsk . . . 56 F3
Vitteaux . . . 44 K6
Vittel . . . 48 A2
Vittória . . . 50 J12
Vittório Véneto . . . 48 H5
Viveiro . . . 46 C1
Vivi . . . 60 T4
Vize . . . 54 K3
Vizhas . . . 56 J1
Vizianagaram . . . 72 D5
Vizinga . . . 60 H5
Vizzini . . . 50 J11
Vjosë . . . 54 C4
Vladikavkaz . . . 76 L2
Vladimir . . . 56 H3
Vladivostok . . . 66 H2
Vlasotince . . . 52 K7
Vlasovo . . . 62 N2
Vlieland . . . 40 H4
Vlissingen . . . 40 F3
Vlorë . . . 54 B4
Vltava . . . 36 D8
Vöcklabruck . . . 48 J2
Vodice . . . 48 L7
Vodnjan . . . 48 J6
Vogelsberg . . . 38 E6
Voghera . . . 48 D6
Vohipeno . . . 90 H4
Vöhringen . . . 48 F2
Voi . . . 88 F4
Voinjama . . . 86 C3
Voiron . . . 44 L8
Voitsberg . . . 48 L3
Vojens . . . 38 E1
Vojmsjön . . . 34 J4
Vojvodina . . . 52 G4
Volary . . . 38 J8
Volcán Antofalla . . . 118 H4
Volcán Barú . . . 112 H7
Volcán Cayambe . . . 116 B3
Volcán Citlaltépetl . . . 98 L7
Volcán Corcovado . . . 118 G7
Volcán Cotopaxi . . . 116 B4
Volcán Domuyo . . . 118 G6
Volcán Lanín . . . 118 G6
Volcán Llullaillaco . . . 118 H3
Volcán San Pedro . . . 118 H3
Volcán Tajumulco . . . 112 F5
Volga . . . 56 J5
Volgodonsk . . . 56 H5
Volgograd . . . 56 H5
Völkermarkt . . . 48 K4
Volkhov . . . 56 F3
Völklingen . . . 40 J5
Volksrust . . . 90 D5
Volochanka . . . 60 S3
Vologda . . . 56 N4
Volonga . . . 56 H3
Volos . . . 54 E5
Volosovo . . . 34 Q7

Volta Redonda . . . 116 J8
Volterra . . . 48 F7
Volti . . . 48 D6
Volzhskiy . . . 56 H5
Voorne . . . 40 F3
Voranava . . . 34 N9
Vorderrhein . . . 48 E4
Vordingborg . . . 38 G1
Voreios Evvoïkos Kolpos . . . 54 E6
Voreria Pindos . . . 54 C4
Vorkuta . . . 56 M1
Vormsi . . . 34 M7
Vorona . . . 56 H4
Voronezh . . . 56 G4
Vorstershoop . . . 90 C5
Võru . . . 34 P8
Vosges . . . 48 C2
Voss . . . 34 D6
Vostochno-Sibirskoye More . . . 62 U2
Vostochnyy Sayan . . . 60 T7
Vostok Island . . . 92 L6
Votkinsk . . . 60 J6
Vozhgora . . . 56 J2
Vranje . . . 52 J7
Vranov . . . 36 L9
Vranov nad Toplau. . . . 52 J1
Vratsa . . . 52 L6
Vrbas . . . 52 E5
Vrbas . . . 52 G4
Vrbovsko . . . 48 L5
Vredenburg . . . 90 B6
Vršac . . . 52 J4
Vryburg . . . 90 C5
Vryheid . . . 90 E5
Vsetín . . . 36 G8
Vučitrn . . . 52 J7
Vukovar . . . 52 G4
Vuktyl' . . . 56 L2
Vulcăneşti . . . 52 R4
Vulcano . . . 50 J10
Vung Tau . . . 68 D4
Vuollerim . . . 34 L3
Vuotso . . . 34 P2
Vyatka . . . 56 K3
Vyazemskiy . . . 62 N7
Vyaz'ma . . . 56 F3
Vyborg . . . 34 Q6
Vychegda . . . 56 K2
Vyksa . . . 56 H3
Vylkove . . . 52 S4
Vynohradiv . . . 36 N9
Vyshniy Volochek . . . 56 F3
Vyškov . . . 36 G8
Vytegra . . . 56 G2

W

Wa . . . 86 D3
Waal . . . 40 H3
Waalwijk . . . 40 H3
Wabē Shebelē Wenz . . . 88 G2
Waco . . . 108 B3
Wad Banda . . . 82 E5
Waddān . . . 82 C2
Waddeneilanden . . . 40 G1
Waddenzee . . . 40 H1
Wadena . . . 106 A1
Wādī al Fārigh . . . 82 C1
Wādī al Hamīm . . . 82 D1
Wadi Halfa . . . 82 F3
Wādī Mūsā . . . 78 C6
Wad Medani . . . 82 F5
Wadsworth . . . 110 C1
Wafangdian . . . 64 G3
Wafangdian . . . 66 A4
Wagga Wagga . . . 94 J7
Wahai . . . 70 (2)C3
Wahiawa . . . 110 (2)C2
Wahpeton . . . 104 G1
Waiau . . . 96 D6
Waiblingen . . . 48 E2
Waidhofen . . . 48 K3
Waidhofen an der Ybbs . . . 48 K3
Waigeo . . . 70 (2)D3
Waiheke Island . . . 96 E3
Waihi . . . 96 E3
Waikabubak . . . 70 (2)A4
Waikaia . . . 96 B7
Waikaremoana . . . 96 F4
Waikato . . . 96 E4
Waikawa . . . 96 B8
Wailuku . . . 110 (2)E3
Waimate . . . 96 C7
Waingapu . . . 94 B1
Wainwright . . . 110 (1)F1
Waiouru . . . 96 E4
Waipara . . . 96 D6
Waipawa . . . 96 F4
Waipiro . . . 96 G4

Waipukurau . . . 96 F5
Wairoa . . . 96 F4
Waitakaruru . . . 96 E3
Waitaki . . . 96 C7
Waitangi . . . 96 (1)B1
Waitara . . . 96 E4
Waiuku . . . 96 E3
Wajima . . . 66 J5
Wajir . . . 88 G3
Wakasa-wan . . . 66 H6
Wakayama . . . 66 H6
Wakeeney . . . 110 G1
Wakefield . . . 42 L8
Wake Island . . . 92 G4
Wakkanai . . . 66 L1
Waku-Kungo . . . 90 B2
Wałbrzych . . . 36 F7
Walcheren . . . 40 F3
Wałcz . . . 36 F4
Waldmünchen . . . 38 H7
Waldshut-Tiengen . . . 48 D3
Walen See . . . 48 E3
Wales . . . 42 J9
Wales Island . . . 100 P3
Walgett . . . 94 J6
Walker Lake . . . 110 C1
Walkerville . . . 94 J7
Wall . . . 104 F2
Wallaceburg . . . 106 D2
Walla Walla . . . 104 C1
Wallis et Futuna . . . 92 J7
Walpole . . . 94 C6
Walsall . . . 42 L9
Walsenburg . . . 104 F3
Walsrode . . . 38 E4
Waltershausen . . . 38 F6
Walvis Bay . . . 90 A4
Wamba . . . 88 D3
Wana . . . 74 J3
Wanaaring . . . 94 H5
Wanaka . . . 96 B7
Wandel Sea . . . 98 A1
Wandingzhen . . . 68 B2
Wanganui . . . 96 E4
Wanganui . . . 96 E4
Wangen . . . 48 E3
Wangerooge . . . 38 D3
Wangiwangi . . . 70 (2)B4
Wan Hsa-la . . . 68 B2
Wanxian . . . 64 D4
Wanyuan . . . 64 D4
Warangal . . . 72 C5
Warburg . . . 38 D5
Ward . . . 96 E5
Wardha . . . 72 C4
Waregem . . . 40 F4
Waremme . . . 40 H4
Waren . . . 38 H3
Warendorf . . . 40 K3
Warka . . . 36 L6
Warla . . . 36 H6
Warmandi . . . 70 (2)D3
Warminster . . . 42 K10
Warm Springs . . . 104 C3
Warren, *Mich., US* . . . 106 D2
Warren, *Oh., US* . . . 106 D2
Warren, *Pa., US* . . . 106 E2
Warrensburg . . . 106 B3
Warrenton . . . 90 C5
Warri . . . 86 F3
Warrington, *UK* . . . 42 K8
Warrington, *US* . . . 108 D3
Warrnambool . . . 94 H7
Warroad . . . 106 A1
Warsaw = Warszawa . . . 36 K5
Warstein . . . 38 D5
Warszawa . . . 36 K5
Warta . . . 36 F5
Warwick . . . 42 L9
Wasatch Range . . . 110 D1
Wasco . . . 110 C1
Washap . . . 74 H4
Washburn Lake . . . 100 K2
Washington . . . 106 B1
Washington, *N.C., US* . . . 106 E3
Washington, *Pa., US* . . . 106 D2
Washington, *Ut., US* . . . 104 D3
Washington D.C. . . . 98 J6
Wassenaar . . . 40 G2
Wasserburg . . . 48 H2
Watampone . . . 70 (2)B3
Waterbury . . . 106 F2
Waterford . . . 42 E9
Waterloo . . . 106 B2
Watersmeet . . . 106 C1
Watertown, *N.Y., US* . . . 106 E2
Watertown, *S.D., US* . . . 104 G1
Watertown, *Wis., US* . . . 106 C2

Waterville . . . 106 G2
Watford . . . 40 B3
Watford City . . . 104 F1
Watmuri . . . 70 (2)D4
Watrous . . . 100 K6
Watsa . . . 88 D3
Watseka . . . 108 D1
Watson Lake . . . 110 (1)M3
Wau . . . 88 D2
Waubay Lake . . . 104 G1
Waukegan . . . 106 C2
Waukesha . . . 106 C2
Waurika . . . 108 B3
Wausau . . . 102 J3
Waverly . . . 106 C3
Wavre . . . 40 G4
Wawa . . . 106 D1
Wāw al Kabīr . . . 82 C2
Waxxari . . . 60 R10
Waycross . . . 108 E3
Waynesboro, *Ga., US* . . . 108 E3
Waynesboro, *Miss., US* . . . 108 D3
Waynesville . . . 106 C3
Weaverville . . . 104 B2
Weber . . . 96 F5
Webi Shaabeelle . . . 88 G3
Webster . . . 104 G1
Weddell Island . . . 118 J9
Weddell Sea . . . 120 (2)A2
Wedel . . . 38 E3
Weed . . . 104 B2
Weert . . . 40 H3
Wei . . . 64 D4
Weichang . . . 64 F2
Weida . . . 38 H6
Weiden . . . 38 H7
Weifang . . . 64 F3
Weihai . . . 64 G3
Weilburg . . . 38 D6
Weilheim . . . 48 G3
Weimar . . . 38 G6
Weinan . . . 64 D4
Weinheim . . . 38 D7
Weining . . . 64 C5
Weipa . . . 94 H2
Weiser . . . 104 C2
Weißenburg . . . 38 F7
Weißenfels . . . 38 G5
Weißwasser . . . 38 K5
Weixi . . . 68 B1
Wejherowo . . . 36 H3
Welkom . . . 90 D5
Welland . . . 40 B2
Wellesley Islands . . . 94 G3
Wellingborough . . . 44 E1
Wellington, *New Zealand* . . . 96 E5
Wellington, *Colo., US* . . . 104 F2
Wellington, *Kans., US* . . . 108 B2
Wells . . . 104 C2
Wellsboro . . . 106 E2
Wellsford . . . 96 E3
Wellton . . . 110 D2
Wels . . . 48 K2
Welwyn Garden City . . . 40 B3
Wenatchee . . . 104 B1
Wenchang . . . 68 E3
Wenga . . . 88 B3
Wenman . . . 116 (1)A1
Wen Xian . . . 64 C4
Wenzhou . . . 64 G5
Werder . . . 38 H4
Werdēr . . . 88 H2
Werl . . . 40 K3
Werneck . . . 38 F7
Wernigerode . . . 38 F5
Werra . . . 38 F6
Wertheim . . . 38 E7
Wesel . . . 34 J3
Wesel Dorsten . . . 38 B5
Weser . . . 38 E4
Wessel Islands . . . 94 G2
West Antarctica . . . 120 (2)GG2
West Bank . . . 78 C4
West Branch . . . 106 D2
West Cape . . . 92 G10
West End . . . 108 F4
Western Australia . . . 94 D5
Western Cape . . . 90 B6
Western Ghats . . . 72 B5
Western Reef . . . 96 (1)B1
Western Sahara . . . 84 C4
Wester Ross . . . 42 G4
Westerschelde . . . 40 F3
Westerstede . . . 40 K1
Westerwald . . . 40 K4
West Falkland . . . 118 J9
West Frankfort . . . 108 D2
West Glacier . . . 104 D1

Name	Page	Grid
West Lunga	90	C2
West Memphis	108	C2
Weston	106	D3
Weston-super-Mare	42	K10
West Palm Beach	108	E4
West Plains	106	B3
Westport, *New Zealand*	96	C5
Westport, *Republic of Ireland*	42	C8
Westray	42	J2
West Siberian Plain = Zapadno-Sibirskaya Ravnina	58	L3
West Virginia	106	D3
West Wendover	104	D2
West Yellowstone	104	D2
Wetar	70	(2)C4
Wetaskiwin	100	J6
Wete	88	F5
Wetumpka	108	D3
Wetzlar	38	D6
Wewak	70	(2)F3
Wexford	42	F9
Wexford Harbour	42	F9
Weyburn	102	F2
Weymouth	42	K11
Whakatane	96	F3
Whale Cove	100	N4
Whalsay	42	M1
Whangarei	96	E2
Wharfe	42	L7
Wheeler Peak	110	E1
Wheeler Ridge	110	C2
Wheeling	108	E1
Whitby	42	M7
White, *Nev., US*	104	C3
White, *S.D., US*	100	L8
White Bay	100	V6
White Cliffs	94	H6
Whitecourt	100	H6
Whitefish Point	106	C1
Whitehaven	42	J7
Whitehorse	110	(1)L3
White Island	96	F3
Whitemark	94	J8
White Mountain Peak	104	C3
White Mountains	100	S8
Whitemouth	104	G1
White Nile = Bahr el Abiad	82	F5
White River, *Canada*	106	C1
White River, *US*	104	F2
White Sea = Beloye More	56	G1
White Sulphur Springs	104	D1
Whiteville	108	F3
White Volta	86	D3
Whitney	106	E1
Whyalla	94	G6
Wichita	108	B2
Wichita Falls	108	B3
Wick	42	J3
Wickenburg	110	D2
Wicklow Mountains	42	F8
Widawka	36	J6
Wieluń	36	H6
Wien	48	M2
Wiener Neustadt	48	M3
Wieringermeer Polder	40	G2
Wiesbaden	38	D6
Wiesloch	38	D7
Wiesmoor	38	C3
Wigan	42	K8
Wiggins	104	F2
Wil	48	E3
Wilbur	104	C1
Wilcannia	94	H6
Wildeshausen	38	D3
Wilhelmshaven	38	D3
Wilkes-Barre	106	E2
Wilkes Land	120	(2)U2
Willapa Bay	104	B1
Willemstad	116	D1
Williams, *Australia*	94	C6
Williams, *Ariz., US*	104	D3
Williams, *Calif., US*	104	B3
Williamsburg	106	E3
Williams Lake	100	G6
Williamson	108	E2
Williamsport	106	E2
Willis Group	94	K3
Williston, *Fla., US*	108	E4
Williston, *N.D., US*	104	F1
Williston Lake	100	G5
Willmar	106	A1
Willow	110	(1)H3
Willowmore	90	C6
Willow River	106	B1
Willow Springs	106	B3
Wilmington, *Del., US*	106	E3
Wilmington, *N.C., US*	108	F3
Wilson	106	E3
Wilson Reservoir	108	B2
Wilson's Promontory	94	J7
Wiluna	94	D5
Winamac	106	C2
Winchester, *UK*	42	L10
Winchester, *Ky., US*	106	D3
Winchester, *Va., US*	106	E3
Windhoek	90	B4
Windischgarsten	48	K3
Windom	106	A2
Windorah	94	H5
Windsor, *Canada*	106	D2
Windsor, *UK*	40	B3
Windsor, *US*	108	F2
Windward Islands	112	N6
Windward Passage	114	D2
Winfield, *Al., US*	108	D3
Winfield, *Kans., US*	110	G1
Wingate Mountains	94	E2
Winisk	100	P5
Winisk	100	P6
Winisk Lake	100	P6
Winnemucca	104	C2
Winner	104	G2
Winnfield	102	H5
Winnipeg	100	M7
Winona, *Minn., US*	106	B2
Winona, *Miss., US*	108	D3
Winschoten	40	K1
Winsen	38	F3
Winslow	110	D1
Winston-Salem	106	D3
Winterberg	38	D5
Winter Harbour	100	J2
Winterswijk	40	J3
Winterthur	48	D3
Winton, *Australia*	94	H4
Winton, *New Zealand*	96	B8
Wisbech	40	C2
Wisconsin	102	H2
Wisconsin	106	B2
Wisconsin Dells	106	C2
Wisconsin Rapids	106	C2
Wisła	36	H4
Wisła	36	H8
Wisłoka	36	L8
Wismar	38	G3
Wissembourg	38	C7
Witney	40	A3
Witten	40	K3
Wittenberge	38	G3
Wittenoom	94	C4
Wittingen	38	F4
Wittlich	40	J5
Wittmund	38	C3
Wittstock	38	H3
Witzenhausen	38	E5
W. J. van Blommesteinmeer	116	G2
Wkra	36	K5
Władysławowo	36	H3
Włocławek	36	J5
Włodawa	36	N6
Wohlen	36	H7
Wokam	70	(2)D4
Woking	40	B3
Wolf Creek	104	D1
Wolfen	38	H5
Wolfenbüttel	38	F4
Wolf Point	104	E1
Wolfratshausen	48	G3
Wolfsberg	48	K4
Wolfsburg	38	F4
Wolgast	38	J2
Wollaston Lake	100	K5
Wollaston Peninsula	100	H3
Wollongong	94	K6
Wołomin	36	L5
Wolsztyn	36	F5
Wolverhampton	42	K9
Wŏnju	66	D5
Wŏnsan	66	D4
Woodbridge	40	D2
Woodburn	104	B1
Woodland	104	B3
Woodstock, *Canada*	106	G1
Woodstock, *UK*	40	A3
Woodville, *New Zealand*	96	E5
Woodville, *Miss., US*	108	C3
Woodville, *Tex., US*	108	C3
Woodward	104	G3
Woody Head	96	E3
Woonsocket, *R.I., US*	106	F2
Woonsocket, *S.D., US*	104	G2
Worcester, *South Africa*	90	B6
Worcester, *UK*	42	K9
Worcester, *US*	102	M3
Wörgl	48	H3
Workington	42	J7
Worksop	40	A1
Worland	104	E2
Worms	38	D7
Wörth	38	D7
Worthing	42	M11
Worthington	102	G3
Wosu	70	(2)B3
Wotu	70	(2)B3
Wowoni	70	(2)B3
Wrangell	100	E5
Wrangell Mountains	100	C4
Wray	102	F3
Wrexham	42	K8
Wrigley	100	G4
Wrocław	36	G5
Wrocław	36	G5
Września	36	G5
Wu	64	D5
Wubin	94	C6
Wubu	64	E3
Wuchang	64	H2
Wuchuan	64	E2
Wuday'ah	74	E6
Wudu	64	C4
Wuhai	64	D3
Wuhan	64	E4
Wuhu	64	F4
Wüjang	72	C2
Wukari	86	F3
Wuli	72	F2
Wunsiedel	38	G6
Wunstorf	38	E4
Wuppertal	38	C5
Würzburg	38	E7
Wurzen	38	H5
Wushi	60	P9
Wusuli	64	J1
Wutach	48	D3
Wuwei	64	C3
Wuxi	64	G4
Wuxu	68	D2
Wuyuan	64	D2
Wuzhong	64	D3
Wuzhou	68	E2
Wye	42	J2
Wyndham	94	E3
Wynniatt Bay	100	J2
Wyoming	102	E3
Wyszków	36	L5
Wytheville	108	E2

X

Name	Page	Grid
Xaafuun	88	J1
Xábia	46	L6
Xaçmaz	76	N3
Xaidulla	60	P10
Xainza	72	E2
Xai-Xai	90	E4
Xam Nua	68	C2
Xankändi	76	M4
Xanten	40	J3
Xanthi	54	G3
Xapuri	116	D6
Xar Moron	62	K8
Xàtiva	46	K6
Xiahe	64	C3
Xiamen	68	F2
Xi'an	64	D4
Xiangcheng	64	E4
Xiangfan	64	E4
Xianghuang Qi	64	E2
Xiangtan	64	E5
Xianning	64	E5
Xianyang	64	D4
Xiaogan	64	E4
Xiao Hinggan Ling	62	M7
Xiaonanchuan	72	F1
Xichang	68	C1
Xigazê	72	E3
Xi Jiang	64	E6
Xilinhot	64	F2
Xincai	64	E4
Xingcheng	64	G2
Xinghua	64	F4
Xingtai	64	E3
Xingu	116	G5
Xingyi	68	C1
Xinhe	60	Q9
Xining	64	C3
Xinjin	64	G3
Xinmin	66	B2
Xintai	64	F3
Xinxiang	64	E3
Xinyang	64	E4
Xinyu	64	F5
Xinyuan	60	Q9
Xinzhou	64	E3
Xinzo de Limia	46	C2
Xique Xique	116	J6
Xi Ujimqin Qi	64	F2
Xiushu	64	E5
Xiwu	72	G2
Xixia	64	E4
Xi Xiang	64	D4
Xizang	72	C2
Xizang Gaoyuan	72	D2
Xuanhua	64	E2
Xuchang	64	E4
Xuddur	88	G3
Xuwen	68	E2

Y

Name	Page	Grid
Ya'an	64	D3
Yabassi	86	F4
Yabêlo	88	F3
Yablonovyy Khrebet	62	J6
Yabrūd	78	D3
Yabuli	66	E1
Yacuma	116	D6
Yadgir	72	D5
Yagodnyy	56	N3
Yahk	100	H7
Yakima	104	B1
Yako	86	D2
Yakoma	88	C3
Yaksha	56	L2
Yakumo	66	L2
Yaku-shima	66	F8
Yakutat	110	(1)K4
Yakutsk	62	M4
Yala	68	C5
Yalova	54	M4
Yalta	76	F1
Yalu	66	D3
Yalutorovsk	56	N3
Yamagata	66	L4
Yamaguchi	66	F6
Yamarovka	62	J6
Yambio	88	D3
Yambol	52	P7
Yamburg	60	P4
Yamdena	70	(2)D4
Yamoussoukro	86	C3
Yampa	104	E2
Yampil'	52	R1
Yamsk	62	S5
Yan'an	64	D3
Yanbu'al Bahr	74	C5
Yancheng	64	G4
Yandun	64	A2
Yangambi	88	C3
Yangbajain	72	F2
Yangdok	66	D4
Yangi Kand	76	N5
Yangjiang	68	E2
Yangon	68	B3
Yangquan	64	E3
Yangshuo	68	E2
Yangtze = Chang Jiang	64	D4
Yangzhou	64	F4
Yanhuqu	72	D2
Yani-Kurgan	60	M9
Yanji	66	E2
Yankton	104	G2
Yano-Indigirskaya Nizmennost'	62	N2
Yanqi	60	R9
Yanqing	64	F2
Yanshan	68	C2
Yanskiy Zaliv	62	N2
Yantai	64	G3
Yaoundé	86	G4
Yap	92	D5
Yapen	70	(2)E3
Yaqui	102	E6
Yaransk	56	J3
Yardımcı Burnu	54	E8
Yare	40	D2
Yaren	92	G6
Yarensk	56	J2
Yari	116	C3
Yarkant	74	L2
Yarle	56	N3
Yarlung Zangbo	72	F3
Yarmouth	100	T8
Yaroslavl'	56	G3
Yar Sale	56	P1
Yartsevo	56	T5
Yashkul'	56	J5
Yasnyy	56	L4
Yāsūj	79	D1